读客®文化

萧十一郎

古 龙 著

文匯出版社

图书在版编目（CIP）数据

萧十一郎 / 古龙著. -- 上海 ：文汇出版社，
2018.12
（古龙文集）
ISBN 978-7-5496-2585-7

Ⅰ. ①萧… Ⅱ. ①古… Ⅲ. ①侠义小说－中国－当代
Ⅳ. ①I247.5

中国版本图书馆CIP数据核字（2018）第106221号

著作权合同登记号：09-2018-477

萧十一郎

作　　者 / 古　龙

责任编辑 / 张　涛
特邀编辑 / 王心怡　周奥扬
排版设计 / 黄巧玲
封面装帧 / 文　薇

出版发行 / 文匯出版社
上海市威海路 755 号
（邮政编码 200041）
经　　销 / 全国新华书店
印刷装订 / 北京中科印刷有限公司
版　　次 / 2018 年 12 月第 1 版
印　　次 / 2018 年 12 月第 1 次印刷
开　　本 / 890mm × 1270mm　1/32
字　　数 / 312 千字
印　　张 / 12.5

ISBN 978-7-5496-2585-7
定　　价 / 62.00 元

写在《萧十一郎》之前[1]

写剧本和写小说，在基本上的原则是相同的，但在技巧上却不一样，小说可以用文字来表达思想，剧本的表达却只能限于言语、动作和画面，一定会受到很多的限制。

一个具有相当水平的剧本，也应具有相当的“可读性”，所以萧伯纳、易卜生、莎士比亚甚至徐吁……这些名家的剧本，不但是“名剧”，也是“名著”。

但在通常的情况下，都是先有“小说”，然后再有“剧本”，由小说而改编成的电影很多——由《飘》而有《乱世佳人》，是一个最成功的例子，除此之外，还有《简·爱》《呼啸山庄》《基督山伯爵》《傲慢与偏见》《愚人船》，以及《云泥》《铁手无情》《窗外》等。

《萧十一郎》却是一个很特殊的例子，《萧十一郎》是先有剧本，在电影开拍之前，才有小说的，但《萧十一郎》却又明明是由“小说”而改编成的剧本，因为这故事在我心里已酝酿了很久，我要写的本来是“小说”，并不是“剧本”，小说和剧本并不完全相同，但意念却是相同的。

写武侠小说最大的通病就是：废话太多、枝节太多、人物太多、

1　刊载于1970年6月12日香港《武侠春秋》第28期，原名《写在<萧十一郎>之后》。同年7月更名为本篇的标题，并刊载在春秋本《萧十一郎》第一集中。

情节也太多……在这种情况下，将武侠小说改编成电影剧本就变成是一种很吃力不讨好的事，谁都无法将《绝代双骄》改编成“一部”电影，谁也无法将《独臂刀王》写成“一部”很成功的小说。

就因为先有了剧本，所以在写《萧十一郎》这部小说的时候，多多少少总难免要受些影响，所以这本小说我相信不会有太多的枝节、太多的废话，但是否因此会减少了“武侠小说”的趣味呢？我不敢否定，也不敢预测。

我只愿做一个尝试。

我不敢盼望这尝试能成功，但无论如何，“成功”总是因“尝试”而产生的。

目　录

第一章

情人的手

初秋，艳阳天。

阳光透过那层薄薄的窗纸照进来，照在她光滑得如同缎子般的皮肤上，水的温度恰好比阳光暖一点，她懒洋洋地躺在水里，将一双纤秀的脚高高地跷在盆上，让脚心去接受阳光的轻抚——轻得就像是情人的手。

她心里觉得愉快极了。

经过了半个多月的奔驰之后，世上还有什么比洗个热水澡更令人愉快的事呢？她整个人都似已融化在水里，只是半睁着眼睛，欣赏着自己的一双脚。

这双脚爬过山、涉过水，在灼热得有如热锅般的沙漠上走过三天三夜，也曾在严冬中横渡过千里冰封的辽河。

这双脚踢死过三只饿狼、一只山猫，踩死过无数条毒蛇，还曾经将盘踞祁连山多年的大盗“满天云”一脚踢下万丈绝崖。

但现在这双脚看来仍是那么纤巧、那么秀气，连一个疤都找不出来，就算是足迹从未出过闺房的千金小姐，也未必会有这么完美的一双脚。

她心里觉得满意极了。

炉子上还在烧着水，她又加了些热水在盆里；水虽然已够热了，但她还要再热些，她喜欢这种“热”的刺激。

她喜欢各式各样的刺激。

她喜欢骑最快的马，爬最高的山，吃最辣的菜，喝最烈的酒，玩最利的刀，杀最狠的人！

别人常说：“刺激最容易令人衰老。”但这句话在她身上并没有见效，她的胸还是挺得很，腰还是细得很，小腹还是很平坦，一双修长的腿还是很坚实，全身上下的皮肤都没有丝毫皱纹。

她的眼睛还是很明亮，笑起来还是很令人心动，见到她的人，谁也不相信她已是三十三岁的女人。

这三十三年来，风四娘的确从没有亏待过自己，她懂得在什么样的场合中穿什么样的衣服，懂得对什么样的人说什么样的话，懂得吃什么样的菜时喝什么样的酒，也懂得用什么样的招式杀什么样的人！

她懂得生活，也懂得享受。

像她这样的人，世上并不多，有人羡慕她，有人妒忌她，她自己对自己也几乎完全满意了——只除了一样事。

那就是寂寞。

无论什么样的刺激也填不满这份寂寞。

现在，连最后一丝疲劳也消失在水里了，她这才用一块雪白的丝巾，洗擦自己的身子。

柔滑的丝巾摩擦到皮肤时，总会令人感觉到一种说不出的愉快，但她却不知多么希望这是一只男人的手。

她所喜欢的男人的手！

无论多么柔软的丝巾，也比不上一只情人的手，世上永远没有任何一样事物能代替情人的手！

她痴痴地望着自己光滑、晶莹、几乎毫无瑕疵的胴体，心里忽然升起了一阵说不出的忧郁……

突然，窗子、门、木板墙壁，同时被撞破了七八个洞，每个洞里都有个脑袋伸了进来，每张脸上都有双贪婪的眼睛。

有人在咯咯地怪笑着，有人已看得眼睛发直，连笑都笑不出了；大多数男人在看到赤裸裸的美女时，都会变得像条狗——饿狗！

窗子上的那个洞位置最好，距离最近，看得最清楚，这人满脸横肉，头上还长着个大肉瘤，看来就像是有两个头叠在一起似的，那模样实在令人作呕。

其余的人也并不比这人好看多少，就算是个男人在洗澡时，骤然见到这许多人闯进来，只怕也要被吓得半死。

但风四娘却连脸色都没有变，还是舒舒服服地半躺半坐在盆里，用那块丝巾轻轻地洗着自己的手。

她甚至连眼皮都没有抬起来，只是凝注着自己春葱般的手指，慢慢地将这只手洗干净了，才淡淡地笑了笑，道："各位难道从来没有看过女人洗澡吗？"

七八个人同时大笑了起来，一个满脸青春痘的小伙子眼睛瞪得最大，笑得最起劲，抢着大声笑道："我不但看过女人洗澡，替女人洗澡更是我的拿手本事，你要不要我替你擦擦背？包你满意。"

风四娘也笑了，媚笑着道："我背上正痒得很呢！你既然愿意，就快进来吧！"

小伙子的眼睛已眯成了一条线，大笑着"砰"地闯开了窗子，就想跳进来，但身子刚跳起，已被那长着肉瘤的大汉一把拉住；小伙子脸上的笑容立刻僵住了，铁青着脸，瞪着那大汉道："解老二，你已经有好几个老婆了，何必再跟我抢这趟生意？"

解老二没等他话说完，反手一巴掌，将他整个人都掴着飞了出去。

风四娘嫣然道：“你擦背若也像打人这么重，我可受不了。”

解老二瞪着她，目光忽然变得又阴又毒，就像是一条蛇，他的声音却比响尾蛇还难听，一字字道：“你知道这是什么地方？”

风四娘道：“我若不知道，怎么会来的？”

她又笑了笑，才接着道：“这里是乱石山，又叫作强盗山，因为住在山上的人都是强盗，就连这小客栈的老板看来虽很老实，其实也是强盗。”

解老二厉声道：“你既然知道这是什么地方，居然还敢来？”

风四娘道：“我又不是来惹你们的，只不过想来洗个澡而已，有什么关系呢？”

解老二狞笑道：“你什么地方不好洗，偏偏要到这里来洗？”

风四娘眼波流动，柔声道：“也许我就喜欢强盗看我洗澡呢，这岂非很刺激？”

解老二突然又反手一掌，拍在窗台上，成块的木头竟被他一掌拍得粉碎，显见铁砂掌的功夫已练得很不差了。

风四娘却似乎根本没瞧见，只是轻轻叹了口气，喃喃道：“幸好我没叫这人来替我擦背，粗手粗脚的……”

解老二怒喝道：“光棍眼里不揉沙子，你究竟是为什么来的？还不老实说出来？”

风四娘又笑了，道：“你倒真没有猜错，我千里迢迢赶到这里来，自然不会只为了要洗个澡。”

解老二目光闪动，道：“是不是有人派你来刺探这里的消息？”

风四娘道：“那倒没有，我只不过想来看个老朋友而已。”

解老二道：“但这里并没有你的朋友！”

风四娘笑道：“你怎么知道没有，难道我就不能跟强盗交朋友？说不定我也是强盗呢？”

解老二脸色变了变，道："你的朋友是谁？"

风四娘悠然道："我也有很久没见过他了，听说他这几年混得很不错，已当了关中群盗的老大哥，不知你认不认得他？"

解老二脸色又变了变，道："关中黑道上的朋友有十三帮，每帮都有个老大哥，不知你说的是谁？"

风四娘淡淡道："他好像已当了你们十三帮强盗的总瓢把子。"

解老二怔住了，怔了半天，突然又大笑起来，指着风四娘笑道："就凭你这女人，也配跟我们的总瓢把子交朋友？"

风四娘嫣然道："我为什么不能跟他交朋友？你可知道我是谁么？"

解老二的笑声停住了，眼睛在风四娘身上打了几个转，冷冷地道："你是谁？你难道还会是风四娘那个女妖怪不成？"

风四娘没有回答这句话，却反问道："你是不是'两头蛇'解不得？"

解老二脸上露出得意之色，狞笑道："不错，无论谁见到我这两头蛇都得死，谁也解不得！"

风四娘道："你既然是两头蛇，我就只好是风四娘了。"

两头蛇的头像是突然裂开了，裂成了四五个。

坐在洗澡盆里的，这赤条条的女人就是名满天下的风四娘？就是人人见着都头疼的女妖怪？

他简直不能相信，却又不敢不信。

他的脚已开始往后退，别人自然退得更快。

突听到风四娘一声轻叱，道："站住！"

等别人真的全都站住了，她脸上才又露出一丝微笑，笑得仍然是那么温柔，那么迷人。

她柔声地笑道："你们偷看了女人洗澡，难道就想这样随随便便地走了吗？”

两头蛇道：“你……你想怎样？”

他声音虽已有些发抖，但眼睛还是瞪得很大，看到风四娘赤裸裸的胸膛时，他的胆子突又壮了，冷笑道：“你难道还想让我们看得更清楚些不成？”

风四娘笑道：“哦——原来你是欺负我没有穿衣服，不敢跳起来追你们？”

两头蛇怪笑道：“不错，除非你洗澡时也带着家伙，坐在洗澡盆里也能杀人。”

风四娘叹了口气，抬起了手道：“你们看，我这只手像是杀人的手吗？”

这双手十指纤纤，柔若无骨，就像是兰花。

两头蛇道：“不像。”

风四娘道：“我看也不像，奇怪的是，有时它偏偏会杀人！”

她两只手轻轻一拂，指缝间突然飞出了十余道银光。

接着，就是一连串的惨呼，每个人的眼睛都插上了一根银针，谁也没看到这些银针是从哪里飞出来的，谁也没有躲开。

风四娘又叹了口气，喃喃道：“偷看女人洗澡，会长‘针眼’的。这句话你们难道没听见过？”

七八个人都用手蒙着眼睛，疼得满地打滚。

七八个人的惨呼声加在一起，居然还没有让风四娘掩上耳朵，因为她还是在看着自己的这双手。

看了很久，她才闭上眼睛，叹息着道：“好好的一双手，不用来绣花，却用来杀人，真是可惜得很……”

突然间，惨呼一齐停止了，简直就像是在同一刹那间停止的。

风四娘皱了皱眉，轻唤道：“花平？”

外面没有声音，只有风吹着木叶，簌簌地响。

过了很久，才听得“嚓”的一声，是刀入鞘的声音。

风四娘嘴角慢慢地泛起一丝微笑，道：“我就知道是你来了！除了你之外，还有谁能在一瞬间就杀死七个人！还有谁能使这么快的刀！”

外面还是没有人回答。

风四娘道：“我知道你杀他们，是为了要让他们少受痛苦，却不知你的心几时也变得如此软了。”

过了半晌，外面才有一人缓缓道：“是风四娘？”

风四娘笑道：“难得你还听得出我的声音，还没有忘了我。”

花平道：“除了风四娘外，世上还有谁在洗澡时也带着暗青子！”

风四娘吃吃笑道：“原来你也在偷看我洗澡，否则你怎会知道我在洗澡的？”

花平像是没有听到她的话。

风四娘道：“你要看，为什么不大大方方地进来看呢？”

花平似乎长长叹了口气，道：“你出关六七年，大家都觉得很太平，你为什么又回来了呢？”

风四娘笑道：“因为我想你。”

花平的嘴又闭上了。

风四娘道：“你不相信我想你？我若不想你，为什么来找你？”

花平又在叹气。

风四娘道：“你为什么要叹气？你以为我来找你一定没有好事？一个人发达了，连老朋友的面都不想见了么？”

花平道：“你穿上衣裳，我等会儿见你。”

风四娘道：“我已经穿上衣服了，你进来吧。”

花平的人终于在门口出现了，他的脸本来就很白，看到风四娘还是赤裸着坐在澡盆里，他的脸就像是突然又白了一倍。

风四娘咯咯笑道："有人存心想来偷看我洗澡，我就要杀了他；你存心不想看，我倒反而偏要让你瞧瞧。"

花平其实很矮，但任何人都不会认为他是矮子，因为他看来全身都充满了一股劲，一股慑人之力！

他穿着件很长的黑披风，却露出了刀柄上的红刀衣。

花平能为关中群盗之首，就因为这把刀！

风四娘道："听说你前几年杀了'太原一剑'高飞，是吗？"

花平道："嗯。"

风四娘道："听说'太行双刀'丁家兄弟也是败在你刀下的，是吗？"

花平道："嗯。"

他非但不敢看风四娘，甚至不愿多说一个字。

风四娘笑道："高飞和丁家兄弟都是武林中一等一的高手，你居然能将他们杀了，可见你的刀法已愈来愈快了。"

花平这次连一个字都不说了。

风四娘道："我这次入关，就为的是要看看你的快刀！"

花平的面色骤然变了，嗄声道："你真的要看？"

风四娘嫣然道："你也用不着紧张，我不是来找你比画的，因为我既不愿死在你的刀下，也舍不得杀你。"

花平的脸色过了很久才复原，冷冷地道："那你就不必看了。"

风四娘道："为什么？"

花平道："因为我的刀只是用来杀人的，不是给人看的！"

风四娘眼波流动，带着笑道："我若偏偏要看呢？"

花平沉默了很久，突然道："好，你就看吧！"

花平话虽说得很慢，但一共才不过说了五个字，无论谁说五个字，都用不了很久，可是等他这五个字说完，他的刀已出鞘，又入鞘，刀光一闪间，摆在门口的一张木板凳已被劈成两半了。

花平的快刀果然惊人。

风四娘却又吃吃地笑了起来，摇着头笑道："我想看的是你杀人的刀法，不是劈柴的刀法，在老朋友面前，你又何苦还要藏私呢？"

花平道："藏私？"

风四娘道："你的刀法虽然是左右开弓，出手双飞，但江湖中谁不知道你用的是左手刀？你的左手至少比右手快一倍。"

花平脸色又变了变，沉默了很久才沉声道："你一定要看我的左手刀？"

风四娘道："看定了。"

花平苦苦叹了口气，道："好，你看吧！"

突然用力扯下了身上的披风！

风四娘正在笑，笑音突然僵住，再也笑不出。

以"左手神刀"名动江湖，号称中原第一快刀的花平，他一条左臂竟已被人齐肩砍断了！

过了很久，风四娘长长吐出了口气，惊骇道："这……这难道是被人砍断的？"

花平道："嗯。"

风四娘道："对方用的是剑？还是斧？"

花平道："是刀！"

风四娘动容道："刀？还有谁的刀比你更快？"

花平闭上眼道："只有一个人！"

他的神色虽然凄凉，但并没有悲愤不平之意，显然对这人的刀法已口服心服，觉得自己伤在这人的刀下并不冤枉似的。

风四娘忍不住问："这人是谁？"

花平目光遥注着远方，一字字道："萧十一郎！"

萧十一郎！

这四个字说出来，风四娘面上立刻就起了一种极奇异的变化，也分不出究竟是愤怒，是欢喜，还是悲伤。

花平喃喃道："萧十一郎，萧十一郎……你总该认得他的。"

风四娘慢慢地点了点头，道："不错，我认得他……我当然认得他！"

花平的目光自远方收回，凝注着她的眼睛，道："你想不想找他？"

风四娘的眼睛突然瞪了起来，大声说道："谁说我要找他？我为什么要找他？"

花平叹了口气，道："你迟早总是要找他的。"

风四娘怒道："放你的屁。"

花平道："其实用不着骗我，我早知道你这次入关是为了要做一件事。"

风四娘瞪眼道："谁说的？"

花平道："我虽不知道你要做的是什么事，但却知道那必定是一件大事，你生怕自己一个人的力量不够，想找个帮手。"

他很凄凉地笑了，接道："所以你才会来找我，只可惜你找错人了。"

风四娘冷笑道："就算你猜得不错，我还是可以去找别人，为什么一定要找萧十一郎？武林中的高手难道都死光了吗？"

花平道："但除了他之外，还有谁能帮你的忙？"

风四娘赤裸裸地就从盆里跳了起来，大声道："谁说没有，我现在就去找个人给你瞧瞧。"

花平的眼睛立刻又闭上了，缓缓道："你想去找谁？莫非是飞大夫？”

风四娘道：“不错，我正是找他！”

她眼睛发着光，道：“飞大夫有哪点比不上萧十一郎？他不但轻功高绝，指上的那份功夫，十个萧十一郎加起来只怕也比不上。”

江湖传言，说“飞大夫”公孙铃只用一根手指的力量，就可以力挽奔马，那手“燕子三抄水”的独到轻功，更可说是冠绝天下，再加上医道高绝，着手回春，武林中有很多人都尊之为“公孙三绝”！

公孙三绝住的地方也绝得很，他住的屋子是个用石块砌成的坟墓，睡的床就是口棺材。

他觉得这样子最方便，死活都不必再换地方。

他家里也没有别的，只有个应门的童子，长得也是怪模怪样的。风四娘问他：“公孙先生在不在？”又问他：“公孙先生哪里去了？”再问他：“公孙先生今天回不回来？什么时候回来？”

风四娘问了五六句，这孩子一共才说了一句话。

这句话一共才两个字：“不在。”

风四娘气得真恨不得给他两巴掌。

其实她也知道飞大夫出门只有一件事：替人看病。

飞大夫的脾气虽然怪，但心肠却不坏。

她也知道飞大夫晚上绝不会睡在别的地方，一定要睡在棺材里，那么就算这一觉睡着就不再醒，也不必费事再搬地方了。

风四娘本可坐着等他回来的，但要一个活生生的人坐在坟墓里，坐在棺材上，那滋味总不好受。

她宁可坐在路口等。

暮色沉沉，秋风中已有寒意。

风四娘在路旁的山崖上，找了个最舒服的地方躺下来，望着暗淡的穹苍，等着第一颗星升起。

很少有人看到第一颗星是如何升起来的。

风四娘就是这样的人，无论在什么情况下，她都能找到件有趣的事来做，她绝不浪费她的生命。

唉，世上又有几个人懂得这种生活的情趣?

夜已深了，星已升起。

暮色中终于传来了一阵沉重的脚步声，两个人抬着顶软兜小轿沿着山路碎步跑过来，上边坐着个大布青袍的枯瘦老人。

老人的神情很萧索，很疲倦，正闭着眼在养神。

抬轿子的两个人更似累极了，牛一般的喘着气，走到山坡前，前面的轿夫就扭转头，道:“前面好长的一段山路，咱们在这里歇歇脚再往上爬吧。”

后面的轿夫道:“这两天我精神不继，上山时咱们换个边吧。”上山时在后面的人自然要吃力得多。

前面的轿夫笑骂道:“好小子，又想偷懒，莫非昨晚上又去报效了小甜瓜两次，我看你迟早总有一天死在她肚子上。”

两个人说说笑笑，脚步已放缓了下来，那老人也不知是真的睡着了，还是假装没有听到，连眼睛都没有睁开。

到了山坡前，轿夫就停住了脚，慢慢地放下轿子。

突然间，两人同时自轿杠中各抽出了两柄又细又长的剑，两柄剑刺向老人的前心，两柄剑刺向老人的后背!

第二章

飞大夫的脚

这老人正是飞大夫。

两个轿夫竟是深藏不露的武林高手，出手之快，如电光石火，四柄剑一上一下，一前一后，刹那间已将飞大夫所有的退路全都封死，无论怎样闪避，身上都难免被刺上两个洞。

风四娘虽然是老江湖了，却也未料到有此一着，再想赶去阻拦也来不及了，只道这次飞大夫只怕就要变成死郎中。

谁知就在这刹那之间，飞大夫的身子突然一偏，两柄剑已贴着他身子擦过，另两柄剑堪堪已刺入他衣服，却又被他以两根手指夹住；这两根手指就像是铁铸的，两个“轿夫”用尽全力也扳不动。

只听“咯”的一声，两柄剑竟被他手指生生拗断。

轿夫大惊之下，凌空一个翻身，倒掠两丈。

飞大夫连眼都没有张开，双手轻轻一挥，手里的两截断剑已化作了两道青光飞虹。

然后就是两声惨呼！

鲜血箭一般射了出来，轿夫人虽已死了，但去势未遏，身子还在往前冲，鲜血在地上画出两行血花。

惨呼之声一停，天地间立刻变得死一般静寂。

只听一阵清脆的掌声疏疏落落地响了起来。

飞大夫厉声道："谁？"

他眼睛一张开，目光如闪电，闪电般向风四娘藏身的山崖上射了过去，就瞧见了风四娘动人的笑脸。

飞大夫皱了皱眉，道："原来是你！"

风四娘嫣然道："一别多年，想不到公孙先生风采依然如昔，武功却更精进了。"

飞大夫眉头皱得更紧，道："四娘对老朽如此客气，莫非是有求而来？"

风四娘叹了口气，喃喃道："我若对人客气，人家就说我是有求而来的；我若对人不客气，人家就说我无礼。唉，这年头做人可真不容易。"

飞大夫静静地听着，脸上一点表情也没有。

风四娘道："其实我只不过是经过此地，忽然想到来看看你，无论如何，我们总算是老朋友了，是不是？"

飞大夫还是静静地听着，毫无反应。

风四娘一掠而下，拍了拍衣裳，道："你看，我既没有生气，也没有受伤，为何要来求你？"

飞大夫道："现在你已看过了我么？"

风四娘道："看过了。"

飞大夫道："很好，再见。"

风四娘眨了眨眼，忽然银铃般娇笑起来，道："果然是条老狐狸，谁也骗不了你。"

飞大夫这才笑了笑，道："遇着你这女妖怪，我也只好做做老狐狸。"

风四娘眼珠子转了转，指着地上的尸体，道："你可知道这两人是谁？为何要杀你？"

飞大夫淡淡道："老夫一生纵横天下，杀人无算，别人要来杀我，也是天经地义的事，我又何苦要去追问他们的来历。"

风四娘也笑了，道："我早就知道你不怕死，但你若被一些后生小子不明不白地杀了，岂非冤枉得很，你难道不怕一世英名扫地？"

飞大夫目光闪动，盯着风四娘，良久良久，才沉声道："你究竟想要我怎样？"

风四娘背负着手，悠然道："你若肯帮我一个忙，我就帮你将仇家打听出来，你总该知道打听消息是我的拿手本事。"

飞大夫叹了口气，苦笑道："我早就知道你找我绝不会有什么好事。"

风四娘正色道："但这次却是件好事。"

她在飞大夫的轿前蹲了下来，接着道："不但是好事，而且还是件大事，事成之后，你我都有好处。"

飞大夫沉默了半晌，面上忽然露出一丝惨淡的微笑，缓缓道："我本来也很愿意助你一臂之力，只可惜你来迟了一步。"

风四娘皱眉道："来迟了一步？为什么？"

飞大夫没有回答，却将置在他腿上的一条毛毡掀了起来，风四娘就像是突然被冷水淋头，整个人都僵住。

飞大夫的一双腿竟已被人齐膝砍断了！

飞大夫轻功高绝，"燕子三抄水"施展开来，当真可以手擒飞鸟，但现在他的一双腿却被人砍断了。

风四娘简直比看到花平的断臂还要吃惊，嗄声道："这是怎么回事？"

飞大夫黯然一笑，道："自然是被人砍断的。"

风四娘道："是谁下的毒手？"

飞大夫一字字地道：“萧十一郎！”

萧十一郎！又是萧十一郎。

风四娘的呼吸都似已停顿，过了很久，突然跳了起来，跺脚道：“我不想找他，你们为何偏偏要我去找他？”

飞大夫道：“你本该去找他的，只要有他相助，何愁大事不成？”

风四娘道：“你呢？你不想找他复仇？”

飞大夫摇了摇头，道：“他虽然伤了我，我却并不怨他。”

风四娘道：“为什么？”

飞大夫阖起眼睛，再也不说话了。

风四娘沉默了很久，才长长叹息了一声，道：“好，你既不肯说，我就送你回去吧。”

飞大夫道：“不必。”

风四娘道：“谁说不必，你这样子怎么能上得了山？”

飞大夫道：“男女授受不亲，不敢劳动大驾，四娘你请便吧。”

风四娘瞪眼道：“什么男女授受不亲，我从来也没有将自己当作女人，从来也不管这一套。”

她也不管飞大夫答不答应，就将他抱了起来。

飞大夫只有苦笑。

遇着这样的女人，他也没法子了。

夜色凄迷，那石墓看来更有些鬼气森森的，诡秘可怖，墓中虽有灯光透出，看来却宛如鬼火。

风四娘道：“我真不懂你为什么一定要住在这种地方，你真不怕鬼吗？”

飞大夫道：“与鬼为邻，有时比和人结伴还太平些。”

风四娘冷冷道：“不错，鬼至少不会砍断你的两条腿。”

墓室中虽然有灯，但却没有人，那阴阳怪气的应门童子也不知走到哪里去了，最怪的是，那口棺材也不见了。

这种地方难道也会有小偷来光顾?

风四娘忍不住笑了起来，道：“这小偷倒也妙得很，什么不好偷，却来偷棺材，就算他家里死了人，也不必到这里来……”

她没有说完这句话，因为她突然发现飞大夫的身子在发抖，再看他的脸，竟已沁出了冷汗。

风四娘立刻觉得事情有些不对了，皱眉问道：“你那口棺材里莫非有什么秘密？”

飞大夫点了点头。

风四娘道：“你绝不会是守财奴，自然不会把钱藏在棺材里，那么……”

她眼睛突然亮了，道：“我知道了，你认为世上绝不会有人来偷你的棺材，所以就将你的医术和武功心法全都刻在棺材上，将来好陪你的葬。”

飞大夫又点了点头，他似乎什么话都说不出了。

风四娘叹了口气，道：“我真不明白，你们这些人为什么要这样自私，为什么不肯把自己学来的东西传授给别人……”

话未说完，突然一阵喘息声响了起来，那阴阳怪气的应门童子已回来了，正站在门口。

可是他全身上下都已被鲜血染红，右臂也已被砍断，两眼发直，瞪着飞大夫，以嘶哑的声音说出了四个字。

他一字字道：“萧十一郎！”

说完了这句话，他人已倒下，左手里还紧紧抓住一只靴子，他抓得那么紧，竟连死也不肯放松。

萧十一郎，又是萧十一郎。

风四娘跺了跺脚，恨恨道：“想不到他……他竟变成了这么样一个人，我从来也想不到他会做出这样的事来。”

飞大夫道：“这绝不是他做的事。”

风四娘目光落在那只靴子上。

靴子是用硝过的小牛皮制成的，手工很精细，还镶着珠花，非但规矩人绝不会穿这种靴子，江湖豪杰穿这种靴子的也不多。

风四娘长长吐出口气，道：“他本来的确不穿这种靴子的，但鬼知道他现在已变成什么样子了。”

飞大夫道：“萧十一郎永远不会变的。”

风四娘虽然板着脸，目中却忍不住有了笑意，道：“这倒真是怪事，他砍断了你的两条腿，你反而帮他说好话。”

飞大夫道：“他堂堂正正地来找我，堂堂正正地伤了我，我知道他是个堂堂正正的人，绝不做鬼鬼祟祟的事。”

风四娘轻轻叹了口气，道：“这么样说来，你好像比我还了解他了。可是，这孩子临死前为什么要说出他的名字来呢？”

飞大夫目光闪动，道：“这孩子不认得萧十一郎，但你却认得他的，你若追着那凶手，就可查出他是谁了。”

风四娘失笑道：“说来说去，原来你是想要我去替你追贼。”

飞大夫黯然垂下头，望着自己的腿。

风四娘眼中露出同情之色，道：“好，我就替你去追，但追不追得上，我就不敢说了，你总该知道我的轻功并不太高明。”

飞大夫道：“那人背着口棺材，必定走不快的，否则这孩子就不至于死了。”

这孩子想必已追上了那人，而且还抱住了他的腿。

风四娘咬着嘴唇，喃喃道：“他为何要冒十一郎的名？为何要杀这孩子？否则就算偷了八百口棺材，我也绝不会去追他的。”

冷月，荒山，风很急。

风四娘是一向不愿迎着急风施展轻功，因为她怕风吹在脸上，会吹皱了她脸上的皮肤。

现在她却在迎风飞掠，这倒不是因为她想快些追上凶手，而是想借这扑面的冷风吹散她心上的人影。

她第一次见到萧十一郎的时候，他还是个大孩子，正精光赤着上身，想迎着势如雷霆的急流，冲上龙湫瀑布。

他试了一次又一次，有一次他几乎已成功，却又被瀑布打了下来，撞在石头上，撞得头破血流。

他连伤口都没有包扎，咬着牙又往上冲，这一次他终于爬上了巅峰，站在峰头拍手大笑。

从那一次起，风四娘的心头就有了萧十一郎的影子。

无论多么急的风，也吹不散这影子。

风四娘咬着嘴唇，咬得很疼；她从不愿想他，但人类的悲哀就是每个人都会常常想到自己最不愿想到的事。

地上有个人的影子，正在随风摇荡。

风四娘满腹心事，根本什么也没瞧见，她垂首急行，忽然间看到了一张脸，这张脸头朝下，颚朝上，一双满布血丝的眼睛几乎已凸了出来，正瞬也不瞬地瞪着风四娘，那模样真是说不出的可怕。

无论胆子多么大的人，骤然见到这张脸，也难免要吓一跳；风四娘大骇之下，退后三步，抬起头。

只见这人被倒吊在树上，也不知是死是活。

风四娘刚想用手探探他的鼻息，这人的眼珠子已转动起来，喉咙里咯咯直响，像是想说话。

风四娘道：“你是不是中了别人的暗算？”

那人想点头也没法子，只有眨了眨眼睛，嗄声道：“是强盗……强盗……”

风四娘道：“你遇着了强盗？”

那人又眨眨眼睛。

他年纪并不大，脸上长满了青渗渗的胡茬子，身上穿的衣服虽很华丽，但看起来还是满脸凶相。

风四娘笑道：“我看你自己倒有些像强盗，我若救了你，说不定反被你抢上一票。”

那人目中露出了凶光，却还是赔着笑道：“只要姑娘肯出手相救，我必有重谢。”

风四娘道：“你既已被强盗抢了，还能用什么来谢我？”

那人说不出话了，头上直冒冷汗。

风四娘笑了笑，道：“我怎么看你这人都不像好东西，但我却也不能见死不救。”

那人大喜道：“谢谢……谢谢……”

风四娘笑道：“我也不要你谢我，只要我救了你之后，你莫要在我身上打歪主意就好了。”

那人还是不停地谢谢，但一双眼睛已盯在风四娘高耸的胸膛上。风四娘倒也并不太生气，因为她知道男人大多数都是这种轻骨头。

她掠上树，正想解开绳索，忽然发现这人被绳索套住的一只脚只穿着布袜，没有穿鞋子，上面还染着斑斑血渍。

再看他另一只脚，却穿着只皮靴。

小牛皮的靴子上，镶着很精致的珠花！

风四娘呆住了。

只听那人道：“姑娘既已答应相救，为什么还不动手？”

风四娘眼珠一转，道：“我想来想去，还是觉得有些不妥。”

那人道：“有什么不妥？”

风四娘道：“我一个妇道人家，做事不能不分外仔细，现在半夜三更的，四下又没有人，我救了你之后，你万一要是……要是起了恶心，我怎么办？”

那人勉强笑道：“姑娘请放心，我绝不是个坏人，何况，瞧姑娘所施展上树的身法，也绝不是好欺负的。”

风四娘道：“但我还是小心些好，总得先问你几件事。”

那人显然已有些不耐，嗄声道：“你要问什么？”

风四娘道：“不知道你贵姓呀，是从哪里来的？”

那人迟疑着道：“我姓萧，从口北来的。”

风四娘道：“害你的那强盗，是个怎么样的人？”

那人叹了口气，道：“不瞒姑娘说，我连他的人影都没有看见，就已被他吊了起来。”

风四娘皱了皱眉，道：“你偷来的那口棺材呢？也被他黑吃黑了么？”

那人面色骤然大变，却勉强笑道：“什么棺材？姑娘说的话，我完全不懂。”

风四娘忽然跳下去，“噼噼啪啪”给了他七八个耳刮子，打得他脸也肿了，牙齿也掉了，顺着嘴角直流血，大怒道：“你究竟是什么人？为何要打我？”

风四娘淡淡一笑，道：“我正要问你，你究竟是什么人？为何要偷飞大夫的棺材？是谁主使你来的？假冒十一郎的名是何用心？”

那人就好像被砍了两刀，一张脸全都扭曲了起来，目中露出了凶光，瞪着风四娘，牙齿咬得咯咯直响。

风四娘悠然道：“你不肯说，是不是？好，那么我告诉你，我就是风四娘，落在我手上的人，没有一个能不说实话的。”

那人这才露出惊怖之色，失声道：“风四娘，原来你就是那风四娘！”

风四娘道：“你既然听过我的名字，总该知道我说的话不假。”

那人长长叹了口气，喃喃道：“想不到今日竟遇上了你这女妖怪，好，好，好，好……”

说到这第四个“好”字，突然一咬牙。

风四娘目光一闪，立刻想去夹他的下颚，但已来不及了，只见这人眼睛一翻，脸已发黑，嘴角露出诡秘的微笑，眼睛凸了出来，瞪着风四娘，嘶声道：“你现在还有法子让我说话么？”

这人竟宁可吞药自尽，也不肯说出自己的来历。显然是怕活着回去后，受的罪比死还难受。

风四娘跺了跺脚，冷笑道：“你死了也好，反正你说不说都和我全无关系。”

她心里只有一件事。

将这凶手吊起来的人是谁呢？那口棺材到哪里去了？

棺材赫然已回到飞大夫的墓室中了。

这口棺材难道自己会走回来？

风四娘几乎不相信自己的眼睛，一步蹿了过去，大声道：“这棺材怎会回来的？”

飞大夫笑了笑道：“自然是有人送回来的。”

风四娘道：“是谁？”

飞大夫笑得似乎很神秘，缓缓道：“萧十一郎！”

风四娘跺了跺脚，恨恨道：“萧十一郎？又是他！原来那人就是被他吊起来的！奇怪他为何不追问那人的来历呢？”

飞大夫淡淡道：“他知道，有些人的来历是问也问不出的！”

风四娘怒道：“那么，他为何还要将那人留在那里？难道是故意留给我的吗？”

飞大夫笑而不语。

风四娘目光四扫，道："他人呢？"

飞大夫道："走了。"

风四娘瞪眼道："他既然知道我在这里，为何不等我？"

飞大夫道："我说你不愿见他，他只好走了。"

风四娘咬着嘴唇，冷笑道："不错，我一见这人就有气……他到哪里去了呢？"

飞大夫微笑道："你既不愿见他，又何必问他到哪里去了？"

风四娘怔了半晌，突然飞起一脚，将桌子踢翻，大声道："你这老狐狸，我希望他再来砍断你的两只手！"

话未说完，人已飞一般奔了出去。

飞大夫长长叹了口气，喃喃道："三十多岁的女人还像个孩子，这倒也真是怪事……"

第三章

夜半歌声

竹叶青盛在绿瓷杯里，看来就像是一大块透明的翡翠。

明月冰盘般高挂在天上，月已圆，人呢?

风四娘脸红红的，似已有了酒意，月光自窗外照进来，她抬起头，望见了明月，心里骤然一惊。

“今天莫非已是十五了？”

七月十五，是她的生日，过了今天，她可就要加一岁。

“三十四！”这是个多么可怕的数字。

她十五六岁的时候，曾经想：一个女人若是活到三十多，再活着也没什么意思，三十多岁的女人正如十一月里的残菊，只有等着凋零。

可是她自己现在也不知不觉到了三十四了，她不敢相信，却又不能不信，岁月为何如此无情?

墙角有面铜镜，她痴痴地望着镜中的人影。

镜中的人看来还是那么年轻，甚至笑起来眼角都没有皱纹，谁也不信这已是三十四岁的女人。

可是，她纵能骗过别人的眼睛，却骗不过自己。

她扭转身，满满地倒了一杯酒，月光将她的影子长长地拖在地上，她心里忽然想起了两句诗：

“举杯邀明月，对影成三人。”

她以前从来也未感觉到这句诗意境的凄凉。

门外隐隐传来孩子的哭声。

以前她最讨厌孩子的哭声，可是现在，她多么想要一个孩子！她多么希望听到自己孩子的哭声。

月光照着她的脸，她脸上哪里来的泪光？

最近这几年来，她曾经有好几次想随随便便找个男人嫁了，可是她不能，她看到大多数男人都会觉得很恶心。

青春就这样消逝，再过几年，以前她觉得恶心的男人只怕也不会要她了。唉，三十四岁的女人！

门外又传来一阵男人的大笑声。

笑声很粗豪，还带着醉意。

“这会是个怎么样的男人？”

这男人一定很粗鲁、很丑、满身都是酒臭。

但现在，这男人若是闯进来求她嫁给他，她说不定都会答应——一个女人到了三十四，对男人的选择是不是就不会像二十岁时那么苛刻了？风四娘在心里问着自己，嘴角不禁露出凄凉的微笑。

夜已渐深，门外各种声音都已消寂。

远处传来零落的更鼓声，听来是那么单调，但人的生命却已在这种单调的更鼓声中一分分消逝。

“该睡了。”

风四娘站了起来，刚想去掩起窗子，晚风中突然飘来一阵歌声，这凄凉而又悲壮的歌声听来竟是那么熟悉。

萧十一郎！

她记得每次见到萧十一郎时，他嘴里都在低低哼着这相同的曲调，那时，他神情就会变得说不出的萧索。

风四娘心里只觉一阵热意上涌，再也顾不得别的，手一按，人已箭一般蹿出窗外，向歌声传来的方向飞掠了过去。

长街静寂。

家家户户门前，都有一摊摊已烧成灰的锡箔纸钱，一阵风吹过，灰烬随风四散，黑暗中也不知有多少看不见的鬼魂正在等着攫取。

七月十五，正是群鬼出关的时候。现在鬼门关已开了，天地间难道真的已充满各式各样的鬼魂？

风四娘咬着牙，喃喃道：“萧十一郎，你也是个鬼，你出来呀！”

但四下却连个鬼影都没有，连歌声都消失了。

风四娘恨恨道：“这人真是个鬼，既不愿见我，为何又要让我听到他的歌声？”

她心情突然变得说不出的落寞，全身再也提不起劲来，只想回去再喝几杯，一觉睡到明天。明天也许什么事都改变了。

一个人之所以能活下去，也许就因为永远有个“明天”。

看到她屋子窗内的灯光，她心里竟莫名其妙地泛起一种温暖之意，就好像已回到自己的家一样。

一个人回到家里，关起门，就好像可以将所有的痛苦隔绝在门外——这就是“家”最大的意义。

“但这真是我的家么？这不过是家客栈的屋子而已。”

风四娘长叹了口气，她永远不知道什么时候才有个家，永远不知道自己的家在哪里。她刚走到门口，就听到屋子里有个人在曼声长吟：“一出阳关三千里，从此萧郎是路人……风四娘呀风四娘，我想你只怕早已忘了我吧？”

风四娘全身都骤然热了起来，一翻身跳进屋子，大叫道：“你这鬼……你终于还是露面了！”

桌上的酒樽已空了。

一个人懒洋洋地躺在床上，用枕头盖着脸。

他穿着套蓝布衣裳，却已洗得发白，腰间随随便便地系着根蓝布带，腰带上随随便便地插着把刀。

这把刀要比普通的刀短了很多，刀鞘是用黑色的皮革所制，已经非常陈旧，但却还是比他那双靴子新些。

他的脚跷得很高，鞋底上有两个大洞。

风四娘飞起一脚，踢在他鞋子上，板着脸道："懒鬼，又懒又脏，谁叫你睡在我床上的？"

床上的人叹了口气，喃喃道："我上个月才洗澡，这女人居然说我脏……"

风四娘忍不住"扑哧"笑出声来，但立刻又板起了脸，一把将他头上的枕头甩得远远的，道："快起来，让我看看你这几年究竟变得多丑了？"

枕头虽已被甩开，床上的人却已用手盖住了脸。

风四娘道："你难道真的已不敢见人了么？"

床上的人分开两根手指，指缝间就露出了一双发亮的眼睛，眼睛里充满了笑意，带着笑道："好凶的女人，难怪嫁不出去，看来除了我之外，再也没人敢娶你……"

话未说完，风四娘已一巴掌打了下来。

床上的人身子一缩，整个人突然贴到墙上去了，就像是个纸人似的贴在墙上，偏偏不会掉下来。

他发亮的眼睛里仍充满了笑意，他的眉很浓，鼻子很直，还留着很浓的胡子，仿佛可以扎破人的脸。

这人长得的确不算英俊潇洒，但是这双眼睛，这份笑意，却使他看来充满了一种说不出的、野性的吸引力！

风四娘轻轻叹息了一声，摇着头道："萧十一郎，你还是没有变，简直连一点也没有变……你还是不折不扣，活脱脱的一个大混蛋。”

萧十一郎笑道：“我一直还以为你很想嫁给我这个混蛋哩，看来我只怕表错了情。”

风四娘涨红了脸，大声道：“嫁给你？我会嫁给你……天下的男人全都死光了，我也不会嫁给你……”

萧十一郎长长吐出口气，道：“那么我就放心了！”

他身子从墙上滑下，“扑通”坐到床上，笑着道：“老实说，听到你找我，我本来真有点害怕，我才二十七，就算要成亲，也得找个十五六岁的小姑娘，像你这种老太婆呀……”

风四娘跳了起来，大怒道：“我是老太婆？我有多老？你说……”

“锵”地，她已自衣袖中拔出了柄短剑。

一眨眼间她已向萧十一郎刺出了七八剑。

萧十一郎早已又滑到墙上，再一溜，已上了屋顶，就像个大壁虎似的贴在屋顶上，摇着手道：“千万莫要动，我只不过是说着玩的，其实你一点也不老，看起来最多也不过只有四十岁。”

风四娘拼命想板着脸，却还是忍不住又“扑哧”笑了，摇着头道：“幸好我不常见着你，否则不被你活活气死才怪。”

萧十一郎笑道：“拍你马屁的人太多了，能有个人气气你，岂非也很新鲜有趣？”

他人已飘落下来，眼睛一直盯着风四娘手里的剑。

那是柄一尺多长小短剑，剑锋奇薄，发着青中带蓝的光，这种剑最适女子使用，唐代最负盛名的女剑客公孙大娘，用的就是这种剑，连大诗人杜甫都曾有一首长歌赞美她的剑法：“昔有佳人公孙氏，一舞剑器动四方。观者如山色沮丧，天地为之久低昂。耀如羿射九日落，矫如群帝骖龙翔。来如雷霆收震怒，罢如江海凝清光……”

公孙大娘虽然身在教坊，其剑术之高妙，看了这几句诗也可见一斑了，但她身子却很单薄，用的若非这种短剑，也难如此轻捷。

萧十一郎在凝视着这柄剑，风四娘却在凝视着萧十一郎的眼睛，突然反手一剑，向桌上的酒杯削了过去。

只听“锵”的一声，那只绿瓷杯竟被削成两半。

萧十一郎脱口赞道：“好剑！”

风四娘似笑非笑，淡淡道：“这柄剑虽然不能真的削铁如泥，却也差不多了，逍遥侯一向将之珍如拱璧，连看都舍不得给别人看一眼。”

萧十一郎眨了眨眼睛，笑问道：“但他却将这柄剑送给了你，是么？”

风四娘昂起了头，道：“一点也不错。”

萧十一郎道：“如此说来，他是看上你了？”

风四娘冷冷地笑道：“难道他就不能看上我？我难道就真的那么老？”

萧十一郎望了风四娘一眼，叹了口气，道：“能被逍遥侯那样的男人看上，可真不容易，却不知他要收你做他的第几房小老婆？”

风四娘怒道：“放你的屁……”

她的剑又扬起，萧十一郎又缩起了脑袋。

风四娘的剑却又缓缓落了下来，用眼角瞅着他，道：“你既然这么能干，总该知道这柄剑的来历吧？”

萧十一郎道：“看来这好像是公孙大娘首徒申若兰所用的‘蓝玉’。”

风四娘点了点头，道：“总算你还有些眼力。”

萧十一郎道：“但这‘蓝玉’却是柄雌剑，你既有了‘蓝玉’，便该有‘赤霞’才是，除非……”

风四娘道：“除非怎样？”

萧十一郎笑了笑，悠然道：“除非逍遥侯舍不得将两柄剑都送给你。”

风四娘瞪眼道：“莫说这两柄剑，我就算要他的脑袋，他也会双手捧上来的。”

萧十一郎笑道：“如此说来，那柄‘赤霞’现在在哪里呢？”

风四娘道：“就让你开开眼也无妨。”

萧十一郎道：“其实我也并非真的想看，但我若不看，只怕你又要生气了。”

他笑嘻嘻接着道：“你可记得那年十月，天气还热得很，你却穿了件貂裘来见我，虽然热得直冒汗，还要硬说自己着了凉，要穿暖些……”

风四娘笑骂道：“放你的屁，你以为我要在你面前献宝？”

萧十一郎笑道：“有宝可献，总是好的，像我这样无宝可献，就只好献献现世宝了。”

风四娘笑啐道：“你真是个活宝。”

她已取出了另一柄剑，剑鞘上镶着淡红的宝玉。

萧十一郎接了过来，摇头笑道：“女人用的东西果然都脱不了脂粉气。”

他嘴里说着话，手已在拔剑。

这柄“赤霞”竟是柄断剑！

风四娘却是神色不变，静静地看着他，道：“你奇怪吗？”

萧十一郎道：“如此利器，怎么会断的？”

风四娘道：“是被一把刀削断的！”

萧十一郎动容道：“是什么刀？怎会如此锋利？”

风四娘淡淡道：“我知道你一听见有好刀，心就痒了，但是这次我就偏偏不告诉你，也免得你说我献宝。”

萧十一郎眼珠子一转，突然站起来，道：“看到你我肚子就饿了，走，我请你吃宵夜去。”

长街的尽头，有个小小的面摊子。

据说这面摊子十几年前就已摆在这里，而且不论刮风下雨，不论过年过节，这面摊从未休息过一天。

所以城里的夜游神都放心得很，因为就算回家老婆不开门，至少还可在老张的面摊子上吃碗热气腾腾的牛肉面。

老张的确已很老了，须发都已斑白，此刻正坐在那里，低着头喝面汤，挂在摊头的纸灯笼已被油烟熏得又黑又黄，就像是他的脸。

到这里来的老主顾都知道他脸上永远全无表情，除了要账外，也很少有人听到他说一句别的话。

萧十一郎笑道：“就在这里吃怎样？”

风四娘皱了皱眉道：“好吧！”

萧十一郎道：“你不必皱眉，这里的牛肉面，包你从来没有吃到过。”

他就在面摊旁那张摇摇欲倒的破桌子上坐了下来，大声道：“老张，今天我有贵客，来些好吃的。”

老张头也没有抬，只朝他翻了个白眼，好像在说：“你急什么，先等我喝完了这碗汤再说。”

萧十一郎摇了摇头，悄声道：“这老头子是个怪物，咱们别惹他。”

名震天下的萧十一郎，竟不敢惹一个卖面的老头子，这话说出来有谁相信？风四娘只觉得又好气，又好笑。

过了很久，老张才端了两盘菜，一壶酒过来，“砰”地摆在桌子上，就头也不回地走了。

风四娘忍不住笑道："你欠他酒账么？"

萧十一郎挺了挺胸，笑道："我本来欠他一吊钱，但前天已还清了。"

风四娘望着他，良久良久，才轻轻地叹了口气，道："江湖中人都说萧十一郎是五百年来出手最干净利落，眼光最准的大盗，又有谁知道萧十一郎只请得起别人吃牛肉面，而且说不定还要赊账。"

萧十一郎大笑道："有我知道，又有你知道，这还不够吗？……来，喝一杯。"

萧十一郎就是这么样一个人，有人骂他，有人恨他，也有人爱他，但却很少有人了解他。

他也并不希望别人了解，从未替自己打算过。

你若是风四娘，你爱不爱他?

风四娘有样最妙的长处：别人喝多了，就会醉眼乜斜，两眼变得模模糊糊，蒙蒙眬眬的；但她喝得愈多，眼睛反而愈亮，谁也看不出她是否醉了，她酒量其实并不好，但却很少有人敢跟她拼酒。

第四章

割鹿刀

现在她眼睛亮得就像是灯，一直瞪着萧十一郎，忽然道："那把刀的故事，你不想听了么？"

萧十一郎道："我不想听了。"

风四娘忍耐了很久，终于还是忍不住问道："为什么不想听？"

萧十一郎板着脸道："因为我若想听，你就不会说出来；我若不想听，你也许反而会忍不住要自动告诉我。"

他话未说完，风四娘已忍不住大笑起来，笑骂道："你呀，你真是个鬼……别人常常说我是个女妖怪，但我这女妖怪遇见你这个鬼，也没法子了。"

萧十一郎只管自己喝酒，也不搭腔，他知道现在绝不能搭腔，一搭腔风四娘也许又不肯说了。

风四娘只有自己接着说下去，道："其实不管你想不想听，我都要告诉你的，那柄刀，叫'割鹿刀'！"

萧十一郎道："割鹿刀？"

风四娘道："不错，割鹿刀！"

萧十一郎道："这名字倒新奇得很，我以前怎么从未听说过？"

风四娘道："因为这柄刀出炉还不到半年。"

萧十一郎皱眉道："一柄新铸成的刀，居然能砍断古代的利器？铸刀的这个人，功力难道能比得上春秋战国时那些名匠大师么？”

风四娘先不回答，却反问道：“继干将、莫邪、欧冶子等大师之后，还有位不世出的铸剑冶铁名家，你可知道是谁么？”

萧十一郎道：“莫非是徐夫人？”

风四娘笑道：“不错，看不出你倒真有点学问。”

徐夫人并不是女人，他只不过姓“徐”，名“夫人”，荆轲刺秦王所用的剑，就是出自徐夫人之手的。

萧十一郎目光闪动，忽然道：“那柄割鹿刀莫非是徐鲁子徐大师铸成的？”

风四娘讶然道：“你也知道？”

萧十一郎笑了笑，道：“徐鲁子乃徐夫人之嫡裔，你此刻忽然说起徐夫人，自然是和那柄‘割鹿刀’有关系的了。”

风四娘目中不禁露出赞赏之意，道：“不错，那柄‘割鹿刀’确是徐大师所铸，为了这柄刀，他几乎已将毕生心血耗尽，这‘割鹿’两字，取意乃是：‘秦失其鹿，天下共逐，唯胜者得鹿而割之。’他的意思也就是唯有天下第一的英雄，才能得到这柄割鹿刀！他对这把刀的自豪，也就可想而知了。”

萧十一郎眼睛发亮，急着问道：“你自然是见过那柄刀的了。”

风四娘闭上眼睛，长长地叹了口气，道：“那的确是柄宝刀！‘赤霞’遇见它，简直就好像变成了废铁。”

萧十一郎仰首将杯中的酒一干而尽，拍案道：“如此宝刀，不知我是否有缘一见！”

风四娘目光闪动，道：“你当然有机会能见到。”

萧十一郎叹道：“我与徐大师素昧平生，他怎肯将如此宝刀轻易示人？”

风四娘道：“这柄刀现在已不在徐鲁子手里了。”

萧十一郎动容道："在哪里？"

风四娘悠然道："我也不知道。"

萧十一郎这次真的怔住了，端起酒杯，又放下去，起来兜了个圈子，又坐下来，夹起块牛肉，却忘了放入嘴里。

风四娘扑哧一笑，道："想不到我也有让你着急的时候，到底还是年轻人沉不住气。"

萧十一郎眨着眼道："你说我是年轻人？我记得你还比我小两岁嘛。"

风四娘笑骂道："小鬼，少来拍老娘的马屁，我整整比你大五年四个月零三天，你本该乖乖地喊我一声大姐才是。"

萧十一郎苦笑道："大姐，你记得当真清楚得很。"

风四娘道："小老弟，还不快替大姐倒杯酒。"

萧十一郎道："是是是，倒酒！倒酒！"

风四娘看着他倒完了酒，才笑着道："哎——这才是我的乖小弟。"

她虽然在笑，但目中却忍不住露出凄凉伤感之色，连眼泪都仿佛要流出来了，仰首将杯中酒饮尽，才缓缓道："那柄割鹿刀已在入关的道上了。"

萧十一郎紧张得几乎将酒都洒到桌上，追问道："有没有人沿途护刀？"

风四娘道："如此宝刀，岂可无人护送？"

萧十一郎道："护刀入关的是谁？"

风四娘道："赵无极……"

她刚说出这名字，萧十一郎已耸然动容，截口道："这赵无极可是那先天无极门的掌门人么？"

风四娘道："不是他是谁？"

萧十一郎默然半晌，慢慢地点了点头，似已胸有成竹。

风四娘一直盯着他，留意着他面上神情的变化，接着又道："除了赵无极外，还有'关东大侠'屠啸天，海南剑派硕果仅存的唯一高手海灵子……"

萧十一郎苦笑道："够了，就这三个人已够了。"

风四娘叹道："但他们却认为还不够，所以又请了昔年独臂扫天山，单掌诛八寇的'独臂鹰王'司空曙。"

萧十一郎不说话了。

风四娘还是盯着他，道："有这四人护刀入关，当今天下，只怕再也没有人敢去夺刀的了。"

萧十一郎突然大笑起来，道："说来说去，原来你是想激我去替你夺刀。"

风四娘眼波流动，道："你不敢？"

萧十一郎笑道："我替你夺刀，刀是你的，我还是一场空。"

风四娘咬着嘴唇，道："他们护刀入关，你可知道是为了什么？"

萧十一郎摇着头笑道："不知道，我也不想知道，反正他们也不会是为了要将刀送给我。"

风四娘道："就算你不敢去夺刀，难道也不想去见识见识么？"

萧十一郎道："不想。"

风四娘道："为什么？"

萧十一郎笑道："我若是看到了那柄刀，就难免要心动，心动了就难免想去夺刀，夺不到就难免要送命。"

风四娘道："若是能夺到呢？"

萧十一郎叹了口气，道："若是夺到了，你就难免会问我要，我虽然舍不得，却又不好意思不给你，所以倒不如索性不去看的好。"

风四娘跺着脚站了起来，恨恨道："原来你这样没出息，我真看错了你。好！你不去，我一个人去，没有你看我死不死得了。”

萧十一郎苦笑道：“你这看见好东西就想要的脾气，真不知要到什么时候才能改得了。”

这市镇并不大，却很繁荣，因为它是自关外入中原的必经之路，由长白关东那边来的参商、皮货商、马贩子，由大漠塞北那边来的淘金客，胡贾……经过这地方时，差不多都会歇上一两个晚上。

由于这些人的豪侈，才造成了这地方畸形的繁荣。

这地方有两样最著名的事：

第一样是“吃”——世上很少有男人不好吃的，这里就有各式各样的吃，来满足各种男人的口味。

这里的涮羊肉甚至比北京城的还好、还嫩；街尾“五福楼”做出来的一味红烧狮子头，也绝不会比杭州“奎元雨”小麻皮做出来的差，就算是最挑剔的饕餮客，在这里也应该可以一快朵颐了。

第二样自然是女人——世上更少有男人不喜欢女人的，这里有各式各样不同的女人，可以适应各种男人的要求。

一个地方只有两样“名胜”虽不算是多，但就这两件事，已足够拖住大多数男人的脚。

“恩德元”是清真馆，老板马回回不但可以将一条牛做出一百零八种不同的菜，而且是关外数一数二的摔跤高手。

“恩德元”的门面并不大，装潢也不考究，但腰上系着宽皮带、秃着脑袋、挺着胸站在门口的马回回，就是块活招牌，经过这里的江湖豪杰若没有到“恩德元”来跟马回回喝两杯，就好像觉得有点不大够意思。

平常的日子，马回回虽然也都是满面红光，精神抖擞，但今天马回回看来却特别的高兴。

还不到黄昏，马回回就不时走出门外来，瞪着眼睛向来路观望，像是在等待着什么贵客光临似的。

戌时前后，路尽头果然出现了一辆黑漆马车，四马并驰，来势极快，到了这条行人极多的路上，也并未缓下来，幸好赶车的身手十分了得，四匹马也都是久经训练的良驹，是以车马虽然奔驰甚急，却没有出乱子。

这条路上来来往往的车马虽多，但像是这种气派的巨型马车还是少见得很，大伙儿一面往路旁躲闪，一面又不禁要去多瞧几眼。只听健马一声长嘶，赶车的丝缰一提，车马刚停在“恩德元”的门口，马回回已抢步迎了出来，赔着笑开了车门。

旁观的人又不禁觉得奇怪，马回回虽然是生意人，却一向不肯自轻身价，今天为何对这马车上的人如此恭敬？

从马车上第一个走下来的是个白面微须的中年人，圆圆的脸上常带着笑容，已渐发福的身上穿着件剪裁极合身的青缎圆花长袍，态度温文和气，看来就像是个微服出游的王孙公子。

马回回双手抱拳，含笑道：“赵大侠远来辛苦了，请里面坐。”

那中年人也含笑抱拳道：“马掌柜的太客气了，请，请。”

站在路旁观望的老江湖们听了马回回的称呼，心里已隐隐约约猜出了这中年人是谁，眼睛不禁瞪得更圆了！

这人莫非就是“先天无极”的掌门人，以一手先天无极真气，八十一路无极剑名震天下的赵无极？

那么第二个下车来的人会是谁呢？

第二个下车的是个白发老人，穿得很朴素，只不过是件灰布棉袄，高腰白袜系在灰布棉裤外，手里还拿着根旱烟袋，看来就像是个土头土脑的乡下老头子，但双目神光闪动，顾盼之间，威棱逼人。

马回回弯腰赔笑道：“屠老爷子，几年不见，你老人家身子越发地健朗了。”

老头子打了个哈哈，笑道：“这还不都是托朋友的福。”

这老头子姓屠，莫非是坐镇关东垂四十年，手里的旱烟袋专打人身三十六大穴、七十二小穴，人称天下第一打穴名家的“关东大侠”屠啸天？马车上有了这两人，第三人还会是弱者吗？

路旁窃窃私议，兴趣更浓了。

第三个走下车的是个枯瘦颀长、鹰鼻高颧的道人。

他虽是个出家人，衣着却十分华丽，酱紫色的道袍上都缕着金线，背后背着柄绿鲨鱼皮鞘，黄金吞口上还镶着颗猫儿眼的奇形长剑。一双三角眼微微上翻，像是从未将任何人放在眼里。

马回回的笑容更恭敬，躬身道：“晚辈久慕海道长声名，今日得见，实在是三生有幸。”

那老头连瞧都没有瞧他一眼，只点了点头，道：“好说，好说。”

海道长！难道是海灵子？

海南派的剑法以迅急诡秘见长，海南派的剑客们也都有些怪里怪气，素来不肯和别的门派打交道。

七年前“铜椰岛之战”震动武林，铜椰岛主以及门下的十三弟子固然都死在海南派剑下，海南派的九大高手，也死得只剩下海灵子一个了。自从这一战之后，海灵子的名头更响，眼睛也长得更高了。

今日他怎会和赵无极、屠啸天走到一起的？

最奇怪的是，这三个人下车之后，并没有走入店门，反都站在车门旁，等着第四个人走下来。

过了很久，车子里才慢吞吞走下一个人。

这人一走出车门，大家都不禁吃了一惊。

这人的长相实在太古怪。

他身长不满五尺，一颗脑袋却大如巴斗，一头乱蓬蓬的头发，两条浓眉几乎连成了一线，左眼精光闪闪，亮如明星，右眼却是死灰色的，就像是死鱼的眼睛，乱草般的胡子里露出一张嘴来，却是鲜红如血。

他右臂已齐肩断去，剩下来的一条左臂长得更可怕，垂下来几乎可以摸着自己的脚趾。

他手里还提着个长方形的黄布包袱。

这次马回回连头都不敢抬，赔着笑道："听说老前辈要来，弟子特地选了条公牛……"

独臂人懒洋洋地点了点头，道："公牛比母牛好，却不知是死的，还是活的？"

马回回赔笑道："当然是活的，正留着给老前辈尝鲜哩。"

独臂人大笑道："很好，很好，你这孙子总算还懂得孝敬我。"

他居然将马回回当孙子，马回回居然还像是有点受宠若惊，不知道这独臂人来历的，心里多多少少都有点为马回回不平。

但有些人已猜出了这独臂人的来历，心里反而替马回回高兴——能被"独臂鹰王"当孙子的人，已经很不容易了。

"恩德元"后面，有个小院子，是专门留着招待贵宾的，院子里有座假山，假山旁有几棵大树。

树上系着头公牛。

这头牛实在大得出奇，牛角又尖又锐，仿佛是两把刀。

独臂鹰王手里的黄布包袱已不知藏到哪里去了，他此刻正围着这条牛在打转，嘴里啧啧有声，不停地说道："很好，很好……"

屠啸天微笑道："司空兄既已觉得满意了，为何还不动手？"

独臂鹰王啧啧笑道："你这糟老头子，又想看我老人家的把戏，是不是？"

他独臂突然在公牛的眼前一挥，公牛骤然受惊，头一低，两只尖刀般的角就向独臂鹰王的肚子上撞了过来。

独臂鹰王大喝道："来得好！"

喝声中，他身子一闪，不知怎地竟已钻入了牛肚下，一只手向上一探，竟活生生地插入了牛的肚子。

公牛负痛，弹丸般向上一跳，挣断了绳子，向前冲出，鲜红的牛血一路溅下来，"砰"地撞上了墙壁。

墙壁被撞开一个洞，公牛半个身子嵌了进去，疯狂般挣扎了半晌，血已流尽，终于动也不动了。

再看一颗活生生的牛心，已到了独臂鹰王手里，他大笑着张开嘴，竟一口就将一颗碗口般大的牛心吞了下去，咀嚼有声。

那声音实在令人听得寒毛直竖。

海灵子皱了皱眉，转过头去不愿再看。

独臂鹰王啧啧怪笑道："你用不着皱眉头，就凭你，若想这么样吃颗活牛心，只怕还不太容易，你至少还得再苦练个十年八年的鹰爪力。"

海灵子青渗渗的脸上现出怒容，冷冷道："我用不着练什么鹰爪力。"

独臂鹰王眼睛一瞪，道："你用不着练，难道你瞧不起我老爷子的鹰爪力？"

他一只鲜血淋漓的手已向海灵子抓了过去。

海灵子一个翻身，后退八尺，脸都吓白了。

独臂鹰王仰面大笑道："小杂毛，你用不着害怕，我老爷子只不过吓着你好玩的，我跟你那老杂毛师父是朋友，怎么能欺负你这小孩子。”

海灵子活到五十多了，想不到还有人叫他“小孩子”，他两只手气得发抖，却偏偏没有拔剑的勇气。

独臂鹰王那手力穿牛腹、巧取牛心的鹰爪力，那份狠、那份准、那份快，的确令人提不起勇气。

已经上到第七道菜了。

马回回的手艺的确不错，能将牛肉烹调得像嫩鸡、像肥鸭、像野味，有时甚至嫩得像豆腐。

他能将牛肉烧得像各种东西，就是不像牛肉。

到第八道菜时，马回回亲自捧上来，笑道：“菜虽不好，酒还不错，各位前辈请多喝两杯。”

独臂鹰王突然一拍桌子，大声道：“酒也不好。”

马回回怔住了。

幸好赵无极已接着笑道：“酒虽是好酒，但若无红袖添酒，酒味也淡了。”

独臂鹰王展颜大笑道：“不错不错，到底还是你念过几天书，知道这‘酒’字，和那‘色’字是万万不能分开的。”

马回回也笑了，道：“晚辈其实也已想到这一点，只怕此间的庸俗脂粉，入不了各位前辈的眼。”

独臂鹰王皱眉道：“听说这里的女人很有名，难道连一个出色的都没有？”

马回回沉吟着道：“出色的倒是有一个，但只有一个……”

独臂鹰王又一拍桌子，道：“一个就已够了，这老杂毛是出家人，赵无极出名的怕老婆，屠老头已是心有余而力不足，你用不着替他们担心。”

屠啸天笑道：“不错，你只要替司空前辈找到一个就成了，我这糟老头子只想在旁边瞧瞧。年纪大的人，只要瞧瞧就已经很过瘾了。”

赵无极笑道：“怕老婆的人，还是连瞧都不要瞧的好。但若不瞧一眼，我还真不舍得走，马掌柜的，就烦你去走一趟吧。”

马回回道：“晚辈这就去找，只不过……”

独臂鹰王瞪眼道：“只不过怎样？”

马回回赔笑道：“那位姑娘出名的架子大，未必一找就能找来。”

独臂鹰王大笑道：“那倒无妨，我就喜欢架子大的女人，架子大的女人必定有些与众不同，否则她的架子怎么大得起来？”

马回回笑道：“既是如此，就请前辈稍候……”

独臂鹰王道：“多等等也没关系，别的事我老爷子虽等不得，等女人的耐心我倒有。”

第五章

出色的女人

已经等了快一个时辰了，那位出色的女人还没有来。

屠啸天喝了杯酒，摇着头道：“这女人的架子倒还真不小。”

独臂鹰王也摇着头笑道：“你这糟老头子真不懂得女人，难怪要做一辈子的老光棍了——你以为那女人真的是架子大么？”

屠啸天道：“难道不是？”

独臂鹰王道：“她这么样做，并不是真的架子大，只不过是在吊男人的胃口。”

屠啸天道：“吊胃口？”

独臂鹰王道：“不错，她知道男人都是贱骨头，等得愈久，心里愈好奇，愈觉得这女人珍贵，那种一请就到的女人，男人反会觉得没有意思。”

屠啸天抚掌笑道：“高见，高见……想不到司空兄非但武功绝世，对女人也研究有素。”

独臂鹰王大笑道：“要想将女人研究透彻，可真比练武困难得多。”

他突然顿住笑声，竖起耳朵来听了听，悄悄笑道：“来了。”

这句话刚说完，门外就响起了一阵细微的脚步声。

就连海灵子也忍不住扭过头去瞧，他也实在想瞧瞧，这究竟是怎么样一个出色的女人。

门是开着的，却挂着帘子。

帘下露出一双脚。

这双脚上穿的虽只不过是双很普通的青布软鞋，但样子却做得很秀气，使得这双脚看来也秀气得很。

虽然只看到一双脚，独臂鹰王已觉得很满意了。

他那特大的脑袋已开始在摇，一只发光的眼睛瞬也不瞬地盯着这双鞋，眼珠子都似乎快凸了出来。

只听帘外一人道："我可以进来吗？"

声音是冷冰冰的，但却清脆如出谷黄莺。

独臂鹰王大笑道："你当然可以进来，快……快请进来。"

脚并没有移动，帘外又伸入了一只手。

手很白，手指长而纤秀，指甲修剪得很干净，很整齐，但却并不像一般爱打扮的女人那样，在指甲上涂着凤仙花汁。

这只手不但美，而且很有性格。

只看这只手，已可令人觉得这女人果然与众不同。

独臂鹰王不停地点着头笑道："好！很好……好极了……"

只见这只手缓缓掀起了帘子。

这与众不同的女人终于走了进来。

在屠啸天想象中，架子这么大的女人，一定是衣着华丽，浓妆艳抹，甚至满身珠光宝气。

但他错了。

这女人穿的只是一身很浅淡、很合身的青布衣服，脸上看不出有脂粉的痕迹，只不过在耳朵上戴着一粒小小的珍珠。

屠啸天觉得很吃惊，他想不到一个风尘女人打扮得竟是如此朴素，甚至可以说连一点打扮都没有。

他吃惊，因为他年纪虽不小，对女人懂得的却不多，而这女人对男人的心理懂得的却太多了。

她知道自己愈不打扮，才愈显得出色脱俗。

男人的心理的确很奇怪，他们总希望风尘女子不像风尘女子，而像是个小家碧玉，或者是大家闺秀。

但他们遇着个正正当当、清清白白的女人，他们又偏偏要希望这女人像是个风尘女子了。

所以，风尘女子若是像好人家的女子就一定会红得发紫，好人家的姑娘若像风尘女子，也一定会有很多男人追求。

赵无极虽然怕老婆，但怕老婆的男人也会偷嘴的。世上没有不偷嘴的男人，正如世上没有不偷嘴的猫。

他玩过很多次，在他印象中，每个风尘女子一走进来时，脸上都带着甜甜的笑容——当然是职业性的笑容。

但这女子却不同。

她非但不笑，而且连话也不说，一走进来，就坐在椅子上，冷冰冰地坐着，简直像是个木头人。

只不过这木头人的确美得很。

她年龄似乎已不小了，却也绝不会太大，她的眼睛很亮，眼角有一点往上吊，更显得妩媚。

独臂鹰王的眼睛已眯了起来，笑着道："好！很好……请坐请坐。"

这女人连眼角都没有瞟他一眼，冷冷道："我已经坐下了。"

独臂鹰王笑道："很对！很对！你已经坐下了，你坐得很好看。"

这女人道："那么你就看吧，我本来就是让人看的。"

独臂鹰王拍着桌子，大笑道："糟老头，你看……你看这女人多有趣。就连说出来的话都和别人不同，居然敢给我钉子碰。”

若是别人给他钉子碰，他不打扁那人的脑袋才怪，但这女人给他钉子碰，他却觉得很有趣。

唉！女人真是了不起。

屠啸天也笑了，道：“却不知这位姑娘能不能将芳名告诉我们？”

这女人道：“我叫思娘。”

独臂鹰王大笑道：“思娘？……难怪你这么不开心，原来你是在思念你的娘，你的娘也和你一样漂亮吗？”

思娘也不说话，站起来就往外走。

独臂鹰王大叫道：“等等，等等，你要到哪里去？”

思娘道：“我要走。”

独臂鹰王怪叫道：“走？你要走？刚来了就要走？”

思娘冷冷道：“我虽是个卖笑的女人，但我的娘却不是，我到这里来也不是为了要听你们拿我的娘来开玩笑的。”

她倒是真懂得男人，她知道地位愈高、愈有办法的男人，就愈喜欢不听话的女人，因为他们平时见到的听话的人太多了。

只有那种很少见到女人的男人，才喜欢听女人灌迷汤。

独臂鹰王果然一点也没生气，反而笑得更开心，道：“对对对，以后谁敢开你娘的玩笑，我先扭断他的脖子。”

思娘这才一百个不情愿地又坐了下来。

赵无极忍不住道：“姑娘既然不喜欢开玩笑，却不知喜欢什么呢？”

思娘道：“我什么都喜欢，什么都不喜欢。”

独臂鹰王大笑道：“说得妙，说得妙！简直比别人唱的还好听。”

赵无极笑道：“姑娘说的既已如此好听，唱的想必更好听了，不知姑娘是否能高歌一曲，也好让我们大家一饱耳福。”

思娘道："我不会唱歌。"

赵无极道："那么……姑娘想必会抚琴？"

思娘道："也不会。"

赵无极道："琵琶？"

思娘道："更不会。"

赵无极忍不住笑了，道："那么……姑娘你究竟会什么呢？"

思娘道："我是陪酒来的，自然会喝酒。"

独臂鹰王大笑道："妙极妙极，会喝酒就已够了，我就喜欢会喝酒的女人。"

这位思娘倒的确可以说是"会喝酒"，赵无极本来有心要她醉一醉，出出她的丑态。但思娘酒喝得愈多，眼睛就愈亮，简直连一点酒意都看不出，赵无极反而不敢找她喝酒了。

独臂鹰王也没有灌她酒——他是个很懂得"欣赏"的男人，他只希望他的女人有几分酒意，却不愿他的女人真喝醉。

他也很懂得把握时候。

到了差不多的时候，他自己先装醉了。

赵无极也很知趣，到了差不多的时候，就笑着说道："司空兄连日劳顿，此刻只怕已有些不胜酒力了吧？"

独臂鹰王立刻就站了起来，道："是，是，是，我醉欲眠……我醉欲眠……"

赵无极忙道："马掌柜的早已在后院为司空兄备下了一间清静的屋子，就烦这位姑娘将司空兄送过去吧。"

思娘狠狠瞪了他一眼，居然没有拒绝。扶着独臂鹰王就往外走，好像对这种事已经习惯得很。

屠啸天失笑道："我还当她真的有什么不同哩，原来到最后还是和别的女人一样。”

赵无极也笑道：“到了最后，世上所有的女人都是一样的，尤其这种女人，她们根本就是为了要‘卖’才出来混，不卖也是白不卖。”

屠啸天笑道：“只不过这女人‘卖’的方法实在和别人有些不同而已。”

马回回为独臂鹰王准备的屋子果然很清静。

一进了门，思娘就将独臂鹰王用力推开，冷冷道：“你的酒现在总该醒了吧？”

独臂鹰王笑道：“酒醒得哪有这么快！”

思娘冷笑道：“你根本就没有醉，你以为我不知道？”

独臂鹰王的酒果然“醒”了几分，笑道：“醒就是醉，醉就是醒，人生本是戏，何必分得那么清？”

他自己找着茶壶，对着嘴灌了几口，喃喃道：“酒浓于水，水的确没有酒好喝。”

思娘冷冷地瞧着他，道：“现在我已送你回来了，你还想要我干什么？”

独臂鹰王用一只手拉起她的一只手，眯着眼笑道：“男人在这种时候想要做什么，你难道不懂？”

思娘甩开他的手，大声道：“你凭什么以为我是那种女人，凭什么以为我会跟你做那种事？”

独臂鹰王笑道：“我就凭这个。”

他大笑着取出一大锭黄澄澄的金子，抛在桌上，眼角瞟着思娘，道：“这个你要不要？”

思娘道：“我们出来做，为的就是要赚钱，若非为了要赚钱，谁愿意被别人当作酒罐子？”

独臂鹰王大笑道："原来你还是要钱的，这就好办多了。"

他又拉起思娘的手，思娘又甩开了，冷冷道："我虽然要钱，可是我也得选选人。"

独臂鹰王的脸色变了，道："你要选怎么样的人？小白脸？"

思娘冷笑道："小白脸我看得多了，我要的是真正的男人。"

独臂鹰王展颜笑道："这就对了，你选我绝不会错，我就是真正的男子汉。"

思娘上上下下瞟了他一眼，道："我要的是了不起的男人，你是吗？"

独臂鹰王道："我当然是。"

思娘道："你若是真有什么了不起的地方，让我瞧瞧，能令我心动，就算一分银子都没有，我也会心甘情愿地跟你……"

独臂鹰王大笑道："你不认得我，自然不知道我有什么了不起，但江湖中人一听到我的名字，我要他往东，他就不敢往西。"

思娘道："吹牛人人都会吹的。"

独臂鹰王道："你不信？好，我让你瞧瞧！"

他的手轻轻一切，桌子就被切下了一只角，就好像刀切豆腐似的。

思娘淡淡道："好，果然有本事，但是在我看来还不够……"

独臂鹰王笑道："不管你够不够，我已等不及了，来吧。"

他轻轻一拉，思娘就跌入他怀里。思娘闭着眼，动也不动，道："你力气大，要强奸我，我也没法子反抗，但一个真正的男人，就该要女人自己心甘情愿地跟他。"

独臂鹰王的嘴不动了，因为他的手已在动。他虽然只有一只手，却比两只手的男人动得还要厉害。

思娘咬着牙，冷笑道："亏你还敢说自己是男子汉，原来只会欺负女人，欺负女人的男人非但最不要脸，也最没出息。我倒想不到你会是这种人。”

独臂鹰王喘着气，笑道：“你以为我是哪种人？”

思娘道：“我看你长得虽丑，倒还有几分男子气概，所以才会跟你到这里来，若换了那三个人，就算醉倒在地上，我也不会扶一把。”

她轻轻叹了口气，道：“谁知我竟看错了你，但这也只好怨我自己，怨不得别人……好，你要就快来吧，反正这种事也用不了多少时候的。”

独臂鹰王的手不动了，人也似已怔住。

怔了半晌，他才跳了起来，大叫道：“你究竟要我怎样？”

思娘坐起来，掩上衣襟，道：“我知道你有本事，会杀人，别人都怕你，但这都没什么了不起。”

独臂鹰王道：“要怎样才算了不起？”

思娘道：“我听人说，愈有本事的人，愈深藏不露，昔年韩信受胯下之辱，后人才觉得他了不起，他当时若将那流氓杀了，还有谁佩服他？”

独臂鹰王大笑道：“难道你要我钻你的裤裆不成？”

思娘居然也忍不住笑了。

她不笑时还只不过是个“木美人”，这一笑起来，当真是活色生香，风情万种。若有男人见了不心动，必定是个死人。

独臂鹰王自然不是死人，直着眼笑道：“我司空曙纵横一世，但你若真要我钻你裤裆，我也认了。”

思娘嫣笑道：“我不是这意思，只不过……”

她眼波流动，接着道：“譬如说，我虽打不过你，但你被我打了一下，却肯不还手，那才真正显得你是个男人，才真正有男子汉的气概。”

独臂鹰王大笑道："这容易，我就被你打一巴掌又有何妨？"

思娘道："真的？"

独臂鹰王道："自然是真的，你就打吧，打重些也没关系。"

思娘笑道："那么我可真的要打了。"

她卷起衣袖，露出一截白玉般的手腕。

独臂鹰王居然真的不动，心甘情愿地挨打。

这就是男人。可怜的男人，为了要在女人面前表示自己"了不起"，表示自己"有勇气"，男人真是什么事都做得出的。

思娘娇笑着，一掌轻轻地打了下去。

她出手很轻，很慢，但快到独臂鹰王脸上时，五根手指突然接连弹出，闪电般点了他四处大穴。

独臂鹰王显然做梦也想不到有此一招，等他想到时，已来不及了——他自己变成了个木头人。

思娘已银铃般娇笑起来，吃吃笑道："好，独臂鹰王果然有大丈夫的气概，我佩服你！"

独臂鹰王瞪着她，眼睛里已将冒出火来，但嘴里却连一个字也说不出，他整张脸已完全麻木。

思娘道："其实你也用不着生气，更不必难受，无论多聪明的男人，见了漂亮女人时也会变成呆子的。"

她娇笑着接道："所以有些十七八岁的小姑娘，也能将一些老奸巨猾的老色鬼骗得团团乱转，世上这种事多的很……"

她一面说话，一面已在独臂鹰王身上搜索。

独臂鹰王穿着件很宽大的袍子。

他方才提在手上的黄布包，就藏在袍子里。

思娘找出这包袱，眼睛更亮了。

解开黄布袱，里面是个刀匣。

匣中刀光如雪！

思娘凝注着匣中的刀，喃喃道："萧十一郎，萧十一郎，你以为我一个人就夺不到这把刀？你不但小看了我，也太小看女人了，女人的本事究竟有多大，男人只怕永远也想不到……"

唉，了不起的女人！

风四娘可真是个了不起的女人！

但风四娘毕竟还是个女人。

女人看到自己喜欢的东西时，就看不到危险了。

——世上大多数色狼，都知道女人这弱点，所以使用些炫目的礼物，来掩护自己危险的攻击。

风四娘全副精神都已放在这把刀上，竟未看到独臂鹰王面上露出的狞笑。

等她要走的时候，已来不及了！

独臂鹰王猿猴般的长臂，突然间闪电般伸出，擒住了她的腕子，她半边身子立刻发了麻，手里的刀"当"地掉到地上！

这一招出手之快，竟令她毫无闪避的余地。

独臂鹰王咯咯笑道："你若认为我真是呆子，就不但小看了我，也太小看男人了，男人的本事究竟有多大，女人只怕永远也想不到！"

风四娘的一颗心已沉到了底，但面上却仍然带着微笑，因为她知道自己此刻剩下的唯一武器，就是微笑。

她用眼角瞟着独臂鹰王，甜笑着道："你何必发脾气？男人偶然被女人骗一次，岂非也蛮有趣的，若是太认真，就无趣了。"

独臂鹰王狞笑道："女人偶然被男人强奸一次，岂非也蛮有趣的？"

他的手突然一紧，风四娘全身都发了麻，连半分力气都没有了，再被他反手一掌掴下来，她的人就被掴倒在床上。

只见独臂鹰王已狞笑着向她走过来，她咬了咬牙，用尽全身力气，飞起一脚向他踢了过去。

但这一脚还未踢出，就被他鹰爪般的手捉住。他的手轻轻一拧，她脚踝就像是要断了，眼泪都快疼了出来。

那双薄薄的青布鞋，也变成了破布，露出了她那双纤巧、晶莹、完美得几乎毫无瑕疵的脚。

独臂鹰王看到这双脚，竟似看得痴了，喃喃道："好漂亮的脚，好漂亮……"

他居然低下头，用鼻子去亲她的脚心。

世上没有一个女人的脚心不怕痒的，尤其是风四娘，独臂鹰王那乱草般的胡子刺着她脚心，嘴里一阵阵热气似已自她的脚心直透入她心底，她虽然又惊、又怕、又愤怒、又恶心……但这种刺激她实在受不了。

她的心虽已快爆炸，但她的人却忍不住吃吃地笑了起来，笑出了眼泪，她一面笑，一面骂："畜生，畜生，你这老不死的畜生，快放开我……"

她将世上所有最恶毒的话都骂了出来，却还是忍不住要笑。

独臂鹰王瞪着她，眼睛里已冒出了火，突又一伸手，风四娘前胸的衣襟已被撕裂，露出了白玉般的胸膛。

她几乎晕了过去，只觉得独臂鹰王的人已骑到她身上，她只有用力绞紧两条腿，死也不肯松开。

只听独臂鹰王喘息着道："你这臭女人，这是你自己找的，怨不得我！"

他的手已捏住了她的喉咙。

风四娘连气都透不过来了，哪里还有力气挣扎反抗，她的眼前渐渐发黑，身子渐渐发软，两条腿也渐渐地放松……

突然间，“砰”的一声，窗子被撞开了。

一个青衣人箭一般蹿了进来，去掠取落在地上的刀！

独臂鹰王果然不愧是久经大敌的顶尖高手，在这种情况下，居然还没晕了头，凌空一个倒翻，长臂直抓那人的头顶！

那人来不及拾刀，身子一缩，缩开了半尺。

只听“咯”的一响，独臂鹰王的手臂竟又暴长了半尺，明明抓不到的地方，现在也可抓到了。

这就是独臂鹰王能纵横武林的绝技，若是换了别人，无论如何，也难再避得开这一抓。

谁知这青衣人的身法也快得不可思议，突然一个旋身，掌缘直切独臂鹰王的腕脉，脚尖轻轻一挑，将地上的刀向风四娘挑了过去。

风四娘左手掩衣襟，右手接刀，娇笑着道：“谢谢你们……”

笑声中，她的人已飞起，蹿出窗子。

青衣人叹了口气，反手一挥，就有一条雪亮的刀光匹练般划出，削向独臂鹰王的肩胛。

这一刀出手，当真快得不可思议。

独臂鹰王纵横数十年，实未看过这么快的刀法，甚至也未看清他的刀是如何出手的，大惊之下，翻身后掠，厉声喝道：“你是什么人？”

青衣人也不答话，招招抢攻，只见刀光缭绕，风雨不透，独臂鹰王目光闪动，避开几刀，突然纵声狂笑道：“萧十一郎，原来是你……”

青衣人也大笑道：“鹰王果真好眼力！”

笑声中，他的人与刀突似化而为一。

刀光一闪，穿窗而出。

独臂鹰王大喝一声，追了出去。

窗外夜色沉沉，秋星满天，哪里还有萧十一郎的人影！

风四娘一面在换衣裳，一面在嘴里低低地骂，也不知咒骂的是谁，也不知在骂些什么。

只不过她面上并没有怒容，反有喜色，尤其当她看到床上那刀匣时，她脸上就忍不住要露出春花般的微笑。

这把日思夜想的割鹿刀，终于还是到手了。

为了这把刀，风四娘可真费了不少心思，很多天以前，她就到这镇上来了，因为她算准这是赵无极他们的必经之路。

在镇外，她租下了这幽静的小屋，再找到马回回；马回回是个很够义气的人，以前又欠过她的情，当然没法子不帮她这个忙。

但独臂鹰王可实在是个扎手的人物，到最后她险些功亏一篑，偷鸡不成反要蚀把米，若不是萧十一郎……

想起萧十一郎，她就恨得牙痒痒的。

她刚扣起最后一粒扣子，突听窗外有人长长叹了口气，悠悠道："奉劝各位千万莫要和女人交朋友，更莫要帮女人的忙，你在帮她的忙，她自己反而溜了，将你一个人吊在那里。"

听到这声音，风四娘的脸就涨红了，不知不觉将刚扣好的那粒扣子也拧断了，看样子似乎恨不得一脚将窗户踢破。

但眼珠子一转，她又忍住，反而吃吃地笑了起来，道："一点也不错，我就恨不得把你吊死在那里，让独臂鹰王把你的心掏出来，看看究竟有多黑。"

窗子被推开一线，萧十一郎露出半边脸，笑嘻嘻道："是我的心黑，还是你的心黑？"

风四娘道：“你居然还敢说我？问我？我诚心诚意要你来帮我的忙，你推三推四地不肯。我来了，你又偷偷地跟在后面，等我眼见就要得手，你才突然露面，想白白地捡个便宜，你说你是不是东西？”

她愈说愈火，终于还是忍不住跳了过去，“砰”地将窗子打破了一个大洞，恨不得这窗子就是萧十一郎的脸。

萧十一郎却早已走得远远的，笑道：“我当然不是东西，我明明是人，怎会是东西？”

他叹了口气，喃喃道：“也许我的确不该来的，就让那大头鬼去嗅你的臭脚也好，臭死他更好，也免得我再……”

风四娘叫了起来，大骂道：“放你的屁，你怎么知道我脚臭，你嗅过吗？”

萧十一郎笑道：“我可没有那么好的雅兴。”

风四娘也发觉自己这么说，简直是在找自己的麻烦，涨红了脸道：“就算你帮了我一个忙，我也不领你的情，因为你根本不是来救我的，只不过是为了这把刀。”

萧十一郎道：“哦！”

风四娘道：“你若真来救我，为何不管我的人，先去抢那把刀？”

萧十一郎摇摇头，苦笑道：“这女人居然连声东击西之计都不懂……我问你，我若不去抢那把刀，他怎会那么容易就放开你？”

风四娘听了萧十一郎的分析，不由得怔住了。

她想想也不错，萧十一郎当时若不抢刀，而先击人，他自己也免不了要被独臂鹰王所伤。

萧十一郎道：“若有个老鼠爬到你的水晶杯上去了，你会不会用石头去打它？你难道不怕打碎你自己的水晶杯吗？”

风四娘板起脸，道：“算你会说话……”

萧十一郎失笑道：“我知道你心里也明白自己错了，但嘴里却是死也不肯认错的！”

风四娘道：“你怎么知道我的心思，难道你是我肚子里的蛔虫？”

萧十一郎道：“就因为你心里已认了错，已经很感激我，所以才会对我这么凶，只要你心里感激我，嘴里不说也没关系。”

风四娘虽然还想板着脸，却已忍不住笑了。

女人的心也很奇怪，对她不喜欢的男人，她心肠会比铁还硬，但遇着她喜欢的男人时，她的心就再也硬不起来。

萧十一郎一直在看着她，似已看得痴了。

风四娘白了他一眼，抿着嘴笑道：“你看什么？有什么好看的？”

萧十一郎道：“这你就不懂了，一个女人最好看的时候，就是她虽然想板着脸，却又忍不住要笑的时候，这机会我怎能错过？”

风四娘笑啐道：“你少来吃我的老豆腐，其实你心里在打什么主意，我都知道。”

萧十一郎道：“哦！你几时也变成我肚子里的蛔虫了？”

风四娘道：“这次你落了一场空，心里自然不服气，总想到我这儿捞点本回去，是不是？”

萧十一郎道：“那倒也不是，只不过……”

他笑了笑，接着道：“你既然已有了割鹿刀，还要那柄蓝玉剑干什么？”

风四娘失笑道：“我早知道你这小贼在打我那柄剑的主意……好吧，看在你对我还算孝顺，我就将这柄剑赏给你吧。”

她取出剑，抛出了窗外。

萧十一郎双手接住，笑道：“谢赏。”

他拔出了剑，轻轻抚摸着，喃喃道：“果然是柄好剑，只可惜是女人用的。”

风四娘忽然道："对了，你要这把女人用的剑干什么？"

萧十一郎笑道："自然是想去送给一个女人。"

风四娘瞪眼道："送给谁？"

萧十一郎道："送给谁我现在还不知道，只不过我总会找个合适的女人去送给她的，你请放心好了。"

风四娘咬着嘴唇，悠悠道："好，可是你找到的时候，总该告诉我一声。"

萧十一郎道："好，我这就去找。"

他刚转过身，风四娘突又喝道："慢着。"

萧十一郎慢慢地转回身子，道："还有何吩咐？"

风四娘眼波流动，取起了床上的割鹿刀，道："你难道不想见识见识这把刀？"

萧十一郎道："不想。"

他回答得居然如此干脆，风四娘不禁怔了怔，道："为什么？"

萧十一郎笑了笑，道："因为……我若猜得不错，这把刀八成是假的。"

风四娘耸然道："假的？你凭什么认为这把刀会是假的？"

萧十一郎道："我问你，赵无极、屠啸天、海灵子，这三个人哪个是省油的灯？"

风四娘冷笑道："三个人都不是好东西。"

萧十一郎道："那么，他们为何要巴巴地将独臂鹰王这老怪物找来，心甘情愿地受他的气，而且还将刀交给他，事成之后，也是他一个人露脸，像赵无极这样的厉害角色，为什么会做这种傻事？"

风四娘道："你说为什么？"

萧十一郎道："就因为他们要这独臂鹰王做替死鬼，做箭垛子！"

风四娘皱眉道："箭垛子？"

萧十一郎道："他们明知这一路上必定有很多人会来夺刀，敢来夺刀的自然都有两下子，所以他们就将一柄假刀交给司空曙，让大家都来夺这柄假刀，他们才好太太平平地将真刀护到地头。"

他叹了口气，接道："你想想，他们若非明知这是柄假刀，我们在那里打得天翻地覆时，他们三人为何不过来帮手？"

风四娘道："这……这也许是因为他们生怕打扰了司空曙……而且他们本就是住在别处的，马回回只为司空曙一个准备了宿处。"

萧十一郎摇着头笑道："司空曙带着的若是真刀，他们三个人能放心将他一个人留在那边么？"

风四娘说不出话来了。

她怔了半晌，突然拔出刀，大声道："无论你怎么说，我也不相信这柄刀是假的！"

刀，的确是光华夺目。

但仔细一看，就可发觉这灿烂的刀光带着些邪气，就好像那些小姑娘头上戴的镀银假首饰似的。

萧十一郎拔出了那柄"蓝玉"，道："你若不信，何妨来试试？"

风四娘咬了咬牙，穿窗而出，一刀向剑上撩了过去。

只听"锵"的一响！

雪亮的刀已断成两半！

风四娘整个人都僵住了，手里的半截刀也掉落在地上。假如有人说风四娘绝不会老，那么她在这一刹那间的确像是老了几岁。

萧十一郎摇着头，喃喃道："人人都说女人比男人聪明，可是女人为什么总常常会上男人的当呢？"

风四娘突又跳了起来，怒道："你明知刀是假的，还要骗我的剑，你简直是个贼，是个强盗。"

萧十一郎叹道："我的确不该骗你，可是我认得一位姑娘，她又聪明、又漂亮、又爽直，我已有很久没见她的面了，所以想找件礼物送给她，也好让她开心开心。"

风四娘瞪大了眼睛，道："那……那女人是谁？"

萧十一郎凝注着她，带着温暖的微笑，缓缓道："她叫作风四娘，不知你认不认得？"

风四娘突然觉得一阵热意自心底涌起，所有的怒气都已消失无踪，全身都软，软软地倚着窗户，咬着嘴唇道："你呀，你这个人……我认识了你，至少也得短命三十年。"

萧十一郎将那柄蓝玉剑双手捧过来，笑道："你虽然没有得到割鹿刀，却有人送你柄蓝玉剑，你岂非也应该很开心了么？"

第六章

美人心

茶馆。

济南虽是个五方杂处、卧虎藏龙的名城，但要找个比茶馆人更杂、话更多的地方，只怕也很少。

风四娘坐茶馆的机会虽不多，但每次坐在茶馆里，她都觉得很开心，她喜欢男人们盯着她看。

一个女人能令男人们的眼睛发直，总是件开心的事。

这茶馆里大多数男人的眼睛的确都在盯着她，坐茶馆的女人本不多，这么美的女人更少见。

风四娘用一只小盖碗慢慢地啜着茶，茶叶并不好，这种茶她平日根本就不会入口，但现在却似舍不得放下。

她根本不是在欣赏茶的滋味，只不过她自己觉得自己喝茶的姿势很美，还可以让别人欣赏欣赏她这双手。

萧十一郎也在瞧着她，觉得很有趣。

他认识风四娘已有很多年了，他很了解风四娘的脾气。

这位被江湖中人称为“女妖怪”的女中豪杰，虽然很难惹、很泼辣，但有时也会天真得像个孩子。

萧十一郎一直很喜欢她，每次和她相处的时候都会觉得很愉快，但和她分手的时候，却并不难受。

这究竟是种什么样的感情，他自己也分不清。

他们赶到济南来，因为割鹿刀也到了济南。

还有很多名人也都到了济南……

突然间，本来盯着风四娘的那些眼睛，一下子全都转到外面去了。有人伸长脖子瞧，有人甚至已站起来，跑到门口。

风四娘也有些惊奇，她心里想：“外面难道来了个比我更漂亮的女人？”

风四娘有些生气，又有些好奇，也忍不住想到门口去瞧瞧，她心里想到要做一件事，就绝不会迟疑。

她到了门口，才发现大家争着瞧的，只不过是辆马车。

这辆马车虽然比普通的华贵些，可也没有什么特别出奇的地方，车窗车门都关得紧紧的，也看不到里面是什么人。

马车走得也不快，赶车的小心翼翼，连马鞭都不敢扬起，像是怕鞭梢在无意间伤及路人。

拉车的马虽不错，也并非什么千里驹。

奇怪的是，大家却偏偏都在盯着这辆马车瞧，有些人还在窃窃私议，就像是这马车顶上忽然长出朵大喇叭花来了似的。

“这些人宁可看这辆破马车，却不看我？”风四娘真有点弄不懂了，这地方的男人难道都有点毛病？

她忍不住冷笑道：“这里的人难道都没有见过马车吗？一辆马车有什么好看的？”

旁边的人扭过头瞧了她一眼，目光却又立刻回到那辆马车上去了，只有个驼背的老头子搭讪着笑道：“姑娘你这就不知道了，马车虽没有什么，但车里的人却是我们这地方的头一号人物。”

风四娘道：“哦？是谁？”

老头子笑道："说起此人来，可真是大大的有名，她就是城里'金针沈家'的大小姐沈璧君沈姑娘，也是武林中第一位大美人。"

他满脸堆着笑，仿佛也已分沾到一分光彩，接着又道："我说错了！沈姑娘其实已不该叫作沈姑娘，应该叫作连夫人才是，看姑娘你也是见多识广的人，想必知道姑苏有个'无垢山庄'，是江南第一世家，沈姑娘的夫婿就是无垢山庄的主人连城璧连公子。"

风四娘淡淡道："连城璧……这名字我好像听说过。"

其实她不但听说过，而且还听得多了。

"连城璧"这名字近年在江湖中名头之响，简直如日中天，就算他的对头仇人，也不能不对他挑一挑大拇指。

那老头子愈说兴趣愈浓，又道："沈姑娘出嫁已有两三年，上个月才归宁，城里的父母兄弟都一心想看看她这两年来是否出落得更美了，只可惜这位姑娘从小知书识礼，深居简出，我老头子等了二十年，也只不过见过她一两次而已。"

风四娘冷笑道："如此说来，这位沈姑娘倒真是你们济南人心中的宝贝了？"

老头子根本听不出她话中的讥诮之意，点着头笑道："一点也不错，一点也不错……"

风四娘道："她坐在车子里，你们也能瞧得见她吗？"

老头子眯着眼笑道："看不到她的人，看看她坐的车子也是好的。"

风四娘几乎气破了肚子，幸好这时马车已走到路尽头，转过去瞧不见了，大家这才纷纷落座。

有人还在议论纷纷："你看人家，回来两个多月，才上过一趟街，唉，谁能娶到沈姑娘这样的媳妇，真不知是几辈子修来的福气。"

"但人家连公子也不错，不但学问好、家世好、人品好、相貌好，而且听说武功也是天下数一数二的高手，这样的女婿哪儿找去？”

“这才叫郎才女貌，珠联璧合。”

“听说连公子前两天也来了，不知是否……”

大家谈谈说说，说的都是连城璧和沈璧君夫妻，简直将这两人说成天上少有，地下无双。

风四娘也懒得听了，正想叫萧十一郎赶快算账走路，但她身子还没有完全转过来，眼角突然瞥见了一个人！

茶馆的斜对面，有家“源记”钱庄票号。

当时的行商客旅，若觉得路上携带银两不便，就可以到这种钱庄去换“银票”，信用好的钱庄发出的银票，走遍天下都可通用，信用不好的钱庄就根本无法立足，当时银票盛行，就因为所有钱庄的信用都很好。

做这行生意的，大都是山西人，因为山西人的手紧，而且长于理财，这家“源记”票号，就是其中最大的一家。

风四娘看到的这个人，此刻刚从“源记”票号里走出来。

这人年纪三十左右，四四方方的脸，四四方方的嘴，穿着件规规矩矩的浅蓝缎袍，外面却罩着件青布衫，脚上穿着经久耐穿的白布袜、青布鞋，全身上下干干净净，就像是块刚出炉的硬面饼。

无论谁都可看出这是个规规矩矩、正正派派的人，无论将什么事交托给他都可以很放心。

但风四娘见到这人，却立刻用手挡住了脸，低下头就往后面走，就像是穷光蛋遇着了债主似的。

不巧的是，这人眼睛也很尖，走出来就瞧见风四娘了，一瞧见风四娘，他眼睛里就发出了光，大叫道：“四娘，四娘……风四娘……”

他嗓门可真不小，三条街外的人只怕都听得见。

风四娘只有停下脚，恨恨道：“倒霉，怎么遇上了这个倒霉鬼。”

那位规矩人已撩起了长衫，大步跑过来。

他眼睛里有了风四娘，就似乎什么也瞧不见了，街那边刚好转过来一辆马车，收势不及，眼见就要将他撞倒。

茶馆里的人都不禁发出了惊呼，谁知这人一退步，伸手一挽车轭，竟硬生生将这辆马车拉住了！

只见他两条腿钉子般钉在地上，一条手臂怕有千斤之力，满街上的人又都不禁发出了喝彩声。

这人却似全没听到，向那已吓呆了的车夫抱了抱拳，道：“抱歉。”

这句话刚说完，他的人已奔入了茶馆，四四方方的脸上这才露出一丝宽慰的微笑，笑道：“四娘，我总算找着你了。”

风四娘用眼白横了他一眼，冷冷道：“你鬼叫什么？别人还当我欠了你的债，你才会在这儿一个劲儿地穷吼。”

这人的笑容看来虽已有些发苦，却还是赔着笑道：“我……我没有呀。”

风四娘从鼻子里“哼”了一声，道：“你找我干什么？”

这人道：“没……没事。”

风四娘瞪眼道：“没事？没事为何要找我？”

这人急得直擦汗，道：“我……我只不过觉……觉得好久没……没见了，所以……所以……才……”

原来他一着急就变成了结巴，愈结巴愈说不出。本来相貌堂堂的一个人，此刻就像是变成了个呆头鹅。

风四娘也忍不住笑了，道：“就算好久没见，你也不应该站在街上穷吼，知道吗？”

看到风四娘有了笑容，这位规矩人才松了口气，赔着笑道：

“你……你一个人？”

风四娘向那边坐着的萧十一郎指了指，道：“两个。”

这人脸色立刻变了，眼睛瞪着萧十一郎，就像是恨不得将他一口吞下去，涨红着脸道：“他……他……他是什么人？”

风四娘瞪眼道：“他是什么人，跟你有什么关系？你凭什么问他？”

这人急得脖子都粗了，幸好这时萧十一郎已走了过来，笑道：“我是她堂弟，不知尊驾是……”

听到“堂弟”两个字，这位规矩人又松了口气，说话也立刻变得清楚了起来，抱着拳笑道：“原来尊驾是风四娘的堂弟，很好很好，太好了……在下姓杨，草字开泰，以后还请多多指教。”

萧十一郎似乎觉得有些意外，动容道：“莫非尊驾就是‘源记’票号的少东，江湖人称‘铁君子’的杨大侠么？”

杨开泰笑道：“不敢，不敢……”

萧十一郎也笑道：“幸会，幸会……”

他吃惊的倒并非因为这人竟是富可敌国的源记少东，而因为他是少林监寺“铁山大师”唯一俗家弟子，一手“少林神拳”据说已有了九成火候，江湖中已公认他为少林俗家弟子中的第一高手！

这么样土头土脑，见了风四娘连话都说不出的一个人，居然是名震关中的武林高手，萧十一郎自然难免觉得很意外。

杨开泰的眼睛已又转到风四娘那边去了，赔着笑道：“两位为何不坐下来说话？”

风四娘道：“我们正要走了。”

杨开泰道：“走？到……到哪里去？”

风四娘眼珠子一转，道：“我们正想找人请客吃饭。”

杨开泰道：“何必找人，我……我……”

风四娘用眼角瞟着他，道：“你想请客？”

杨开泰道：“当然，当然……听说隔壁的排骨面不错，馒头也蒸得很白……”

风四娘冷笑道：“排骨面我自己还吃得起，用不着你请，你走吧。”

杨开泰擦了擦汗，赔笑道：“你……你想吃什么，我都请。”

风四娘道：“你若真想请客，就请我们上‘悦宾楼’去，我想吃那里的水泡肚。”

杨开泰咬了咬牙，道：“好……好，咱……咱们就上悦宾楼。”

每个城里都有一两家特别贵的饭馆，但生意却往往特别好，因为花钱的大爷们爱的就是这调调儿。

坐在价钱特别贵的饭馆里吃饭，一个人仿佛就会变得神气许多，觉得自己多多少少还是个人物。

其实悦宾楼卖五钱银子一份的水泡肚，也未必比别家卖一钱七的滋味好些，但硬是有些人偏偏要觉得大不相同。

杨开泰从走上楼到坐下来，至少已擦了七八次汗。

风四娘已开始点菜了，点了四五样，杨开泰的脸色看来已有些发白，突然站起来，道：“我……我出去走一趟，就……就回来。”

风四娘理也不理他，还是自己点自己的菜，等杨开泰走下楼，她已一口气点了十六七样菜，这才停下来，道：“你猜不猜得出他干什么去了？”

萧十一郎笑了笑，道：“去拿钱？”

风四娘笑道：“一点也不错，这种人出来身上带的钱绝不会超过一两银子。”

萧十一郎道：“无论如何，他总是个君子，你也不该穷吃他。”

风四娘冷笑道：“什么‘铁君子’，我看他简直是个铁公鸡，就和他老子一样，一毛不拔，这种人不吃吃谁？”

萧十一郎道：“他总算对你不错。”

风四娘道：“我这么样吃他，就是要将他吃怕。”

她撇了撇嘴，道：“你也不知道这人有多讨厌，自从在王老夫人的寿宴上见过我一面后，就整天像条狗似的盯着我。”

萧十一郎道：“我倒觉得他很好，人既老实，又正派，家世更没话说，武功也是一等一的高手，我看你不如就嫁给他……”

话未说完，风四娘已叫了起来，道：“放你的屁，天下的男人死光了，我也不会嫁给这种铁公鸡。”

萧十一郎叹了口气，苦笑道：“女人真奇怪，未出嫁前，总希望自己的老公又豪爽，又慷慨，等到嫁给他以后，就希望他愈小气愈好了，最好一次客都不请，把钱都交给她。”

上第二道菜的时候，杨开泰才赶回来，那边角落上刚坐下一个面带微须的中年人看到他，就欠了欠身，抱了抱拳。

杨开泰也立刻抱拳还礼，彼此都很客气。

那中年人是一个人来的，穿的衣服虽然并不十分华贵，但气派看来却极大，腰畔悬着的一柄乌鞘剑，看来也绝非凡品。一双眸子更是炯炯有神，顾盼之间，隐然有威，显见得是个常常发号施令的人物。

风四娘早就留意到他了，此刻忍不住问道：“那人是谁？”

杨开泰道：“你不认得他？奇怪奇怪！”

风四娘道：“我为什么就一定要认得他？”

杨开泰压低声音，道：“他就是当年巴山顾道人的衣钵弟子柳色青，若论剑法之高远清灵，江湖间只怕已很少有人能比得上他了！”

风四娘也不禁为之动容，道：“听说他的‘七七四十九手回风舞柳剑’已尽得顾道人的神髓，而且还有过之而无不及，你看过吗？”

杨开泰道："这人生性恬淡，从来不喜欢和别人打交道，所以江湖中认得他的人很少，但却和嵩山的镜湖师兄是方外至交，所以我才认得他。"

他说别的话时，不但口齿清楚，而且有条有理，但一说到自己和风四娘的事时，就立刻变成个结结巴巴的呆子了。

风四娘瞟了萧十一郎一眼，道："看来这地方来的名人倒不少。"

杨开泰笑道："的确不少，除了我和柳色青外，大概还有厉刚、徐青藤、朱白水和连城璧连公子。"

风四娘冷冷道："如此说来，你也是个名人了？"

杨开泰怔了怔，道："我……我……我……"

他又说不出话来了。

连城璧、柳色青、杨开泰、朱白水、徐青藤、厉刚，这六人的名字说来的确非同小可，近十年来的江湖成名人物中，若论名头之响，武功之高，实在很难找得出几个人比这六人更强的。

这六人的年纪都不大，最大的厉刚也不过只有四十多岁，但他们不但个个都是世家子弟，名门之后，而且为人都很正派，做的事也很漂亮，连江湖中最难惹的老怪物"木尊者"，都说他们六人都不愧是"少年君子"。

木尊者这句话说出来，"六君子"之名立刻传遍了江湖。

风四娘又瞟了萧十一郎一眼，萧十一郎仍低着头在喝酒，始终都没有说话，风四娘这才转向杨开泰，道："今天是什么风将你们六位大名人都吹到济南来了呀？"

杨开泰擦了擦汗，道："有……有人请……请我们来的。"

风四娘道："能够请得动你们六位的人，面子倒真不小。是谁呀？"

杨开泰道："是……是司空曙、赵无极、海灵子、屠啸天和徐鲁子徐大师联合发的请柬，要我们到大明湖畔的沈家庄来看一把刀。"

风四娘眼睛亮了，道："看什么刀？"

杨开泰道："割鹿刀！"

风四娘淡淡道："为了看一把刀，就将你们六位都请来，也未免太小题大做了吧？"

杨开泰道："据说那不是一把普通的刀，徐大师费了一生心血才铸成的，他准备将这把刀送给我们六人中的一人，却不知送给谁好。"

风四娘道："所以他就将你们六人都请来，看看谁的本事大，就将刀送给谁，是吗？"

杨开泰道："只怕是的。"

风四娘冷笑道："为了一把刀，你们居然就不惜远远地跑到这里来拼命，你们这六位少年君子也未免太不值钱了吧！"

杨开泰涨红了脸，道："其实我……我并不想要这把刀，只不过……只不过……"

萧十一郎忽然笑道："我了解杨兄的意思，徐大师既有此请，杨兄不来，岂非显得示弱于人了么。我知道杨兄要争的是这份荣誉，绝不是那把刀！"

杨开泰展颜笑道："对对对，对极了……"

他接着又道："何况徐大师这把刀也并不是白送给我们的，无论谁得到这把刀，都要答应他两件事。"

风四娘道："拿了人家以一生心血铸成的宝刀，就算要替人家做二十件事，也是应该的。"

杨开泰叹了口气，道："这两件事做来只怕比别的两百件事还要困难得多。"

风四娘道："哦？"

杨开泰道："第一件事他要我们答应他，终生佩带此刀，绝不让它落入第二人的手中。这件事说来容易，做来却简直难如登天。"

他苦笑着接道："现在江湖中已不知有多少人知道这把刀的消息了，无论谁将这把刀夺到手，立刻就能成名露脸，震动江湖，带着这把刀在江湖走动，简直就好像带着包火药似的，随时都可能引火上身。"

风四娘笑了笑道："这话倒不假，就连我说不定也想来凑凑热闹。"

杨开泰道："但若比起第二件事来，这件事倒还算容易的。"

风四娘道："哦？他要你干什么，到天上摘个月亮下来么？"

杨开泰苦笑道："他要我们答应他，谁得到这把刀之后，就以此刀为他除去当今天下声名最狼藉的大盗……"

他话未说完，风四娘已忍不住抢着问道："他说的是谁？"

杨开泰一字字缓缓道："萧十一郎！"

已经上到第十样菜了。

杨开泰忽然看到满桌子的菜，脸色就立刻发白，喃喃道："菜太多了，太丰富了，怎么吃得下。"

风四娘板着脸道："这话本该由做客人的来说的，做主人的应该说菜不好，菜太少……你连这点规矩都不懂吗？"

杨开泰擦了擦汗，道："抱……抱歉，我……我一向很少做主人。"

风四娘也忍不住为之失笑，道："你这人虽然小气，总算还坦白得很。"

萧十一郎忽然道："不知杨兄可认得那萧十一郎么？"

杨开泰道："不认得。"

萧十一郎目光闪动，道："杨兄既然与他素不相识，得刀之后，怎忍下手杀他？”

杨开泰道：“我虽不认得他，却知道他是个无恶不作的江洋大盗，这种人正是‘人人得而诛之’，我为何要不忍？”

萧十一郎道：“杨兄可曾亲眼见到他做过什么不仁不义的事？”

杨开泰道：“那倒也没有，我……只不过时常听说而已。”

萧十一郎笑了笑，道：“亲眼所见之事，尚且未必能算准，何况仅是耳闻呢？”

杨开泰默然半晌，忽也笑了笑，道：“其实就算我想杀他，也未必能杀得了他，江湖中想杀他的人也不知有多少，但他岂非还是活得好好的？”

风四娘冷笑道：“一点也不错，你若肯听我良言相劝，还是莫要得到那柄刀好些，否则你非但杀不了萧十一郎，弄不好也许还要死在他手上。”

杨开泰叹道：“老实说，我能得到那柄刀的希望本就不大。”

风四娘道：“以你之见，是谁最有希望呢？”

杨开泰沉吟着，道：“厉刚成名最久，他的‘大开碑手’火候也很老到，只不过他为人太方正，掌法也不免呆板了些，缺少变化。”

风四娘道：“如此说来，他也是没希望的了。”

杨开泰道：“他未必能胜得过我。”

风四娘道：“徐青藤呢？”

杨开泰道：“徐青藤是武当掌门真人最心爱的弟子，拳剑双绝，轻功也好，据说他的剑法施展出来，已全无人间烟火气，只可惜……”

风四娘道：“只可惜怎样？”

杨开泰道：“他是世袭的杭州将军，钟鸣鼎食，席丰履厚，一个人生活过得若是太舒适了，武功就难有精进。”

风四娘道：“所以，你觉得他也没什么希望，是吗？”

杨开泰没有说话，无异已默认了。

风四娘道："朱白水呢？我听说他身兼峨嵋、点苍两家之长，又是昔年暗器名家'千手观音'朱夫人的独生子。收发暗器的功夫，一时无两。"

杨开泰道："这个人的确是惊才绝艳，聪明绝顶，只可惜他太聪明了，据说已看破红尘，准备剃度出家，所以他这次来不来都很成问题。"

风四娘道："他若来呢？"

杨开泰道："他既已看破红尘，就算来了，也不会全力施为。"

风四娘道："他也没希望？"

杨开泰道："希望不大。"

风四娘瞧了坐在那边自斟自饮的柳色青一眼，压低声音道："他呢？"

杨开泰道："此人剑法之高，无话可说，只可惜人太狂傲，与人交手时未免太轻敌，而且百招过后若还不能取胜，就会变得渐渐沉不住气了。"

萧十一郎笑道："杨兄分析得的确精辟绝伦……"

风四娘道："你既然很会分析别人，为何不分析分析自己？"

杨开泰正色道："我自十岁时投入恩师门下，至今已有二十一年，这二十一年来无论风雨寒暑，我早晚两课从未间断，我也不敢妄自菲薄，若论掌力之强，内劲之长，只怕已很少有人能比得上我。"

萧十一郎叹道："杨兄果然不愧为君子，品评人事，既不贬人扬己，也不矫情自谦，而且……"

风四娘抢着笑道："而且他心里无论有什么事都存不住的，脸上立刻就会显露出来，有人要他请客时，他的脸简直比马脸还难看。"

杨开泰的脸又涨红了，道："我……我……我只不过……"

风四娘道：“你只不过是太小气，所以你的内力虽深厚，掌法却嫌太放不开，总是不求有功，但求无过，别人虽很难胜你，你想胜过别人也很难。”

她笑了笑，接着道：“你评论别人完了，也得让我评论评论你，对不对？”

杨开泰红着脸呆了半晌，才长长叹了口气，道：“四娘你真不愧是我的知己。”

风四娘道：“知己两字，倒不敢当，只不过你的毛病我倒清楚得很。”

杨开泰叹道：“正因如此，所以我才自觉不如连城璧！”

风四娘道：“你看过他的武功？”

杨开泰道：“没有。江湖中见过他真功夫的人并不多。”

风四娘道：“那么你怎知他武功比你强？”

杨开泰道：“就因为他武功从不轻易炫露，才令人更觉他深不可测。”

萧十一郎道：“据说此人是个君子，六岁时便已有‘神童’之誉，十岁时剑法已登堂奥，十一岁时就能与自东瀛渡海而来的‘一刀流’掌门人‘太玄信机’交手论剑，历三百招而不败，自此之后，连扶桑三岛都知道中土出了位武林神童。”

他笑了笑，悠然接道：“但我也听说过，萧十一郎也是位不世出的武林奇才，刀法自成一格，出道后从未遇过敌手，却不知道这位连公子比不比得上他？”

杨开泰道：“萧十一郎的刀法如风雷闪电，连城璧的剑法却如暖月春风，两人一刚一柔，都已登峰造极，但自古‘柔能克刚’，放眼当今天下，若说还有人能胜过萧十一郎的，只怕就是这位连城璧了。”

萧十一郎神色不动，微笑道：“听你说来，他两人一个至刚，一个至柔，倒好像是天生的对头！”

杨开泰道：“但萧十一郎却有几样万万比不上连城璧！”

萧十一郎道：“哦？愿闻其详。”

杨开泰道：“连城璧乃武林世家子弟，行事大仁大义，而且处处替人着想，从不争名夺利，近年来人望之隆，无人能及，已可当得起‘大侠’两字！这种人无论走到哪里，别人都对他恭敬有加，可说已占尽了天时、地利、人和。”

风四娘咬着嘴唇道：“萧十一郎呢？”

杨开泰道：“萧十一郎却是声名狼藉的大盗，既没有亲人，更没有朋友，无论走到哪里，都绝不会有人帮他的忙。”

萧十一郎虽然还在笑，但笑容看来已带着种说不出的萧索寂寞之意，举起酒杯，一饮而尽，大笑道：“说得对，说得好，想那萧十一郎只不过是个马车夫的儿子而已，又怎能和连城璧那种世家子弟相比。”

杨开泰道：“除此之外，连城璧还有件事，也是别人比不上的。”

风四娘道：“什么事？”

杨开泰道：“他还有个好帮手，贤内助。”

风四娘道：“你说的可是沈璧君？”

杨开泰道：“不错，这位连夫人就是‘金针’沈太君的孙女儿，不但身怀绝技，而且温柔贤惠，是位典型的贤妻良母。”

风四娘冷冷道：“只可惜她已嫁人了，否则你倒可以去追求追求。”

杨开泰的脸立刻又红了，吃吃道：“我……我……我只不过……”

风四娘慢慢地啜着杯中酒，喃喃道：“不知道沈家的‘金针’比起我的‘银针’来怎样？……”

她忽然抬起头，笑道：“你们什么时候到沈家庄去？”

杨开泰道：“明天下午。护刀入关的司空曙，最迟明天早上就可到

了。”

风四娘眼珠子直转，道：“不知道他们还请了些什么人？”

杨开泰道：“客人并不多……”

他像是忽然想到了什么，瞧着风四娘道：“你是不是也想去？”

风四娘冷笑了一声，淡淡道：“人家又没有请我，我脸皮还没有这么厚。”

杨开泰道：“但我可以带你去，你就算是我的……我的……”

风四娘瞪眼道：“算是你的什么人？”

杨开泰红着脸，吃吃道：“朋……朋……朋友……”

第七章

沈太君的气派

沈家庄在大明湖畔，依山面水，你只要看到他们门口那两尊古老石狮子，就可想见这家家族历史的辉煌与悠久。

沈家庄的奴仆并不多，但每个人都是彬彬有礼，训练有素，绝不会令任何人觉得自己受了冷落。

自从庄主沈劲风夫妇出征流寇，双双战死在嘉峪关口之后，沈家庄近年来实是人丁凋零，只有沈太君一个人在支持着门户。

但沈家庄在江湖人心目中的地位却非但始终不坠，而且反而愈来愈高了，这并不完全是因为大家同情沈劲风夫妇的惨死，崇敬他们的英节，也因为这位沈太君的确有许多令人心服之处。

连城璧一早就出城去迎接护刀入关的人了，此刻在大厅中接待宾客的，是沈太君娘家的侄子“襄阳剑客”万重山。

客到得并不多，最早来的是“铁君子”杨开泰。

他还带来了两位“朋友”：一位是个很英俊秀气的白面书生，叫“冯士良”；另一位是冯士良的堂弟，叫“冯五”。

万重山阅人多矣，总觉得这两位“冯先生”都是英气逼人，武功也显然有很深的火候，绝不会是江湖中的无名之辈。

但他却偏偏从未听说过这两人的名字。

万重山心里虽奇怪，表面却不动声色，绝口不提，他信得过杨开泰，他相信杨开泰带来的朋友绝不会是为非作歹之徒。

但厉刚就不同了。

厉刚来得也很早，万重山为他们引见过之后，厉刚那一双尖刀般的眼睛，就一直在盯着这两位“冯先生”。

这位以三十六路“大开碑手”名扬天下的武林豪杰，不但一双眼神像尖刀，他整个人都像是一把刀，出了鞘的刀！

他整个人身上都散发着一种凌厉之气，咄咄逼人。

风四娘被他盯得几乎有些受不住了，但萧十一郎却还是面带微笑，安然自若，完全不在乎。

萧十一郎和别人不同的地方，就是他什么都不在乎。

然后柳色青也来了。

再到的是徐青藤，这位世袭的杭州将军，果然是人物风流，衣衫华丽。帽上缀着的一粒珍珠，大如鸽卵，一看就知道是价值连城之物，但他对人却很客气，并未以富贵凌人，也没有什么架子。

其间还到了几位客人，自然也全都是德高望重的武林前辈，但厉刚的眼睛却还是一直在盯着萧十一郎。

杨开泰也觉得有些不对了，搭讪着道：“厉兄近来可曾到少林去过？”

厉刚板着脸点了点头，忽然道：“这位冯兄是阁下的朋友？”

杨开泰道：“不错。”

厉刚道：“他真的姓冯？”

风四娘一肚子火，实在忍不住了，冷笑道：“阁下若认为我们不姓冯，那么我们应该姓什么呢？”

厉刚沉着脸，道：“两位无论姓什么，都与厉某无关，只不过厉某生平最见不得藏头露尾，改名换姓之辈，若是见到，就绝不肯放过。”

风四娘脸色已变了，但万重山已抢着笑道：“厉兄为人之刚正，是大家都知道的。”

徐青藤立刻也笑着打岔，问道：“白水兄呢？为何还没有来？”

万重山轻轻叹息了一声，道：“白水兄已在峨嵋金顶剃度，这次只怕是不会来的了。”

徐青藤扼腕道：“他怎会如此想不开？其中莫非还有什么隐情么？”

厉刚忽然一拍桌子，厉声道：“无论他是为了什么，都大大的不该，朱家世代单传，只有他这一个独子，他却出家做了和尚。常言道，不孝有三，无后为大。亏他还念过几天书，竟连这句话都忘了，我若见了他……哼！”

万重山和徐青藤面面相觑，谁也不说话了。

风四娘一肚子气还未消，忍不住冷笑道：“你看这人多奇怪，什么人的闲事他都要来管管。”

厉刚霍然长身而起，怒道：“我就是喜欢管闲事，你不服？”

杨开泰也站了起来，大声道：“厉兄莫要忘了，他是我的朋友。”

厉刚道：“是你的朋友又怎样？厉某今日就要教训教训你这朋友。”

杨开泰脸都涨红了，道：“好好好，你……你……你不妨先来教训教训我吧。”

两人一挽袖子，像是立刻就要出手，满屋子的人竟没有一个站出来劝架的，因为大家都知道厉刚的脾气，谁也不愿再自讨无趣。

突听一人道：“你们到这里来，是想来打架的么？”

这句话说得本不大高明，非但全无气派，也不文雅，甚至有些像贩夫走卒在找人麻烦。

但现在这句话由这人嘴里说出来，分量就好像变得忽然不同了，谁也不会觉得这句话说得有丝毫不文雅、不高明之处——因为这句话是沈太夫人说出来的。

沈太君无论年龄、身份、地位，都已到了可以随便说话的程度，能够挨她骂的人，心里非但不会觉得难受，反而会觉得很光荣，她若对一个人客客气气的，那人反而会觉得全身不舒服。

这道理沈太君一向很明白。

无论对什么事，她都很明白；她听得多，看得够多，经历过的事也够多了。现在她的耳朵虽已有点聋，但只要是她想听的话，别人声音无论说得多么小，她还是能将每个字都听得清清楚楚。

若是她不想听的话，她就一个字也听不到了。

现在她的眼睛虽也不如以前那么明亮敏锐，也许已看不清别人的脸，但每个人的心她却都能看得清清楚楚。

丫头们将她扶出来的时候，她正在吃着一粒蜜枣，吃得津津有味，像是已将全副精神都放在这粒枣子上。

方才那句话就好像根本不是她说的。

但厉刚、杨开泰都已红着脸，垂下了头，偏过半个身子，悄悄将刚卷起的衣袖又放了下来。

满屋子的人都在恭恭敬敬地行礼。

沈太君笑眯眯地点了点头，道：“徐青藤，你帽子上这粒珍珠可真不错呀，但你将它钉在帽子上，岂非太可惜了吗？你为什么不将它挂在鼻子上呢？也好让别人看得更清楚些。”

徐青藤的脸红了，什么话也不敢说。

沈太君笑眯眯地瞧着柳色青，又道：“几年不见，你剑法想必又精进了吧？天下大概已没有人能比得上你了吧！其实你外号应该叫作‘天下第一剑’才对，至少你身上挂的这把剑比别人的都漂亮得多。”

柳色青的脸也红了，他的手本来一直握着剑柄，像是生怕别人看不到，现在却赶快偷偷地将剑藏到背后。

他们的脸虽红，却并没有觉得丝毫难为情，因为能挨沈太君的骂，并不是件丢人的事。

那至少表示沈太君并没有将他们当外人。

没有挨骂的人，看来反倒有些怅怅然若有所失。

杨开泰垂着头，讷讷道："小侄方才一时无礼，还求太夫人恕罪。"

沈太君用手扶着耳朵，道："什么，你说什么？我听不见呀。"

杨开泰脸又红了，道："小……小侄方才无……无礼……"

沈太君笑了，道："哦——原来你是说没有带礼物来呀！那有什么关系，反正我知道你是个小气鬼，连自己都舍不得吃，舍不得穿，怎么会送礼给别人？"

杨开泰一句话也说不出了。

厉刚忍不住道："晚辈方才也并未想和杨兄打架，只不过这两人……"

沈太君道："什么？你说这两人想打架？"

她笑眯眯地瞧了瞧风四娘和萧十一郎，摇着头道："不会的，这两人看来都是好孩子，怎么会在我这里打架？只有那种没规矩的野孩子才会在这里吹胡子、瞪眼睛，你说是吗？"

厉刚怔了半晌，终于还是垂首道："太夫人说得是。"

风四娘愈看愈有趣，觉得这位老太婆实在有趣极了，她只希望自己到七八十岁的时候，也能像这老太婆一样有趣。

沈太君笑道："这地方本来客人还不少，可是自从璧君出了嫁之后，就已有很久没这么热闹过了，我这才明白，原来那些人并不是来看我这老太婆的。但今天你们若也想来看看我们那位大美人儿，只怕就难免要失望。”

她眼睛笑得眯成了一条线，道：“我们那位大丫头今天可不能见客，她有病。”

杨开泰脱口道：“有病？什么病？”

沈太君笑道：“傻孩子，你着急什么？她若真的有病，我还会这么开心？”

她挤了挤眼睛，故意压低声音，道：“告诉你，她不是有病，是有喜。但你可千万不能说是我说的，免得那丫头又怪我老婆子多嘴。”

满屋子的人立刻又站了起来，只听“恭喜”之声不绝于耳，杨开泰更是笑得合不拢嘴来。

风四娘瞪了他一眼，悄悄道：“你开心什么？孩子又不是你的。”

杨开泰的嘴立刻合了起来，连笑都不敢笑了。像他这么听话的男人，倒也的确少见得很。

萧十一郎不禁在暗中叹了口气，因为他很明白一个男人是绝不能太听女人话的；男人若是太听一个女人的话，那女人反会觉得他没出息。

萧十一郎无论和多少人在一起，都好像是孤孤单单的，因为他永远是个“局外人”，永远不能分享别人的欢乐。

他永远最冷静，所以他第一个看到了连城璧。

他并不认得连城璧，也从未见过连城璧，可是他知道，现在从外面走进来的这个人定是连城璧。

因为他从未见过任何人的态度如此文雅，在文雅中却又带着种令人觉得高不可攀的清华之气。

世上有很多英俊的少年，有很多文质彬彬的书生，有很多气质不凡的世家子弟，也有很多少年扬名的武林侠少，但却绝没有任何人能和现在走进来的人相比。虽然谁也说不出他的与众不同之处究竟在哪里，但无论任何人只要瞧一眼，就会觉得他的确是与众不同的。

赵无极本也是个很出色的人，他的风采也曾令许多人倾倒，若是和别人走在一起，他的风采总是特别令人注意。

但现在他和这人走进来，萧十一郎甚至没有看见他。

他穿的永远是质料最高贵、剪裁最合身的衣服，身上佩带的每样东西都经过仔细地挑选，每样都很配合他的身份，使人既不会觉得他寒碜，也不会觉得他做作，更不会觉得他是个暴发户。

武林中像赵无极这么考究的人并不多，但现在他和这人一齐走进来，简直就像是这人的跟班。

这人若不是连城璧，世上还有谁可能是连城璧？连城璧若不是这么样一个人，他也就不是“连城璧”了！

连城璧也一眼就瞧见了萧十一郎。

他也不认得萧十一郎，也从未见过萧十一郎，更绝不会想到现在站在大厅门口石阶上的这少年就是萧十一郎。

可是他只瞧了一眼，他就觉得这少年有很多和别人不同的地方——究竟有什么不同，他也说不出。

他很想多瞧这少年几眼，可是他没有这么做，因为盯着一个人打量是件很不礼貌的事。

连城璧这一生中从未做过对任何人失礼的事。

等大家看到连城璧和赵无极的时候，当然又有一阵骚动。

然后，赵无极才拜见沈太夫人。

沈太君虽然还是笑眯眯的，但眼睛里却连一丝笑意都没有，她似已觉出事情有些不对了。

赵无极拜道：“晚辈来迟，有劳太夫人久候，恕罪恕罪。”

沈太君笑道："没关系，来迟了总比不来的好，是吗？"

赵无极道："是。"

沈太君道："屠啸天、海灵子和那老鹰王呢？他们为什么不来？难道没有脸来见我？"

赵无极叹了口气，道："他们的确无颜来见太夫人……"

沈太君的眼睛像是忽然变得年轻了，目光闪动，道："刀丢了，是吗？"

赵无极垂下了头。

沈太君淡淡道："刀丢了倒没关系，只怕连人也丢了。"

赵无极头垂得更低，道："晚辈实也无颜来见太夫人，只不过……"

沈太君忽然笑了笑，道："你用不着解释，我也知道这件事责任绝不在你，有老鹰王和你们在一起，他一定会抢着要带那把刀，所以刀一定是在他手里丢了的。"

赵无极叹道："纵然如此，晚辈亦难辞疏忽之罪，若不能将刀夺回，晚辈是再也无颜见武林同道的了。"

沈太君道："能自那老鹰王手里将刀夺去的人，世上倒也没几个，夺刀的人是谁呀？那人的本领不小吧？"

赵无极道："风四娘。"

沈太君道："风四娘？……这名字我倒也听说过，听说她手上功夫也有两下子，但就凭她那两下子，只怕还夺不走老鹰王手里的刀吧！"

赵无极道："她自然还有个帮手。"

沈太君道："是谁？"

赵无极长长叹息了一声，一字字道："萧十一郎！"

大厅中的人果然都不愧是君子，听到了这么惊人的消息，大家居然还都能沉得住气，没有一个现出惊讶失望之态来的，甚至连一个说话的人都没有，因为在这种时候，无论说什么都会令赵无极觉得很难堪。

君子是绝不愿令人觉得难堪的。

脸上露出惊讶之色来的只有两个人：一个是杨开泰；一个是风四娘。杨开泰盯着风四娘，风四娘却在盯着萧十一郎。

她心里自然觉得奇怪极了，她自然知道丢的那把并不是真刀，那么，真刀到哪里去了？

听到“萧十一郎”这名字，沈太君才皱了皱眉，喃喃道：“萧十一郎，萧十一郎……最近我怎么总是听到这人的名字，好像天下的坏事都被他一人做尽了。”

她忽又笑了笑，道：“我老婆子倒真想见见这个人，一个人就能做出这么多坏事来，倒也不容易。”

厉刚板着脸道：“此人不除，江湖难安！晚辈迟早总有一日提他的首级来见太夫人。”

沈太君也不理他，却道：“徐青藤，你想不想要萧十一郎的头？”

徐青藤沉吟着，道：“厉兄说得不错，此人不除，江湖难安……”

沈太君不等他说完，又道：“柳色青，你呢？”

柳色青道：“晚辈久已想与此人一较高低。”

沈太君目光移向连城璧，道：“你呢？”

连城璧微笑不语。

沈太君摇着头，喃喃道：“你这孩子什么都好，就是太不爱说话了……你们信不信，他到我这里来了半个月，我还没有听他说过十句话。”

杨开泰张开嘴，却又立刻闭上了。

沈太君道：“你想说什么？说呀，难道你也想学他？”

杨开泰偷偷瞟了风四娘一眼，道：“晚辈总觉得有时不说话反比说话好。”

沈太君笑了，道："那么你呢？你想不想杀萧十一郎？"

杨开泰道："此人恶名四溢，无论谁能除去此人，都可名扬天下，晚辈自然也有这意思，只不过……"

沈太君道："只不过怎样？"

杨开泰垂下头，苦笑道："晚辈只怕还不是他的敌手。"

沈太君大笑道："好，还是你这孩子说话老实，我老婆子就喜欢这种规规矩矩、本本分分的人，只可惜我没有第二个孙女儿嫁给你。"

杨开泰的脸马上又涨红了，眼睛再也不敢往风四娘那边去瞧——风四娘脸上是什么表情，他已可想象得到。

沈太君目光这才回到厉刚身上，淡淡道："你看，有这么多人都想要萧十一郎的头，你想提他的头来见我，只怕还不大容易吧！"

风四娘瞧着萧十一郎："你感觉如何？"

萧十一郎道："我开心极了。"

风四娘道："开心？你还觉得开心？"

萧十一郎笑了笑，道："我还不知道我的头如此值钱，否则只怕也早就送进当铺了。"

风四娘也笑了。

夜很静，她的笑声就像是银铃一样。

这是沈家庄的后园，每个客人都有间客房，到了沈家庄的人若不肯住一晚上，那岂非太不给沈太君面子了。

风四娘的笑声很快就停了下来，皱起眉道："我们夺到的明明是假刀，但他们丢的却偏偏是真刀，你说这件事奇怪不奇怪？"

萧十一郎道："不奇怪。"

风四娘道："不奇怪？你知道真刀到哪里去了？"

萧十一郎道："真刀……"

他刚说出两个字，就闭上了嘴。

因为他已听到了一个人的脚步声向这边走了过来，他知道必定是杨开泰，只有君子的脚步声才会这样重。

君子绝不会偷偷摸摸地走过来偷听别人说话。

风四娘又皱起了眉，喃喃道："阴魂不散，又来了……"

她转过身，瞪着杨开泰，冷冷道："你是不是要我谢谢你？"

杨开泰涨红了脸，道："我……我没有这意思。"

风四娘道："我本来是应该谢谢你，你方才若说出我是风四娘，那些人一定不会放过我。"

杨开泰道："我为什么要……要说？"

风四娘道："他们不是说我就是那偷刀的贼么？"

杨开泰擦了擦汗，道："我知道你不是。"

风四娘道："你怎么知道？"

杨开泰道："因为……因为……我相信你。"

风四娘道："你为什么相信我？"

杨开泰又擦了擦汗，道："没有为什么，我就是……就是相信你。"

风四娘望着他，望着他那四四方方的脸，诚诚朴朴的表情，风四娘的眼睛忍不住有些湿了。

她就算是个木头人，也有被感动的时候，在这一刹那间，她也不禁真情流露，忍不住握住了杨开泰的手，柔声道："你真是个好人。"

杨开泰的眼睛也湿了，吃吃道："我……我并不太好，我……我也不太坏，我……"

风四娘嫣然一笑，道："你真是个君子，可也真是个呆子……"

她忽然想起萧十一郎，立刻松开了手，回首笑道："你说他……"

她笑容又凝结，因为萧十一郎已不在她身后。

萧十一郎已不见了。

风四娘怔了半晌，道："他的人呢，你看见他到哪里去了吗？"

杨开泰也怔了怔，道："什么人？"

风四娘道："他……我堂弟，你没有看见他？"

杨开泰道："没……没有。"

风四娘道："你难道是瞎子？他那么大一个人你会看不见？"

杨开泰道："我……我真的没看见，我只……只看见你……"

风四娘跺了跺脚，道："你呀，你真是个呆子。"

屋子里的灯还是亮着的。

风四娘只希望萧十一郎已回到屋里，但却又不敢确定，因为她很了解萧十一郎这个人。

她知道萧十一郎随时都会失踪的。

萧十一郎果然已失踪了。

屋子里一个人都没有，灯台下压着一张纸。

纸上的墨迹还未干，正是萧十一郎写的一笔怪字。

"快嫁给他吧，否则你一定会后悔的。我敢担保，你这一辈子绝对再也找不到一个比他对你更好的人了。"

风四娘咬着牙，连眼圈儿都红了，恨恨道："这混账，这畜生，简直不是人生父母养的。"

杨开泰赔着笑，道："他不是你堂弟吗？你怎么能这样子骂他！"

风四娘跳了起来，大吼道："谁说他是我堂弟，你活见了鬼吗？"

杨开泰急得直擦汗，道："他不是你堂弟是什么人？"

风四娘忍住了眼泪，道："他……他……他也是个呆子！"

呆子当然不见得就是君子，但君子却多多少少必定有些呆气，做君子本不是件很聪明的事。

萧十一郎嘴里在低低哼着一支歌，那曲调就像是关外草原上的牧歌，苍凉悲壮中却又带着几分寂寞忧郁。

每当他哼这支歌的时候，他心情总是不太好的。他对自己最不满意的地方，就是他从不愿做呆子。

夜色并不凄凉，因为天上的星光很灿烂，草丛中不时传出秋虫的低鸣，却衬得天地间分外静寂。

在如此静夜中，如此星空下，一个人踽踽独行时，心情往往会觉得很平静，往往能将许多苦恼和烦恼忘却。

但萧十一郎却不同，在这种时候，他总是会想起许多不该想的事，他会想起自己的身世，会想起他这一生中的遭遇……

他这一生永远都是个“局外人”，永远都是孤独的，有时他真觉得累得很，但却从不敢休息。

因为人生就像是条鞭子，永远不停地在后面鞭打着他，要他往前面走，要他去找寻，但却又从不肯告诉他能找到什么……

他只有不停地往前走，总希望能遇到一些很不平凡的事，否则，这段人生的旅途岂非就太无趣?

第八章

鹰王的秘密

突然间，他听到一阵很劲急的衣袂带风声，他一听就已判断出这夜行人的轻功显然不弱。

风声骤然在前面的暗林中停了下来，接着暗林中就传出了一个人急促的喘息声，还带着痛苦的呻吟。

这夜行人显然受了很重的伤。

萧十一郎的脚步并没有停顿，还是向前面走了过去，走入暗林，那喘息声立刻就停止了。

过了半晌，突听一人嗄声道："朋友留步！"

萧十一郎这才缓缓转过身，就看到一个人自树后探出了半边身子，巴斗大的头颅上，生着一头乱发。

这人赫然竟是独臂鹰王！

萧十一郎面上丝毫不动声色，缓缓道："阁下有何见教？"

独臂鹰王一只独眼饿鹰般盯着他，过了很久，才叹了口气，道："我受了伤。"

萧十一郎道："我看得出。"

独臂鹰王道："你可知道前面有个沈家庄？"

萧十一郎道："知道。"

独臂鹰王道："快背我到那里去，快，片刻也耽误不得。"

萧十一郎道："你不认得我，我也不认得你，我为何要背你去？"

独臂鹰王大怒道："你……你敢对老夫无礼？"

萧十一郎淡淡道："是你无礼？还是我无礼？莫忘了现在是你在求我，不是我在求你。"

独臂鹰王盯着他，目中充满了凶光，但一张脸却已渐渐扭曲，显然正在忍受着极大的痛苦。

过了很久，他才叹了口气，嘴角勉强挤出一丝笑容，挣扎着自怀中掏出一锭金子，喘息着道："这给你，你若肯帮我的忙，我日后必定重重谢你。"

萧十一郎笑了笑，道："这倒还像句人话，你为何不早就这么样说呢？"

他慢慢走过去，像是真想去拿那锭金子，但他的手刚伸出来，独臂鹰王的独臂已闪电般飞出，五指如钩，急擒萧十一郎的手腕。

百足之虫，死而不僵。独臂鹰王虽已伤重垂危，但最后一击，仍然是快如闪电，锐不可当。

但萧十一郎更快，凌空一个翻身，脚尖已乘势将掉下去的那锭金子挑起，反手接住，人也退后了八尺。身法干净、漂亮、利落，只有亲眼见到的人才能了解，别人简直连想都无法想象。

独臂鹰王的脸色变得更惨，嗄声道："你究竟是什么人？"

萧十一郎微笑道："我早就认出了你，你还不认得我？"

独臂鹰王失声道："你……你莫非是萧十一郎？"

萧十一郎笑道："你总算猜对了。"

独臂鹰王眼睛盯着他，就好像见到了鬼似的，嘴里"嘶嘶"地向外面冒着气，喃喃道："好，萧十一郎，你好！"

萧十一郎道："倒也还不坏。"

独臂鹰王又瞪了他半晌，突然大笑了起来。

他不笑还好，这一笑起来，触及了伤处，更是疼得满头冷汗，但他还是笑个不停，也不知究竟想起了什么好笑的事。

萧十一郎相信他这一生中只怕从来也没有这么样笑过，忍不住问道："你很开心吗？"

独臂鹰王喘息着笑道："我当然开心，只因萧十一郎也和我一样，也会上别人的当。"

萧十一郎道："哦？"

独臂鹰王身子已开始抽缩，他咬牙忍耐着，嗄声道："你可知道你夺去的那把刀是假的？"

萧十一郎道："我当然知道，可是你……你怎么知道的？"

独臂鹰王恨恨道："就凭那三个小畜生，怎能始终将我瞒在鼓里？"

萧十一郎道："就因为你发现了他们的秘密，所以他们才要杀你？"

独臂鹰王道："不错。"

萧十一郎叹了口气，道："以赵无极、海灵子、屠啸天这三个人的身份地位，怎么会为了一把刀就冒这么大的险，竟不惜将自己的身家性命作孤注一掷？何况，刀只有一把，人却有三个，却叫他们如何去分呢？"

独臂鹰王不停地咳嗽着，道："他……他们自己并不想要那把刀。"

萧十一郎道："是谁想要？难道他们幕后还另有主使的人？"

独臂鹰王咳嗽愈来愈剧急，已咳出血来。

萧十一郎目光闪动，道："这人竟能令赵无极、屠啸天、海灵子三个人听他的话？他是谁？"

独臂鹰王用手捂着嘴，拼命想将嘴里的血咽下去，想说出这人的名字，但他只说了一个字，鲜血已箭一般飙了出来。

萧十一郎叹了口气，正想先过去扶起他再说，但就在这时，他身子突又跃起，只一闪已没入树梢。

也就在这时，已有三个人掠入暗林里。

世上有很多人都像野兽一样，有种奇异的本领，似乎总能嗅得出危险的气息，虽然他们并没有看到什么，也没有听到什么，但危险来的时候，他们总能在前一刹那间奇迹般避过。

这种人若是做官，必定是一代名臣，若是打仗，必定是常胜将军，若是投身江湖，就必定是纵横天下、不可一世的英雄。

诸葛亮、管仲，他们就是这样的人，所以他们能居安思危，治国平天下。

韩信、岳飞、李靖，他们也是这样的人，所以他们才能决胜千里，战无不胜，攻无不克。

李寻欢、楚留香、铁中棠、沈浪，他们也都是这样的人，所以他们才能叱咤风云，名留武林，成为江湖中的传奇人物，经过许多许多年之后，仍然是游侠少年心目中的偶像。

现在，萧十一郎也正是这样的人，这种人纵然不能比别人活得长些，但死得总比别人有价值得多。

从林外掠入的三个人，除了海灵子和屠啸天之外，还有个看来很文弱的青衫人，身材并不高，死气沉沉的一张脸上全无表情，但目光闪动间却很灵活，脸上显然戴着个制作极精巧的人皮面具。

他身法也未见比屠啸天和海灵子快，但身法飘逸，举止从容，就像是在花间漫步一样，步履安详，犹有余力。

他的脸虽然诡秘可怖，但那双灵活的眼睛却使他全身都充满了一种奇异的魅力，令人不由自主会对他多看两眼。

但最令萧十一郎注意的，还是他腰带上插着的一把刀。这把刀连柄才不过两尺左右，刀鞘和刀柄的线条和形状都很简朴，更没有丝毫炫目的装饰。刀还未出鞘，更看不出它是否锋利。

但萧十一郎只瞧了一眼，就觉得这柄刀带着种令人魂飞魄散的杀气！

难道这就是割鹿刀？

赵无极、海灵子和屠啸天，不惜冒着身败名裂的危险，偷换了这柄割鹿刀，难道就是送给他的？

他是谁？有什么魔力能令赵无极他们如此听话？

独臂鹰王的咳嗽声已微弱得连听都听不见了。

海灵子和屠啸天对望一眼，长长吐出口气。

屠啸天笑道："这老怪物好长的命，居然还能逃到这里来。"

海灵子冷冷道："无论多长命的人，也禁不起咱们一剑两掌！"

屠啸天笑道："其实有小公子一掌就已足够要他的命了，根本就不必我们多事出手了。"

青衫人似乎笑了笑，柔声道："真的吗？"

他慢慢地走到独臂鹰王面前，突然手一动，刀已出鞘。

刀光是淡青色的，并不耀眼。

只见刀光一闪，独臂鹰王的头颅已滚落在地上。

青衫人连瞧也没有瞧一眼，只是凝注着掌中的刀。

刀如青虹，不见血迹。

青衫人轻轻叹了口气，道："好刀，果然是好刀。"

人已死了，他还要加一刀，这手段之毒，心肠之狠，的确少见得很，连海灵子面上都不禁变了颜色。

青衫人缓缓插刀入鞘，悠然道："家师曾经教训过我们，你若要证明一个人是否真的死了，只有一个法子，那就是先割下他的头来瞧瞧。”

他目光温柔地望着屠啸天和海灵子，柔声道：“你们说，这句话可有道理么？”

屠啸天干咳了两声，勉强笑道：“有道理，有道理……”

青衫人道：“我师父说的话，就算没道理，也是有道理的，对吗？”

屠啸天道：“对对对，对极了。”

青衫人吃吃地笑了起来，道：“有人说我师父的好话，我总是开心得很，你们若要让我开心，就该在我面前多说说他的好话。”

小公子，好奇怪的名字。

这青衫人居然叫作小公子。

看他的眼睛，听他说话的声音，就可知道他年纪并不大，但已经五六十岁的屠啸天和海灵子却对他客客气气，恭恭敬敬。

看他的样子好像很温柔，但连死人的脑袋他都要割下来瞧瞧！

萧十一郎暗中叹了口气，真猜不出他的来历。

“徒弟已如此，他师父又是什么样的角色呢？”

这简直令人连想都不敢想了。

只听小公子道：“现在司空曙已死了，但我们还有件事要做，是吗？”

屠啸天道：“是。”

小公子道：“是什么事呢？”

屠啸天瞧了海灵子一眼，道：“这……”

小公子道：“你没有想到？”

屠啸天苦笑道：“没有。”

小公子叹了口气，道："凭你们活了这么大年纪，竟连这么点事都想不到。"

屠啸天苦笑道："在下已老糊涂了，还请公子明教。"

小公子叹道："说真的，你们倒真该跟着我多学学才是。"

屠啸天和海灵子年纪至少比他大两倍，但他却将他们当小孩子似的，屠啸天他们居然也真像小孩子般听话。

小公子又叹了口气，才接着道："我问你，司空曙纵横江湖多年，现在忽然死了，是不是会有人要觉得怀疑？"

屠啸天道："是。"

小公子道："既然有人怀疑，就必定有人追查，司空曙是怎么会死的？是谁杀了他？"

屠啸天道："不错。"

小公子眨了眨眼睛，道："那么，我再问你，司空曙究竟是谁杀的，你知道吗？"

屠啸天赔笑道："除了小公子之外，谁还有这么高的手段！"

小公子的眼睛忽然瞪起来了，道："你说司空曙是我杀的？你看我像是个杀人的凶手吗？"

屠啸天怔住了，道："不……不是……"

小公子道："不是我杀的，是你吗？"

屠啸天擦了擦汗，道："司空曙与我无冤无仇，我为何要杀他？"

小公子展颜笑道："这就对了，若说你杀了司空曙，江湖中人还是难免要怀疑，还是难免要追究。"

海灵子忍不住道："我也没有杀他。"

小公子道："你自然也没有杀他，但我们既然都没有杀他，司空曙是谁杀的呢？"

屠啸天、海灵子面面相觑，说不出话了。

小公子叹息道：“亏你们还有眼睛，怎么没有看到萧十一郎呢？”

这句话说出，萧十一郎倒真吃了一惊！“难道此人发现了我？”

幸好小公子已接着道：“方才岂非明明是萧十一郎一刀将司空曙的脑袋砍了下来，他用的岂非正是割鹿刀！”

屠啸天眼睛立刻亮了，大喜道：“不错不错，在下方才也明明看到萧十一郎一刀杀了司空曙，而且用的正是割鹿刀，只是年老昏聩，竟险些忘了。”

小公子笑道：“幸亏你还没有真的忘了，只不过……司空曙虽是萧十一郎杀的，江湖中人却还不知道，这怎么办呢？”

屠啸天道：“这……我们的确应该想法子让江湖中人知道。”

小公子笑道：“一点也不错，你已想出了用什么法子吗？”

屠啸天皱眉道：“一时倒未想出来。”

小公子摇了摇头，道：“其实，这法子简单极了，你看。”

他的刀突又出鞘，刀光一闪，削下了块树皮，道：“司空曙的血还没有冷，你赶快用他的衣服，蘸他的血，在这树上写几个字，我念一句，你写一句，知道吗？”

屠啸天道：“遵命。”

小公子目光闪动，道：“你先写：割鹿不如割头，能以此刀割尽天下人之头，岂不快哉，岂不快哉……然后再留下萧十一郎的名字，那么普天之下，就都知道这件事是谁干的了，你说这法子简单不简单？”

屠啸天笑道：“妙极妙极，公子当真是天纵奇才，不但奇计无双，这几句话也写得有金石声，正活脱脱是萧十一郎那厮的口气。”

小公子笑道：“我也不必谦虚，这几句话除了我之外，倒真还没有几个人想得出来。”

萧十一郎几乎连肚子都气破了。

这小公子年纪不大，但心计之阴险，就连积年老贼也万万比不上，若让他再多活几年，江湖中人只怕要被他害死一半。

只听小公子道：“现在我们的事都已办完了吗？”

屠啸天笑道：“总算告一段落了。”

小公子叹了口气，道：“看你们做事这么疏忽，真难为你们怎么活到现在的。”

屠啸天干咳两声，转过头去吐痰。

海灵子面上却已变了颜色，忍不住道：“难道还要将司空曙的头再劈成两半？”

小公子冷笑道：“那倒也用不着了，只不过萧十一郎若也凑巧经过这里，看到了司空曙的尸身，又看到树上的字，你说他该怎么办呢？”

海灵子怔住了。

小公子悠然道：“他若不像你们这么笨，一定会将树上的字削下来，再将司空曙的尸身移走，那么我们这一番心血岂非白费了么？”

屠啸天的咳嗽早已停了，失声道：“不错，我们竟未想到这一着。”

小公子淡淡道：“这就是你们为什么要听我话的原因，因为你们实在不如我。”

屠啸天道：“依公子之见，该当如何？”

小公子道：“这法子实在也简单得见，你们真的想不出？”

屠啸天只有苦笑。

小公子摇着头，叹道：“你怕他将树上的字迹削掉，你自己难道就不能先削掉么？”

屠啸天道：“可是……”

小公子道：“你将这块树皮削下来，送到沈家庄去，那里现在还有很多人，你不妨叫他们一齐来看看司空曙的死状。”

他笑了笑，接着道：“有这么多人的眼睛看到，萧十一郎就算跳到黄河里也洗不清这冤枉了……你们说，这法子好不好？”

屠啸天长长叹了口气，道：“公子心计之缜密，当真非人能及……”

小公子道：“你也用不着拍我的马屁，只要以后听话些也就是了。”

听到这里，不但屠啸天和海灵子都已服服帖帖，就连萧十一郎也不得不佩服这位小公子实在是有两下子。

他倒还真未遇到过如此厉害的人物。

萧十一郎有个最大的毛病：愈困难愈危险的事，他愈想去做；愈厉害的人物，他愈想斗一斗。

只听小公子又道：“你们到了沈家庄后，我还有件事想托你们。”

屠啸天道：“请吩咐。”

小公子道：“我想托你们打听打听，连城璧的妻子沈璧君什么时候回婆家，连城璧是否同行，准备走哪条路。”

屠啸天道：“这倒不难，只不过……”

小公子道：“你想问我为什么要打听她，又不敢问出来，是不是？”

屠啸天赔笑道：“在下不敢，只不过……”

小公子道：“又是只不过，其实你问问也没关系，我可以告诉你，这次我出来，为的就是要带两样东西回去。”

屠啸天试探着道：“其中一样自然是割鹿刀。”

小公子道：“还有一样就是这位武林第一美人——沈璧君。”

屠啸天的脸骤然变了颜色，似乎一下子就透不过气来了。

小公子笑道：“这是我的事，你害怕什么？”

屠啸天讷讷道：“那连城璧的武功剑法，公子也许还未曾见过，据在下所知，此人深藏不露，而且……”

小公子道：“你用不着说，我也知道连城璧不是好惹的，所以我还要请你们帮个忙。”

屠啸天擦了擦汗，道：“只……只要在下力所能及，公子但请吩咐。”

小公子笑道：“你也用不着擦汗，这件事并不难……连城璧想必定会护送他妻子回家的，所以你们就得想个法子将他骗到别的地方去。”

屠啸天忍不住又擦了擦汗，苦笑道：“连城璧夫妻情深，只怕……”

小公子道：“你怕他不肯上钩？”

屠啸天道：“恐怕不容易。”

小公子道：“若换了是我，自然也不愿意离开那如花似玉般的妻子，但无论多么大的鱼，我们总有要他上钩的法子。”

屠啸天道：“什么法子？”

小公子道：“要钓大鱼，就得用香饵。”

屠啸天道：“饵在哪里？”

小公子道：“连城璧家财万贯，文武双全，年纪轻轻就已誉满天下，又娶了沈璧君那样贤淑美丽的妻子，你说他现在还想要什么？”

屠啸天叹了口气，道：“做人做到他这样，也该知足了。”

小公子笑道：“人心是绝不会满足的，他现在至少还想要一样东西。”

屠啸天道：“莫非是割鹿刀？”

小公子道：“不错。”

屠啸天皱眉道：“除了割鹿刀外，在下委实想不出世上还有什么能令他动心之物。”

小公子悠然道：“只有一件……就是萧十一郎的头！”

屠啸天眼睛亮了，抚掌道：“不错，他们都以为割鹿刀已落在萧十一郎手上，他若能杀了萧十一郎，不但名头更大，刀也是他的了。”

小公子道：“所以，要钓连城璧这条鱼，就得用萧十一郎做饵。”

屠啸天沉吟着道：“但这条鱼该如何钓法，还是要请公子指教。”

小公子摇头叹道：“这法子你们还不明白么？你们只要告诉连城璧，说你们已知道萧十一郎的行踪，连城璧自然就会跟你们去的。”

他目中带着种讥诮的笑意，接着道：“像连城璧这种人，若是为了声名地位，连自己的命都会不要的，妻子更早就被放到一边了。”

屠啸天失笑道：“如此说来，嫁给连城璧这种人，倒并不是福气。”

小公子笑道：“一点也不错，我若是女人，情愿嫁给萧十一郎，也不愿嫁给连城璧。”

屠啸天道：“哦？”

小公子道：“像萧十一郎这种人，若是爱上一个女人，往往会不顾一切，而连城璧的顾忌却太多了，做这种人的妻子并不容易。”

秋天的太阳，有时还是热得令人受不了。

树荫下有个挑担卖酒的，酒很凉，既解渴，又过瘾，还有开花蚕豆、椒盐花生和卤蛋下酒，口味虽未见佳，做得却很干净。

卖酒的是个白发苍苍的红鼻子老头，看他的酒糟鼻子，就知道他自己必定也很喜欢喝两杯。

他衣衫穿得虽褴褛，但脸上却带着种乐天知命的神气，别人虽认为他日子过得并不怎样，他自己却觉得很满意。

萧十一郎一向很欣赏这种人。

一个人活着，只要活得开心也就是了，又何必计较别人的想法？萧十一郎很想跟这老头子聊聊，但这老头子却有点心不在焉。

所以萧十一郎也只有自己喝着闷酒。

喝酒就好像下棋，自己跟自己下棋固然是穷极无聊，一个人喝酒也实在无趣得很，萧十一郎从不愿意喝独酒。

但这里恰巧是个三岔路口，他算准沈璧君的车马一定会经过这里，他坐在这里并不是为了喝酒。

被人家当作“鱼饵”并不是件好受的事，萧十一郎那天几乎忍不住要出面和那小公子斗一斗了。

但他已在江湖中混了很多年，早已学会了“等”这个字，他无论做什么事，都要等到最好的时机。

萧十一郎喝完了第七碗，正在要第八碗。

红鼻子老头斜眼瞟着他，撇着嘴笑道：“还要再喝吗？再喝只怕连路都走不动了。”

萧十一郎笑道：“走不动就睡在这里又何妨？能以苍天为被，大地为床，就算一醉不醒又何妨？”

红鼻子老头道：“你不想赶回去？”

萧十一郎道：“回到哪里？我自己也不知是从哪里来的，却教我如何回去？”

红鼻子老头叹了口气，喃喃道：“这人只怕已醉了，满嘴胡话。”

萧十一郎笑道：“卖酒的岂非就希望别人喝酒么？快打酒来。”

红鼻子老头“哼”了一声，正在舀酒，突见道路上尘头起处，远远的奔过来一行人马。

萧十一郎的眼睛立刻亮了，简直连一丝酒意都没有。

这一行人，有的臂上架着鹰，有的手里牵着狗，一个个都是疾服劲装，佩弓带箭，马鞍边还挂着些猎物，显然是刚打完猎回来的。

秋天正是打猎的好时候。

第一匹马上坐着的似乎是个孩子，远远望去，只见粉妆玉琢般一个人，打扮得花团锦簇，骑的也是匹万中选一的千里驹，正是“人有精神马又欢”，好模样的一位阔少爷。

红鼻子老头也看出是大买卖上门了，精神一振，萧十一郎却有点泄气，因为那并不是他要等的人。

只听红鼻子老头扯开喉咙叫道：“好清好甜的竹叶青，一碗下肚有精神，两碗下肚精神足，三碗下了肚，神仙也不如。”

萧十一郎笑道：“我已七碗下了肚，怎么还是一点精神也没有，反而要睡着了？”

红鼻子老头瞪了他一眼，幸好这时人马已渐渐停了下来，第一匹马上的阔少爷笑道：“回去还有好一段路，先在这儿喝两杯吧，看样子酒倒还不错。”

只见这位阔少爷圆圆的脸，大大的眼睛，小小的嘴，皮肤又白又嫩，笑起来脸上一边一个酒窝，真是说不出的可爱。

连萧十一郎也不禁多看了他两眼，这世上阔少爷固然很多，但可爱的却不多，可爱的阔少爷而又没架子，更是少之又少。

这位阔少爷居然也很注意萧十一郎，刚在别人为他铺好的毯子上坐下来，忽然向萧十一郎笑了笑，道：“独乐乐不如众乐乐，这位朋友何不也请过来喝一杯。”

萧十一郎笑道：“好极了，在下身上只有八碗酒的钱，正不知第九碗酒在哪里，若有人请客，正是求之不得。”

阔少爷笑得更开心，道：“想不到朋友竟如此豪爽，快，快打酒来。”

红鼻子老头只好倒了碗酒过来，却又瞪了萧十一郎一眼，喃喃道：“有不花钱的酒喝，这下子只怕醉得更快了。”

萧十一郎笑道：“人生难得几回醉，能快些醉更是妙不可言，请。”

“请”字刚出，一碗酒已不见了。

别人喝酒是“喝”下去的，萧十一郎喝酒却是“倒”下去的，只要脖子一仰，一碗酒立刻涓滴无存。

阔少爷拍手大笑道：“你们看到了没有，这位朋友喝得有多快。”

萧十一郎道：“若是他们没有看见，在下倒还可以多表演几次。”

阔少爷笑道：“这位朋友不但豪爽，而且有趣，却不知高姓大名？”

萧十一郎道：“你我萍水相逢，你请我喝酒，喝完了我就走，我若知道你的名字，心里难免感激，日后少不得要还请你一顿，那么现在这酒喝得就无趣了，所以这姓名么……我不必告诉你，你也是不说的好。”

阔少爷笑道：“对对对，你我今日能在这里尽半日之欢，已是有缘，来来来……这卤蛋看来还不错，以蛋下酒，醉得就慢些，酒也可喝多些了。”

萧十一郎笑道：“对对对，若是醉得太快，也无趣了。”

他拈起个卤蛋，忽然一抬手，高高地抛了上去，再仰起头，张大嘴，将卤蛋接住，三口两口一个蛋就下了肚。

阔少爷笑道：“朋友不但喝酒快，吃蛋也快……”

萧十一郎笑道：“只因我自知死得也比别人快些，所以无论做什么事都从不敢浪费时间。”

这位阔少爷看来最多也只不过十四五岁，但酒量却大得惊人，萧十一郎喝一碗，他居然也能陪一碗，而且喝得也不慢。

跟着他来的，都是行动矫健，精神饱满的彪形大汉，但酒量却没有一个人能比得上他。

萧十一郎的眼睛已眯了起来，舌头也渐渐大了，看来竟已有了七八分醉态。有了七八分醉意的人，喝得就更多、更快。

已有了七八分醉意的人，想不喝醉也困难得很。

萧十一郎毕竟还是醉了。

阔少爷叹了口气，摇着头道："原来他酒量也不怎么样，倒教我失望得很。"

红鼻子老头带着笑道："他自己说过，醉了就睡在这里，醉死也无妨。"

阔少爷瞪眼睛道："他总算是我的客人，怎么能让他睡在这里？"

他挥了挥手，吩咐属下，道："看着这位朋友，等我们走的时候，带他回去。"

这时太阳还未下山，路上却不见行人。

阔少爷似乎觉得有些扫兴，背负着双手，眺望大路，忽然道："老头子，准备着吧，看来你又有生意上门了。"

远处果然又来了一行车马。

黑漆的马车虽已很陈旧，看来却仍然很有气派，车门自然是开着的，车窗上也挂着帘子，坐在车里的人显然不愿被人瞧见。

赶车的是个很沉着的中年人，眼神很足，马车前后还有三骑扈从，也都是很精悍的骑士。

这一行车马本来走得很快，但这位阔少爷的车马已将路挡去了一半。车马到了这里，也只得放缓了下来。

红鼻子老头立刻乘机拉生意了，高声叫道："好清好甜的竹叶青，客官们下马来喝两碗吧！错过了这里，附近几百里地里再也喝不到这样的好酒了。"

马上的骑士们舐了舐嘴唇，显然也想喝两杯，但却没有一个下马来的，只是在等着阔少爷的属下将道路让出来。

突听车厢中一人道："你们赶了半天的路，也累了，就歇下来喝碗酒吧！"

声音清悦而温柔，而且带着种同情的体贴与关怀，令人心甘情愿地服从她。

马上的骑士立刻下了马，躬身道："多谢夫人。"

车厢中人又道："老赵，你也下车去喝一碗吧，我们反正也不急着赶路。"

赶车的老赵迟疑了半晌，终于也将马车赶到路旁，这时红鼻子老头已为骑士们舀了三碗酒，正在舀第四碗，拿到酒的已准备开始喝了。

老赵突然道："慢着，先看看酒里有没有毒！"

红鼻子老头的脸立刻气红了，愤愤道："毒？我这酒里会有毒，好，先毒死我吧。"

他自己真的将手里的一碗酒喝了下去。

老赵根本不理他，自怀中取出了个银勺子，在坛子里舀了一勺酒，看到银勺子没有变色，才轻轻啜了一口，然后才点头道："可以喝了。"

拿着酒碗发怔的骑士这才松了口气，仰首一饮而尽，笑道："这酒倒还真不错，不知蛋卤得怎样？"

他选了个最大的卤蛋，正想放进嘴。

老赵忽然又喝道："等一等！"

那位阔少爷本来也没有理会他们，此刻也忍不住笑了，喃喃道："卤蛋里难道还会有毒么？这位朋友也未免太小心了。"

老赵瞧了他一眼，沉着脸道："出门在外，能小心些，还是小心些好。"

他又自怀中取出柄小银刀，正想将卤蛋切开。

阔少爷已走了过来，笑道："想不到朋友你身上还带着这么多有趣的玩意儿，我们也想照样做一套，不知朋友你能借给我瞧瞧吗？”

老赵又上上下下打量了他一眼，终于还是将手里的小银刀递了过去。像这位阔少爷这样的人，他说出来的要求，实在很少人能拒绝的。

银刀打造得古雅而精致。

阔少爷用指尖轻抚着刀锋，脸上的表情更温柔，微笑道：“好精致的一把刀，却不知能不能杀人。”

老赵道：“这把刀本不是用来杀人的。”

阔少爷笑道：“你错了，只要是刀，就可以杀人……”

说到“杀”字，他掌中的刀已脱手飞出，化作了一道银光，说到“人”字，这柄刀已插入了老赵的咽喉！

老赵怒吼一声，已反手拔出了刀，向那阔少爷扑了过去。但鲜血已箭一般飙出，他的力气也随着血一齐流出。

他还未冲出三步，就倒了下去，倒在那阔少爷的脚下，眼珠子都已凸了出来，他至死也不信会发生这种事。

阔少爷俯首望着他，目光还是那么温柔而可爱，柔声道：“我说天下的刀都可以杀人的，现在你总该相信了吧！”

那三个骑士似已吓呆了，他们做梦也想不到如此秀气、如此可爱的一位富家公子，竟是个杀人不眨眼的恶魔。

直到老赵倒下去，他们腰刀才出鞘，怒喝着挥刀扑过来。

阔少爷叹了口气，柔声道：“你们都不是我的对手，又何必来送死呢？”

方才喝第一碗酒的大汉眼睛都红了，不等他这句话说完，“刀劈华山”，一柄鬼头刀已劈向阔少爷头顶。

阔少爷摇头笑道：“真差劲……”

他身子动也未动，手轻轻一抬，只用两根手指，就夹住了刀锋，这一刀竟似砍入石头里。

那大汉手腕一反，想以刀锋去割他手指。

突听“笃”的一响，一支箭已射入了大汉的背脊，箭杆自后背射入，自前心穿出，鲜血一滴滴自箭簇上滴落下来。

这些事说来虽很长，但前后也不过只有两句话的工夫而已，另两条大汉此刻刚冲到阔少爷面前，第一刀还未砍出。

就在这时，只听车厢中一人缓缓道：“你们的确都不是他的敌手，还是退下去吧！”

第九章

倾国绝色

车厢的门开了，一个人走了出来。

在这一刹那间，所有的人不但都停止了动作，几乎连呼吸都已停顿，他们这一生中从来也未曾见过如此美丽的女人！

她穿的并不是什么特别华丽的衣服，但无论什么样的衣服，只要穿在她身上，都会变得分外出色。

她并没有戴任何首饰，脸上更没有擦脂粉，因为在她来说，珠宝和脂粉已都是多余的。

无论多珍贵的珠宝都不能分去她本身的光彩，无论多高贵的脂粉也不能再增加她一分美丽。

她的美丽是任何人也无法形容的。

有人用花来比拟美人，但花哪有她这样动人？有人会说她像“图画中人”，但又有哪支画笔能画出她的风神？

就算是天上的仙子，也绝没有她这般温柔，无论任何人，只要瞧了她一眼，就永远也无法忘记。

但她却又不像是真的活在这世上的，世上怎会有她这样的美人？她仿佛随时随刻都会突然自地面消失，乘风而去。

这就是武林中的第一美人——沈璧君。

在这一瞬间，那位阔少爷的呼吸也已停顿。

他脸上的表情突然变得很奇特，他自然有些惊奇，有些羡慕，有些目眩神迷，这是任何男人都难免会生出的反应。

奇怪的是，他的目光看来竟似有些嫉妒。

但过了这一瞬间，他又笑了，笑得仍是那么天真，那么可爱；他的眼睛盯着沈璧君，微笑着道：“有人说，聪明的女人都不美丽，美丽的女人都不聪明，因为她们忙着修饰自己的脸，已没工夫去修饰自己的心了。”

他轻轻叹了口气，才接着道：“我现在才知道这句话并不是完全对的……”

沈璧君已走出了车厢，走到他面前。

她眼睛中虽已有了愤怒之意，但却显然在尽量控制着自己。

她这一生所受到的教育，几乎都是在教她控制自己，因为要做一个真正的淑女，就得将愤怒、悲哀、欢喜，所有激动的情绪全都隐藏在心里，就算忍不住要流泪时，也得先将自己一个人关在屋里。

她静静地站在那里，听着那位阔少爷说话。

她这一生中从未打断过任何人的谈话，因为这也是件很无礼的事，她早已学会了尽量少说，尽量多听。

直到那位阔少爷说完了，她才缓缓道：“公子尊姓？”

阔少爷道：“在下只是个默默无闻的人，怎及得沈姑娘的大名，这名姓实在羞于在沈姑娘面前提及，不提也罢。”

沈璧君居然也不再问了。

别人不愿说的事，她绝不追问。

她瞧了地上的尸身一眼，道：“这两人不知是否是公子杀的？”

阔少爷道：“沈姑娘可曾见到在下杀人么？”

沈璧君点了点头。

阔少爷又笑了，道：“姑娘既然已见到，又何必再问？”

沈璧君道：“只因公子并不像是个残暴凶狠的人。”

阔少爷笑道：“多谢姑娘夸奖。常言道：知人知面不知心。这句话姑娘千万要特别留意。”

沈璧君道：“公子既然杀了他们，想必是因为他们与公子有仇？”

阔少爷道：“那倒也没有。”

沈璧君道：“那么，想必是他们对公子有什么无礼之处？”

阔少爷道：“就算是他们对在下有些无礼，在下又怎会和他们一般见识？”

沈璧君道：“如此说来，公子是为了什么要杀他们，就令人不解了。”

阔少爷笑了笑，道：“姑娘难道定要求解么？”

沈璧君皱了皱眉，不再开口。

两人说话都是斯斯文文，彬彬有礼，全没有半分火气，别的人却瞧得全都怔住了，只有萧十一郎还是一直躺在那里不动，似已烂醉如泥。

过了半晌，沈璧君突然道：“请。”

阔少爷也怔了怔，道：“请什么？”

沈璧君仍是不动声色，毫无表情地道：“请出手。”

阔少爷红红的脸一下子忽然变白了，道：“出……出手？你难道要我向你出手？”

沈璧君道：“公子毫无理由杀了他们，必有用心，我既然问不出，也只有以武相见了。”

阔少爷道：“不过……不过……姑娘是江湖有名的剑客，我只是个小孩子，怎么打得过你？”

沈璧君道：“公子也不必太谦，请！”

阔少爷道：“我知道了，我知道了……你是想杀……杀了我，替他们偿命。”他竟似怕得要命，连声音都发起抖来。

沈璧君道：“杀人偿命，本就是天经地义的事。”

阔少爷苦着脸道：“我只不过杀了你两个奴才而已，你就要我偿命，你……你未免也太狠了吧！”

沈璧君道：“奴才也是一条命，不是吗？”

阔少爷眼圈儿也红了，突然跪了下来，流着泪道：“我一时失手杀了他们，姐姐你就饶了我吧，我知道姐姐人又美，心又好，一定不忍心杀我这样一个小孩子的。”

他说话本来非但有条有理，而且老气横秋，此刻忽然间一下子就变成了一个调皮撒赖的小孩子。

沈璧君倒怔住了。

江湖中的事，她本来就不善应付，遇着这样的人，她更不知道该如何应付才好。

阔少爷连眼泪都已流了下来，颤声道：“姐姐你若觉得还没有出气，就把我带来的人随便挑两个杀了吧，姐姐你说好不好？好不好……”

无论谁对这么样一个小孩子都无法下得了手的，何况沈璧君。谁知就在这时，这可怜兮兮的小孩子突然在地上一滚，左腿扫向沈璧君的足踝，右腿踢向沈璧君的下腹，左右双手中，闪电般射出了七八件暗器，有的强劲如矢，有的盘旋飞舞。

他两只手方才明明还是空空如也，此刻突然间竟有七八种不同的暗器同时射了出来，简直令人做梦也想不到这些暗器是哪里来的。

沈璧君居然还是不动声色，只皱了皱眉，长袖已流云般卷出，那七八种暗器被袖风一卷，竟立刻无影无踪。

要知沈家的祖传“金针”号称天下第一暗器，会发暗器的人，自然也会收。沈璧君心肠柔弱，出手虽够快，够准，却不够狠，沈太君总认为她发暗器的手法还未练到家，如临大敌，难免要吃亏。

所以沈太君就要她在收暗器的手法上多下苦功，这一手“云卷流星”，使出来不带一点烟火气，的确已是武林中一等一的功夫。

她脚下踩的步法更灵动优美，而且极有效，只见她脚步微错，已将阔少爷踢出来的鸳鸯腿恰巧避过。

谁知这位阔少爷身上的花样之多，简直多得令人无法想象，他两腿虽是踢空，靴子里即又“铮”的一声，弹出了两柄尖刀。

他七八件暗器虽打空，袖子里却又“啵”地射出了两股轻烟。

沈璧君只觉足踝上微微一麻，就好像被蚊子叮了一口，接着，又嗅到一阵淡淡的桃花香……

以后的事，她就什么都不知道了。

阔少爷这才笑嘻嘻地站了起来，拍了拍衣服上的尘土，望着已倒在地上的沈璧君，笑嘻嘻道：“我的好姐姐，你功夫可真不错，只可惜你这种功夫只能给别人看看，并没有什么用。”

突听一阵掌声响了起来。

阔少爷立刻转过身，就看到了一双发亮的眼睛。

鼓掌的人正是萧十一郎。

方才明明已烂醉如泥的萧十一郎，此刻眼睛里竟连一点醉意都没有，望着阔少爷笑道：“老弟呀老弟，你可真有两下子，佩服佩服。”

阔少爷眨了眨眼睛，也笑了，道：“多谢捧场，实在不敢当。”

萧十一郎道：“听人说昔年‘千手观音’全身上下都是暗器，就像是个刺猬似的，碰都碰不得，想不到你老弟也是个小刺猬。”

阔少爷笑道：“不瞒你说，我也只有这两下子，再也玩不出花样来了。”

跟着沈璧君来的两骑士本已吓呆了，此刻突又怒喝一声，挥刀直扑过来，存心想拼命了。

阔少爷嘴里还在说着话，脸上还带着笑，连头都没有回，只不过轻轻弯了弯，好像在向萧十一郎行礼。

他腰上束着根玉带，此刻刚一弯腰，只听“嘭”的一声，玉带上已有一蓬银芒暴雨般射了出来。

那两人刚冲出两步，眼前一花，再想闪避已来不及了，暴雨般的银芒已射上了他们的脸。

两人狂吼一声，倒在地上，只觉脸上一阵阵奇痒钻心，再也忍耐不住，竟反手一刀，砍在自己脸上。

萧十一郎的脸色也变了，长叹道：“原来你的话一个字也信不得。”

阔少爷拍了拍手，笑道：“这真的已是我最后一样法宝了，不骗你，我一直将你当朋友，来……你既然还没有醉，我们再喝两杯吧。”

萧十一郎道：“我已经没胃口了。”

阔少爷道：“酒里真的没有毒，真的不骗你。”

萧十一郎叹道：“我虽然很喜欢喝不花钱的酒，但却还不想做个酒鬼，酒里若是有毒，你想我还会喝吗？”

阔少爷目光闪动，笑道：“我看酒里就算有毒，你也未必知道。”

萧十一郎笑道：“那你就错了，我若不知道，还有谁知道？”

阔少爷笑道：“难道你对我早已有了防备之心了？我看来难道像是个坏人？”

萧十一郎道：“非但你看来又天真、又可爱，就连这位红鼻子老先生看来也不大像坏人，我本来也想不到他是跟你串通好了的。”

阔少爷道：“后来你是怎么看出来的？”

萧十一郎道：“卖了几十年酒的老头子，舀酒一定又快又稳，但他舀酒时却常常将酒泼出来，这样子卖酒，岂非要蚀老本？”

阔少爷瞪了那红鼻子老头一眼，又笑道：“你既然知道我们不是好人，为什么还不快走呢？”

萧十一郎道：“你可知道我为什么到这里来的？”

阔少爷道：“不知道。”

萧十一郎道：“我到这里来，就是为了要等你。”

阔少爷也不禁怔了怔，道：“等我？你怎知道我会来？”

萧十一郎道：“因为沈璧君一定会经过这里。”

阔少爷眼睛盯着他，道：“看来你知道的事倒真不少。”

萧十一郎道：“我还知道你会写文章。”

阔少爷又怔了怔，道：“写文章？”

萧十一郎笑了笑，道：“割鹿不如割头，能以此刀割尽天下人之头，岂不快哉……这几句话，除了你之外，还有谁写得出来？”

阔少爷的脸色已发白了。

萧十一郎悠然道：“你虽未见过我，我却已见过你，还知道你有个很有趣的名字，叫小公子。”

这一次过了很久之后，小公子才笑得出来。

他笑得还是很可爱，柔声道：“你知道得确实不少，只可惜还有件事你不知道！”

萧十一郎道：“哦？”

小公子道：“酒虽无毒，蛋却是有毒的。”

萧十一郎道：“哦？”

小公子道：“你不信？”

萧十一郎道：“蛋中若是有毒，我吃了一个蛋，为何还未被毒死呢？”

小公子笑了笑，道：“酒若喝得太多，毒性就会发作得慢些。”

萧十一郎大笑道：“原来喝酒也有好处的。”

小公子道："何况我用的毒药发作得都不快，因为我不喜欢看人死得太快。看着人慢慢地死，不但是种学问，也有趣得很。"

萧十一郎长叹了一声，喃喃道："一个十几岁的小孩子，就有这么狠的心肠，我真不知他是怎么生出来的。"

小公子道："我也不知道你是怎么生出来，但我却知道你要怎么样死。"

萧十一郎忽又笑了，道："被卤蛋噎死，是吗？那么我就索性再吃一个吧。"

他慢慢地摊开了手，手里不知怎地居然真有个卤蛋。

只见他轻轻一抬手，将这卤蛋高高抛了上去，再仰起头张大嘴，将卤蛋用嘴接住，三口两口，一个卤蛋就下了肚。

萧十一郎道："滋味还真不错，再来一个吧！"

他又摊开手，手里不知从哪里又来了个卤蛋。

他抬手、抛蛋，用嘴接住，吞了下去。

但等他再摊开手，蛋还是在他手里。

每个人的眼睛都看直了，谁也看不出他用的是什么手法。

萧十一郎笑道："我既不是鸡，也不是母的，却会生蛋，你们说奇怪不奇怪？"

小公子默然半晌，叹了口气，道："我这次倒真看错了你，你既已看出红鼻子是我的属下，怎么会吃这卤蛋？"

萧十一郎大笑道："你总算明白了。"

小公子叹道："常言道，一醉解千愁，你既醉了，就不该醒的。"

萧十一郎道："哦？"

小公子道："酒醉了的人，一醒烦恼就来了。"

萧十一郎道："我好像倒并没有什么烦恼。"

小公子道："只有死人才没有烦恼。"

萧十一郎道："我难道是死人？"

小公子道："虽还不是死人，也差不多了。"

萧十一郎道："你难道想杀我？"

小公子道："这只怪你知道得太多。"

萧十一郎道："你方才还说拿我当朋友，现在能下得了手？"

小公子笑了笑，道："到了必要的时候，连老婆都能下得了手，何况朋友？"

萧十一郎叹了口气，喃喃道："看来'朋友'这两个字已愈来愈不值钱了。"

他缓缓地站了起来，悠然道："但你既然曾经说过我是朋友，我也不想骗你，你要杀我并不容易，我的武功虽不好看，却有用得很。"

小公子笑道："我好歹总要瞧瞧。"

只听弓弦机簧声响，弩箭暴雨般射出。

这些人都已久经训练，出手都快得很，但方才还明明站在树下的萧十一郎，等他们弩箭发出时，他的人已不见了！

小公子刚掠上树梢，就看到了萧十一郎笑眯眯的眼睛。

萧十一郎竟是早已在树上等着他了。

小公子一惊，勉强笑道："原来你的轻功也不错。"

萧十一郎道："倒还马马虎虎过得去。"

小公子道："却不知你别的武功怎样。"

他嘴里说着话，已出手攻出七招。

他的掌法灵变、迅速、毒辣，而且虚虚实实，变化莫测，谁也看不出他哪一招是虚，哪一招是实。

但萧十一郎却看出来了。

他身形也不知怎么样一闪，小公子的七招便已全落空。

他的手虽已落空，只听“铮”的一声，五个手指上的指甲竟全都飞射出来，闪电般击向萧十一郎胸胁间五处穴道。

他的手柔灵而纤细，就像是女人的手，谁也看不出他指甲上竟还套着一层薄薄的钢套。

萧十一郎竟也未看出来。

只听一声惊呼，萧十一郎手抚着胸膛，人已掉下了树梢。

小公子笑了，喃喃道：“你若以为那真是我身上最后一样法宝，你就错了。”

他话还未说完，已有人接着道：“你还有什么法宝，我都想瞧瞧。”

方才明明已掉了下去的萧十一郎，此刻不知怎地又上来了。

他笑嘻嘻地摊开手，手上赫然有五个薄薄的钢指甲。

小公子脸色变了，嗄声道：“你……你究竟是什么人？”

萧十一郎笑了笑，道：“我也不是什么人，只不过是个鱼饵而已。”

小公子“哎哟”一声，人也从树上掉了下去。

小公子的人虽然掉了下去，裤管里却“嘭”地喷出了一股淡青色的火焰，卷向萧十一郎。

树梢上的木叶一沾着这股火焰，立刻燃烧了起来。

但萧十一郎却又已在地上等着了。

小公子咬着牙，大声道：“萧十一郎，我虽不是好人，你也不是好人，你为何要跟我作对？”

萧十一郎笑了笑，道：“我不喜欢钓鱼，更不喜欢被别人当鱼饵。”

小公子跺脚道：“好，我跟你拼了。”

他的手一探，自腰上的玉带中抽出了一柄软剑。

薄而细的剑，迎风一抖，便伸得笔直，毒蛇般向萧十一郎刺出了七八剑，剑法快而辛辣，有些像是海南剑派的家数。

但仔细一看，却又和海南的剑法完全不同。

萧十一郎倒也未见过如此诡秘怪异的剑法，身形展动，避开了几招，两只手突然一拍。

小公子的剑竟已被他手掌夹住，动也动不了。

萧十一郎的两只手往前面一送，小公子只觉一股大力撞了过来，身子再也站不住，已仰天跌倒。

但他的身形刚跌倒，人已滚出了十几步，也不知从哪里射出了一股浓浓的黑烟，将他的人整个隐没。

只听小公子的声音在浓烟中道："萧十一郎，你的武功果然有用，我斗不过你……"

说到最后一句，人已在很远的地方。

但萧十一郎已在前面等着他。

小公子一抬头，瞧见了萧十一郎，脸都吓青了，就好像见了鬼似的——萧十一郎的轻功身法，实在也快如鬼魅。

萧十一郎微笑道："你的法宝还没有全使出来，怎么能走？"

小公子哭着脸，道："这次真的全用完了，我绝不骗你。"

萧十一郎淡淡道："法宝若是真的已用完，你就更休想走了。"

小公子道："你究竟是为什么要跟我作对？若是为了那位大美人，我就让给你好了。"

萧十一郎道："多谢。"

小公子道："那么你总该放我走了吧！"

萧十一郎道："不可以。"

小公子道："你……你还要什么？难道是割鹿刀？"

萧十一郎道："刀并不在你身上，否则你早已使出来了。"

小公子道："你若想要，我就去拿来给你。"

萧十一郎道："那也不够。"

小公子道："你……你究竟想怎样？"

萧十一郎叹了口气，道："你认为我能眼看你杀了四个人就算了么？"

小公子冷笑道："你若真的如此好心，我杀他们的时候，你为什么不救他们？"

萧十一郎叹道："你出手若是没有那么快、那么狠，我还能救得了他们，现在我也许就不会想要你的命了。"

小公子道："你……你真想杀我？"

萧十一郎道："我虽不喜欢杀人，但留着你这种人在世上，我怎么睡得着觉？你现在还不过只是个孩子，再过几年，那还得了？"

小公子忽然笑了。

他虽然常常都在笑，笑得都很甜，但这一次笑得却特别不同。

他的脸似忽然随着这一笑而改变了，变得不再是孩子，他的眼睛也突然变了，变得说不出的妖娆而妩媚。

他媚笑着道："你以为我真的是个孩子么？"

他的手落下，慢慢地解开了腰畔的玉带。

萧十一郎笑道："这次无论你再玩什么花样，我都不上你的当了。"

这句话还未说完，他已出手。

他既已出手，就很少有人能闪避得开。

其实他招式很平凡，并没有什么诡秘奇谲的变化，只不过实在很快，快得令人不可思议。

他的手一伸，便已搭上了小公子的肩头。

若是换了别人，只要被他的手搭上，就很难再逃出他的掌握，但小公子的身子却比鱼还滑，腰一扭，就从萧十一郎掌下滑走。

只听“哧”的一声，他身上一件织锦长袍已被萧十一郎撕了开来，露出了他丰满、坚挺、白玉般的双峰。

原来小公子竟是个女人，成熟的女人！

她的人虽然矮些，但骨肉匀称，线条柔和，完美得连一丝瑕疵都没有，只要是个男人，无论谁看到这样的胴体都无法不心动。

萧十一郎骤然怔住了。

小公子的脸红得就像是晚春的桃花，突然“嘤咛”一声，整个人都投入了萧十一郎的怀里。

萧十一郎只觉满怀软玉温香，如兰如馨，令人神魂俱醉，他想推，但触手却是一片滑腻。怀抱中有这样一个女人，还有谁的心能硬得起来？

这时小公子的手已探向萧十一郎脑后。

她的指甲薄而利，她吃吃地笑着，轻轻地喘着气，但她的指甲，已划破了萧十一郎颈子上的皮肤。

萧十一郎脸色立刻变了，大怒出手，但小公子已鱼一般自他怀抱中滑了出去，吃吃地笑道：“萧十一郎，你还是上当了！我指甲里藏着的是七巧化骨散，不到半个时辰，你就要全身溃烂，现在你还不快走，难道还想要我看你临死前的丑态么？”

萧十一郎跺了跺脚，突然凌空掠起，倒飞三丈。

他的身形再一闪，就瞧不见了。

小公子轻抚自己的胸膛，银铃般笑道：“告诉你，这才是我最后一样法宝，虽然每个女人都有这种法宝，但要对付男人，还是没有比它更管用的了。”

第十章

杀　机

沈璧君只觉得人轻飘飘的，仿佛在云端，仿佛在浪头，又仿佛还坐在她那辆旧而舒适的车子里。

连城璧仿佛还在旁边陪着她。

结婚已有三四年了，连城璧还是一点也没有变，对她还是那么温柔，那么有礼，有时她甚至觉得他永远和她保持着一段距离。

但她并没有什么好埋怨的，无论哪个女人能嫁到连城璧这样的夫婿，都应该觉得很满足了。

无论她要做什么事，连城璧都是顺着她的；无论她想要什么东西，连城璧都会想法子去为她买来。

这三四年来，连城璧甚至没有对她说过一句稍重些的话。事实上，连城璧根本就很少说话。

他们的日子一直过得很安逸，很平静。

但这样的生活真的就是幸福么?

在沈璧君心底深处，总觉得还是缺少点什么，但连她自己也不知道缺少的究竟是什么。

连城璧每次出门时，她会觉得很寂寞。

她真希望自己能将连城璧拉住，不让他走，她知道自己只要开口，连城璧也会留下来陪她的。

但她从没有这么样做。

因为她知道像连城璧这样的人，生下来就是属于群众的，任何女人都无法将他完全占有。

沈璧君知道连城璧也不属于她。

连城璧是个很冷静，很会控制自己的人，但每次武林中发生了大事，他冷静的眸子就会火一般的燃烧起来。

这次连城璧本该一直陪着她的，但当他听到萧十一郎的行踪已被发现时，他的眸子就又开始燃烧了。

就连他听到自己的妻子第一次有了身孕时，都没有显露过这样的热情，他嘴里虽然说“不去”，心却早已去了。

沈璧君很了解他，所以劝他去。

她嘴里虽然劝他去，心里却还是希望他留下来。

连城璧终于还是去了。

沈璧君虽然觉得有些失望，却并没有埋怨。嫁给连城璧这样的人，就得先学会照顾自己，控制自己。

晕晕迷迷中，沈璧君觉得有只手在扯她的衣服。

她知道这绝不会是连城璧的手，因为连城璧从未对她如此粗鲁。

那么这是谁的手呢？

沈璧君忽然想起方才发生的事，想起了那恶魔般的“孩子”，她立刻惊出了一身冷汗，大叫一声，自迷梦中醒了过来。

她就看到那“孩子”恶魔般的眼睛正在望着她。

她果然是在车厢里，车厢里也只有他们两个人。

沈璧君宁愿和毒蛇关在一起，也不愿再看到这“孩子”。

她挣扎着想坐起，但全身软绵绵的，全无半分力气。

小公子笑嘻嘻地瞧着她，悠然道：“你怕什么？我又不会吃了你，还是乖乖躺着吧，别惹我生气，我若生了气，可不是好玩的。”

沈璧君咬着牙，真想将世上所有恶毒的话全都骂出来，却又偏偏连一句也骂不出，她根本不知道应该怎么骂。

小公子盯着她，突然叹了口气，喃喃道：“果然是个美人，不生气的时候固然美，生了气也很美，难怪有那么多男人会为你着迷了，连我都忍不住想抱抱你，亲亲你。”

沈璧君脸都吓白了，颤声道：“我……你敢！”

小公子道：“不敢？我为什么不敢？”

她笑嘻嘻地接着道：“有些事，像你这样的女人是永远也不会明白，一个男人若是真想要一个女人时，他什么事都做得出。”

她的手已向沈璧君胸膛上伸了过去。

沈璧君紧张得全身都僵了，从发梢到脚尖都在不停地抖，她只希望这是一场梦，噩梦。

但有时真实远比噩梦还要可怕得多。

小公子目光中充满了狞恶的笑意，就好像一只馋猫在望着爪下的老鼠，然后她的手轻轻一扯，已撕破了沈璧君的衣服。

沈璧君这一生中虽然从未大声说过话，此刻却忍不住放声大叫了起来。

小公子根本不理她，盯着她的胸膛，喃喃道：“美，真美……不但脸美，身子也美，我若是男人，有了这样的女人，也会将别的女人放在一边了……”

说到这里，她的笑容就变得更恶毒，目中竟现出了杀机。

一个美丽的女人，最看不得的就是一个比她更美的女人，世上没有任何事能比“妒忌”更容易启动女人的杀机！

沈璧君又晕了过去。

当人们遇着一件他所不能忍受的事时，他能晕过去，总比清醒着来忍受的好——昏迷，本就是人类保护自己的本能之一。

她晕过去时仿佛比醒时更美。

她那剪水双瞳虽已合起，但长长的睫毛覆盖在眼帘上，嘴角扬起，仿佛还带着一丝甜笑……

小公子盯着她，居然轻轻叹了口气，道："像你这样的女人，实在连我也舍不得杀你，却又不得不杀你——我若带你回去了，他眼中还会有我吗？"

突听车顶上也有个人轻轻叹了口气，道："像你这样的女人，实在连我也舍不得杀你，却又不得不杀你——我若让你活下去，别人怎么受得了！"

车顶上有个小小的气窗，不知何时已被揭开了，露出了一双浓眉，一双大而发亮的眼睛。

除了萧十一郎外，谁有这么亮的眼睛！

小公子脸色立刻变了，失声道："你……你还没有死？"

萧十一郎笑道："我又不是老鼠，被猫爪子抓一下怎么会死得了？"

小公子咬牙道："你不是老鼠，简直也不是人，我遇上了你，算我倒了八辈子的霉。好，你有本事就下来杀了我吧！"

她抱起手，闭上眼睛，居然真的像是已不想反抗了。

萧十一郎反倒觉得有些奇怪了，眨着眼道："你连逃都不想逃？"

小公子叹道："我全身上下都是法宝时，也被你逼得团团乱转，现在我所有的法宝都用光了，还有什么法子能逃得了？"

萧十一郎道："你为什么不用沈璧君来要挟我？我若要杀你，你就先杀她。"

小公子道："沈璧君既不是你老婆，也不是你情人，我就算将她大卸八块，你也不会心疼的，我怎么能用她来要挟你！”

萧十一郎道：“你至少总该试试。”

小公子苦笑道：“既然没有用，又何必试？”

萧十一郎道：“你难道真的已认命了？”

小公子凄然道：“遇上了萧十一郎，不认命又能怎样？”

萧十一郎笑了，摇着头笑道：“不对不对不对，我无论怎么看你都不像是个会认命的人，我知道你一定又想玩什么花样。”

小公子道：“现在我还有什么花样好玩！”

萧十一郎笑道：“无论你想玩什么花样，却再也休想要我上当了。”

小公子道：“你难道不敢下来杀我？”

萧十一郎道：“我用不着下去杀你。”

小公子道：“那么你到底想怎么样呢？”

萧十一郎道：“你先叫马车停下来。”

小公子敲了敲车壁，马车就缓缓停下，小公子道：“现在你还想要我怎么样？”

萧十一郎道：“抱沈璧君下车。”

小公子倒也真听话，打开车门，抱着沈璧君下了车，道：“现在呢？”

萧十一郎道：“一直向前走，莫要回头，走到前面那棵树下，将沈璧君放下来……我就在你后面，你最好少玩花样。”

小公子道：“遵命。”

她居然真的连头都不敢回，一步步地往前走。萧十一郎在后面盯着她，实在想不通她怎会忽然变得如此听话。

就在这时，小公子的花样已来了！

小公子已走到树下，突然一翻身，将沈璧君的人向萧十一郎怀里抛了过来，萧十一郎根本还未来得及思索，已先伸手接住。

只见小公子人已掠起，凌空一个翻身，手里已有三道寒光飞出，直打萧十一郎怀中的沈璧君。

方才小公子若以沈璧君的性命来要挟萧十一郎，萧十一郎也许真的不会动心，但现在沈璧君就在他怀里，他怎能不救？

等他避开这三件暗器，想先放下沈璧君再去追时，小公子早已逃得连人影都瞧不见了。

只听她那银铃般的笑声远远传来，道："我已将这烫山芋抛给你了，你瞧着办吧！"

萧十一郎望着怀里的沈璧君，只有苦笑——这"烫山芋"实在不小，他既不能抛下来不管，也不知该传给谁去才好。

沈璧君第二次自晕迷中醒来的时候，发现自己的人已到了个破庙里，这庙非但特别破，而且特别小。

小而破的神龛里，供着的好像是山神，外面的风吹得呼呼直响，若不是神案前已升起了堆火，沈璧君只怕已冻僵了。

风，从四面八方漏进来，火焰一直在闪动，有个人正伸着双手在烤火，嘴角低低地哼着一支歌。

这人身上穿的衣服也很破旧，脚上的破靴子底已穿了两个大洞，但就算穿着皮裘，坐在暖阁中烤火的人，看起来也不会比他更舒服了。沈璧君想不通一个人在他这种情况中，怎么还会觉得这么舒服。

但他嘴里在哼着的那支歌，曲调却是说不出的苍凉，说不出的萧索，说不出的寂寞，和他这个人完全不相称。

沈璧君一张开眼睛，就不由自主地被这个人吸引住了，过了很久，她才发觉自己本不该对别人如此留意的。

她本该先想想自己的处境才是。

破庙里自然没有床，她的人就睡在神案上，神案上还铺着层厚厚的稻草，这个人看来虽粗野，其实倒也很细心。

但这个人究竟是友还是敌呢？

沈璧君挣扎着爬起来，尽量不发出一丝声音。

但烤火的这人耳朵却像是特别灵，沈璧君的身子刚动了动，他就听到了。

他并没有抬头，只是冷冷道："躺下去，不许乱动！"

沈璧君这一生中，从来也没有听过人对她说如此无礼的话，她虽然很温柔，但这一生中从来也没有听过别人的命令。

她几乎忍不住立刻就要跳下去。

烤火的人还是没有抬头，又道："你若一定要动，不妨先看看你自己的腿，无论多美的人，若是缺了一条腿，也不会很好看了。"

沈璧君这才发现自己的右腿已肿了起来，肿得很大。

她的人立刻倒了下去。

任何女人看到自己的腿肿得像她这么大，都会被吓软的。

烤火的人似乎在发笑。

沈璧君等自己的心定下来，才问道："你是谁？"

烤火的人用一根棍子拨着火，淡淡道："我是我，你是你，我不想知道你是谁，你也用不着知道我是谁。"

沈璧君道："我……我怎么会到这里来的？"

烤火的人道："有些话你还是不问的好，问了反而徒增麻烦。"

沈璧君沉默了半晌，嗫嚅着道："莫非是你救了我？"

烤火的人笑了笑，道："像我这样的人，怎么配救你？"

沈璧君不说话了，因为她已经不知道该说什么才好。

烤火的人也不再说话，两个人好像突然都变成了哑巴。

外面的风还在“呼呼”地吹着，除了风声，就再也听不到别的声音，天地间仿佛就只剩下了他们两个人。

除了连城璧之外，沈璧君从来没有和任何男人单独相处过，尤其是这呼啸的风声，这闪动的火焰，这粗野的男人……

她觉得不安极了。

她忍不住又要挣扎着爬起来。

但她刚一动，烤火的人已站在她面前，冷冷地瞪着她，道：“我也知道像你这样的千金小姐，在这种地方一定待不住的，可是现在你的腿受了伤，也只好先委屈些，在这里养好伤再说。”

他的眼睛又大、又黑、又深、又亮。

沈璧君被这双眼睛瞪着，全身都好像发起热来，也不知为什么，她只觉得突然有股怒火自心底升起，竟忍不住大声道：“多谢你的好意，但我的腿是好是断，都和你无关，你既没有救我，也不认得我，又何必多管我的闲事。”

她终于还是挣扎着跳下来，一瘸一拐地走了出去。她当然走得很慢，但却绝没有停下来的意思。

烤火的人望着她，也不阻拦，目光中似乎带着笑意。

其实他现在若是拦上一拦，沈璧君也许会留下来的。

因为她的腿实在疼得要命。

萧十一郎这一生中，从来也没有勉强过任何人做任何事。

望着沈璧君走出去，他只是觉得有些好笑。

别人都说沈璧君不但最美丽，而且最贤淑、最温柔、最有礼，从来也不会对人发脾气。

但他却看到沈璧君发脾气了。

能看到从来不发脾气的人发脾气，也是件很有趣的事。

沈璧君连自己也觉得很奇怪，为什么会对这不相识的人发脾气，这人纵然没有救她，至少也没有乘她晕迷时对她无礼。

她本该感激他才是。

但也不知为了什么，她就是觉得这人要惹她生气，尤其是被他那双眼睛瞪着时，她更控制不住自己。她一向最会控制自己，但那双眼睛实在太粗野、太放肆……

外面的风好大，好冷。

夜色又暗得可怕，天上连一点星光都没有。

这哪里还像是秋天，简直已是寒冬。

沈璧君的一条腿由疼极而麻木，此刻又疼了起来。一阵阵剧痛，就好像一根根针，由她的脚刺入她的心。

她虽然咬紧了牙关，却再也走不动半步。

何况，前途是那么黑暗，就算她能走，也不知该走到哪里去。

她虽然咬紧了牙关，眼泪却已忍不住流了下来。

她从来也不知道孤独竟是如此可怕，因为她从来也没有孤独过。她虽然是一朵幽兰，但却并非出于污泥，而是在暖室中养大的。

伏在树干上，她几乎忍不住要失声痛哭起来。

就在这时，她忽然感觉到一只手在轻轻拍着她的肩头。

她转过头，就又瞧见了那双又大又黑又亮的眼睛。

萧十一郎将一碗热气腾腾的浓汤捧到她面前，缓缓道："喝下去，我保证这碗汤绝没有毒药的。"

他望着她，眼睛虽然还是同样黑、同样亮，但已变得说不出的温柔，他说的话虽然还是那么尖锐，但其中已没有讥诮，只有同情。

沈璧君不由自主地捧过这碗汤，用手捧着。

汤里的热气，似已将天地间的寒意全都驱散，她只觉得自己手里捧着的并不只是一碗汤，而是一碗温馨，一碗同情……

她的眼泪一滴滴落入汤里。

山神庙仍是那么小，那么脏，那么破旧。

但刚从外面无边的黑暗与寒冷中走进来，这破庙似乎一下子改变了，变得充满了温暖与光明。

沈璧君一直垂着头，没有抬起。

她从来也想不到自己竟会在一个陌生的男人面前流泪。

甚至在连城璧面前，她也从未落泪。

幸好，萧十一郎好像根本没有留意到她，一走进来，就躺到角落里的一堆稻草上，道："快睡，就算要走，也得等到天亮……"

这句话他好像并未说完，就已睡着了。

那堆草又脏、又冷、又湿，但就算睡在世上最软最暖的床上的人，也不会有他睡得这么香、这么甜。

这实在是个怪人。

沈璧君从来也没有见过这样的男人，但也不知为了什么，她只觉得在这男人身旁，是绝对安全的。

在醒着的时候，他看来虽然那么粗、那么野，但在睡着的时候，他看来却像是个孩子。

一个受了委屈的孩子。

在他那两道深锁的浓眉中，也不知隐藏了多少无法向人诉说的愁苦、冤屈、悲伤、忧郁……

沈璧君轻轻叹了口气，闭上眼睛。

她本来以为自己绝不可能在一个陌生男人的旁边睡着的，但却不知不觉睡着了……

第十一章

淑女与强盗

沈璧君醒来得很早。

风已住，火仍在燃烧着，显然又添了柴，这四面漏风的破庙里，居然充满了温暖之意。

但火堆旁那奇怪的男人却已不在了。

难道他已不辞而别？

沈璧君望着这闪动的火焰，心里忽然觉得很空虚、很寂寞、很孤独，就像是忽然间失去了什么。

她甚至有种被人欺骗，被人抛弃了的感觉。

她自己也不知道自己怎会有这种感觉，他们本就是陌生人，她连他的名字都不知道，他也没有对她做过任何允诺。

他要走，自然随时都可以走，也根本不必告诉她。

但就连她的丈夫离开她的时候，她都没有现在这种感觉。

这是为了什么？

“一个人在遭受到不幸、有了病痛的时候，心灵就会变得特别脆弱，特别需要别人的同情和安慰，特别不能忍受寂寞。”她试着替自己解释，但自己对这解释也并不十分满意。

她只觉心乱得很，一时间竟不知该如何是好，就在这时，那苍凉而萧索的歌声已自门外传了进来。

听到这歌声，沈璧君的心情立刻就改变了，甚至连那堆火都忽然变得更明亮，更温暖。

萧十一郎已走了进来。

他嘴里哼着歌，左手提着桶水，右手夹着一大捆不知名的药草，他的步履是那么轻快，全身都充满了野兽般的活力。

这男人看来就像是一头雄狮、一条虎，却又没有狮虎那么凶暴可怕，看来他不但自己很快乐，也能令每个看到他的人都感染到这份快乐。

沈璧君面上竟不由自主露出了笑容。

萧十一郎发亮的眼睛也正好自她面上扫过。

沈璧君带着笑道："早。"

萧十一郎淡淡道："现在已不早了。"

他只看了她一眼，目光就移向别处。虽只看了一眼，但他看着她的时候，目光也忽然变得很温柔。

沈璧君道："昨天晚上……"

想到昨天晚上的那碗汤，汤中的眼泪，她的脸就不觉有些发红，垂下了头，才低低地接着道："昨天晚上真麻烦你了，以后我一定会……"

萧十一郎不等她说完，就已打断了她的话，冷冷道："我最喜欢别人报答我，无论用什么报答我都接受，但现在你说了也没有用，所以还不如不说的好。"

沈璧君怔住了。

她发现这人每次跟她说话，都好像准备要吵架似的。

在她的记忆中，男人们对她总是文质彬彬、殷勤有礼：平时很粗鲁的男人，一见到她也会装得一表斯文；平时很轻佻的男人，一见到她也会装得一本正经。她从来也未见到一个看不起她的男人。

现在她才总算见到了。

这人简直连看都不愿看她。

这人到底有什么毛病？竟会看不出她的美丽？

火堆上支着铁架，铁架上吊着个大锅。昨天晚上那碗汤，就是这铁锅熬出来的。现在锅里的汤也不知是被熬干了，还是被喝光了，铁锅已被烤得发红，萧十一郎一桶水全都倒入锅里。

只听嗞的一响，锅里冒出了一股青烟。

然后萧十一郎就又坐到火堆旁，等着水沸。

“这人究竟是个怎么样的人？这破庙就是他的家？他为何连姓名都不肯说出？难道他有什么不可告人的秘密？”

沈璧君对这个人愈来愈好奇了，却又不好意思问他，只希望他能自己说说自己的身世，就算不全说出来，随便说两句也好。

但萧十一郎嘴里又开始哼着那首歌，眼睛又开始闭了起来，似乎根本已忘了有她这么样一个人存在。

“他既然不愿睬我，我为什么还要留在这里？”

沈璧君忽然对自己生起气来了，大声道：“我姓沈，无论什么时候你到大明湖畔的‘沈家庄’去，我都会令人重重地酬谢你，绝不会让你失望。”

萧十一郎连看都没有看她一眼，道：“你现在就要回去？”

沈璧君道：“是。”

萧十一郎道：“你走得回去么？”

沈璧君不由自主望了望自己的腿，才发现腿已肿得比昨天更厉害了，最可怕的是，肿的地方已完全麻木，连一点感觉都没有。

莫说走路，她这条腿简直已连抬都无法抬起。

锅里的水已沸了。

萧十一郎慢慢地将那捆药草解开，仔细选出了几样，投入水里，用一根树枝慢慢地搅动着。

沈璧君望着自己的腿，眼泪几乎又忍不住要流了出来。她是个很好强的人，从来也不愿求人。

可是现在她却别无选择。

这是无可奈何的事，每个人一生中都难免会遇着几件这种事，她只有忍耐，否则就只好发疯。

沈璧君长长地吐出口气，嗫嚅着道："我……我还想麻烦你一件事。"

萧十一郎道："嗯。"

沈璧君道："不知道你能不能替我雇辆车子，载我回去？"

萧十一郎道："不能。"

他回答得实在干脆极了，沈璧君怔了怔，忍住气道："为什么不能？"

萧十一郎道："因为这地方是在半山上，因为拉车的马没有一匹会飞的。"

沈璧君道："可是……我来的时候……"

萧十一郎道："那是我抱你上来的。"

沈璧君的脸立刻飞红了起来，连话都说不出了。

萧十一郎悠然道："现在你自然不肯再让我抱下去，是不是？"

沈璧君忍耐很久，终于还是忍不住道："你……你为何要……要带我到这里来？"

萧十一郎道："不带你到这里来，带你到哪里去？你若在路上捡着一只受了伤的小猫小狗，是不是也会将它带回家呢？"

沈璧君飞红的脸一下子又气白了。

她从来也没有想到要去打男人的耳光，但现在她若有了力气，也许真会重重地给这人几个耳刮子。

萧十一郎慢慢地站了起来，慢慢地走到神案前，盯着她的腿。

沈璧君的脸又红了，真恨不得将这条腿锯掉，她拼命将这条腿往里面缩，但萧十一郎的眼睛却连一刻也不肯放松。

沈璧君又羞又怒，道："你……你想干什么？"

萧十一郎淡淡道："你的脚已肿得像只粽子，我正在想，要用什么法子才能将你的鞋袜脱掉。"

沈璧君几乎忍不住要大叫起来，这男人居然想脱她的鞋袜，她的脚就连她的丈夫都没有真正看到过。

只听萧十一郎喃喃道："看样子脱是没法子脱掉的了，只有用刀割破……"

他嘴里说着，竟真的自腰畔拔出了一把刀。

沈璧君颤声道："我本来还以为你是个君子，谁知你……你……"

萧十一郎道："我并不是君子，却也没有替女人脱鞋子的习惯。"

他忽然将刀插在神案上，又将那桶水提了过来，冷冷道："你若想快点走回去，就赶快脱下鞋袜，放在这桶水里泡着，否则你说不定只有一辈子住在这里。"

在那种时候，你若想要一位淑女脱下她的鞋袜，简直就好像要她脱衣服差不多困难。

因为在那种时候，一个女人若肯在男人面前脱下自己的鞋袜，那么别的东西她也就差不多可以脱下来了。

沈璧君现在却连一点选择也没有。

她只希望这人能像个君子，把头转过去。

萧十一郎的眼睛却偏偏睁得很大，连一点转头的意思都没有。

沈璧君咬着嘴唇，道："你……你能不能到外面去走走？"

萧十一郎道："不能。"

沈璧君连耳根都红了，呆在那里，真恨不得死了算了。

萧十一郎道：“你不要以为我想看你的脚，你这双脚现在已没有什么好看的，我只不过想看看你中的究竟是什么毒而已。”

他冷冷地接着道：“毒性若再蔓延上去，你说不定连别的地方也要让人看了。”

这句话真的比什么都有效。

沈璧君慢慢地，终于将一双脚都泡入水里。

一个人若能将自己的脚舒舒服服地泡在热水里，他对许多事的想法和看法就多多少少会改变些的。

脱鞋子的时候，沈璧君全身都在发抖，但现在她的心已渐渐平静了下来，觉得一切事并不如自己方才想象中那么糟。

萧十一郎已没有再死盯着她的脚。

他已看得很清楚了。

这时他已经选出了几种药草，摘下了最嫩的一部分，放在嘴里慢慢地咀嚼着，仿佛在品尝着它们的滋味。

沈璧君垂头看着自己的脚，却分不清自己心里是什么滋味。

她居然会在一个陌生的男人面前洗脚——她只希望这是场噩梦，能快些过去，快些忘掉。

突听萧十一郎道：“把你受伤的脚抬起来。”

这次沈璧君并没有反抗，她好像已认命了。

这就是女人最大的长处——女人都有认命的时候。

有许多又聪明、又美丽的女人，嫁给一个又丑又笨的丈夫，还是照样能活下去，就因为她们能够“认命”。

有很多人都有种很“奇妙”的观念，觉得男人若不认命，能反抗命运，就是英雄好汉。

但女人若不认命，若也想反抗，就是大逆不道。

沈璧君足踝上的伤口并不大，只有红红的一点，就好像刚被蚊子叮了一口时那种样子。

但红肿却已蔓延到膝盖以上。

想起了那可怕的“孩子”，沈璧君到现在手脚还难免要发冷，她足踝被那“孩子”踢中时，绝未想到后果竟如此严重。

萧十一郎已将嘴里咀嚼的药草吐了出来，敷在她的伤口上，她心里也不知是羞恼，还是感激。

她只觉这药冰冰凉凉的，舒服极了。

萧十一郎又在衣服上撕下块布条，放到水里煮了煮，再将水拧干，用树枝挑着送给沈璧君，道：“你也许从来没有包扎过伤口，幸好这还不是什么困难的事，你总该做得到。”

这次他话未说完，头已转了过去。

沈璧君望着他的高大背影，她实在愈来愈不了解这奇怪的人了。

这人看来是那么粗野，但做事却又如此细心；这人说话虽然又尖锐、又刻薄，但她也知道他绝没有伤害她的意思。

他明明是个好人。

奇怪的是，他为什么偏偏要教人觉得他不是个好人呢？

萧十一郎又哼起了那首歌，歌声仍是那么苍凉、那么寂寞，你若看到他那张充满了热情与魔力的脸，就会觉得他实在是个很寂寞的人。

沈璧君暗中叹了口气，柔声道：“谢谢你，我现在已觉得好多了。”

萧十一郎道：“哦？”

沈璧君笑道：“想不到你的医道也如此高明，我幸亏遇见了你。”

萧十一郎道：“我根本不懂得什么医道，只不过懂得要怎么才能活下去，每个人都要活下去的，是不是？”

沈璧君慢慢地点了点头，叹道："我现在才知道，除非在万不得已的时候，否则没有人会想死的。"

萧十一郎道："非但人要活下去，野兽也要活下去，野兽虽不懂得什么医道，但它们受了伤的时候，也会去找些药草来治伤，再找个地方躲起来。"

沈璧君道："真有这种事？"

萧十一郎道："我曾经看到过一匹狼，被山猫咬伤后，竟逃到一个沼泽中去，那时我还以为它是在找自己的坟墓。"

沈璧君道："它难道不是？"

萧十一郎笑了笑，道："它在那沼泽中躺了两天，就又活了，原来它早已知道有许多药草腐烂在那沼泽里，它早已知道该如何照顾自己。"

沈璧君第一次看到了他的笑容，似乎只有在谈到野兽时，他才会笑。他甚至根本不愿意谈起人。

萧十一郎还在笑着，笑容却已有些凄凉，慢慢地接着道："其实人也和野兽一样，若没有别人照顾，就只好自己照顾自己了。"

人真的也和野兽一样么？

若是在一两天之前，沈璧君听到这种话，一定会认为说话的人是个疯子；但现在，她却已忽然能体会这句话中的凄凉辛酸之意。

她这一生中，时时刻刻都有人在陪伴着她，照顾着她，直到现在她才知道寂寞与孤独竟是如此可怕。

沈璧君渐渐已觉得这人一点也不可怕了，非但不可怕，甚至还有些可怜，她忍不住想对这人知道得更多些。

人们对他们不了解的人，总是会生出一种特别强烈的好奇心，这份好奇心，往往又会引起许多种别的感情。

沈璧君试探着问道："这地方就是你的家？"

萧十一郎道："最近我常常住在这里。"

沈璧君道："以前呢？"

萧十一郎道："以前的事我已全都忘了，以后的事我从不去想它。"

沈璧君道："你……你难道没有家？"

萧十一郎道："一个人为什么要有家？流浪天下，四海为家，岂非更愉快得多？"

当一个人说自己宁愿没有家时，往往就表示他想要一个家了，只不过"家"并不只是间屋子，并不是很容易就可建立的——要毁掉却很容易。

沈璧君忍不住轻轻叹了口气，道："每个人迟早都要有个家的，你若是有什么困难，我也许可以帮助你……"

萧十一郎冷冷道："我也没有什么别的困难，只要你肯闭上嘴，就算是帮了我个大忙了。"

沈璧君又怔住了。

像萧十一郎这样不通情理的人，倒也的确少见得很。

就在这时，突听一阵脚步声响，两个人匆匆走了进来。

这破庙里居然还有人会来，更是令人想不到的事。

只见这两人都是相貌堂堂，衣衫华丽，气派都不小，佩刀的人年纪较长，佩剑的看来只有三十左右。

这种人会到这种地方来，就令人奇怪了。

更令人奇怪的是，这两人见到沈璧君，面上都露出欣喜之色，其中一个年纪较大的立刻抢步向前，躬身道："这位可就是连夫人么？"

沈璧君怔了怔，道："不敢，阁下是……"

那人面带微笑，道："在下彭鹏飞，与连公子本是故交，那日夫人与连公子大喜之日，在下还曾去叨扰过一杯喜酒。”

沈璧君道：“可是人称‘万胜金刀’的彭大侠？”

彭鹏飞笑得更得意，道：“贱名何足挂齿，这‘万胜金刀’四字，更是万万不敢当的。”

另一人锦衣佩剑，长身玉立，看来像是风采翩翩的贵公子。武林中，这样的人才，倒也不多。

此时此地，沈璧君能见到自己丈夫的朋友，自然是开心得很，面上已露出了微笑，道：“却不知这位公子高姓大名？”

彭鹏飞抢着道：“这位就是‘芙蓉剑客’柳三爷的长公子柳永南，江湖人称‘玉面剑客’，与连公子也曾有过数面之交。”

沈璧君嫣然道：“原来是柳公子，多日未曾去问三爷的安，不知他老人家气喘的旧疾已大好了么？”

柳永南躬身道：“托夫人的福，近来已好得多了。”

沈璧君道：“两位请恕我伤病在身，不能全礼。”

柳永南道：“不敢。”

彭鹏飞道：“此间非谈话之处，在下等已在外面准备好一顶软轿，就请夫人移驾回庄吧。”

两人俱是言语斯文，彬彬有礼。沈璧君见到他们，好像忽然又回到自己的世界了，再也用不着受别人的欺负，受别人的气。

她似乎已忘了萧十一郎的存在。

彭鹏飞招了招手，门外立刻就有两个很健壮的青衣妇人，抬着顶很干净的软兜小轿走了进来。

沈璧君嫣然道：“两位准备得真周到，真麻烦你们了。”

柳永南躬身道：“连公子终日为武林同道奔走，在下等为夫人略效微劳，也是应该的。”

彭鹏飞道：“如此就请夫人上轿。”

突听萧十一郎道："等一等。"

彭鹏飞瞪了他一眼，冷冷道："你是什么人？也敢在这里多嘴。"

萧十一郎道："我说我是'中州大侠'欧阳九，你信不信？"

彭鹏飞冷笑道："凭你只怕还不配。"

萧十一郎道："你若不信我是欧阳九，我为何要相信你是彭鹏飞？"

柳永南淡淡道："只要连夫人相信在下等也就是了，阁下信不信都无妨。"

萧十一郎道："哦？她真的相信了两位么？"

三个人的眼睛都望着沈璧君，沈璧君轻轻咳嗽两声，道："各位对我都是一番好意，我……"

萧十一郎打断了她的话，冷笑道："像连夫人这样的端庄淑女，纵然已对你们起了怀疑之心，嘴里也是万万不肯说出来的。"

柳永南笑了笑，道："不错，也只有阁下这样的人，才会以小人之心，度君子之腹……"

说到这里，只听"锵"的一声，他腰畔长剑已出鞘，剑光一闪，凌空三曲，萧十一郎手里的一根树枝已断成四截。

萧十一郎神色不动，淡淡道："这倒果然是芙蓉剑法。"

彭鹏飞大声道："你既识货，就该知道这一招'芙蓉三折'，普天之下除了柳三爷和柳公子外，再也没有第三个人使得出来。"

沈璧君展颜一笑，道："柳公子这一招'芙蓉三折'，只怕已青出于蓝了。"

萧十一郎道："你也不问问他们怎会知道你在这里的？"

沈璧君道："他们无论怎么会知道我在这里的都没关系，就凭彭大侠与柳公子的侠名，我就信得过他们。"

萧十一郎默然良久，才缓缓道："不错，有名有姓的人说出来的话，自然比我这种人说出来的可靠得多，我实在是多管闲事。”

沈璧君也沉默了半晌，才柔声道：“但我知道你对我也是一番好意……”

彭鹏飞冷笑道：“好意？只怕不见得。”

柳永南道：“他三番两次地阻拦，想将夫人留在这里，显然是别有居心。”

彭鹏飞叱道：“不错，先废了他，再带去严刑拷问，看看幕后是否还有主使的人！”

叱声中，他的金刀也已出鞘。

萧十一郎站在那里，动也不动，就像是突然间变得麻木了。

柳永南反倒来做好人了，道：“且慢，这人说不定是连夫人的朋友，我们岂可难为他！”

彭鹏飞道：“夫人可认得他么？”

沈璧君垂下了头，道：“不……不认得。”

萧十一郎突然仰面大笑起来，狂笑着道：“像连夫人这样的名门贵妇，又怎会认得我这种不三不四的人？连夫人若有我这种朋友，岂非把自己的脸都要丢光了吗？”

柳永南叱道：“正是如此。”

这四个字说完，长剑已化为一片光幕，卷向萧十一郎；刹那之间，已攻出了四剑，剑如抽丝，连绵不绝。

当代“芙蓉剑”的名家虽然是男子，但“芙蓉剑法”却是女子所创，是以这剑法轻灵有余，刚劲不足，未免失之柔弱。

而且女子总是难免胆气稍逊，不愿和对手硬拼硬拆，攻敌之前，总要先将自己保护好再说。

是以这剑法攻势只占了三成，守势却有七成。

柳永南这四剑看来虽然绚丽夺目，其实却全都是虚招，为的只不过是先探探对方的虚实而已。

萧十一郎狂笑未绝，身形根本连动都没有动。

彭鹏飞喝道："连夫人既不认得他，你我手下何必再留情？"

他掌中一柄金背砍山刀，重达二十七斤，一刀攻出，刀风激荡，那两个抬轿的青衣妇人早已吓得躲入了角落中。

只见刀光与剑影交错，金背刀的刚劲，恰巧弥补了芙蓉剑之不足，萧十一郎似已连还手之力都没有，也被迫入了角落中。

彭鹏飞得势不让人，攻势更猛，沉声道："不必再留下此人的活口！"

柳永南道："是。"

他剑法一变，攻势俱出，招招都是杀手。

萧十一郎目中突然露出杀机，冷笑道："既是如此，我又何必再留下你们的活口？"

他身形一转，两只肉掌竟硬生生逼入了刀光剑影中。

"芙蓉剑"剑法缜密，素称"滴水不漏"，此刻也不知怎地，竟被对方的一只肉掌抢攻了进来。

柳永南的出手竟在刹那间就已被封住，他大骇之下，脚下一个踉跄，也不知踢到了什么。

只听"咕噜噜"一声，一只铁碗被他踢得直滚了出去。

这只碗正是昨夜那只盛汤的碗。

看到了这只碗，想到了昨夜碗中的温情，沈璧君骤然觉得心弦一阵激动，再也顾不得别的，失声大呼道："他是我的朋友，你们放他走吧！"

萧十一郎的铁掌已将刀与剑的出路全都封死，他的下一招就是置人死命的杀手，柳永南与彭鹏飞的生死已只是呼吸间事。

可是，听到了沈璧君这句话，萧十一郎胸中也有一阵热血上涌，杀机尽失，这一招杀手竟是再也无法攻出！

彭鹏飞与柳永南的声名也是从刀锋剑刃上搏来的，与人交手的经验是何等丰富，此刻怎肯让这机会平白错过？

两人不约而同抢攻一步，刀剑齐飞，竟想乘这机会将萧十一郎置之于死地，“哧”的一声，萧十一郎肩头已被划破一条血口！

彭鹏飞大喜之下，刀锋反转，横砍胸腹。

突听萧十一郎大喝一声，彭鹏飞与柳永南只觉一股大力撞了过来，手腕一麻，手中的刀剑也不知怎地就突然到了对方手里。

但听“咯”的一响，刀剑俱都断成两截，又接着是“轰”的一声巨震，破庙的墙已被撞破一个大洞。

飞扬的灰土中，萧十一郎的身形在洞外一闪，就瞧不见了。

彭鹏飞，柳永南，望着地上被折断的刀剑，只觉掌心的冷汗一丝丝在往外冒，身子再也动弹不得。

也不知过了多久，彭鹏飞才长长叹了口气，道：“好厉害！”

柳永南也长长叹了口气，道：“好厉害！”

彭鹏飞擦了擦汗，苦笑道：“如此高手，我怎会不认得？”

柳永南也擦了擦汗，道：“此人出手之快，实是我平生未见。”

彭鹏飞转过头，嗫嚅着问道：“连夫人可知道他是谁么？”

沈璧君望着墙上的破洞，也不知在想什么，竟未听到他的话。

柳永南咳嗽两声，道：“不知他是否真的是连夫人的朋友？”

沈璧君这才轻叹一声，道：“但愿他真是我夫妻的朋友，无论谁能交到这样的朋友，都是幸事。”

她不说“我的朋友”，而说“我夫妻的朋友”，正是她说话的分寸，因为她知道以她的地位，莫说做不得错事，就连一句话也说错不得。

柳永南道："如此说来，夫人也不知道他的名姓？"

沈璧君叹道："此人身世似有绝大的隐秘，是以不肯轻易将姓名示人。"

彭鹏飞沉吟着，突然道："以我看，此人只怕是萧十一郎！"

萧十一郎！

柳永南苍白的脸上更无一丝血色，失声道："萧十一郎？怎见得他就是萧十一郎？"

彭鹏飞叹道："萧十一郎虽是个杀人不眨眼的恶徒，但武功之高，天下皆知，而且行踪飘忽，身世隐秘，很少有人看到过他的真面目。"

他眼角的肌肉不觉已在抽动着，嗄声接道："这几点岂非都和方才那人一样？"

柳永南连嘴唇都已失却血色，只是不停地擦汗。

沈璧君却摇了摇头，缓缓道："我知道他绝不是萧十一郎。"

彭鹏飞道："夫人何以见得？"

沈璧君道："萧十一郎横行江湖，作恶多端，但我知道他……他绝不是个坏人。"

彭鹏飞道："知人知面不知心，愈是大奸大恶之徒，别人愈是难以看出。"

沈璧君笑了笑，道："萧十一郎杀人不眨眼，他若是萧十一郎，两位岂非……"

她"话到嘴边留半句"，说到这里，就住了嘴。

但她言下之意，彭鹏飞与柳永南自然明白得很，两人的脸都红了，过了半晌，柳永南才勉强笑了笑，道："无论那人是否萧十一郎，我们总该先将连夫人护送回庄才是。"

彭鹏飞道："不错，夫人请上轿。"

第十二章

要命的婚事

虽然是行走在崎岖的山路上，但轿子仍然走得很快，抬轿的青衣妇人脚力并不在男子之下。

就快要回到家了。

只要一回到家，所有的灾难和不幸就全都过去了，沈璧君本来应该很开心才对，但却不知为了什么，她此刻心里竟有些闷闷的，彭鹏飞和柳永南跟在轿子旁，她也提不起精神来跟他们说话。

想起那眼睛大大的年轻人，她就会觉得有些惭愧："我为什么一直不肯承认他是我的朋友？难道我真的这么高贵？他又有什么地方不如人？我凭什么要看不起他？"

她想起自己曾经说过，要想法子帮助他，但到了他最困难、最危险的时候，她却退缩了。

有时他看来是那么孤独、那么寂寞，也许就因为他受到的这种伤害太多了，使他觉得这世上没有一个值得他信任的人。

"一个人为了保全自己的名誉和地位，就不惜牺牲别人和伤害别人，我岂非也正和大多数人一样？"

沈璧君长长叹了口气，觉得自己并不如想象中那么高贵。

她觉得自己实在对不起他。

山脚下，停着辆马车。

赶车的头戴竹笠，紧压着眉际，仿佛不愿被人看到他的面目。

沈璧君一行人，刚走下山脚，这赶车的就迎了上来，深深盯了沈璧君一眼，才躬身道："连夫人受惊了。"

这虽是句很普通的话，但却不是一个车夫应该说出来的，而且沈璧君觉得他眼睛盯着自己时，眼神看来也有些不对。

她心里虽有些奇怪，却还是含笑道："多谢你关心，这次要劳你的驾了。"

赶车的垂首道："不敢。"

他转过身之后，头才抬起来，吩咐着抬轿的青衣妇人道："快扶夫人上车，今天咱们还要赶好长的路呢。"

沈璧君沉吟着，道："既然没有备别的车马，就请彭大侠和柳公子一齐上车吧。"

彭鹏飞瞟了柳永南一眼，讷讷道："这……"

他还未说出第二个字，赶车的已抢着道："有小人等护送夫人回庄已经足够，用不着再劳动他们两位了。"

彭鹏飞居然立刻应声道："是是是，在下也正想告辞。"

赶车的道："这次劳动了两位，我家公子日后一定不会忘了两位的好处。"

一个赶车的，派头居然好像比"万胜金刀"还大。

沈璧君愈听愈不对了，立刻问道："你家公子是谁？"

赶车的似乎怔了怔，才慢慢地道："我家公子……自然是连公子了。"

沈璧君皱眉道："连公子？你是连家的人？"

赶车的道："是。"

沈璧君道："你若是连家的人，我怎会没有见过你？"

赶车的沉默着，忽然回过头，冷冷道："有些话夫人还是不问的好，问多了反而自找烦恼。”

沈璧君虽然还是看不到他的面目，却已看到他嘴角带着的一丝狞笑，她心里骤然升起一阵寒意，大声道：“彭大侠，柳公子，这人究竟是谁？这究竟是怎么回事？”

彭鹏飞干咳两声，垂首道：“这……”

赶车的冷冷截口道：“夫人最好也莫要问他，纵然问了他，他也说不出来的。”

他沉下了脸，厉声道：“你们还不快扶夫人上车，还在等什么？”

青衣妇人立刻抓住了沈璧君的手臂，面上带着假笑，道：“夫人还是请安心上车吧。”

这两人不但脚力健，手力也大得很，沈璧君双手俱被抓住，挣了一挣，竟未挣脱，怒道：“你们竟敢对我无礼？快放手！彭鹏飞，你既是连城璧的朋友，怎能眼看他们如此对待我！”

彭鹏飞低着头，就像是已忽然变得又聋又哑。

沈璧君下半身已完全麻木，身子更虚弱不堪，空有一身武功，却连半分也使不出来，竟被人拖拖拉拉地塞入了马车。

赶车的冷笑着，道：“只要夫人见到我们公子，一切事就都会明白的。”

沈璧君嗄声道：“你家公子莫非就是那……那……”

想到那可怕的“孩子”，她全身都凉了，连声音都在发抖。

赶车的不再理他，微一抱拳，道：“彭大侠，柳公子，两位请便吧。”

他嘴里说着话，人已转身登车。

柳永南脸色一直有些发青，此刻突然一旋身，左手发出两道乌光，击向青衣妇人们的咽喉，右手抽出一柄匕首，闪电般刺向那车夫的后背。

他一连两个动作，都是又快、又准、又狠。

那车夫绝未想到会有此一着，哪里还闪避得开？柳永南的匕首已刺入了他的后心，直没至柄。

青衣妇人们连一声惨呼都未发出，人已倒了下去。

沈璧君又惊又喜，只见那车夫头上的笠帽已经掉了下来，沈璧君还记得这张脸孔，正是那孩子的属下之一。

现在这张脸已扭曲得完全变了形，双睛怒凸，嘶声道：“好，你……你好大的胆子……”

这句话说出，他身子向前一倒，倒在车轭上，后心鲜血急射而出。拉车的马也被惊得长嘶一声，人立而起，带动马车向前冲出，车轮自那车夫身上辗过，他一个人竟被碾成两截。

柳永南已飞身而起，躲开了自车夫身上射出来的那股鲜血，落在马背上，勒住了受惊狂奔的马。

彭鹏飞似已被吓呆了，此刻才回过神来，立刻跺脚道：“永南，你……你这祸可真的闯大了。”

柳永南道：“哦？”

彭鹏飞道：“我真不懂你这么做是何居心？小公子的手段，你又不是不知道。”

柳永南道：“我知道。”

彭鹏飞道：“那么你……你为什么还要这样做？”

柳永南慢慢地下了马，眼睛望着沈璧君，缓缓道：“无论如何，我也不能将连夫人送到那班恶魔的手上。”

沈璧君的喘息直到此时才停下来，心里真是说不出的感激，感激得几乎连眼泪都快要流了下来，低低道：“多谢你，柳公子，我……我总算还没有看错你。”

彭鹏飞长长叹息了一声，道：“夫人的意思，自然是说看错我

了。”

沈璧君咬着牙，总算勉强忍住没有说出恶毒的话。

彭鹏飞叹道：“其实我又何尝不想救你，但救了你又有什么用呢？你我三人加起来也绝非小公子的敌手，迟早还是要落入他掌握中的！”

说到这里，他忍不住激灵灵打了个寒噤，显然对那小公子的手段之畏惧，已到了极点。

沈璧君恨恨道：“原来是他要你们来找我的。”

彭鹏飞道：“否则我们怎会知道夫人在那山神庙里？”

沈璧君叹了口气，黯然道：“如此说来，他对你们的疑心并没有错，我反而错怪他了。”

这次她说的“他”，自然是指萧十一郎。

柳永南忽然冷笑了一声，道：“那人也不是好东西，对夫人也绝不会存着什么好心。”

彭鹏飞沉下了脸，道：“只有你存的是好心，是么？”

柳永南道：“当然。”

彭鹏飞冷笑道：“只可惜你存的这番好心，我早已看透了！”

柳永南道：“哦？”

彭鹏飞厉声道：“我虽然知道你素来好色如命，却未想到你的色胆竟有这么大，主意竟打到连夫人身上来了，但你也不想想，这样的天鹅肉，就凭你也能吃得到嘴么？”

沈璧君怒道：“这只是你以小人之心度君子之腹，柳公子绝不是这样的人。”

彭鹏飞冷笑道：“你以为他是好人？告诉你，这些年来，每个月坏在他手上的黄花闺女，没有十个，也有八个。只不过谁也不会想到无恶不作的采花盗，竟会是‘芙蓉剑’柳三爷的大少爷而已。”

沈璧君呆住了。

彭鹏飞道："就因为他有这些把柄被小公子捏在手上，所以才只有乖乖地听话……"

柳永南突然大喝一声，狂吼道："你呢？你又是什么好东西，你若没有把柄被小公子捏在手上，他也就不会找到你了！"

彭鹏飞也怒吼道："我有什么把柄？你说！"

柳永南道："现在你固然是大财主了，但你的家财是哪里来的？你以为我不知道？你明里虽是在开镖局，其实却比强盗还狠，谁托你保镖，那真是倒了八辈子霉——卸任的张知府要你护送回乡，你在半路上就把人家一家大小十八口杀得干干净净，你以为你做的这些事真没人知道？"

彭鹏飞跳了起来，大吼道："放你妈的屁，你这小畜生……"

这两人本来一个是相貌堂堂、威严沉着，一个是文质彬彬、温柔有礼，此刻一下子就好像变成了两条疯狗。

看到这两人你咬我，我咬你，沈璧君全身都凉了。

彭鹏飞道："你这小杂种色胆包天，我可犯不上陪你送死！"

柳永南道："你想怎样？"

彭鹏飞道："你若乖乖地随我去见小公子，我也许还会替你说两句好话，饶你不死！"

柳永南喝道："你这是在做梦！"

他本想抢先出手，谁知彭鹏飞一拳已先打了过来。

彭鹏飞虽以金刀成名，一趟"大洪拳"竟也已练到八九成火候，此刻一拳击出，但闻拳风虎虎，声势也颇为惊人。

柳永南身子一旋，滑开三步，掌缘反切彭鹏飞的肩胛。

他掌法也和剑法一样，以轻灵流动见长，彭鹏飞的武功火候虽深些，但柔能克刚，"芙蓉掌"正是"大洪拳"的克星。

两人这一交上手，倒也正是旗鼓相当，看样子若没有三五百招，是万万分不出胜负高下的。

沈璧君咬着牙，慢慢地爬上车座，打开车厢前的小窗子，只见拉车的马被拳风所惊，正轻嘶着在往道旁退。

车座上铺着锦墩。

沈璧君拿起个锦墩，用尽全力从窗口抛出去，抛在马屁股上。

健马一声惊嘶，再次狂奔而出！

一匹发了狂的马，拉着无人驾驭的马车狂奔，其危险的程度，和“盲人骑瞎马，夜半临深池”也已差不了许多。

沈璧君却不在乎。

她宁可被撞死，也不愿落在柳永南手上。

车子颠得很厉害，她麻木的腿开始感觉到一阵刺骨的疼痛。

她也不在乎。

她一直认为肉体上的痛苦比精神上的痛苦要容易忍受得多。

有人说：一个人在临死之前，常常会想起许多奇奇怪怪的事，但人们却永远不知道自己在临死前会想到些什么。

沈璧君也永远想不到自己在这种时候，第一个想起的不是她母亲，也不是连城璧，而是那个眼睛大大的年轻人。

她若肯信任他，此刻又怎会在这马车上？

然后，她才想起连城璧。

连城璧若没有离开她，她又怎会有这些不幸的遭遇？她还是叫自己莫要怨他，但是她心里却不能不难受。

她不由自主要想：“我若嫁给一个平凡的男人，只要他是全心全意地对待我，将我放在其他任何事之上，那种日子是否会比现在过得快乐？”

于是她又不禁想起了眼睛大大的年轻人：“我若是嫁给了他，他会不会对我……”

她禁止自己再想下去。

她也不敢再想下去！

就在这时，她听到天崩地裂般一声大震。

车门也被撞开了，她的人从车座上弹了起来，恰巧从车门中弹了出去，落在外面的草地上。

这一下自然跌得很重，她四肢百骸都像是已被跌散了。

只见马车正撞在一棵大树上，车厢被撞得四分五裂，拉车的马却已奔出去很远，车辕显然已断了，所以马车才会撞到树上去。

沈璧君若还在车厢中，至少也要被撞掉半条命。

她也不知道这是她的幸运，还是她的不幸，她甚至宁愿被撞死。

因为这时她已经瞧见了柳永南。

柳永南就像是个呆子似的站在那里，左面半边脸已被打得又青又肿，全身不停地在发抖，像是害怕得要死。

应该害怕的本该是沈璧君，他怕什么？

他的眼睛似乎也变得不灵了，过了很久，才看到沈璧君。

于是他就向沈璧君走了过来。

奇怪的是，他脸上连一点欢喜的样子都没有，而且走得也很慢，脚下就像是拖了根七八百斤重的铁链子。

这人莫非忽然有了什么毛病？

沈璧君挣扎着想爬起来，又跌倒，颤声道：“站住！你若敢再往前走一步，我就死在这里！”

柳永南居然很听话，立刻就停住了脚。

沈璧君刚松了口气，忽然听到柳永南身后有个人笑道：“你放心，只管往前走就是，我敢担保她绝不会死的。她若真的想死，也就不会活到现在了。”

这声音又温柔，又动听。

但沈璧君一听到这声音，全身都凉了。

这声音她并没有听到过多少次，但却永远也不会忘记！

难怪柳永南怕得要死，原来“小公子”就跟在他身后，他身材虽不高大，但小公子却实在太“小”，是以沈璧君一直没有看到。

沈璧君的确不想死，她有很多理由不能死，可是现在她一听到小公子的声音，就只恨自己为什么没有早些死掉。

现在她想死也已来不及了。

人影一闪，小公子已到了她面前，笑嘻嘻地望着她，柔声道：“好姑娘，你想死也死不了，还是好好地活着吧，你若觉得一个人太孤单，我就找个人来陪你。”

她身上披着件猩红的斗篷，漆黑的头发上束着金冠，还有朵红缨随风摇动，衬着她那雪白粉嫩的一张脸，看来真是说不出的活泼可爱。

但沈璧君看到了她，却像是看到毒蛇一样，颤声道：“我跟你有什么冤仇？你为何连死都不让我死！”

小公子笑道：“就因为我们一点冤仇都没有，所以我才舍不得让你死。”

她笑嘻嘻地向柳永南招了招手，道：“过来呀，站在那里干什么？这么大的人，难道还害臊么？”

柳永南垂下了头，一步一挨走了过来。

小公子居然没有杀他，但他却宁愿死了算了。

他实在猜不透小公子究竟在打什么主意，他只知道小公子若是想折磨一个人，那人就不如还是趁早死了的好。

直等他走到沈璧君面前，小公子才摇着头道：“看你多不小心，好好的一张脸竟被人打肿了。”

她掏出块雪白的丝巾，轻轻擦着柳永南脸上的瘀血，动作又温柔，又体贴，就像是慈母在照顾着儿子似的。

柳永南似乎想笑一笑，但那表情却比哭还难看。

擦完了脸，小公子又替他拍了拍衣服上的泥土，才笑道：“嗯，这样才总算勉强可以见人了，但下次还是要小心些，宁可被人打屁股，也莫要被人打到脸，知道么？”

柳永南只有点头，看来就像是个被线牵着的木头人似的。

小公子目光这才回到沈璧君身上，笑道：“这位柳家的大少爷，你认得吗？”

沈璧君咬着牙，闭着眼睛，她也不知道小公子究竟在玩什么花样，只希望能找到个机会自杀。

小公子板起了脸，道：“张开眼睛来，听我说话，我问一句，你就答一句，知道吗？你若不听话，我就只好剥光你的衣服……”

这句话还未说完，沈璧君的眼睛就张了开来。

小公子展颜笑道：“对了，这才是乖孩子。”

她拍了拍柳永南的肩头，道：“这位柳家的大少爷，方才杀了四个人，连他的好朋友彭鹏飞都被他杀了，你知道他是为了什么吗？”

沈璧君摇了摇头。

小公子瞪眼道：“摇头不可以，要说话。”

沈璧君整个人都快爆炸了，但遇着小公子这种人，她又有什么法子。她只有忍住眼泪，道：“我……我不知道。”

小公子道：“不对不对，你明明知道的，他这样做，全是为了你，是不是？”

沈璧君道：“是。”

她实在不愿在这种人面前流泪，但眼泪还是忍不住流了下来。

小公子笑了笑，道：“他这样对你，也可算是情深义重了，是不是？”

沈璧君道："我……我……我不知道。"

小公子道："你怎会不知道呢？我问你，连城璧会不会为了你将他的朋友杀死？"

沈璧君道："不……不会。"

小公子道："由此可见，他对你实在比连城璧还好，是不是？"

沈璧君再也忍不住了，嘶声道："你究竟是不是人？为什么要如此折磨我？"

小公子叹了口气，喃喃道："风已渐渐大了，若是脱光了衣服，一定会着凉的……"

沈璧君狠了狠心，暗中伸出舌头，她听说过一个人若是咬断舌根，就必死无疑，她虽不愿死，现在却已到了非死不可的时候。

可是她还没有咬下去，小公子的手已捏住了她的下颚，另一只手已开始在解她的衣带，柔声道："一个人要活着固然很困难，但有时想死却更不容易，是不是？"

沈璧君嘴被捏住，连话都已说不出来，只有点了点头。

小公子道："那么，我问你的话，你现在愿意回答了么？"

沈璧君又点了点头。

世上永远没有任何一个人能描述出她此刻的心情，几乎也从来没有一个人忍受过她此刻的痛苦。

那简直已不是"痛苦"两个字所能形容。

小公子这才笑了笑，慢慢地放开了手，道："我知道你是个很聪明的人，绝不会再做这种笨事的，是不是？"

沈璧君道："是。"

小公子道："人家若是对你很好，你是不是应该报答他？"

沈璧君道："是。"

她整个人似已完全麻木。

小公子道："那么，你想你应该如何报答他呢？"

沈璧君目光茫然凝注着远方，一字字道："我一定会报答他的。"

小公子道："女人想报答男人，通常只有一个法子，你也是女人，这法子你总该懂得。"

沈璧君目中一片空白，似已不再有思想，什么都已看不到、听不到，她的人似乎已只剩下一副躯壳。

小公子笑道："我知道你一定懂的，很好……"

她又拍了拍柳永南的肩头，道："你既然对她这么好，可愿意娶她做老婆么？"

柳永南一下子怔住了，也不知是惊是喜，吃吃道："我……我……"

小公子笑道："愿意就愿意，不愿意就不愿意，这有什么好紧张的？"

柳永南擦了擦汗，道："可是……沈姑娘……"

小公子道："你怕她不愿意？"

她笑了笑，摇着头道："你真是个呆子，她既已答应报答你了，又怎会不愿意？何况，生米若是煮成熟饭，不愿意也得愿意了。"

柳永南的喉结上下滚动，脸已涨得通红，一双眼睛却死盯在沈璧君脸上，似乎再也移不开。

小公子道："常言道：打铁趁热。只要你点点头，我就替你们做主，让你们就在这里成亲。"

柳永南道："这……这里？"

小公子冷冷道："这里有什么不好？这么好的地方，不但可以做洞房，还可以做坟墓，就全看你的意思如何了。"

柳永南立刻不停地点起头来，道："我愿意，只要公子做主，无论要我做什么，我都愿意。"

小公子笑道：“这就对了，我现在就去替你们准备洞房花烛，你要好好地看着新娘子，她只有一根舌头，若被她自己咬断了，等会儿你咬什么？”

小公子折了两根树枝插在地上，笑道：“这就是你们的龙凤花烛。”

她指了指那已被拆得七零八落的马车，又笑道：“那就是你们的洞房，你们进洞房的时候，我还可以在外面替你们把风，只望你们这对新人进了房，莫要把我这媒人抛过墙就好了。”

柳永南望了望那马车，又瞧了瞧沈璧君，忽然跪了下来，道：“公子……我……我……”

小公子道：“你虽然对我不起，我反而替你做媒，找了这么样一个如花似玉的新娘子，你还有什么不满意的？”

柳永南道：“可是……以后……”

小公子笑道：“以后就是你们两个人的事，难道还要我教你么？”

柳永南道：“公子难道真的已饶了我？”

小公子道：“若不饶你，我何不一刀将你宰了，何必还要费这么大的事？”

柳永南这才松了口气，道：“多谢公子。”

小公子道：“只不过……有件事你却得多加注意。”

柳永南道：“公子请吩咐。”

小公子悠然道：“你们两位都是大大有名的人，这婚事不久想必就会传遍江湖，若是被连城璧知道……他只怕就不会像我这么样好说话了。”

柳永南脸色立刻又变了，满头冷汗涔涔而落。

小公子道：“所以我劝你，成亲之后，赶快找个地方躲起来，最好一辈子再也莫要见人，连城璧的朋友不少，耳目一向灵通得很。”

她笑了笑，又道：“还有，你还得小心你这位新娘子，千万莫要让她跑了，半夜睡着的时候也得多加小心，否则她说不定会给你一刀。”

柳永南怔在那里，再也说不出话来。

他这才明白小公子的心意，小公子折磨人的法子实在是绝透了，除了他之外，只怕谁也想不出这么绝的主意。

柳永南想到以后这日子的难过，满嘴都是苦水，却吐不出来。

小公子背负着双手，悠然道：“不过我还可以教你个法子。”

柳永南道：“公……公子请指教。”

小公子道：“你若对新娘子不放心，不妨先废掉她的武功，再锁上她的腿，若能不给她衣服穿，就更保险了。”

她笑嘻嘻接着道：“一个女人若是没有衣服穿，哪里也去不了的。”

柳永南只觉掌心发湿，全身发凉。

这小公子手段之狠，心肠之毒，实在是天下少见，名不虚传，若有谁得罪了她，实是生不如死。

但她却偏有法子能让人来受活罪——沈璧君根本就无法死，柳永南却是舍不得死。

她留着柳永南来折磨沈璧君，留着沈璧君却是为了要柳永南再也过不了一天太平的日子。

小公子看到他们两人的痛苦之态，忍不住大笑道：“春宵一刻值千金，两位还是快入洞房吧。”

柳永南望着沈璧君那花一般的娇靥，虽然明知这是个无底大洞，也只得硬着头皮跳下去了。

沈璧君眼睛还是空空洞洞的，凝注着远方，柳永南的手已拉住她的手，准备抱起她，她竟似连一点感觉都没有。

小公子抬头仰望着已逐渐暗下来的天色，微笑着曼声长吟道："今宵良辰美景，花红叶绿柳成荫，他日……"

她声音突然停顿，笑容也冻结在脸上。

她已感觉出有个人已到了她身后。

这人就像是鬼魅般突然出现，直到了她身后，她才觉察。而谁都知道小公子绝不是个反应迟钝的人。

她长长地吸了口气，慢慢地吐了出来，轻轻问道："萧十一郎？"

只听身后一人沉声道："好好地站着，不要动，也不要回头。"

这正是萧十一郎的声音。

除了萧十一郎外，还有谁的轻功如此可怕？

小公子眼珠子直转，柔声道："你放心，我一向最听话了，你叫我不动，我就不动。"

萧十一郎叫道："柳家的大少爷，你也过来吧！"

柳永南见到小公子竟对这人如此畏惧，本就觉得奇怪，再听到"萧十一郎"的名字，魂都吓飞了。

色胆包天的人，对别的事胆子并不一定也同样大的。

萧十一郎道："这位小公子，你认得吗？"

柳永南道："认……认得。"

萧十一郎道："其实你该叫她小姑娘才是。"

柳永南怔了怔，道："小姑娘？"

萧十一郎笑了笑，道："你难道看不出她是个女的？"

柳永南眼睛又发直了。

萧十一郎道："你看她长得比那位连夫人怎样？"

柳永南舐了舐嘴唇，道："差……差不多。"

萧十一郎又笑了，道："好色的人，毕竟还是有眼光。"

他拍了拍小公子肩头，道：“你看这位柳家的大少爷长得怎样？”

小公子眼波流动，嫣然笑道：“年少英俊，又是名家之子，谁能嫁给他可真是福气。”

萧十一郎道：“你愿意嫁给他吗？”

小公子道：“我愿意极了。”

萧十一郎道：“既是如此，我就替你们做主，让你们在这里成亲吧，反正洞房花烛，都是现成的。”

柳永南又怔住了。

他也不知自己是走了大运，还是倒了大霉，他好像一下子忽然变成了香宝贝，人人都抢着要将如花似玉的美人儿嫁给他。

萧十一郎道：“柳家的大少爷，你愿意吗？”

柳永南垂下头，又忍不住偷偷瞟了小公子一眼，吃吃道：“我……我……”

萧十一郎道：“你用不着害怕，这位新娘子虽凶些，但你只要先废掉她的武功，再剥光她的衣服，她也凶不起来了。”

小公子抢着娇笑道：“我若能嫁给柳公子，就算变成残废，心里也是欢喜的。”

她忽然“嘤咛”一声，人已投入柳永南怀里，用手勾住他的脖子，腻声道：“好人，还不快抱我进洞房，我已等不及了。”

柳永南温香满怀，正觉得有点发晕。

突听萧十一郎轻叱道：“小心！”

叱声中，柳永南只觉脖子被人用力一拧，不由自主跟着转了个身，就变得背对着萧十一郎，反而将小公子隔开了。

接着，他肚子上又被人重重打了一拳，整个人向萧十一郎倒了过去。

小公子一拳击出，人已凌空飞起，挥手发出了几点寒星，向呆坐在那边的沈璧君射了过去。

萧十一郎这次虽然早已知道她又要玩花样了，却还是迟了一步。

他虽然及时震飞了击向沈璧君的暗器，却又追不上小公子了。

只听小公子银铃般的笑声远远传来，道：“萧十一郎，你用不着替我做媒，将来我想嫁人的时候，一定要嫁给你，我早就看上你了。”

柳永南已倒了下去。

他的内腑已被小公子一拳震碎，显然是活不成了。

沈璧君眼中还是一片空白，竟似已被骇得变成了个白痴。

萧十一郎叹了口气，他实在不懂小公子这种人是怎么生出来的，她心之黑、手之辣、应变之快，就连萧十一郎也不能不佩服。

他方才一见她的面，就应该将她杀了的，奇怪的是，他虽然明知她毒如蛇蝎，却又偏偏有些不忍心下得了辣手！

她看来是那么美丽、那么活泼、那么天真，总教人无法相信她会是个杀人不眨眼的恶魔。

第十三章

秋　灯

这屋里只有一张床、一条凳、一张桌。

萧十一郎在这屋子已待了三天，几乎没有踏出门一步。

沈璧君也已晕迷了三天。

这三天中，她不断挣扎、呼喊、哭泣……似乎正在和什么无形的恶魔在搏斗，有时全身冷得发抖，有时又烧得发烫。

现在她才总算渐渐安静了下来。

萧十一郎望着她，心里真是说不出的同情，说不出的怜惜。

可是等她醒了的时候，他却绝不会将这种情感流露出来。

她虽美丽，却不骄傲，虽聪明，却不狡黠，虽温柔，却又很坚强，无论受了多么大的委屈，却也绝不肯向人诉苦。

这正是萧十一郎梦想中的女人。

他一生中都在等待着遇上这么样一个女人。

可是，等她醒了的时候，他还是会对她冷冰冰的不理不睬。

因为她已是别人的妻子。

就算她还不是别人的妻子，“金针沈家”的千金小姐，也绝不能和“大盗”萧十一郎有任何牵连。

萧十一郎很明白这道理，他一向很会控制自己的情感。

因为他必须如此。

“像我这样的人，也许命中就注定了要孤独一辈子吧！”

萧十一郎轻轻地叹息了一声，点着了灯。

灯光温柔地照上了沈璧君的脸，她的眼睛终于张了开来……

沈璧君也看到了萧十一郎。

这眼睛大大的年轻人就坐在她身旁，静静地望着她。

这难道又是个梦，这些天来，梦实在太多，也太可怕了。

她闭起眼睛，只希望现在这梦，莫要醒来，可是等她再张开眼睛的时候，那眼睛大大的年轻人还是静静地坐在那里，望着她。

她嘴角终于露出了一丝微笑，目中充满了无限感激，柔声道：“这次又是你救了我。”

萧十一郎道：“我自顾尚且不暇，哪里还有救人的本事？”

沈璧君叹了口气，道：“你又何必再瞒我，我知道上次也是你从她手中将我救出来的。”

萧十一郎道：“她？她是谁？”

沈璧君道：“你自然知道，就是那……那可怕的小公子。”

萧十一郎道：“大大小小的公子，我一个也不认得。”

沈璧君道：“但她却一定认得你，而且还很怕你，所以她虽然知道我在那山神庙，自己也不敢去。”

萧十一郎道：“她为什么要怕我？我这人难道很可怕吗？”

沈璧君叹道：“可怕的只是那些伪君子，我实在看错人了，也错怪了你。”

萧十一郎冷冷道：“像你这种人，本就不该出来走江湖的。”

他站了起来，打开窗子，冷冷接着道：“你懂得的事太少，说的话却太多。”

窗外静得很。

周围几百里之内，只怕再也找不出生意比这里更冷清的客栈了——严格说来，这地方根本还不够资格称为“客栈”。

小院中连灯火都没有。

幸好天上还有星，衬着窗外的夜色与星光，站在窗口的萧十一郎就显得更孤独、更寂寞。

他嘴里又在低低地哼着那首歌。

沈璧君望着他高大的背影，就好像一只失了群的孤雁，在风雨中忽然看到一棵大树似的，心里觉得忽然安定了下来。

现在他无论说什么话，她都不会生气了。

过了很久，她才低低地问道：“你哼的是什么歌？”

萧十一郎没有说话。

又过了很久，沈璧君忽然自己笑了，道：“你说奇不奇怪，有人居然认为你是萧十一郎。”

萧十一郎道：“哦？”

沈璧君道：“但我却知道你绝不是萧十一郎，因为你不像是个凶恶的人。”

萧十一郎没有回头，淡淡道：“萧十一郎是个很凶恶的人吗？”

沈璧君道：“你难道从未听说过他做的那些事？”

萧十一郎沉默了半晌，道：“你对他做的事难道知道得很多？”

沈璧君恨恨道：“我只要知道一件就够了，他做的事无论哪一件都该砍头！”

萧十一郎又沉默了很久，才缓缓道：“你也想砍他的头？”

沈璧君道：“我若能遇见他，绝不会再让他活下去害人！”

萧十一郎冷笑了一声，道：“你若遇见他，活不下去的只怕是你自己吧！”

沈璧君的脸红了。

就在这时，突听一阵脚步声响，手提灯笼的店小二，领着青衣皂帽、家丁打扮的老人走了过来。

两人走到小院中央就停住了脚，店小二往窗子这边指了指，青衣老人打量着站在窗口的萧十一郎，赔着笑道：“借问大哥，连家的少夫人可是住在这里么？”

一听到这声音，沈璧君的眼睛忽然亮了，高声道：“是沈义吗？我就在这里，快进来。”

这青衣人正是沈家庄的老家丁沈义，他家世世代代在沈家为奴，沈璧君还未出生的时候，他就已经在沈家了。

他听到沈璧君的声音，再也不理会萧十一郎，三脚两步就奔了过来，推门而入，急忙拜倒在床前，黯然道：“老奴不知小姐在这里受苦，迎接来迟，但望小姐恕罪。”

沈璧君又惊又喜，道：“你来了就好，太夫人呢？她老人家可知道？”

沈义道：“小姐遇难的消息，早已传遍江湖，太夫人知道后，立刻令老奴等四处打听，今日才偶然听到这里的店伙说，他们这里有位女客人，病得很重，可是长得却如同天仙一样，老奴立刻就猜到他说的可能就是小姐了。”

他长长叹了口气，道：“好在苍天有眼，总算让老奴找到了小姐，太夫人若是知道，也必定欢喜得很……”

说着说着，他自己也似要欢喜得流下泪来。

沈璧君更是欢喜得连话都已说不出来。

沈义揉了揉眼睛，道：“小姐的伤势不要紧吧？”

沈璧君点了点头，道：“现在已好多了。”

沈义道：“既是如此，就请小姐快回去吧，也免得太夫人担心。”

沈璧君眼睛望着一直冷冷站在那边的萧十一郎，迟疑着道：“现在……不会太晚了么？”

沈义笑道："秋天的日子短，其实此刻刚到戌时，何况老奴早已为小姐备好了车马。"

沈璧君又望了萧十一郎一眼。

沈义似乎这才发现屋子里还有个人，赔着笑问道："这位公子爷……"

沈璧君道："这位就是我的救命恩人，你快去为我叩谢他的大恩。"

沈义立刻走过去，伏地拜倒，道："多谢公子相救之德，沈家庄上上下下感同身受。"

萧十一郎冷冷地望着他，道："你是沈家庄的人？"

沈义笑道："老奴侍候太夫人已有四十多年了，公子……"

他话还未说完，萧十一郎突然一把将他从地上揪了起来，左右开弓，正正反反给了他十几个耳光。

沈义满嘴牙齿都被打落，连叫都叫不出。

沈璧君大惊道："你这是干什么？他的确是我们家的人，你为何要如此对他？"

萧十一郎也不理她，提着沈义就从窗口抛了出去，冷冷道："回去告诉要你来的人，叫他要来就自己来，我等着他！"

沈义捂着嘴，含含糊糊地大叫道："是太夫人要我来的，你凭什么打人？"

萧十一郎厉声道："你这种人杀了也不过分，何况打？你若还不快滚，我就真宰了你。"

沈义这才连滚带爬地逃了出去，逃到院外又大骂起来。

沈璧君脸上阵青阵白，显然也已气极了，勉强忍耐道："沈义在我们家工作了四十多年，始终忠心耿耿，你难道认为他也是别人派来害我的吗？"

萧十一郎没有说话。

沈璧君道："你救了我，我终生都感激，但你为什么定要留我在这里呢？"

萧十一郎冷冷道："我并没有这个意思。"

他语声虽冷淡，但目中却已露出一种凄凉痛苦之色。

沈璧君道："那么，你这是什么意思？"

她虽在极力控制着，不愿失态，语气还是难免变得尖刻起来。

萧十一郎紧握起双拳，道："你难道认为我对你有恶意？"

沈璧君道："你若对我没有恶意，就请你现在送我回去。"

萧十一郎沉默了很久，长长吐出口气道："现在还不行。"

他似乎还想说什么，却又忍住。

沈璧君咬着嘴唇，道："你究竟要等到什么时候才肯送我回去？"

萧十一郎道："也许再等三五天吧……"

他忽然推开门走了出去。

沈璧君大声道："等一等，话还没有说完，你不能走。"

但萧十一郎头也不回，已走得很远了。

沈璧君气得手直抖。

她心里本对萧十一郎有些歉疚，自己觉得自己实在应该好好地补偿他、报答他，绝不能再伤害他了。

但这人做的事却太奇怪、太令人怀疑，最气人的是，他心里似乎隐藏着许多事，却连一句也不肯说出来。

桌子上还有萧十一郎喝剩下的大半壶酒。

沈璧君只觉满心气恼，无可宣泄，拿起酒壶，一口气喝了下去。

沈璧君并不常喝酒。

像她这样的淑女，就算喝酒，也是浅尝辄止，她生平喝的酒加起来只怕也没有这一次喝的多。

此刻这大半壶酒喝下去，她只觉一股热气由喉头涌下，肚子里就好像有一团火在燃烧着。

但过不了多久，这团火忽然就由肚子里移上头顶。

没有喝过酒的人，永远不知道这种“移动”有多么奇妙，她的头脑，一下子就变得空空洞洞、晕晕迷迷的。

她的思想似乎忽然变得敏锐起来，其实却什么也没有想。

她平时一直在尽量控制着自己，尽量约束着自己，不要失态，不要失礼，不要做错事，不要说错话，不要得罪人……

但现在所有的束缚像是一下子全都解开了。

平时她认为不重要的事，现在反而忽然变得非常重要起来。

她晕晕迷迷地躺了一会儿，就想起了萧十一郎。

“这人做的事实在太奇怪，态度又暧昧，他为什么要将沈义赶走？为什么不肯送我回去？”

她愈想火气愈大，简直片刻也忍耐不得。

她愈想愈觉得自己非快些回去不可，愈快愈好。

“他不肯送我回去，我难道不能让别人送我回去么？”

她觉得自己这想法简直正确极了，简直连一时半刻都等不得，当下挣扎着从床上爬起来，用尽全身力气，大呼道：“店家……店小二……快来，快来……”

她自己也想不到自己竟能发出这么大的呼声。

那店伙好像忽然间就在她面前出现了，正在问她：“姑娘有什么吩咐？”

沈璧君道：“快去替我雇辆车，我要回去，快，快……”

店伙迟疑着，道：“现在只怕雇不到车子。”

沈璧君道：“你去替我想法子，随你多少钱我都出。”

店伙还是在迟疑着，转过身道：“客官，真的要雇车么？”

沈璧君这才发觉萧十一郎就在他身后，火气一下子又冲了上来，大声道："我要回去是我的事，和他有什么关系？你为何要问他？"

萧十一郎摇了摇头，道："你喝醉了。"

沈璧君道："谁说我喝醉了，我喝这么点酒就会醉么？"

她向那店伙挥了挥手，又道："快去替我雇车，莫要理他，他自己才喝醉了。"

店伙望了望她，又望了望萧十一郎。

萧十一郎摇了摇头。

沈璧君叫了起来，道："你不肯送我回去，为什么也不让我自己回去？你是我的什么人？凭什么要管我的事？凭什么要留住我？"

萧十一郎叹了口气，道："你真醉了，好好歇着吧，有什么话明天再说好不好？"

沈璧君道："不行，我现在就要走。"

萧十一郎道："你现在不能走。"

沈璧君大怒，道："你凭什么强迫我？你救过我，就想把我看成你的人了么？你再也休想，我根本不要你救，你若不放我走，不如杀了我吧！"

她挣扎着，竟想向萧十一郎扑过去。

只听"扑通"一声，她的人已从床上跌了下来。

萧十一郎自然不得不去扶她，但他的手刚碰到她，沈璧君就又放声大叫了起来，大叫道："救命呀，这人是强盗，快去叫官人来抓他……"

萧十一郎脸都气青了，正想放手，谁知沈璧君忽然重重一口咬在他手背上，血都被咬了出来。

沈璧君居然会咬人，这真是谁也想不到的事。

这一口虽然是咬在萧十一郎手上，却无异咬在他心上。

沈璧君喘息着道："我本还以为你是个好人，原来你也和那些人一样，救我也是有企图的，原来你比他们还可恶！"

萧十一郎慢慢地闭上眼睛，忽然转身走了出去。

沈璧君只觉得自己这几句话说得精彩极了，居然能将这人骂走，平时她当然说不出这种话，但一喝了酒，"灵感"就来了，口才也来了。

她决定以后一定要常常喝酒。

她自然认为自己说的话一点也没有错，喝醉了的人总认为自己是天下最讲理的人，无论做什么事都对极了，错的一定是别人。

那店伙早已看得呆了，还站在那里发愣。

沈璧君喘息了半晌，忽然对他笑了笑。

这一笑自然是表示她多么清醒，多么有理智。

店伙也莫名其妙地陪她笑了笑。

沈璧君道："那人可真蛮不讲理，是不是？"

店伙干咳了两声，道："是，是是是。"

沈璧君叹了口气，道："我本不愿和这种人争吵的，但他实在太可恶了。"

店伙拼命点头，道："是是是。"

沈璧君慢慢地点了点头，心里觉得很安慰，因为别人还是站在她这边的，这世上不讲理的人毕竟还不算太多。

店伙却已在悄悄移动脚步，准备开溜了。

沈璧君忽然又道："你知不知道大明湖旁边有个沈家庄？"

店伙赔着笑道："这周围几百里地的人，谁不知道沈家庄？"

沈璧君道："你知道我是谁么？"

店伙摇了摇头，还是赔着笑道："姑娘这还是第一次照顾小店的生意，下次再来小人就认得了。"

喝醉了的人，是人人都害怕的；这店伙虽已早就想溜之大吉了，却又不敢不敷衍着应付几句。

沈璧君笑了，道："告诉你，我就是沈家庄的沈姑娘，你若能在今天晚上送我回沈家庄，必定重重有赏。"

店伙忽然呆住了，不住偷偷地打量着沈璧君。

沈璧君道："你不相信？"

店伙迟疑着，讷讷道："姑娘若真是沈家庄的人，只怕是回不去的了。"

沈璧君道："为什么？"

店伙道："沈家庄已被烧成了一片平地，庄子里的人有的死，有的伤，有的走得不知去向，现在连一个留下来的都没有了。"

沈璧君的心好像忽然要裂开来了，呆了半晌，大呼道："我不信，你说的话我一个字也不相信。"

店伙赔笑道："小人怎敢骗姑娘？"

沈璧君以手捶床，嘶声道："你和他串通好了来骗我的，你们都不是好人。"

店伙摇了摇头，喃喃道："姑娘若不相信，我也没法子……"

沈璧君已伏在床上，痛哭了起来。

店伙想走，听到她的哭声，又不禁停下了脚。

女人的哭，本就能令男人心动，何况沈璧君又那么美丽。

店伙忽然长长叹了口气，道："好，姑娘若是定要到沈家庄去瞧瞧，小人就陪姑娘走一趟吧。"

萧十一郎正独自在喝着闷酒。

他也想喝醉算了，奇怪的是，他偏偏总是喝不醉。

这几天来，他只觉得自己好像已变了一个人了。

变得很可笑。

他本来是个很豪爽、很风趣、很洒脱的人；但这几天连他自己也觉得自己变得有些婆婆妈妈，别别扭扭。

“我为什么不爽爽快快地告诉她，沈家庄已成一片瓦砾，我为什么定要瞒住她，她受不受刺激，与我又有何关系？”

萧十一郎冷笑着，又喝下一杯酒。

“我与她非亲非故，为什么要多管她的闲事，自讨无趣？”

沈义一来，萧十一郎就知道他一定也已被小公子收买了，沈家庄既已被焚，他怎么还能接沈璧君“回去”呢？

萧十一郎没有解释，是因为生怕沈璧君再也受不了这打击！这几天来，她所受的打击的确已非人所能担当得了的。

他怕沈璧君会发疯。

“我如此对她，她至少也该稍微信任我些才是……她既然一点也不信任我，我又何必关心她？”

萧十一郎觉得自己实在犯不着，他决心以后再也不管她的事，也免得被人冤枉，也免得怄气。

听到外面的车马声，他知道店伙毕竟还是将沈璧君送走了。

他立刻又担起心来：“小公子必定还在暗中窥伺，知道她一个人走，绝对放不过她的！”

萧十一郎忍不住站了起来，却又慢慢地坐了下去！

“我说过再也不管她的事，为何又替她担心了？连她的丈夫都不关心她，我又何必多事？我算什么东西？”

“只不过，她的确是醉了，说的话也许连她自己都不知道，醉人说的话，醒了时必定会后悔的，我也该原谅她才是。”

“我就算再救她一次，她也许还是认为我另有企图，另有目的，等她知道我就是萧十一郎时，我的好心更要全变为恶意了。”

“可是，救人救到底，我既已救了她两次，为何不能再多救她一次？我怎能眼看着她落到小公子那种人的手上？”

萧十一郎一杯杯地喝着闷酒，心里充满了矛盾。

他的心从来也没有这么乱过。

到最后，他才下了决心！

“无论她对我怎样，我都不能不救她！”

他站起来，大步走了出去！

迎面一阵冷风吹过，他只觉得胸中一阵热意上涌，忍不住引吭高歌起来，嘹亮的歌声，震得四面的窗子都“咯咯”发响。

一扇扇窗子都打开了，露出了一张张既惊奇、又愤怒的脸，用惺忪的睡眼，瞪着萧十一郎。

有的人甚至已在大骂！

“这人一定是个酒鬼，疯子！”

萧十一郎不但不在乎，反而觉得很可笑。

因为他知道自己既不是酒鬼，更不是疯子。

“只要我胸中坦荡，别人就算将我当疯子又有何妨？只要我做得对，又何必去管别人心里的想法？”

车马走得很急。

破旧的马车，走在崎岖不平的石子路上，颠动得就像是艘暴风雨中的船。沈璧君却在车厢中睡着了。

她梦见那眼睛大大的年轻人正在对她哭，又对着她笑，笑得那么可怕，她恨透了，恨不得一刀刺入他的胸膛。

等她一刀刺进去后，这人竟忽然变成了连城璧。

血，泉水般的血，不停地从连城璧身上流了出来，流得那么多，将他自己的人都淹没了，只露出一个头，一双眼睛。

这双眼睛瞪着沈璧君，看来是那么悲伤，那么痛苦……

沈璧君也分不清这究竟是连城璧的眼睛，还是那年轻人的眼睛。

她怕极了，想叫又叫不出。

她的人似也渐渐要被血水淹没。

血很冷，冷极了。

沈璧君全身都在发抖，不停地发抖……

她仿佛听到有个人在说话，声音本来很遥远，然后渐渐近了，很近，就像是有个人在她耳旁大叫。

她忽然醒了过来。

马车不知何时已停下。

车门已开了，风吹在她身上，冷得很，冷得正像是血。

她身子还在不停地发着抖。

那店伙正站在车门旁，带着同情的神色望着她，大声道："姑娘醒醒，沈家庄已到了。"

沈璧君茫然望着他，仿佛还不能了解他这句话的意思，她只觉得自己的头似乎灌满了铅，沉重得连抬都抬不起来。

"沈家庄已到了……家已到了……"

她简直不敢相信是真的。

那店伙嗫嚅着，道："这里就是沈家庄，姑娘是不是要下车……"

沈璧君笑了，大声道："我当然要下车，既已到家了，为什么不下车？"

一说起这"家"字，她简直连片刻都等不及了，立刻挣扎着往车门外移动，几乎重重一跤跌在地上。

那店伙赶紧扶住了她，叹道："其实……姑娘还是莫要下车的好。"

沈璧君笑道："为什么？难道想将我连车子一齐抬进去……"

她声音突然冻结，笑声也冻结。

她整个人忽然僵木。

第十四章

雷电双神

淡淡的迷雾，笼罩着大明湖。

大明湖的秋色永远是那么美，无论是在白天，还是在晚上，尤其是有雾的时候，美得就像是孩子们梦中的图画。

沈璧君的妆楼就在湖畔，只要一推开窗子，满湖秋色就已入怀，甚至当她还是个孩子的时候，她也懂得领略这总是带着些萧瑟凄凉的湖上秋色，这是她无论在什么地方都忘不了的。

所以她出嫁之后，还是常常回到这里来。

她每次回来，快到家的时候，都会忍不住从车窗中探出头去，只要一望见那小小的妆楼，她心里就会泛起一阵温馨之感。

但现在，妆楼已没有了。

妆楼旁那一片整齐的屋脊也没有了。

什么都没有了！

古老的，巨大的，美丽的，仿佛永远不会毁灭的沈家庄，现在竟已真的变成了一片瓦砾！

那两片用橡木做成的，今年刚新漆的大门，已变成了两块焦木，似乎还在冒着一缕缕残烟。

沈璧君觉得自己忽然变得就像这烟、这雾，轻飘飘的，全没有依靠，仿佛随时都可能在风中消失。

这是谁放的火？

庄子里的人呢？难道已全遭了毒手？这是谁下的毒手？

沈璧君没有哭号，甚至连眼泪都没有。

她似已完全麻木。

然后，她眼前渐渐泛起了一张苍老而慈祥的脸，那满头苍苍白发，那带着三分威严，和七分慈爱的笑容……

“难道连她老人家都已不在了么？”

沈璧君忽然向前面冲了出去。

她已忘了她受伤的脚，忘了疼痛，也不知从哪里来的力气，那店伙想拉住她，却没有拉住。

她的人已冲过去，倒在瓦砾中。

直到她身子触及这些冰冷的瓦砾，她才真的接受了这残酷而可怕的事实。

她终于放声痛哭了起来。

那店伙走过去，站在她身旁，满怀同情，却又不知该如何安慰她，过了很久，才嗫嚅着道：“事已如此，我看姑娘不如还是先回到小店去吧，无论怎么样，先和那位相公商量商量也好。”

他叹了口气，接着又道：“其实，那位相公并不是个坏人，他不肯送姑娘回来，也许就是怕姑娘见到这情况伤心。”

这些话他不说还好，说了沈璧君哭得更伤心。

不想起那眼睛大大的年轻人，她已经够痛苦了，一想起他，她恨不得将自己的心抛在地上，用力踩成粉碎。

“连这店伙都相信他，都能了解他的苦心，而我……我受了他那么多好处，反而不信任他，反而要骂他。”

她只希望自己永远没有说过那些恶毒的话。

现在萧十一郎若来了，她也许会倒在他怀中，向他忏悔，求他原谅。

但现在萧十一郎当然不会来。

现在来的人不是萧十一郎。

黑暗中，忽然有人咳嗽了几声。

那店伙只觉一阵寒意自背脊升起，忍不住激灵灵打了个寒噤。

这几声咳嗽就在他背后发出来的，但他却绝未听到有人走过来的脚步声，咳嗽的人，仿佛忽然间就从迷雾中出现了。

夜深雾重，怎会有人到这种地方来？

他忍不住想回头去瞧瞧，却又实在不敢，他生怕一回头，瞧见的是个已被烧得焦头烂额的火窟新鬼。

只听沈璧君道："两位是什么人？"

她哭声不知何时已停止，而且已站了起来，一双发亮的眼睛正瞬也不瞬地瞪着那店伙的背后。

他再也想不到这位娇滴滴的美人儿竟有这么大的胆子。此刻非但全无惧色，而且神色平静，谁也看不出她方才痛哭过一场。

却不知沈璧君本极自恃，从不愿在旁人面前流泪，方才她痛哭失声，一来固然是因为悲痛过度，再来也是因为根本未将这店伙当作个人——店伙、车夫、丫头……虽也都是人，却常常会被别人忽略他们的存在，所以他们往往会在无心中听到许多别人听不到的秘密。

聪明人要打听秘密，首先就会找到他们。

在他们说来，"秘密"这两个字的意思就是"外快"。

只听那人又低低咳嗽了两声，才缓缓道："瞧姑娘在此凭吊，莫非是和'金针沈家'有什么关系？"

这人说话轻言细语，平心静气，显见得是个涵养极好的人。

沈璧君迟疑着，终于点了点头，道："不错，我姓沈。"

那人道："姑娘和沈太君是怎么样个称呼？"

沈璧君道："她老人家是我……"

说到这里，她忽然停住了嘴。

经过这几天的事后，她多少已经懂得些江湖中人心之险恶，也学会了"逢人只说三分话，话到嘴边留几句"。

这两人来历不明，行踪诡异，她又重伤未愈，武功十成中剩下的还不到两成，怎能不多加小心。

那人等了半晌，没有听到下文，才缓缓接着道："姑娘莫非就是连夫人？"

沈璧君沉吟着，道："我方才已请教过两位的名姓，两位为何不肯说呢？"

她自觉这句话说得已十分机敏得体，却不知这么样一问，就已无异承认了自己的身份。

那人笑了笑，道："果然是连夫人，请恕在下等失礼。"

这句话未说完，那店伙已看到两人从他身后走了出来。

这两人一高一矮，一壮一瘦。

高的一人身体雄壮，面如锅底，手里倒提着柄比他身子还长三尺的大铁枪，枪头红缨闪动，看来当真是威风凛凛。

矮的一个人瘦小枯干，面色蜡黄，不病时也带着三分病容，用的是一双极少见的外门兵刃，连沈璧君都叫不出名字。

这两人衣着本极讲究，但此刻衣服已起了皱，而且沾着点点泥污水渍，像是已有好几天未曾脱下来过了。

两人一走出来，就向沈璧君躬身一揖，礼数甚是恭敬。

沈璧君也立刻敛衽还礼，但眼睛却盯在他们身上，道："两位是……"

矮小的一人抢先道："在下雷满堂，是太湖来的。"

他未开口时，任何人都以为方才说话的人一定是他，谁知他一开口竟是声如洪钟，仿佛将别人全都当作聋子。

高大的一人接着道：“在下姓龙名光，草字一闪，夫人多指教。”

这人身材虽然魁伟，面貌虽然粗暴，说起话来反而温文尔雅，完全和他们的人是两回事。

那店伙看得眼睛发直，只觉“人不可貌相”这句话说得实在是对极了。

沈璧君展颜道：“原来是雷大侠和龙二侠……”

原来这雷满堂和龙一闪情逾骨肉，一向焦不离孟，孟不离焦，江湖人称他俩“雷电双神”。

“太湖雷神”雷满堂善使一双“雷公凿”，招式精奇，无论水里陆上，都可运转如意，而且天生神力惊人，可说有万夫不当之勇。

龙光号称“一闪”，自然是轻功高绝。

两人雄踞太湖，侠名远播，雷满堂虽然性如烈火，但急公仗义，在江湖中更是一等一的好汉。

沈璧君虽未见过他们，却也久已耳闻，如今听到这两人的名字，心神稍定，面上也不觉露出了笑容。

但这笑容一闪即隐，那彭鹏飞和柳永南岂不是也有侠义之名，但做的事却连禽兽都不如。

想到这里，她哪里还笑得出来？

龙一闪躬身道：“在下等贱名何足挂齿，‘侠’之一字，更是万万担当不起。”

沈璧君勉强笑了笑，道：“两位远从太湖而来，却不知有何要务？”

龙一闪叹了一口气，道：“在下等本是专程赶来给太夫人拜寿的，却不料……竟来迟了一步。”

“来迟了一步”这五个字听在沈璧君耳里，当真宛如半空中打下个霹雳，震散了她的魂魄。

她本来想问问他们，沈太夫人是否也遇难？

可是她又怎敢问出口来？

雷满堂道："我俩是两天前来的。"

这句话好像并没有说完，他却已停住了嘴，只因他自己也知道自己说话的声音太大，不必要的话，他一向很少说。

沈璧君强忍住悲痛，问道："两天前……那时这里莫非已……"

龙一闪黯然点头道："我兄弟来的时候，此间已起火，而且死伤满地，只恨我兄弟来迟一步，纵然用尽全力，也未能将这场火扑灭。"

他垂首望着自己衣服上的水痕污迹，显见得就是在救火时沾染的，而且已有两日不眠不休，是以连衣服都未曾更换。

那"死伤满地"四个字，实在令沈璧君听得又是愤怒，又是心酸，但既然有"伤者"，就必定还有活口。

她心里仍然存着万一的希望，抢着问道："却不知受伤的是哪些人？"

龙一闪道："当时'鲁东四义'恰巧都在府上做客，大侠、三侠已不幸遇难，二侠和四侠也已身负重伤。"

"鲁东四义"也姓沈，本是金针沈家的远亲，每年沈太君的寿辰，这兄弟四人必备重礼，准时而来，这一次不知为什么也来迟了，竟赶上了这一场大难，武功最强的大侠沈天松竟遭了毒手。

这兄弟四人，沈璧君非但认得，而且很熟。

她咬了咬樱唇，再追问道："除了沈二侠和沈四侠外，还有谁负了伤？"

龙一闪缓缓摇了摇头，叹道："除了他两位外，就再也没有别人了。"

他说的虽然好像是"再也没有别人负伤"，其实意思却显然是说："再也没有别人活着。"

沈璧君再也忍不住了，嗄声道："我那祖……祖……"

话未说完，一跤跌在地上。

龙一闪道："沈天菊与沈天竹就在那边船上，夫人何妨也到那边去歇着，再从长计议。"

湖岸边，果然可以隐约望见一艘船影。

沈璧君眼瞧着远方，缓缓点了点头。

龙一闪道："夫人自己是否还能行走？"

沈璧君望着自己的腿，长长叹息了一声。

雷满堂忽然道："在下今年已近六十，夫人若不嫌冒昧，就由在下携扶夫人前去如何？"

沈璧君忽然道："且慢。"

她声音虽弱，但却自有一种威严。

雷满堂不由自主停住了脚，瞪着眼睛，像是觉得很奇怪。

沈璧君咬着嘴唇，慢慢道："沈二侠和沈四侠真的在那船上？"

雷满堂蜡黄的脸，一下子涨得通红，怒道："夫人莫非信不过我兄弟？"

沈璧君讷讷道："我……我只是……"

她自己的脸也有些红了，对别人不信任，实在是件很无礼的事，若非连遭惨变，她是死也不肯做出这种事来的。

龙一闪淡淡地一笑，道："夫人身遭惨变，小心谨慎些，也本是应该的，何况，夫人从来就不认得我兄弟。"

他这几句话说得虽客气，话中却已有刺。

沈璧君红着脸，叹道："我……我绝不是这意思，只是……不知道沈二侠和沈四侠的伤重不重？是否可以说话？"

雷满堂沉着脸，道："既然还未死，怎会不能开口说话？"

龙一闪叹道："沈四侠两天来一直未曾合过眼，也一直未曾闭过嘴，他嘴里一直翻来覆去地念着一个人的名字。"

沈璧君忍不住问道："谁的名字？"

龙一闪道："自然是那凶手的名字。"

沈璧君全身都颤抖起来，一字字问道：

"凶……手……是……谁？"

凶手是谁？

这四个字说得虽然那么轻，那么慢，但语声中却充满了怨毒之意，那店伙听得不由自主激灵灵打了个寒噤。

雷满堂冷冷道："夫人既不信任我兄弟，在下纵然说出那凶手是谁，夫人也未必相信，不如还是自己去看看的好。"

龙一闪笑了笑，接着道："此间四下无人，夫人到了船上，也许还可放心些。"

他的人看来虽粗鲁，说话却极厉害。

这句话的意思正是在说："这里四下无人，我们若对你有什么恶意，在这里也是一样，根本不必等到那船上去。"

沈璧君就算再不懂事，这句话她总懂的，莫说她现在已对这二人没有怀疑之心，就算有，也无法再拒绝这番好心。

她叹了口气，望着自己的脚，讷讷道："可是……可是我又怎敢劳动两位呢？"

雷满堂"哼"了一声，将雷公凿往腰带上一插，忽然转身走到那马车前，只见他双手轻轻一扳，已将整个车厢都拆开了。

拉车的马惊嘶一声，就要向前奔出。

雷满堂一只手抓起块木板，一只手挽住了车轮，那匹马空自踢腿挣扎，却再也奔不出半步。

那店伙瞧得吐出了舌头，哪里还能缩得回去？他做梦也想不到这矮小枯瘦、其貌不扬的小矮子，竟有如此惊人的神力！

沈璧君也瞧得暗暗吃惊，只见雷满堂已提着那块木板走过来，往她面前一放，板着脸道：“夫人就以这木板为轿，让我兄弟抬去如何？”

这人如此神力，此刻只怕用一根手指就可将沈璧君打倒，但他却还是忍住了气，为沈璧君设想得如此周到。

沈璧君此刻非但再无丝毫怀疑之意，反而觉得方才实在对他们太无礼，心里真是说不出的不好意思。

她觉得这世上好人毕竟还是很多的。

船并不大，本是游湖用的。

船舱中的布置自然也很干净，左右两边，都有张很舒服的软榻，此刻软榻上各躺着一个人。

左面的一人脸色灰白，正闭着眼不住呻吟，身上盖着床丝被，沈璧君也看不出他伤在哪里。

但这人正是“鲁东四义”中的二义士沈天竹，却是再无疑问的。

右面的一人，脸上更无丝毫血色，一双眼睛空空洞洞地瞪着舱顶，嘴里翻来覆去地说着七个字：“萧十一郎，你好狠……萧十一郎，你好狠……”

语声中充满了怨毒，也充满了惊惧之意。

沈璧君坐在那里，一遍遍地听着，那温柔而美丽的面容，竟忽然变得说不出的令人可怕。

她咬着牙，一字字缓缓道：“萧十一郎，我绝不会放过你的，我绝不会放过你的……”

这声音和沈天菊的呓语，互相呼应，听来更是令人毛骨悚然。

雷满堂恨恨道：“萧十一郎竟敢做出这种伤天害理的事，正是人人得而诛之，莫说夫人不会放过他，咱们也绝不容他逍遥法外！”

他说话的声音响亮，但沈璧君却似连一个字都未听到。

她目光茫然直视着远方，嘴里不住在反反复复地说着那句话：“萧十一郎，我绝不会放过你的！”

龙一闪忽然向雷满堂打了个眼色，身形一闪，人已到了船舱外，此人身材虽高大，但轻功之高，的确不愧“一闪”两字。

过了半晌，就听到湖岸上传来一声惨呼。

惨呼声竟似那店伙发出来的，呼声尖锐而短促，显然他刚叫出来，就已被人扼住了咽喉。

雷满堂皱了皱眉，缓缓站了起来，推开船舱。

但见人影一闪，龙一闪已掠上船头。

雷满堂轻叱道：“跟着你来的是什么人？”

龙一闪道：“哪有什么人？你莫非眼花了吗？”

他嘴里虽这么说，但还是忍不住回头瞧了一眼。

他一回头，就瞧见了一双发亮的眼睛！

这双眼睛就在他身后，距离他还不及三尺，正冷冷盯着他。

龙一闪轻功之高，已是江湖中一等一的身手，但这人跟在他身后，他竟连一点影子都不知道。

雷满堂面上也变了颜色，一捧腰，已将一双击打人身穴道的精钢雷公凿抄在手里，大声喝道：“你是谁？干什么来的？”

这一声大喝更是声如霹雳，震得桌上茶盏里的茶水都泼了出来。

沈璧君也不禁被这喝声所动，缓缓转过了目光。

只见龙一闪一步步退入了船舱，面上充满了惊骇之意，右手虽已抄住了腰带上软剑的剑柄，却始终未敢拔出来。

一个人就像是影子般贴住了他，他退一步，这人就跟着进一步，一双利刃般锐利的眼睛，始终冷冷地盯着他的脸。

只见这人年纪并不大，却已有了胡子，腰带上斜插柄短刀，手里还捧着一个人的尸体。

雷满堂怒道："老二，你还不出手？"

龙一闪牙齿打战，一柄剑竟还是不敢拔出来。

这人手里捧着个死人，还能像影子般紧跟在他身后，令他全不觉察，轻功之高，实已到了骇人听闻的地步。

别人身在局外，也还罢了，只有龙一闪自己才能体会这人轻功的可怕，此刻掌心早已被冷汗湿透，哪里还能拔得出剑来？

雷满堂跺了跺脚，欺身而上。

突听沈璧君大声道："且慢，这人是我的朋友……"

她本也想不到，跟着龙一闪进来的，竟是那眼睛大大的人，此刻骤然见到他，当真好像见到了亲人一样。

雷满堂怔了怔，身形终于还是停住。

龙一闪又后退了几步，"噗"地坐到椅上。

萧十一郎再也不瞧他一眼，缓缓走过来，将手里捧着的尸身放下，一双眼睛竟似再也舍不得离开沈璧君的脸。

沈璧君又惊又喜，忍不住站了起来，道："你……你怎会来的？"

她身子刚站起，又要跌倒。

萧十一郎扶住了她，凄然一笑，道："我也不知道我怎会来的。"

这句话说得虽冷冷淡淡，但其中的真意，沈璧君自然知道。

"我虽然冤枉了他，虽然骂了他，但他对我还是放心不下……"

沈璧君不敢再想下去。

虽然不敢再想下去，心里还是忍不住泛起了一阵温馨之意，方才已变得那么可怕的一张脸，此刻又变得温柔起来。

在柔和的灯光映照下，她脸上带着薄薄的一层红晕，看来更是说不出的动人，说不出的美丽。

雷满堂和龙一闪面面相觑，似已都看得呆了。

这小子究竟是什么人？

连夫人素来贞淑端庄，怎会对他如此亲密？

沈璧君终于垂下了头，过了半晌，她忽又发出一声惊呼，道：“是他！……是谁杀了他？”

她这才发现萧十一郎捧进来的尸体，竟是陪她来的店伙。

这人只不过是个善良而平凡的小人物，绝不会牵涉到江湖仇杀中，是谁杀了他？为什么要杀他？

萧十一郎没有说话，只是缓缓转过了目光。

沈璧君随着他的目光瞧过去，就见到了龙一闪苍白的脸。

沈璧君失声道：“你杀了他？为什么？”

龙一闪干咳了两声，道：“这位兄台既是夫人的朋友，在下也不便说什么了。只不过，杀他的人，绝不是我。”

他武功虽不见得高明，说话却真厉害得很。

沈璧君果然不由自主瞧了萧十一郎一眼，道：“究竟是谁杀了他？”

雷满堂厉声道：“我二弟既然说没有杀他，就是没有杀他，‘雷电双神’虽不是什么了不得的人物，却从来不说假话。”

龙一闪淡淡道：“我兄弟是不是说谎的人，江湖中人人都知道，大哥又何必再说！”

雷满堂道：“我二弟既未杀他，杀他的人是谁，夫人还不明白么？”

沈璧君眼睛盯着萧十一郎，道：“难道是你杀了他？为什么？”

萧十一郎脸色苍白，缓缓道：“你认为我会杀他？你认为我会说谎？”

沈璧君道："你……我……我不知道。"

萧十一郎苍白的脸上忽然露出一丝凄凉的微笑，道："你当然不知道，你根本不认得我，为何要信任我？我只不过是个……"

突听一人嘶声叫道："我认得你……我认得你……"

沈天菊忽然挣扎着坐了起来，眼睛里充满惊怖欲绝之色，就仿佛忽然见到了个吃人的魔鬼一样。

雷满堂动容道："你认得他？他是谁？"

沈天菊颤抖着伸出手，指着萧十一郎，道："他就是凶手！他就是萧十一郎！"

原来这眼睛大大的青年就是萧十一郎，就是杀人的凶手！沈璧君仿佛被人抽了一鞭子，瞪着眼，道："你……你真的是萧十一郎？"

萧十一郎长长叹了口气，道："不错，我就是萧十一郎！"

沈璧君连指尖都已冰冷，颤声道："你……你……你就是杀人的凶手？"

萧十一郎沉默了很久，缓缓道："我当然也杀过人，可是我并没有……"

他话未说完，沈天菊就叫了起来，嘶声道："我身上这一刀就是被他砍的，沈太夫人也死在他手上，他身上这把刀，就是杀人的凶器！"

沈璧君突然狂吼一声，拔出了萧十一郎腰带上的刀，一刀刺了过去！

一刀刺向萧十一郎的胸膛！

萧十一郎也不知是不能闪避，还是不愿闪避，竟只是动也不动地站在那里，眼看着刀锋刺入。

刀锋冰冷。

他几乎能感觉到冰冷的刀锋刺入他的皮肉，擦过他的肋骨——

这一刀就像是刺进了他的心！

他还是动也不动地站在那里，整个人似已全都麻木。

沈璧君也呆住了。

她也想不到自己这一刀，竟真的能刺伤萧十一郎。

她看过萧十一郎的武功，她知道只要他手指一弹，这柄刀就得脱手飞出，她知道自己纵然不受伤，也休想伤得了他一根毫发！

但他为什么不招架，为什么不闪避？

萧十一郎还是静静地站着，静静地望着她。

他目中并没有愤怒之意，却充满了悲伤，充满了痛苦。

沈璧君从未想到一个人竟会有如此悲痛的目光。

她一刀伤了“大盗”萧十一郎，心里本该快慰才是，但也不知为了什么，她心里竟也充满了痛苦。

她竟不知道自己是否杀错了人！

刀，还留在萧十一郎胸膛上。

沈天菊狂笑着道：“好，萧十一郎，想不到你也有今天……快，快，再给他一刀，我要看着他死在你手上。”

沈璧君的手在发抖。

沈天菊狂呼道：“他就是杀死太夫人的凶手，你还等什么？”

沈璧君咬了咬牙，拔出了刀。

鲜血，箭一般射在她身上。

萧十一郎全身的肌肉似已全都抽搐，但还是动也不动。

他目光中不仅充满了悲痛，也充满了绝望。

他为什么不招架？为什么不闪避？

他难道情愿死在她手上？

沈璧君的手在颤抖，泪已流下，这第二刀竟是无论如何再也刺不出去！

雷满堂大喝一声道："夫人不愿出手，我来杀他也是一样！"

喝声中，他已冲了过来，雷公凿直打萧十一郎胸胁。

这一招之威，果然有雷霆之势！

萧十一郎眼睛还是凝注着沈璧君，根本连瞧都未瞧他一眼，反手一掌向他脸上掴了过去。

这一掌也看不出有何奇妙之处，但不知怎的，雷满堂竟偏偏闪避不开，他的雷公凿明明是先击出的，但还未沾着对方衣袂，自己脸上已着了一掌。

只听"啪"的一声，接着"砰"的一响。

雷满堂的人竟被打得飞了起来，"砰"地撞破窗户飞出，又过了半晌，才听到"扑通"一声，显见已落入湖水中。

龙一闪脸色发青，竟吓呆了。

沈天菊张开了嘴，却再也喊不出来。

萧十一郎的厉害，固然是人人都知道的，但谁也想不到他随随便便一巴掌，就能将名满武林的"太湖雷神"打飞出去。

沈璧君的心更乱。

"他现在身受重伤，一掌之威犹令人连招架都无法招架，方才他好好的时候，为什么躲不开我那一刀呢？"

"他若真是凶手，为什么不杀了我？"

想到这里，沈璧君全身都沁出了冷汗。

一直躺在床上晕迷不醒的沈天竹，此刻忽然鱼一般从床上溜了下来，行动之轻捷，哪里像是受过一点伤的样子。

只见他目中凶光闪动，恨恨地瞪着萧十一郎。

沈璧君一眼瞧见了他，骇极大呼道："小心……"

她已发觉这件事不对了，却还是迟了一步。

“小心”这两字刚刚出口，沈天菊已自被中抽出了一把软剑，身子凌空跃出，一剑向萧十一郎头顶劈下。

龙一闪左手抄起了倚在角落里的长枪，右手拔出了腰上的软剑，枪中夹剑，正是龙一闪独门传授的成名绝技。

他手里两种兵器一长一短，一刚一柔，本来简直无法配合，只见他左手枪尖一抖，红缨闪动，直到萧十一郎肋下，右手软剑直舞，护住了自己胸腹，原来他两种兵刃一攻一守，先立于不败之地。

一个人用的兵器，往往和他的性格有关，龙一闪人虽高大魁伟，胆子却最小，又最怕死。

他所以苦练轻功，就为的是要跑得快些，用的兵器招式也以保护自己为先，左手枪长一丈四尺，一枪刺出，他的人还远在一丈开外，就先以右手将自己防护得风雨不透，连一点险都不冒。

那边沈天竹滑到地上，就势一滚，扬手发出了七八点寒星，带着尖锐的风声直打萧十一郎后背。

萧十一郎前胸血流如注，沈璧君手里的刀尖距离他不及半尺，左面有龙一闪的长枪，右面有沈天菊的铜刀，后面又有沈天竹的暗器。

一霎眼间，他前后左右的退路都已被封死，但他还是动也不动地站在那里，痴痴地望着沈璧君。

沈璧君忽然反手一刀，向沈天菊的刀上迎了过去。

她自己也不知道自己为何要替“大盗”萧十一郎挡这一刀。

但她身子毕竟太虚弱，一刀挥出，人已跌倒。

就在这刹那间，萧十一郎绝望的眼睛忽然露出一线光亮——

沈璧君的人刚跌在地上，就听到“咔嚓”一声，“噗”的一声，三声凄厉的惨呼，沈天竹、沈天菊、龙一闪三个都已非死即伤！

原来就在这刹那间，萧十一郎右手突然闪电般伸出，抓住了沈天菊的手腕，“咔嚓”一声，他手腕已被生生折断。

龙一闪长枪眼见已刺入萧十一郎胁下，枪尖突然被抓住，他只觉一股不可抗拒的力量涌来，身子不由自主向前冲出。

萧十一郎反手一带长枪，已将龙一闪带到背后，竟将龙一闪当作了活盾牌，沈天竹发出的七点寒星，全都打在他背上。

沈天竹大骇之下，无暇再变招，只听“噗”的一声，萧十一郎一抬手，就已将龙一闪的长枪刺入了他的下腹。

三声惨呼过后，龙一闪和沈天竹都已没命了，只有沈天菊左手捧着右腕，倒在地上呻吟。

萧十一郎甚至连脚步都未移动过。

但他毕竟也是个人，沈璧君那一刀虽无力，虽未刺中他的要害，但刀锋入肉，已达半尺。

没有人的血肉之躯能挨这么样一刀。

方才他凭着胸中一口冤气，还能支持不倒，此刻眼见对头都已倒下，他哪里还能支持得住?

他似乎想伸手去扶沈璧君，但自己的人已先倒在桌上。

就在这时，只听一人大笑道：“好功夫，果然好功夫，若能再接我一凿，我也服了你！”

这竟似雷满堂的声音。

笑声中，只听呼的一声，雷满堂果然又从窗外飞了进来，全身湿淋淋的，手里两只雷公凿没头没脑地向萧十一郎击下！

沈璧君惊呼一声，将掌中刀向萧十一郎抛了过去。

萧十一郎接过了刀，用尽全身力气，反手一刀刺出。

雷满堂竟似在情急拼命，居然不避不闪，“哧”的一声，那柄刀已刺入了他前胸，直没至柄。

谁知他竟连一点反应都没有，甚至连惨呼声都未发出，还是张牙舞爪地扑向萧十一郎。

这人难道是杀不死的么?

萧十一郎大骇之下，肩头一处大穴已被雷公凿扫过，他只觉身子一麻，已自桌上滑到地下。

就算他是铁打的金刚，也站不起来了。

只见雷满堂站在他面前，竟然咯咯笑道:“你要我的命，我也要你的命，我去见阎王，好歹也得要你陪着。”

他飘飘荡荡地站在那里，似乎连脚尖都未沾地，全身湿透，一柄刀正插在他心口，一张脸都已扭曲。

船舱中的灯已被打翻了三盏，只剩下角落里一盏孤灯，灯光闪烁，照着他狰狞扭曲的脸。

这哪里是个人，正像是个阴魂不散的厉鬼。

萧十一郎纵然还能沉得住气，沈璧君却简直已快吓疯了。

雷满堂阴森森道:“萧十一郎，你为何还不死，我正在等着你……你快死呀！”

他的脸已僵硬，眼珠子死鱼般凸出，嘴唇也未动，语声也不知从哪里发出的。

萧十一郎忽然笑了笑，道:“你用不着等我，我死不了的。”

雷满堂忽然银铃般娇笑了起来。

笑声清脆而娇媚。

厉鬼般的雷满堂，竟忽然发出了这样的笑声，更令人听得毛骨悚然。

萧十一郎却只是长长叹了口气，苦笑道:“又是你，果然又是你！”

这句话未说完，雷满堂忽然扑地倒下。

他身子一倒下，沈璧君才发现他身后还有个人。

银铃般的娇笑，正是这人发出来的。

只见她锦衣金冠，一张又白又嫩的脸，似乎能吹弹得破，脸上带着说不出有多么动人的甜笑，她不是小公子是谁！

见到了这人，沈璧君真比看到鬼还害怕。

原来雷满堂早已奄奄一息，被小公子拎着飞了进来，正像是个被人提着绳子操纵的傀儡。

只听小公子银铃般娇笑道："不错，又是我，我阴魂不散，缠定你了。"

她盈盈走过来，轻轻摸了摸萧十一郎的脸，娇笑着道："我一天不见你，就想得要命，叫我不见你，那怎么行？叫我躲开你，除非杀了我……唉，杀了我也不行，我死也缠定了你这个人。"

她声音又清脆，又娇媚，说起话来简直比唱的还好听。

沈璧君失声道："你……难道你也是个女人？"

小公子笑道："你现在才知道么？我若是男人，又怎舍得对你那么狠心？只有女人才会对女人狠得下心来，这道理你都不明白？"

沈璧君怔住了。

小公子叹了口气，摇着头道："这沈姑娘虽长得不错，其实却半点也不解风情，有哪点能比得上我？萧郎呀萧郎，你为什么偏偏要喜欢她，不喜欢我呢？"

萧十一郎笑了笑，道："我……"

他一个字还未说出，只觉胸胁间一阵剧痛，满头冷汗涔涔而落，第二个字竟再也无法说出口来。

小公子道："哎呀，原来你受了伤，是谁刺伤了你，是谁这么狠心？"

沈璧君心里也不知从哪里来的一股怒气，忍不住大声道："是我刺伤了他，你杀了我吧。”

小公子眨着眼道：“是你，不会吧？他对你这么好，你却要杀他？……我看你并不像这么没良心的女人呀。”

沈璧君咬着牙：“若是再有机会，我还是要杀他的。”

小公子道：“为什么？”

沈璧君眼睛已红了，颤声道：“我和他仇深似海，我……”

小公子道：“他和你有仇？谁说的？”

沈璧君道：“鲁东四义、雷电双神，他们都是人证。”

小公子又叹了口气，道：“他救了你好几次命，你却不信任他，反而要去相信那些人的话。”

沈璧君道：“可是……可是他自己也亲口告诉过我，他就是萧十一郎。”

小公子叹道：“不错，他的确是萧十一郎，但放火烧了你家屋子，杀了你祖母的人，却不是萧十一郎呀。”

沈璧君又怔住了，颤声道：“不是他是谁？”

小公子笑了笑，道：“当然是我，除了我还有谁做得出那些事？”

沈璧君全身都颤抖了起来。

小公子道：“鲁东四义、雷电双神，都是被我收买了，故意来骗你的。我以为他们一定骗不过你，因为萧十一郎对你那么好，你怎会相信他们这些混账王八蛋的话？谁知你看来虽还不太笨，其实却偏偏是个不知好歹的呆子！”

这些话每个字都像是一根针，一针针刺入了沈璧君的心。

她本来虽已觉得这些事有些不对了，却还是不肯承认自己杀错了人，她实在没有这种勇气。

但现在，这话亲口从小公子嘴里说出来，那是绝不会假了，她就算不敢承认，也不能不承认。

“原来我又冤枉了他……原来我又冤枉了他……我明明已发誓要相信他的，到头来为什么又冤枉了他？”

想到萧十一郎眼中方才流露出的那种痛苦与绝望之色，想到他对她的种种恩情，种种好处……

沈璧君只恨不得半空中忽然打下个霹雳，将她打成粉碎。

小公子道：“你现在又想死了，是不是？但你就算死了，又怎能补偿他对你的好处？若不是他，你早已不知死过多少次了。”

沈璧君早已忍不住泪流满面，嗄声道：“你既然要杀我，现在为什么不动手？”

小公子道：“我本来的确是想杀你的，现在却改变了主意。”

沈璧君道：“为……为什么？”

小公子道：“因为我还要你多看看他，多想想你自己做的事……”

萧十一郎忽然道：“但我却不想再看她了，这种不知好歹的人，我看着就生气，你若真的喜欢我，就赶快将她赶走，赶得愈远愈好。”

他勉强说完了这几句话，已疼得汗如雨下。

沈璧君听了更是心如刀割。她当然很明白萧十一郎的意思是想叫小公子赶快放自己离开：“我虽然这么样对他，他还是要想尽法子来救我，我虽然害了他，冤枉了他，甚至几乎将他杀死，他却一点也不怨我。”

她实在想不到，“大盗”萧十一郎竟是这么样的一个人。

小公子当然也不会不明白萧十一郎的意思，柔声道：“为了你，我本来也想放她走的，只可惜我没这么大的胆子。”

萧十一郎道：“为什么？”

小公子道：“你知道，她是我师父想要的人，我就算不能将她活生生地带回去，至少也得将她的尸体带回去才能交差。”

萧十一郎道：“你难道还想回去？”

小公子道：“我本来也想跟你一齐逃走的，逃得远远的，找个地方躲起来，恩恩爱爱地过一辈子，可是……”

她叹了口气，接着道：“我实在不敢不回去，你也不知道我那师父有多厉害，我就算躲到天涯海角，他也一定会找着我的。”

萧十一郎勉强支持道：“你师父是谁？他真有这么大的本事？”

小公子叹道：“他本事之大，说出来你也不会相信。”

萧十一郎笑道：“我本事也不小呀。”

小公子道：“以你的武功，也许能挡得住他二三十招，但他在四十招之内，一定可以要你的命！”

萧十一郎苦笑道：“你未免也将我看得太不中用了吧！”

小公子道：“普天之下，没有哪一个人能挡得住他二十招的，你若真能在二十招内不落败，已经算很不错的了。”

萧十一郎道：“我不信。”

小公子笑道：“不管你信不信，我也不会告诉你他的名字，你愈想知道，我愈不告诉你……我愈不告诉你，你就愈想知道，就只好每天缠着我打听，你愈缠得我紧，我愈高兴。”

萧十一郎沉默了半晌，闭上眼睛，不说话了。

他每说一句话，胸胁间的创口就疼得似将裂开，但他却一直勉强忍耐着，为的就是想打听她师父的名字。

这小公子机智百出，毒如蛇蝎，赵无极、飞鹰子、鲁东四义、雷电双神，这些人无一不是武林一等一的高手，但对她却唯命是从，服服帖帖，算得是萧十一郎平生所见最厉害的人物了。

徒弟已如此，师父更可想而知。

萧十一郎表面虽很平静，心里却是说不出有多么着急。

在他眼中，世上本没有“难”字，但现在，他却实在想不出有任何法子能将沈璧君救出去。

第十五章

萧十一郎的家

将近黄昏。

西方只淡淡地染着一抹红霞，阳光还是黄金色的。

金黄色的阳光，照在山谷里的菊花上。

千千万万朵菊花，有黄的，有白的，有浅色的，甚至还有黑色的墨菊，在这秋日的夕阳下，世上还有什么花能开得比菊花更艳丽?

秋天本来就是属于菊花的。

沈璧君这一生中从来也没有瞧见过这么多菊花，这么美丽的菊花，到了这里，她才知道以前见过的菊花，简直就不能算是菊花。

四面的山峰挡住了北方的寒气，虽然已近深秋，但山谷中的风吹在人身上，仍然是那么温柔。

天地间充满了醉人的香气。

绿草如茵的山坡上，铺着条出自波斯名手的毡子，毡子上摆满了各式各样的鲜果，还有一大盘已蒸得比胭脂还红的螃蟹。

沈璧君身上穿着比风还柔软的丝袍，倚在三四个织锦垫子上，面对着漫天夕阳，无边美景，嘴里啜着杯已被泉水冻得凉沁心肺的甜酒，全身都被风吹得懒洋洋的，但是她的心，却乱得可怕。

她愈来愈不懂得小公子这个人了。

这些日子，小公子给她吃的是山珍海味，给她喝的是葡萄美酒，给她穿的是最华丽、最舒服的衣裳，用最平稳的车，最快的马，载她到景色最美丽的地方，让她享受尽人世间最奢侈的生活。

但是她的心里，却只有恐惧，她简直无法猜透这人对她是何居心，她愈来愈觉得这人可怕。

尤其令她担心的，是萧十一郎。

她每次见到他的时候，他看来都仿佛很快乐，但她却看得出他那双发亮的眼睛已渐渐暗淡，那种野兽般的活力也在慢慢消失。

他究竟在受着怎么样的折磨？

他的伤势是否已痊愈？

沈璧君有时也在埋怨自己，为什么现在想到萧十一郎的时候愈来愈多，想到连城璧的时候反而少了？

她只有替自己解释！

“这只不过是因为我对他有内疚，我害了他，他对我的好处，我这一生中只怕永远也无法报答。”

萧十一郎终于出现了。

他从山坡下的菊花丛中，慢慢地走了出来，漆黑的头发披散着，只束着根布带，身上披着件宽大的、猩红色的长袍，当胸绣着条栩栩如生的墨龙，衣袂被风吹动，这条龙就仿佛在张牙舞爪，要破云飞出。

他两颊虽已消瘦，胡子也更长了，但远远望去，他看来仍是那么魁伟，那么高贵，就像是位上古时君临天下的帝王。

小公子倚在他身旁，扶着他，显得更娇小，更美丽。

有时甚至连沈璧君都会觉得，她的女性娇柔，和萧十一郎的男性粗犷，正是天生的一对。

“可惜她只不过是看来像个女人而已，其实却是条毒蛇，是条野狼，无论谁遇见她，都要被她连皮带骨一齐吞下去！”

沈璧君咬着牙，心里充满了怨恨。

但等她看到萧十一郎正在对她微笑时，她的怨恨竟忽然消失了，这是为了什么？她自己也不知道。

小公子也笑了，娇笑着道："你瞧你，我叫你快点换衣服，你偏不肯，偏要缠着我，害得人家在这里等我们，多不好意思。"

这些话就像是一根根针，在刺着沈璧君。

萧十一郎真的在缠她？

他难道真的已被她迷住了，已拜倒在她裙下？

"但这也许只不过是她在故意气我的，我为什么要上她的当？何况，他又不是我的什么人，我根本就没有理由生气的。"

沈璧君垂下头，尽力使自己看来平静些。

他们已在她对面坐下。

小公子又在娇笑着道："你看这里的菊花美不美？有人说，花是属于女人的，因为花有女性的妩媚，但菊花却不同。"

她用一根银锤，敲开了一只蟹壳，用银勺挑出了蟹肉，温柔地送入萧十一郎嘴里，才接着道："只有菊花是男性化的，它的清高如同诗人隐士，它不在春天和百花争艳，表示它的不同流俗，它不畏秋风，正象征着它的倔强……"

她又倒了杯酒，喂萧十一郎喝了，柔声道："我带你到这里来，就因为知道你一定是喜欢菊花的，因为你的脾气也正如菊花一样。"

萧十一郎淡淡道："我唯一喜欢菊花的地方，就是将它一瓣瓣剥下来，和生鱼片、生鸡片一齐放在水里煮，然后再配着竹叶青吃下去。"

他笑了笑，接着道："别人赏花用眼睛，但我却宁可用嘴。"

小公子笑道："你这人真煞风景。"

她吃吃地笑着，倒在萧十一郎怀里，又道："但我喜欢你的地方，也就在这里，你无论做什么都和别人完全不同的，世上也许会有第二个李白，第二个项羽，但绝不会有第二个萧十一郎，像你这样的男人，若还有女孩子不喜欢你，那女孩子一定是个白痴。”

她忽然转过脸，笑眯眯地瞧着沈璧君，道：“连夫人，你说我的话对不对？”

沈璧君冷冷道：“我已经不是女孩子了，对男人更没有研究，我不知道。”

小公子非但一点也不生气，反而笑得更甜了，道：“一个女人若是不懂得男人，男人又怎么会喜欢她呢？我本来正在奇怪，连公子有这么样一个美丽的夫人，怎会舍得一个人走呢？现在我才明白，原来是因为……”

她这话虽然没有说完，但意思却已很明白。

沈璧君虽然不想生气，却也不禁气得脸色发白。

小公子倒了杯酒，笑道：“这酒倒不错，是西凉国来的葡萄酒，连夫人为何不尝尝？连夫人总不至于连酒都不喝吧，否则这辈子岂非完全白活了。”

沈璧君闭着嘴，闭得很紧。

她生怕自己一开口就会说出难听的话来。

小公子道：“连夫人莫非生气了？我想不会吧？”

她眼波流动瞟着萧十一郎，接着道：“我若坐在连公子身上，连夫人生气还有些道理，但是他……连夫人总不会为他生我的气，吃我的醋吧？”

沈璧君气得指尖都已飞冷，忍不住抬起头——

她本连瞧都不敢瞧萧十一郎的，但这一抬起头，目光就不由自主瞧到萧十一郎的脸上。

她这才发现萧十一郎不但脸色苍白得可怕，目中也充满了痛苦之色，甚至连眼角的肌肉都在不停地抽搐地着。

他显然正在忍受着极大的痛苦。

萧十一郎本不是个会将痛苦轻易流露出来的人。

沈璧君立刻就忘了小公子尖刻的讥讽，颤声问道：“你的伤，是不是……”

萧十一郎笑了，大声道：“什么？那点伤我早已忘了。”

沈璧君迟疑着，突然冲了过去。

她的脚还是疼得很——有时虽然麻木得全无知觉，但有时却又往往会在梦中将她疼醒。

她全身的力气，都似已从这脚上的伤口中流了出去，每次她想自己站起来，都会立刻跌倒。

但现在，她什么都忘了。

她冲过去，一把拉开了萧十一郎的衣襟。

她立刻忍不住惊呼出声来。

很少有人会听到如此惊惧，如此凄厉，如此悲哀的呼声——

萧十一郎的胸膛，几乎已完全溃烂了，伤口四周的肉，已烂成了死黑色，还散发着一阵阵恶臭，令人作呕。

现在沈璧君才知道他身上为什么总是穿着宽大的袍子，为什么总是带着种很浓烈的香气。

原来他就是为了要掩隐这伤势，这臭气。

就算心肠再硬的人，看到他的伤势，也绝不忍再看第二眼的。

沈璧君的心都碎了。

沈璧君虽然不懂得医道，却也知道这情况是多么严重，这种痛苦只要是血肉之躯就无法忍受。

但萧十一郎每次见到她的时候，却还是谈笑自若。

他难道真是铁打的人么？

又有谁能想象他笑的时候是在忍受着多么可怕的痛苦?

他这样做是为了谁?为了什么?

沈璧君再也忍不住,伏倒在他身上放声痛哭起来。

小公子摇着头道:“好好的怎么哭了?这么大的人,都快生孩子了,动不动就哭,也不怕人家瞧见笑话么?”

沈璧君用力咬着嘴唇,嘴唇已咬得出血,瞪着小公子颤声道:“你……你好狠的心!”

小公子又笑了,道:“我好狠的心?你难道忘了是谁伤了他的?是你狠心?还是我狠心?”

沈璧君全身都颤抖起来,道:“你眼看他的伤口在溃烂,为什么不为他医治?”

小公子叹道:“他处处为你着想,为了救你,连自己性命都不要了,但他对我呢?一瞧见我,就恨不得要我的命。”

她叹了口气,道:“他对我只要有对你一半那么好,我就算自己挨一千刀、一万刀,也舍不得伤他一根毫发,可是现在,杀他的人却是你,你还有脸要我为他医治?我真不懂这句话你是怎么好意思说出口来的?”

沈璧君嘶声道:“你不肯救他也罢,为什么还要他喝酒?要他吃这些海味鱼虾?”

小公子道:“那又有什么不好?我就是因为对他好,知道他喜欢喝酒,就去找最好的酒来,知道他好吃,就为他准备最新鲜的海味,就算是世上最体贴的妻子,对她的丈夫也不过如此了,是不是?”

沈璧君道:“但你明明知道酒和鱼虾都是发的,受伤的人最沾不得这些东西,否则伤口一定会溃烂,你明明是在害他!”

小公子淡淡道:“我只知道我并没有伤他,只知道给他吃最好吃的东西、喝最好的酒,别的事,我什么都不知道。”

沈璧君牙齿打战，连话都说不出了。

萧十一郎一直在凝注着她，那双久已失却神采的眼睛，也不知为了什么突又明亮了起来。

直到这时，他才笑了，柔声道：“一个人活着，只要活得开心，少活几天又有何妨？长命的人难道就比短命的快活？有的人活得愈久愈痛苦，这种人岂非生不如死？只要能快快乐乐地活一天，岂非也比在痛苦中活一百年有意义得多。”

小公子拍手笑道：“不错，这才是男子汉大丈夫的气概！萧十一郎果然不愧为萧十一郎！若为了一点伤口，就连酒都不敢喝了，那他就不是萧十一郎了！”

她轻抚着萧十一郎的脸，柔声道：“只要你活着一天，我就会好好地对你，尽力想法子令你快乐，无论你要什么，无论你想到哪里去，我都答应你。”

萧十一郎微笑着道：“你真的对我这么好？”

小公子道：“当然是真的，只要瞧见你快乐，我也就开心了。”

她遥注着西方的晚霞，柔声接着道：“我只希望你能多活些日子，能多活几天也好……”

晚霞绚丽。

但这也只不过是说：黑暗已经不远了。

沈璧君望着夕阳下的无边美景，又不禁泪落如雨。

萧十一郎神思也似飞到了远方，缓缓道：“我既不是诗人，也不是名士，只不过是个在荒野中长大的野孩子，在我眼中看来，世上最美丽的地方，就是那无边无际的旷野，寸草不生的荒山，就连那漫山遍野的沼气毒瘴，也比世上所有的花朵都可爱得多。”

小公子失笑道：“你真是个与众不同的人，连想法也和别人完全不同。”

萧十一郎笑道：“就因为我是个怪人，所以你才会喜欢我，是么？”

小公子伏在他膝上，柔声道：“一点也不错，所以我无论什么事都依你，你若真想到那种地方去，我们现在就走。”

萧十一郎长长吐出口气，道：“只要我能再回到那里，就算立刻死了，也没什么关系！”

小公子道：“好，我答应你，我一定让你活着回到那里，然后……”

萧十一郎打断了她的话，悠悠道：“然后再让我死在那里，是么？”

穷山，恶谷。

山谷间弥漫着杀人的瘴气。

谎言必定动听，毒如蛇蝎的女人必是人间绝色，致命的毒药往往甜如蜜，杀人的桃花瘴，也正是奇幻绚丽、令人目眩神迷。

但忠言必逆耳，良药也是苦口的。

这是什么道理？

难道这就是“造化弄人”？还是上天有意在试探人类的良知？

沈璧君想不通这道理。

若说天道是最公平的，为什么往往令好人都坎坷终生、受尽折磨，坏人却往往能享尽荣华富贵？

若说“善恶到头终有报”，为什么小公子这种人能逍遥自在地活下去，萧十一郎反得死？

后面是寸草不生的削壁，前面是深不可测的绝壑。

萧十一郎嘴里又在低低哼着那首歌，在这种时候、这种地方听来，曲调显得更凄凉、更悲壮，也更寂寞。

但他的神色却是平静的，就仿佛流浪天涯的游子，终于又回到了家乡。

小公子一直在凝视着他，忍不住问道：“你真是在这地方长大的么？”

萧十一郎道：“嗯。”

小公子叹了口气，道：“一个人要在这种地方活下去，可真不容易。”

萧十一郎嘴角忽然露出一丝凄凉的微笑，悠悠道：“活着本就比死困难得多。”

小公子眼波流动道：“但千古艰难唯一死，有时也不如你想象中那么容易。”

萧十一郎道：“只有那些不想死的人，才会觉得死很苦。”

小公子眨着眼，笑道：“你难道真想死？我倒不信。”

萧十一郎淡淡道：“老实说，我根本没有仔细去想过，根本就不知道自己是想死，还是想活。”

小公子缓缓道：“但死既然是那么方便的事，你若真想死，又怎会活到现在？”

萧十一郎不说话了。

小公子笑了笑，道：“你还想再往上面走么？看来这里已好像是路的尽头，再也走不上去了。”

萧十一郎沉默了很久，喃喃道：“不错，这里明明已到了尽头，我为什么还要想往上走？……为什么还要想往上走……”

他忽然向小公子笑了笑，道：“我想一个人在这里站一会儿，想想小时候的事。”

小公子道：“你站不站得稳？”

萧十一郎道：“你为何不让我试试？”

小公子眼珠子转了转，终于放开了扶着他的手，笑道：“小心些呀！莫要掉下去，连尸首都找不着，活着的萧十一郎我虽然见过了，但死了的萧十一郎是什么样子，我也想瞧瞧的。”

萧十一郎笑道：“死人虽比活人听话，但却一定没有活人好看，你若瞧见，只怕会变得讨厌我了，我何必让你讨厌呢？”

他又回头向沈璧君笑了笑，忽然跃身向那深不可测的绝壑中跳了下去……

沈璧君全身都凉透了。

萧十一郎果然是存心来这里死的！

“是我害了他！是我害了他……”

这声音就像是霹雳，一声声在她耳边响着！

“他死了，我却还有脸活着……我怎么对得起他？我又能活多久，还有谁会来救我……”

想到小公子的手段，沈璧君再也不想别的，用尽全身气力，推开了扶着她的人，也纵身跳入了那万丈绝壑中。

奇怪的是，在她临死的时候，竟没有想到连城壁。

她也不想想自己死了后，连城壁会怎么样？

难道连城壁就不会为她悲伤？

小公子站在削壁边，垂首望着那弥漫在绝壑中的沼气和毒瘴，面上连一点表情都没有。

也不知过了多久，她突然拾起一块很大的石头，抛了下去。

又过了很久，才听到下面传上来“扑通”一响。

小公子面上这才露出了一丝微笑。

她笑得仍然是那么天真，那么可爱，就像是个小孩子……

死，有时的确也并不是件很容易的事。

沈璧君居然还是没有死。

她跳下来的时候，很快就晕了过去，并没有觉得痛苦。

她醒来时才痛苦。

绝壑下，是一片无边无际的沼泽，没有树木，没有花草，没有生命，有的只是湿泥、臭水和迷雾般的沼气。

沈璧君整个人都已被浸入泥水中。

但她却没有沉下去，因为这沼泽简直就像是一大盆糨糊，也正因为这缘故，所以她从那么高的地方跳下来也没有摔死。

最奇怪的是，她整个人泡在这种湿泥臭水中，非但一点也不难受，反而觉得很舒服，就连足踝上的伤口都似已不疼了。

这沼泽中的泥水竟似有种神奇的力量，能减轻人的痛苦。

沈璧君惊异着，忽然想起了萧十一郎对她说的故事！

“我曾经看到过一匹狼，被山猫咬得重伤之后，竟跃入一个沼泽中去，那时我还以为它是在找自己的坟墓，谁知它在那沼泽中躺了两天，反而活了，原来它早已知道有许多种药草腐烂在那沼泽里，能治好它的伤势，它早已知道该如何照顾自己。”

沈璧君的心跳了起来。

她耳旁似又响起了萧十一郎那低沉的语声，在慢慢地告诉她：“其实人也和野兽一样，若没有别人照顾，就只好自己照顾自己了……”

难道这沼泽就是那匹狼逃来治伤的地方？

这沼泽既能治好那匹狼的伤，是否也能治好萧十一郎的伤？

原来他并不是想到这里来死的！

虽然这里是上不着天，下不着地的穷山绝壑，虽然四面都瞧不到一样有生命之物，虽然她的人还浸在又脏又臭的泥水中，虽然她还不知道自己是否能活下去，虽然她就算能活下去，也未必能走出这绝壑，但沈璧君这一生中从来也没有如此开心、如此兴奋过。

因为她知道萧十一郎必定也还没有死!

她本来几乎已忍不住要大声呼唤起来，但一想小公子可能还在上面听着，就只有闭住了嘴。

她只有在心里呼唤：“萧十一郎，萧十一郎，你在哪里？”

只要还能看到萧十一郎，所有的牺牲都值得，所有的痛苦也都可忍受了。

她挣扎着，划动手脚，想将头抬高些。

她确信萧十一郎必定也在附近，她希望能看到他。

只要能看到他，她就不会再觉得寂寞、绝望、无助……

谁知她不动还好些，这一动她身子反而更向下沉陷。

泥沼浓而黏，表面有种张力，所以她虽然从那么高的地方跌下来，也并没有完全陷入泥沼中。

现在她一挣扎，泥沼中就仿佛有种可怕的力量在将她往下拖，她挣扎得愈厉害，陷落得愈快。

忽然间，她全身都已陷入泥沼中，呼吸也立刻困难起来，浓而黏的泥水就像是一双魔手，已扼住了她的咽喉。

她只要再往下陷落一两寸，口鼻就也要陷入泥沼中。

现在她就算还想呼喊，也喊不出声音了。

她不知道自己还能支持多久，只知道那最多也只不过是片刻间的事了。

她本已决心想死的，现在却全心全意地希望能再多活片刻。

若能再多活片刻，说不定就能再见萧十一郎一面。

“但见不见又有什么关系呢？只要我知道并没有害死他，只要他还能好好地活下去，我就算立刻死，也死得心安了。我能平平静静问心无愧地死在这里，上天已算对我不薄，我还求什么？”

到现在，她才想起连城璧。

但她知道连城璧一定会照顾自己的，无论有没有她，连城璧都会同样活下去，而且活得很光荣，活得很好。

她当然也想到了腹中的孩子。

大多数女人都会将孩子看得比自己还重要，这是母性，也正是女性的荣光，人类的生命也正因为这缘故才能永远延续。

但孩子若还没有出世，就完全不同了。

女人对自己还没有生出来的孩子，绝不会有很深的感情、很大的爱心。

因为这时她的母性还未完全被引发。

这是人性。

母性是完美的，至高无上的，完全不自私、不计利害、不顾一切，也绝不要求任何代价。

但人性却是有弱点的。

沈璧君闭上了眼睛……

一个人若真能安安心心、平平静静地死，有时的确比活着还幸运，这世界上，真能死而无憾的人并不多。

沈璧君也并不是不想活了，只不过她知道已没法子再活下去。

这是绝地，她已陷入绝境，已完全绝望。

但就在这时，她忽然听到了一个很熟悉的声音。

是萧十一郎的声音：“不要动，千万不能动。”

这声音竟似就在她的耳畔。

沈璧君狂喜着，忍不住想扭过头去瞧他一眼。

但萧十一郎已接着道：“也千万不要转头来看我，尽量将自己放松，全身都放松，就好像你现在正躺在一张最舒服的床上，躺在你母亲的怀里，完全无忧无虑，什么都不要去想，绝没有任何人能伤害你。”

他说得很慢，每个字都说得很慢，声音中仿佛有种奇异的力量，能令人完全安定下来，完全信任他。

沈璧君轻轻叹了口气，道：“我能说话么？”

萧十一郎道：“要说得很轻、很慢，我能听得到的。”

这声音更近了。

沈璧君道：“我可以不动，也可以放松自己，但却没有法子不想。”

萧十一郎道：“想什么？”

沈璧君道：“我在想，假如我们动一动就会陷下去，岂非要永远被困死在这里？你难道也想不出法子脱身？”

萧十一郎道：“自然是有法子的。”

沈璧君柔声道：“只要你有法子能脱身，我就安心了，我无论怎么样都没关系。”

她这句话还未说完，就瞧见了萧十一郎那双发亮的眼睛。

这本是双倔强而冷酷的眼睛，有时虽然也会带着些调皮的神色，带着些讥诮的笑意，却从来没有露出过任何一种情感。

现在这双眼睛里却充满了喜悦、欣慰、感激……

沈璧君的脸红了。

她说那句话的时候，并没有瞧萧十一郎，所以她才情不自禁吐露了真情。若是已瞧见他，她只怕就不会有这种勇气。

但现在萧十一郎却距离她这么近。

她几乎已能感觉到萧十一郎的呼吸。

萧十一郎也避开了她的目光，道：“你本来看不到我的，现在却看到了，是不是？”

沈璧君道：“嗯。”

萧十一郎道：“我一直都没有动过，否则早已沉下去了，我既没有动，又怎会移动到这里来了呢？”

沈璧君自然不知道原因。

萧十一郎道：“这泥沼看来虽是死的，其实却一直在流动着，只不过流动得很慢、很慢，所以我们才感觉不出。”

他接着道：“就因为我完全没有动，所以才会随着泥沼的流动漂了过来，若是一挣扎，就只会往下陷落，所以你才一直停留在这里。”

沈璧君没有说话。

但她的心里却在暗自庆幸：“若是我也没有挣扎，也随着泥沼在往前流动，我现在怎会看到你？”

萧十一郎道：“前面不远，就是陆地，只要我们能忍耐到那里，就得救了……那也用不着多久，我相信你一定能做到的，是不是？”

他目光不由自主转了过来，凝注着沈璧君的眼睛。

沈璧君也不由自主凝注着他的眼睛。

她还是没有说话，但她的眼睛却仿佛在说：“为了你，我一定能做到的。”

从眼睛里说出的话，也正是自心底发出的声音，这种声音眼睛既瞧不见，耳朵更无法听到。

能听到这种声音的人并不多。

这种声音也是用“心”来听的。

萧十一郎却听到了。

过了很久很久，沈璧君才轻轻叹了口气，道：“我现在才知道我错了。”

萧十一郎道：“什么事错了？”

沈璧君道："我本来以为天道不公，常常会故意作践世人，现在才知道，老天毕竟是有眼睛的。"

萧十一郎缓缓道："不错，所以一个人无论做什么事时，都不能忘记天上有双眼睛随时随地都在瞧着你。"

没有声音，没有动静，没有生命，天地间一切仿佛都是死的。

泥沼也是死的，谁也感觉不出它在流动。

"它真能将我们带到陆地上去么？"

沈璧君并没有问，也不着急。

她的心很平静，此时，此刻，此情，此境，她仿佛就已满足；是死是活，她似已完全不放在心上。

她只怕萧十一郎这双发亮的眼睛看透她的心。

她只怕萧十一郎感觉出她的心愈跳愈快，呼吸愈来愈急促。

她一定要找些话来说。

但说什么呢？

萧十一郎忽然道："你可知道这次是谁救了我们？"

沈璧君道："自然是……是你。"

她忽然发觉萧十一郎的呼吸也很急促。

她的心更慌了。

萧十一郎道："不是我。"

沈璧君道："不是你？是谁？"

萧十一郎道："是狼。"

只有在这一瞬间，他目光仿佛是瞧着很远的地方，缓缓接着道："我第一次到这里来，就是狼带我来的。"

沈璧君道："我听你说过那故事。"

萧十一郎道："是狼告诉我，这泥沼中有种神奇的力量可以治愈人的伤势，是狼教我学会如何求生，如何忍耐。”

沈璧君轻叹道：“要学会这两个字，只怕很不容易。”

萧十一郎道：“但一个人若要活下去，就得忍耐……忍受孤独，忍受寂寞，忍受轻视，忍受痛苦，只有从忍耐中才能寻得快乐。”

沈璧君沉默了很久，柔声道：“你好像从狼那里学会了很多事？”

萧十一郎道：“不错，所以我有时非但觉得狼比人懂得多，也比人更值得尊敬。”

沈璧君道：“尊敬？”

萧十一郎道：“狼是世上最孤独的动物，为了求生，有时虽然会结伴去寻找食物，但吃饱之后，就立刻又分散了。”

沈璧君道：“你难道就因为它们喜欢孤独，才尊敬它们？”

萧十一郎道：“就因为它们比人能忍受孤独，所以它们也比人忠实。”

沈璧君道：“忠实？”

用“忠实”两字来形容狼，她实在闻所未闻。

萧十一郎道：“只有狼才是世上最忠实的配偶，一夫一妻，活着时从不分离，公狼若死了，母狼宁可孤独至死，也不会另寻伴侣，母狼若死了，公狼也绝不会另结新欢。”

他目中又露出了那种尖锐的讥诮之意，道：“但人呢？世上有几个忠于自己妻子的丈夫？抛弃发妻的比比皆是，有了三妻四妾，还沾沾自喜，认为自己了不起；女人固然好些，但也好不了多少，偶尔出现一个能为丈夫守节的寡妇，就要大肆宣扬，却不知每条母狼都有资格立个贞节牌坊的。”

沈璧君不说话了。

萧十一郎又道：“世上最亲密的，莫过于夫妻，若对自己的配偶都不忠实，对别人更不必说了，你说狼是不是比人忠实得多？”

沈璧君又沉默了很久，忽然道：“但狼有时会吃狼的。”

萧十一郎道：“人呢？人难道就不吃人么？”

他冷冷接着道：“何况，狼只有在饥饿难耐，万不得已时，才会吃自己的同类，但人吃得很饱时，也会自相残杀。”

沈璧君叹了口气，道：“你对狼的确知道得很多，但对人却知道得太少了。”

萧十一郎道：“哦？”

沈璧君道：“人也有忠实的，也有可爱的，而且善良的人永远比恶人多，只要你去接近他们，就会发现每个人都有他可爱的一面，并非像你想象中那么可恶。”

萧十一郎也不说话了。

其实，他自己也不知道自己为何要说这些话。

难道他也和沈璧君一样，生怕被人看破他的心事，所以故意找些话来说？

难道他想用这些话警戒自己？

沈璧君道：“你为什么只喜欢说狼？为什么不说说你自己？”

萧十一郎道：“我？我有什么好说的！”

沈璧君道：“譬如说，你为什么会叫萧十一郎？难道你还有十个哥哥姐姐？”

萧十一郎道：“嗯。”

沈璧君道：“这么说，你岂非一点也不孤独？”

萧十一郎道：“嗯。”

沈璧君道：“你的兄弟姐妹们呢？都在哪里？”

萧十一郎道：“死了，全都死了！”

他目中忽又充满了悲愤恶毒之意，无论谁瞧见他这种眼色，都可想象出他必有一段悲惨的往事。

沈璧君只觉心里一阵刺痛——

在这一刹那间，她忽然觉得萧十一郎还是个孩子，一个无依无靠、孤苦伶仃的孩子，需要人爱护，需要人照顾……

她也不知道自己怎么会有这种感觉。

泥沼果然是在流动着的。

前面果然是陆地。

但沈璧君却绝未梦想到这地方竟是如此美丽。

千百年前，这里想必也是一片沼泽，土质自然特别肥沃。

再加上群山合抱，地势又极低，是以寒风不至，四季常春，就像是上天特意要在这苦难的世界中留下一片乐土。

在别的地方早已凋零枯萎了的草木，这里却正欣欣向荣，在别的地方难以生长的奇花异草，这里却满目皆是。

就连那一道自半山流下来的泉水，都比别地方分外清冽甜美。

沈璧君本来是最爱干净的，但现在她却忘记了满身的泥污，一踏上这块土地，就似已变得痴了。

足足有大半刻的工夫，她就痴痴地站在那里，动也不动，也不知过了多久，她才长长吐出口气，道：“我真想不到世上还有这种地方，只怕也唯有你这种人才能找得到。”

萧十一郎道：“我也找不到，是……”

沈璧君笑了，打断了他的话，嫣然笑道：“是狼找到的，我知道……”

她忽又发现在泉水旁的一片不知名的花树丛中，还有间小小的木屋，一丛浅紫色的花，从屋顶上长了出来。

她仿佛觉得有些失望，轻叹着道：“原来这里还有人家。”

萧十一郎凝注着她，缓缓道：“除了你和我之外，这里只怕不会再有别的人了……你也许就是踏上这块土地的第二个人。”

沈璧君的脸似又有些发红，轻轻地问道：“你没有带别的人来过？”

萧十一郎摇了摇头。

沈璧君道：“但那间屋子……”

萧十一郎道：“那屋子是我盖的，假如每个人都一定要有个家，那屋子也许就可算是我的家。”

他淡淡地笑了笑，又道：“自从我第一眼看到这个地方，我就爱上它了，以后每当我觉得疲倦、觉得厌烦时，我就会到这里来静静地待上一两个月，每次我离开这里的时候，都会觉得自己像是已换了个人似的。”

沈璧君道：“既然如此，你为什么不在这里多住些时候？为什么不永远住下去？”

萧十一郎没有说话。

沈璧君的眼睛里发着光，又道：“这里有花果，有清泉，还有如此肥沃的土地，一个人到了这里，就什么事都再也用不着忧虑了，你为什么不在这里快快乐乐地过一生，为什么还要到外面去惹那些烦恼？”

萧十一郎沉默了很久，才笑了笑，道：“这也许只因为我是个天生的贱骨头。”

他笑得是那么凄凉，那么寂寞。

沈璧君忽然明白了！

无论多深的痛苦和烦恼，都比不上“寂寞”那么难以忍受。

这里纵然有最美丽的花朵，最鲜甜的果子，最清冽的泉水，却也填不满一个人心里的空虚和寂寞。

萧十一郎缓缓道：“所以我总觉得有很多地方都不如狼，它们能做到的事，我无论如何也做不到。”

沈璧君柔声道："这只因为你根本就不是狼，是人……一条狼若勉强要做人的事，也一定会被它的同伴看成呆子，是么？"

萧十一郎又沉默了很久，喃喃道："不错，人是人，狼是狼，狼不该学人，人为什么要去学狼呢？"

他忽然笑了，道："我已有很久没到这里来，那屋子里的灰尘一定已经有三寸厚，我先去打扫打扫，你……你能走动了么？"

沈璧君嫣然道："看来老天无论对人和对狼都同样公平，我在那泥沼里泡了半天，现在伤势也觉得好多了。"

萧十一郎笑道："好，你若喜欢，不妨到那边泉水下去冲洗冲洗，我就在屋子里等你。"

"我就在屋子里等你。"

这自然只不过是很普通的一句话，萧十一郎说这句话的时候，永远也不会想到这句话对沈璧君的意义有多么重大。

沈璧君这一生中，几乎有大半时间是在等待中度过的。

小的时候，她就常常坐在门口的石阶上，等待她终年游侠在外的父母回来，常常一等就是好几天，好几个月。等着看她父亲严肃中带着慈爱的笑容，等着她母亲温柔的拥抱，亲切的爱抚……

直到有一天，她知道她的父母永远再也不会回来了。

那天她没有等到她的父母，却等到了两口棺材。

然后，她渐渐长大，但每天还是在等待中度过的。

早上，她很早就醒来，却要躺在床上等照顾她的奶妈叫她起来，带她去见她的祖母请安。

请过安之后，她就要等到午饭时才能见到祖母了，然后再等着晚饭，每天只有晚饭后那一两个时辰，才是她最快乐的时候。

那时她的祖母会让她坐在脚下的小凳子上，说一些奇奇怪怪的故事给她听，告诉她一些沈家无敌金针的秘诀，有时还会剥一个枇杷，几瓣橘子喂到她嘴里，甚至还会让她摸摸她那日渐稀疏的白发，满是皱纹的脸。

只可惜那段时候永远那么短，她又得等到明天。

她长得愈大，就觉得等待的时候愈多，但那时她等的已和小时不同，也不再那么盼望晚饭的那段短暂的快乐。

她等的究竟是什么呢？连她自己也不知道。

也许她也和世上所有别的女孩子一样，是在等待着她心目中的如意郎君，骑着白马来接她上花轿。

她比别的女孩子运气都好，她终于等到了。

连城璧实在是个理想的丈夫，既温柔，又英俊，而且文武双全，年少多金，在江湖中的声望地位更很少有人能比得上。

无论谁做了他的妻子，不但应该觉得满足，而且应该觉得荣耀。

沈璧君本也很知足了。

但她还是在等，常常倚着窗子，等待她那位名满天下的丈夫回来，常常一等就是好几天，好几个月……

在等待的时候，她心里总是充满了恐惧，生怕等回来的不是她那温柔多情的丈夫，而是一口棺材。

冷冰冰的棺材！

对于“等”的滋味，世上只怕很少有人能比她懂得更多，了解得更深。

她了解得愈深，就愈怕等。

怎奈她这一生中却偏偏总是在等别人，从来也没有人等她。

直到现在，现在终于有人在等她了。

她知道无论她要在这里停留多久，无论她在这里做什么，只要她回到那边的屋子里，就一定有人在等着她。

虽然那只不过是间很简陋的小木屋，虽然那人并不是她的什么人，但就这份感觉，已使她心里充满了安全和温暖之意。

因为她知道自己并不是孤独的，并不是寂寞的。

泉水虽然很冷，但她身上却是暖和的。

她很少有如此幸福的感觉。

除了一张木床外，屋子里几乎什么都没有，显得说不出的冷清，说不出的空虚，每次萧十一郎回到这里来，开始时也许会觉得很宁静。

但到了后来，他的心反而更乱了。

他当然还可以再做些桌椅和零星的用具，使这屋子看来不像这么冷清，但他却并没有这么样做。

因为他知道，屋子里的空虚虽可以用这些东西填满，但他心里的空虚，却是他自己永远无法填满的。

直到现在——

这屋子虽然还是和以前同样的冷清，但他的心，却已不再空虚寂寞，竟仿佛真的回到家了。

这是他第一次将这地方当作“家”！

他这才知道“回家”的感觉，竟是如此甜蜜，如此幸福。

他虽然也在等着，但心里却很宁静。

因为他知道他等的人很快就会回来，一定会回来……

屋子里只要有个温柔体贴的女人，无论这屋子是多么简陋都没关系了，世上只有女人才能使一间屋子变成一个“家”。

世上也只有女人才能令男人感觉到家的温暖。

所以这世上不能没有女人。

大多数男人都有种“病”——懒病。

能治好男人这种病的，也只有女人——他爱的女人。

也不知为了什么，萧十一郎忽然变得勤快起来了。

木屋里开始有了桌子、椅子，床上也有了柔软的草垫，甚至连窗户上都挂起了竹帘子。

虽然萧十一郎并不住在这屋子里，每天晚上，他还是睡在外面的石岩上，但他却还是认为这屋子就是他的家，所以他一定要将这家弄得漂漂亮亮、舒舒服服的。

因为这是他第一次有了个家。

现在，桌上已有了花瓶，瓶中已有了鲜花。

吃饭的时候已有了杯、盘、碗、盏，除了那四时不断的鲜果外，有时甚至还会有一尾煎鱼，一盘烤得很好的兔肉，一杯用草莓或是葡萄酿成的酒，虽然没有盐，但他们还是吃得津津有味。

萧十一郎有双很巧的手。

普普通通一块木头，到了他手里，很快就会变成一只很漂亮的花瓶、一个很漂亮的酒杯。

泉水中的鱼、草丛中的兔，只要他愿意，立刻就会变成他们的晚餐，沈璧君用细草编成的桌布，使得他们的晚餐看来更丰富。

他们的伤，也好得很快。

这固然是因为泥沼中有种神奇的力量，但情感的力量却更神奇、更伟大；世上所有的奇迹，都是这种力量造成的。

有一天早上，萧十一郎张开眼睛的时候，看到沈璧君正将一张细草编成的“被”轻轻盖在他身上。

看到他张开眼睛，她的脸就红了，垂下头道：“晚上的露水很重，还是凉得很……”

萧十一郎瞧着她，似已忘了说话。

沈璧君头垂得更低，道：“你为什么不再盖间屋子？否则你在外面受着风露，我却住在你的屋子里，又怎能安心？”

于是萧十一郎就更忙了。

原来的那间小木屋旁又搭起了屋架……

人，其实并不如自己想象中那么聪明，往往会被眼前的幸福所陶醉，忘了去想这种幸福是否能长久。

第十六章

柔肠寸断

有一天，萧十一郎去汲水的时候，忽然发现沈璧君一个人坐在泉水旁，垂头瞧着自己的肚子。

她像是完全没有发觉萧十一郎已走到她身旁。

萧十一郎忍不住问道：“你在想什么？”

沈璧君似乎吃了一惊，脸上立刻发生了一种很奇怪的变化，过了很久才勉强笑了笑，道：“没有，我什么都没有想。”

萧十一郎没有再问下去。

他方才问出了那句话，已在后悔了。

因为他知道女人在说“什么都没有想”的时候，其实心里必定在想着很多事，很多她不愿被别人知道的事。

这些事却又偏偏是别人一定会猜得出来的。

萧十一郎当然知道沈璧君在想什么。

第二天，沈璧君就发现那间已快搭成的屋子又拆平了。

那几罐还没有酿成的酒也空了。

萧十一郎坐在树下，面上还带着酒意，似乎一夜都未睡过。

沈璧君的心忽然跳得快了起来。

她已隐隐感觉到有什么不幸的事将要发生。

嗫嚅着问道：“你……你为什么要将屋子拆了？”

萧十一郎面上一点表情也没有，甚至瞧也没有瞧她一眼，只是淡淡地道："既然已没有人住了，为什么不拆？"

沈璧君道："怎……怎么会没有人住？你……"

萧十一郎道："我已要走了。"

沈璧君全身都似已忽然凉透，嗄声道："走？为什么要走？这里不是你的家么？"

萧十一郎道："我早已告诉过你，我没有家，而且是个天生的贱骨头，在这里待不上两个月，就想出去惹惹麻烦了。"

沈璧君的心像是有针在刺着，忍不住道："你说的这是真话？"

萧十一郎道："我为什么要说谎？这种日子我本来就过不惯的。"

沈璧君道："这种日子有什么不好？"

萧十一郎冷冷道："你认为好的，我未必也认为好，你和我根本就不同，我天生就是个喜欢惹麻烦找刺激的人。"

沈璧君眼圈儿已湿了，道："可是我……"

萧十一郎道："你也该走了，该走的人，迟早总是要走的。"

沈璧君虽然在勉强忍耐着，但眼泪还是忍不住流了下来。

她忽然明白了萧十一郎的意思。

"他并不是真的想走，只不过知道我要走了。"

"我本来就没法子永远待在这里。"

"该走的人，迟早总是要走的。"

"我就算想逃避，又能逃避到几时？"

沈璧君咬了咬牙，道："我们什么时候走？"

萧十一郎道："现在就走。"

沈璧君道："好。"

她忽然扭转头，奔回木屋，木屋中立刻就传出了她的哭声。

萧十一郎面上还是一点表情也没有。

风吹在他身上，还是暖洋洋的。

但外面的湖水却已结冰了……

出了这山谷，沈璧君才知道现在已经是冬天！

冬天来得实在太快了。

道路上已积满冰雪，行人也很稀少。

萧十一郎将山谷中出产的桃子和梨，拿到城里的大户人家去卖了几两银子——在冬天，这种水果的价值自然特别昂贵，他要的价钱虽不太高，却已足够用来做他们这一路上的花费了。

于是他就雇了辆骡车，给沈璧君坐。

他自己却始终跨在车辕外。

沈璧君这才知道：原来“大盗”萧十一郎所花的每一文钱，都是正正当当、清清白白，用自己劳力换来的。

他纵然出手抢劫过，为的却是别的人、别的事。

沈璧君这才知道“大盗”萧十一郎原来是这么样一个人。

若非她亲眼瞧见，简直不信世上会有这种人存在。

她对萧十一郎的了解虽然愈来愈深，距离却似愈来愈远。

在那山谷中，他们本是那么接近，接近得甚至可以听到对方的心声。

他一出了山谷，他们的距离立刻就远了。

“难道我们真的本来就是生活在两个世界中的人？”

雪，下得很大，已下了好几天。

山下的小客栈中，除了他们，就再也没有别的客人。

沈璧君又在“等”了。

现在她等的是什么？

是离别！只有离别……

忽然间，一辆马车停在门外，萧十一郎一下了马车就冲进来，脸色虽然很苍白，神情却很兴奋。

看到萧十一郎回来，沈璧君心里竟不由自主泛起一阵温暖之意。连忙就迎了出去，嫣然道："想不到今天你也会坐车回来。"

对大多数男人说来，世上也许很少有比他所喜爱的女孩子的笑容更可爱、更能令他愉快的事了。

平常沈璧君在笑的时候，萧十一郎的目光几乎从来也舍不得离开她的脸。这也许只因为他知道他能看到她笑容的机会已不多了。

但今天，他却连瞧都没有瞧她一眼，只是淡淡道："这辆车是替你叫来的。"

沈璧君怔了怔，道："替我……叫来的……"

女人的确要比男人敏感得多，看到萧十一郎的神情，她立刻就发现不对了，脸上的笑容已渐渐凝结。

萧十一郎道："不错，是替你叫来的，因为这附近的路你都不熟悉。"

沈璧君的身子在往后缩，似乎突然感觉到一阵刺骨的寒意。她想说话，但嘴唇却在不停地颤抖。

因为她知道，萧十一郎每天出去，都是为了打探连城璧的消息。

过了很久，她才鼓起勇气，道："你……是不是已找到他了？"

萧十一郎道："是。"

他的回答很简短，简短得像是针，简短得可怕。

沈璧君脸上的表情也正像是被针刺了一下。

她一向是个很有教养的女人，她知道，一个女人听到自己丈夫的消息时，无论如何都应该觉得高兴才对。

但也不知为了什么，她竟无法使自己做出惊喜高兴的样子。

又过了很久，她才轻轻问道："他在哪里？"

萧十一郎道："门口那车夫知道地方，他会带你去的。"

沈璧君面上终于露出了笑容，道："谢谢你。"

她当然知道这三个字是从自己嘴里说出来的，但声音听来却那么生疏，那么遥远，就仿佛是在听一个陌生人说话。

她当然也知道她自己在笑，但她的脸却又是如此麻木，这笑容简直就像是在别人的脸上。

萧十一郎道："不必客气，这本是我应该做的事。"

他的声音很冷淡，表情也很冷淡。

但他的心呢？

沈璧君道："你是不是叫车子在外面等着？"

萧十一郎道："是！好在现在时候还早，你还可以赶一大段路，而且……你反正也没有什么行李要收拾。"

他面上忽然露出一种很奇怪的笑容，接着又道："而且我知道你一定很急着要走的。"

沈璧君慢慢地点着头，道："是，我已经有很久没有见过他了。"

萧十一郎道："好，你快走吧！以后我们说不定还有见面的机会。"

两个人话都说得很轻、很慢，像是用了很大的力气才能说出来。

这难道真是他们心里想说的话，世上又有几人能有勇气说出来？

老天既然要叫他遇着她，为何又要令他们不能不彼此隐瞒，彼此欺骗，甚至要彼此伤害……

萧十一郎忽然转过身，道："你还有一段路要走，我不再耽误你了，再见吧。"

沈璧君道："不错，我还有很长的一段路要走，你……你是不是也要走了？"

萧十一郎淡淡道："是，一个人只要活着，就得不停地走。"

沈璧君忽然咬了咬嘴唇，大声道："我还想做一件事，不知道你答不答应？"

萧十一郎虽然停下了脚步，却没有回头，道："什么事？"

沈璧君道："我……我想请你喝酒。"

她像是已鼓足了勇气，接着又道："是我请你，不是你请我，不说别的，只说你天天都在请我，让我回请一次也是应该的。"

萧十一郎道："可是你……"

沈璧君笑了笑，道："我虽然囊空如洗，但这东西至少还可以换几坛酒，是不是？"

她拔下了头上的金钗。

这金钗虽非十分贵重，却是她最珍惜之物，因为这是她婚后第一天，连城璧亲手插在她头上的。

她永远也没有想到自己会用这金钗来换几坛酒。

但现在她却绝没有丝毫吝惜，只要能再和萧十一郎喝一次酒，最后的一次，无论要什么代价，都是值得的。

萧十一郎为她牺牲了这么多，她觉得自己至少也该为他牺牲一次。

她知道自己这一生是无论如何也无法报答他了。

萧十一郎终于转过身，瞧见了她手里的金钗。

他似乎有许多话要说，但到最后，却只是淡淡地笑了笑，道："你知道，只要有酒喝，我从来也没法子拒绝的。"

醉了，醉得真快，一个人若是真想喝醉，他一定会醉得很快。

因为他纵然不醉，也可以装醉。最妙的是，一个人若是一心想装醉，那么到后来往往会连他自己也分不清究竟是装醉，还是真醉了。

萧十一郎又在哼着那首歌。酒醉了的人往往不能说话，却能唱歌，因为唱歌实在比说话容易得多。

沈璧君又静静地听了很久，她还很清醒，因为她不敢醉，她知道自己一醉就再也无法控制自己，她生怕自己会做出一些很可怕的事。

不敢死的人，常常反而死得快些。

但不敢醉的人，却绝不会醉，因为他心里已有了这种感觉，酒喝到某一程度时，就再也喝不下去，喝下去也会吐出来。

一个人的心若不接受某件事，胃也不会接受的。

歌声仍是那么苍凉、那么萧索。

沈璧君的眼眶渐渐湿了，忍不住问道："这首歌我已听过许多次，却始终不知道这首歌究竟是什么意思？"

歌声忽然停顿，萧十一郎的目光忽然自遥远朦胧的远方收了回来，凝注着沈璧君的脸，道："你真想知道？"

沈璧君道："真的。"

萧十一郎道："你听不懂，只因这本是首关外蒙人唱的牧歌，但你若听懂了这首歌的意思，恐怕以后就永远再也不想听了。"

沈璧君道："为什么？"

萧十一郎面上又露出了那种尖刻的讥诮之意，道："因为这首歌的意思，绝不会被你们这种人所能了解，所能欣赏的。"

沈璧君垂下了头，道："也许……也许我和别的人有些不同呢？"

萧十一郎眼睛盯着她，良久良久，忽然大声道："好，我说，你听……"

他摸索着，找着了酒，一饮而尽，缓缓接着道："这首歌的意思是说，世人只知道可怜羊，同情羊，绝少会有人知道狼的痛苦、狼的寂寞，世人只看到狼在吃羊时的残忍，却看不到它忍受着孤独和饥饿，在冰天雪地中流浪的情况，羊饿了该吃草，狼饿了呢？难道就该饿死吗？”

他语声中充满了悲愤之意，声音也愈说愈大！

“我问你，你若在寒风刺骨的冰雪荒原上流浪了很多天，滴水未沾，粒米未进，你若看到了一条羊，你会不会吃它？”

沈璧君垂着头，始终未曾抬起。

萧十一郎又喝了杯酒，忽然以筷击杯，放声高歌：

暮春三月，羊欢草长；天寒地冻，问谁饲狼？

人心怜羊，狼心独怆；天心难测，世情如霜……

歌声高亢，唱到这里，突然撕裂。

沈璧君目中已流下泪来。

萧十一郎已伏在桌上，挥手道：“我醉欲眠君且去！你走吧……快走吧，既然迟早都要走，不如早些走，免得别人赶你……”

沈璧君的心从来也没有这么乱过。

她知道这一次是必定可以回去了，回到她熟悉的世界，一切事又将回复安定、正常、平静。

这一次她回去了，以后绝不会有任何人、任何事再来扰乱她。

这本是她所企求的，她本该觉得高兴。

但现在……

她拭干了泪痕，暗问自己：“萧十一郎若是拉着我，要我不走，我会不会为他留下呢？”

“我会不会为他而放弃那种安定正常的生活，放弃荣誉和地位，放弃那些关心我的人，放弃一切？”

她不敢再想下去。

她知道自己并不是个坚强的人，她不敢试探自己。

她甚至不敢再想萧十一郎对她的种种恩情，不敢再想他那双明亮的眼睛，眼睛里的情意。

现在，她只想连城璧。

她决心要做连城璧忠实的妻子，因为……

现在车马已停下，她已回到她自己的世界。

这是人的世界，不是狼的。

院子里很静，静得甚至可以听到落叶的声音。

因为现在夜已很深，这里又是家很高贵的客栈，住的都是很高贵的客人，都知道自重自爱，绝不会去打扰别人。

连城璧就住在这院子里。

店栈中的伙计以诧异的眼色带着她到这里来，她只挥了挥手，这伙计就走了，连一句多余的话都没有问。

在这种地方做事的人，第一件要学会的事，就是要分清什么是该问的，什么是不该问的。

西面的厢房，灯还亮着。

沈璧君悄悄地走过院子，走上石阶。

石阶只有四五级，但她却似乎永远也走不上去。

也不知为了什么，她心里竟似有种说不出的畏惧之意，竟没有勇气去推开门，没有勇气面对自己的丈夫。

她所畏惧的是什么？

她是不是怕连城璧问她："这些日子你在哪里？"

房子里的灯光虽很明亮，但说话的声音却很低，直到这时，才突然有人提高了声音问道："外面是哪一位？"

声音虽提高了，却仍是那么矜持，那么温文有礼。

沈璧君知道这就是连城璧，世上很少有人能像他这样约束自己。

在这一刹那间，连城璧的种种好处突又回到她心头。她忽然发现自己原来也是在怀念他的。

在这一刹那间，她恨不得冲进屋里去，投入他怀里。

但她却并没有这么样做。

她知道连城璧不喜欢感情冲动的人。

她慢慢地走上石阶，门已开了，站在门口的，正是连城璧。

这两个月来，他一直在苦苦寻找他的妻子，一直在担心、焦急、思念，现在，他的妻子竟忽然奇迹般出现在门外。

但甚至就在这一刹那间，他也没有露出兴奋、惊喜之态，甚至没有去拉一拉他妻子的手。

他只是凝注她，温柔地笑了笑，柔声道："你回来了？"

沈璧君也只是轻轻点了点头，柔声道："是，我回来了。"

就这么样两句话，没有别的。

沈璧君一颗乱糟糟的心，却突然平静了下来。

她本已习惯于这种淡漠而恬静的感情，现在，她才发现所有的一切都并没有改变。

她不愿说的事，连城璧还是永远不会问的。

在他的世界中，人与人之间，无论是父子、是兄弟、是夫妻，都应该适当地保持着一段距离。

这段距离虽令人觉得寂寞，却也保护了人的安全、尊严，和平静……

屋子里除了连城璧外，还有赵无极、海灵子、屠啸天，南七北六十三省七十二家镖局的总镖头，江湖中人称"稳如泰山"的司徒中平，和武林"六君子"中的"见色不乱真君子"厉刚。

这五人都是名满天下的侠客，也都是连城璧的朋友，自然全都认得沈璧君，五个人虽也没有说什么，心里却都不免奇怪！

“自己的妻子失踪了两个月，做丈夫的居然会不问她这些日子到哪里去了，做了些什么事，做妻子的居然也不说。”

他们都觉得这对夫妻实在怪得少见。

桌子上还摆着酒和菜，这却令沈璧君觉得奇怪了。

连城璧不但最能约束自己，对自己的身体也一向很保重，沈璧君很少看到他喝酒；就算喝，也是浅尝辄止，喝酒到半夜这种事，沈璧君和他成亲以后，简直还未看到过一次。

她当然也不会问。

但连城璧自己却在解释了，他微笑着道：“你没有回来之前，我们本来在商量着一件事。”

赵无极接着笑道：“嫂夫人总该知道，男人们都是馋嘴，无论商量什么事的时候，都少不了要吃点什么，酒更是万万不可少的。”

沈璧君点了点头，嫣然道：“我知道。”

赵无极目光闪动，道：“嫂夫人知道我们在商量的是什么事？”

沈璧君摇了摇头，嫣然道：“我怎会知道！”

她很小的时候就懂得，一个女人若想做人人称赞的好妻子，那么在自己的丈夫朋友面前，面上就永远得带着微笑。

有时，她甚至笑得两颊都酸了。

赵无极道：“十几天以前，这里发生了一件大事，我请连公子他们三位到这里来，为的就是这个。”

沈璧君道：“哦？不知道是什么事呢？”

她本不想问的，但有时“不问”也不礼貌，因为“不问”就表示对丈夫朋友的事漠不关心。

虽然她对赵无极这人的印象一向不太好，因为她总觉得这人的人缘太好，也太会说话了。

会说话的人，难免话多；话多的人，她一向不欣赏。

赵无极道：“这地方有位孟三爷，不知道嫂夫人可曾听说过？”

沈璧君微笑道：“我认得的人很少。”

赵无极道：“这位孟三爷仗义疏财，不下古之孟尝，谁知十多天以前，孟家庄竟被人洗劫一空，家里大大小小一百多口人，不分男女，全都被人杀得干干净净！”

沈璧君皱眉道：“不知道这是谁下的毒手？”

赵无极道：“自然是‘大盗’萧十一郎！”

沈璧君的心骤然跳了起来，失声道：“你是说萧十一郎？”

赵无极道：“不错！除了萧十一郎外，还有谁的心这么黑？手这么辣？”

沈璧君勉强控制着自己，道：“孟家庄既已没有活口，又怎知下手的人必定是他？”

赵无极道：“萧十一郎不但心黑手辣，而且目中无人，每次作案后，都故意留下自己的姓名……”

沈璧君只觉一阵热血上涌，再也控制不住了，大声道：“不可能！下这毒手的绝不可能是萧十一郎！你们都冤枉了他，他绝不是你们想象中那样的人！”

赵无极脸色变了变，勉强笑道：“嫂夫人心地善良，难免会将坏人也当做好人。”

厉刚的眼睛就像是一把刀，盯着沈璧君，忽然道：“但嫂夫人又怎知下这毒手的绝不是他呢？”

沈璧君身子颤抖着，几乎忍不住要冲出去，逃得远远的，再也不要听到这些话，见到这些人。

但她知道她绝不能走，她一定要挺起胸来说话，她欠萧十一郎的已太多，现在正是她还债的时候。

她咬着嘴唇，一字字道："我知道他绝不可能在这里杀人，因为这两个月来，我从未离开过他！"

这句话说出，每个人都怔住了。

沈璧君用不着看，也知道他们面上是什么表情；用不着猜，也知道他们心里在想着什么！

但她并不后悔，也不在乎。

她既已说出这句话，就已准备承当一切后果。

也不知过了多久，连城璧才缓缓道："这件事只怕是我们误会了，我相信内人说的话绝不会假。"

他声音仍是那么平静，那么温柔。

屠啸天慢慢地点着头，喃喃道："一定是误会了，一定……"

赵无极也在不停地点头，忽然长身而起，笑道："嫂夫人旅途劳顿，在下等先告辞，明日再为嫂夫人接风。"

海灵子一句话也没有说，一揖到地，第一个走了出去。

只有司徒中平还是安坐不动。

此人果然不愧是"稳如泰山"，等赵无极、屠啸天、海灵子三个人都走了出去，他才沉声道："厉兄且慢走一步。"

厉刚的嘴虽仍闭着，脚步已停下。

司徒中平缓缓说道："这件事若不是萧十一郎做的，别的事就也可能都不是他做的，这次我们冤枉了他，别的事也可能冤枉了他。"

这句话听在沈璧君耳里，心里真是说不出的感激。

她知道司徒中平的出身只不过是镖局中的一个趟子手，能爬上今日的地位，并不容易。

是以他平日一向小心翼翼，很少开口，唯恐多言贾祸，惹祸上身，以他的身份地位，也实在是不能说错一句话的。

这句话居然从他嘴里说出来，那分量自然和别人说的不同，厉刚虽然未必听得入耳，却也只有听着。

司徒中平道：“你我既然自命为侠义之辈，做的事就不能违背了这‘侠义’二字，宁可放过一千个恶徒，也绝不能冤枉了一个好人。”

他叹了口气，接着道：“常言道：千夫所指，无疾而终。一个人若是受了冤枉无法辩白，那滋味实在比死还要难受。”

沈璧君静静地听着，只觉这一生中从来也未曾听过如此令她佩服，令她感动的话。

司徒中平虽是个很平凡的人，面目甚至有些呆板，头顶已微微发秃，就仿佛是个已历尽中年的悲欢，对人生再也没有奢望，只是等着入土的小人物。

但此刻在沈璧君眼中，此人却似已变得说不出的崇高伟大，她几乎忍不住想要在他那秃顶上亲一下。

司徒中平又道：“萧十一郎若真的不是传说中的那种恶徒，我们非但不能冤枉他，还得想法子替他辩白，洗刷他的污名，让他可以好好地做人。”

他目光忽然转到沈璧君身上，缓缓接着道：“但人心难测，一个人究竟是善是恶，也许并不是短短三两个月中就可以看得出的。”

沈璧君断然道：“但我却可以保证，他绝不是个坏人。”

她垂下头，慢慢地接着道：“这两个月来，我对他了解得很多，尤其是他三番两次地救我，对我还是一无所求，一听到你们的消息，就立刻将我送到这里来……”

说到这里，她语声似已哽咽，连话都说不下去了。

司徒中平道：“既然如此，嫂夫人也该设法洗刷他的污名才是。”

沈璧君咬着嘴唇，黯然道：“他对我的恩情，我本来以为永远也无法报答，只要能洗清他的污名，让他能重新做人，无论什么事我都愿意做的。”

司徒中平沉吟着，道：“不知嫂夫人是什么时候跟他分手的？”

沈璧君道：“就在今天戌时以后。”

司徒中平道：“那么，他想必还在附近？”

沈璧君道：“嗯。”

司徒中平又沉吟了半晌，道：“依我之见，嫂夫人最好能将他请到这里来，让我们看看他究竟是个怎么样的人，对他多了解一些。”

他笑了笑，又道：“萧十一郎的大名，我们已听得多了，但他的人，至今却还没有人见过。”

沈璧君展颜道：“你们若是看见他，就一定可以看出他是怎么样的一个人了，只不过……”

她忽又皱起眉道：“今天却不行。”

司徒中平道：“为什么？”

沈璧君道：“今天……他已经醉了，连话都已说不清楚。”

司徒中平笑道：“他常醉么？”

沈璧君也笑了，道：“常醉。”

司徒中平微笑道：“常喝醉的人，酒量一定不错，而且一定是个直心肠的人，几时若有机会，我倒想跟他喝几杯。”

沈璧君嫣然道：“总镖头有河海之量，天下皆知，无论喝了多少，还是‘稳如泰山’，只不过，我看他也未必会输给你。”

司徒中平笑道：“哦？他今天喝了多少？”

沈璧君道：“大概最少也有十来斤。”

司徒中平悠然道：“能喝十来斤的，已可算是好酒量了，但还得看他是在什么地方喝的酒，喝的是什么酒。”

他笑了笑，接着道：“一个人酒量的强弱，和天时、地利、人和，都有关系。”

沈璧君道：“喝酒的地方并不好，就在城外山脚下的一家小客栈，喝的也不是什么好酒，只不过是普通的烧刀子。”

司徒中平笑道：“如此说来，他酒量果然不错，我倒更想见见他了，只不过……”

他缓缓站起，道：“今日天时已晚，好在这事也不急，等嫂夫人安歇过了，再去请他来也不迟……此刻在下若还不走，就当真是不知趣了。”

他微微一笑，抱拳一揖，又道：“方才那番话，又引动了我的酒兴，不知厉兄可有兴趣陪我再喝两杯去？”

厉刚道：“好！”

他自始至终，只说了这么样一个字。

第十七章

君子的心

人已散了，烛也将残。

闪动的烛光，照着连城璧英俊、温和、平静的脸，使他这张脸看来似乎也有些激动变化。

但等他夹断了烛蕊，烛火稳定下来，他的脸也立刻又恢复平静。

也许太静了。

沈璧君拿起杯酒，又放下，忽然笑了笑，道：“我今天喝了酒。”

连城璧微笑着，道：“我也喝了一点，夜已渐寒，喝点酒就可以暖和些。”

沈璧君沉默了半晌，道：“你……你有没有喝醉过？”

连城璧笑道：“只有酒量好的人，才会喝醉，我想醉也不容易。”

沈璧君叹了口气，幽幽道：“不错，一醉解千愁，只可惜不是每个人都有福气能喝醉的。”

连城璧也沉默了半晌，才笑道：“但你若想喝，我还可以陪你喝两杯。”

沈璧君嫣然一笑，道：“我知道，无论我要做什么，你总是尽量想法子来陪我的。”

连城璧慢慢地倒了杯酒，放到她面前，忽然叹息了一声，道：“只可惜我陪你的时候太少，否则也不会发生这些事了。”

沈璧君又沉默了下来，良久良久，忽然问道："你可知道这两个月来，究竟发生了些什么事？"

连城壁道："我……我知道了一切，却不太清楚。"

沈璧君道："你为什么不问？"

连城壁道："你已说了很多。"

沈璧君咬着嘴唇，道："但你为什么不问问我是怎么会遇见萧十一郎的？为什么不问我怎么会天天见到他？"

为什么？她忽然变得很激动，连城壁却只是温柔地凝注着她。

他还是什么都没有说，只说了一句："因为我信任你。"

这句话虽然只有短短六个字，但却包括了一切。

沈璧君整个人都似已痴了。

无限的温柔，无限的情意，在这一刹那间，忽然一齐涌上她心头，她的心几乎无法容纳下这么多。

她很快地喝完了杯中的酒，忽然伏在桌上，痛哭了起来。

连城壁若是追问她，甚至责骂她，她心里反会觉得好受些。

因为她实在并没有做任何对不起他的事。

但他对她却还是如此温柔，如此信任，处处关心她，处处为她着想，生怕对她有丝毫伤害。

她心里反而觉得有种说不出的歉疚。

因为这两个月来，她并没有像他想她那样想他。

她本来只觉得对萧十一郎有些亏欠，现在她才发现亏欠连城璧的也很多，也是她这一生永远报答不完的。

这种感觉就像是一把刀，将她的心分割成两半。

她简直不知道该怎么样做。

连城璧凝注着她，似也痴了。

这是他的妻子第一次在他面前真情流露，失声痛哭。

他竟不知道该如何安慰她，因为他根本不知道她心里有什么痛苦，他忽然发觉他与他妻子的心的距离竟是如此遥远。

也不知过了多久，他才慢慢地站了起来，慢慢地伸出手，温柔地轻抚着他妻子的柔发。

他的手刚伸过去，又缩回，静静地木立半晌，柔声道："你累了，需要休息，有什么话，等明天再说吧，明天……明天想必是个晴朗的好日子。"

沈璧君似已哭累了，伏在桌上，似已睡着。

但她哪里能睡得着?

她听到她的丈夫轻轻走出去，轻轻地关起门，她也感觉到他的手轻轻摸了摸她的头发，一举一动都是那么温柔，那么体贴。

但她心里却只希望她的丈夫能对她粗暴一次，用力拉住她的头发，将她拉起来，抱入怀里。

她心里虽有些失望，却又说不出的感激。

因为她知道他以前是如此温柔，现在是如此温柔，将来还是会同样的温柔。绝不会伤害她，勉强她。

现在，已痛哭过一场，她心里忽然觉得好受得多。

"以前的事，都已过去了。"

"只要能将萧十一郎的冤名洗清，让他能抬起头来重新做人，我就总算已对他有了些报答。"

"从今以后，我要全心全意做连城璧忠实的妻子，我要尽我所有的力量，使他快乐。"

她已决心要这么样做。

一个人已下了决心，总会觉得平静些的。

但也不知为了什么，她眼泪却又流下了面颊……

夜凉如水。

石阶也凉得很。

连城璧坐在石阶上，只觉一阵阵凉意传上来，凉入他的身体，凉入他的背脊，凉入他的心。

他心里却似有股火焰在燃烧。

“她怎么会遇见萧十一郎的？”

“她为什么要和萧十一郎天天在一起？”

“这两个月来，他们究竟在做什么？为什么她直到今天才回来？”

这些问题，就像是一条毒蛇，在啃噬着他的心。

他若将这些话问出来，问个清楚，反倒好些。

但他却是个有礼的君子，别人不说的话，他绝不追问。

“可是，我虽不问她，她自己也该告诉我的。”

“她为什么不说？她究竟还隐瞒着些什么？”

他尽力要使自己心里坦然，信任他的妻子。

可是他不能。

他的心永远也不能像他表面看来那么平静。

看到他妻子提到“萧十一郎”这名字时的表情，看到她的痛苦悲伤，他忽然觉得萧十一郎和他妻子之间的距离，也许远比他接近得多。

他第一次觉得他对他的妻子完全不了解。

这完全是因为他自己没有机会去了解她，还是因为她根本没有给他机会让他了解她？

秋已深了，连梧桐的叶子都在凋落。

他忽然发现赵无极、屠啸天、海灵子和厉刚从东面厢房中走出来，四个人都已除去了长衫，只穿着紧身的衣服。

他们看到连城璧一个人坐在石阶上，似乎也觉得有些意外，四个人迟疑着，对望了一眼，终于走了过来。

赵无极走在最前面，勉强在笑着，道："连公子还没有睡？"

他们本来是兄弟相称的，现在赵无极却忽然唤他"公子"了，一个人只有在对另一人存有戒心时，才会忽然变得特别客气。

连城璧却只是淡淡笑了笑，道："你们也没有睡。"

赵无极笑得更勉强，道："我们……我们还有点事，想到外面去走走。"

连城璧慢慢地点了点头，道："我知道。"

赵无极目光闪动，道："连公子已知道我们要去做什么？"

连城璧默然半晌，缓缓道："我不知道。"

赵无极终于真的笑了，道："有些事连公子的确还是不知道的好。"

外面隐隐有马嘶之声传来。

原来他们早已令人备好了马。

海灵子忽然道："连公子也想和我们一起去么？"

连城璧又沉默了半晌，缓缓道："有些事，还是不要我去的好。"

于是四个人都走了。

这四人都是武林中的绝顶高手，行动之间，自然不会发出任何声音，但马却不同，奔马的蹄声，很远都可听得见。

所以他们出门后又牵着马走了很久，才上马急驰。

这四人的行踪为何如此匆忙？如此诡秘？

东面厢房中的灯还亮着。

连城璧又静静地坐了很久，似乎在等他面上的激动之色平静，然后，他才慢慢地走了过去。

门是开着的，司徒中平正在屋子里洗手。

他洗了一遍又一遍，洗得那么仔细，就好像他手上沾着了永远也洗不干净的血腥。

也许他要洗的不是手，而是心。

连城璧站在门外，静静地瞧着他。

司徒中平并没有回头，忽然道："你看见他们出去了？"

连城璧道："嗯。"

司徒中平道："你当然知道他们出去做什么？"

连城璧闭着嘴，像是拒绝回答这句话。

司徒中平叹了口气，道："你想必也知道，无论萧十一郎是个怎么样的人，他们都绝不会放过他的。萧十一郎不死，他们只怕连睡都睡不着。"

连城璧忽然笑了笑，道："你呢？"

司徒中平道："我？"

连城璧淡淡道："若不是你探出了萧十一郎的行踪，他们怎么找得到？"

司徒中平洗手的动作突然停了下来，停顿在半空中，过了很久，才从架子上取下块布巾，慢慢地擦着手，道："但我并没有对他们说什么。"

连城璧道："你当然已用不着再说什么。因为你要探问时，已特地将厉刚留了下来，那已足够了。你当然知道厉刚与萧十一郎之间的仇恨。"

司徒中平道："我也没有和他们一齐去。"

连城璧道："身为七十二家镖局的总镖头，行事自然要特别谨慎，不能轻举妄动。"

司徒中平道："但杀死萧十一郎，乃是为江湖除害，非但不是什么见不得人的事，而且光彩得很。”

连城璧道：“这也许是因为你不愿得罪璧君，也许是生怕日后有人发现萧十一郎真是含冤而死，所以宁可置身事外，也不愿去分享这分光彩。”

他笑了笑，淡淡接着道：“司徒总镖头这‘稳如泰山’四字，当真是名下无虚。”

司徒中平忽然转过身，目中带着种奇特的笑意，盯着连城璧道：“你呢？”

连城璧道：“我？”

司徒中平道：“你明知我方才是故意在探听萧十一郎的行踪，明知他们要去做什么，但你却并没有阻止之意，如今为何要来怪我？”

连城璧不说话了。

司徒中平悠然笑道：“你虽未随他们同去，也只不过是因为知道萧十一郎已醉了，他们必可得手，其实你心里又何尝不想将萧十一郎置于死地！而且你的理由比我们都充足得多……”

说到这里，他脸色突然改变。

连城璧也不由自主地转过头，随着他目光瞧了过去。

他立刻发现沈璧君不知何时已站在院子里。

沈璧君全身都在颤抖着，眼泪如断线珍珠般不停地往下流落。

连城璧长长吸了口气，柔声道：“你本该已睡了的……”

他一步步走过去，沈璧君一步步往后退。

连城璧柔声接着道：“院子里很凉。你要出来，至少也得加件衣服。”

沈璧君忽然叫了起来，嘶声道：“不要走近我！”

她流着泪，咬着牙，接着道：“我如今才知道，原来你们是这样的英雄，这样的君子……”

她并没有说完这句，就扭转身，头也不回地冲了出去！

醉了，真的醉了。

真的醉了时，既不痛苦，也不愉快，既无过去，也无将来，甚至连现在都没有，因为脑子里已成了一片空白。

真的醉了时，既不会想到别人，也不会想到自己，甚至连自己所做的事，也像是别人做的，和自己全无丝毫关系。

一个人真的醉了时，所做出的事，一定是他平时想做，却又不敢去做的。

他做这件事，一定是为了一个人，这人一定是他刻骨铭心，永难忘怀的人，就算他脑子里已成了一片空白，就算他已醉死，这人还是在他心底，还是在他骨髓里，已与他的灵魂纠缠成一体。

他会不顾一切地去做这件事，但他自己却不知道自己在做什么，因为他的心已被那人捏在手里。

只有真正醉过的人，才能了解这种感觉。

萧十一郎忽然跳了起来，冲到柜台边，一把揪住掌柜的衣襟，道："拿来！"

掌柜的逃也逃不了，挣也挣不脱，脸已吓白，颤声道："拿……拿什么？"

萧十一郎道："金钗……那金钗……"

清醒的人，对喝醉了的人总是有点害怕的。

萧十一郎一把抢过了金钗，踉跄着走了几步，忽然一跤跌在地上，居然并没有站起来。

他就坐在那里，手里捧着那金钗，痴痴地瞧着。

他也许根本不知道自己在瞧着的是什么？想着的又是什么？

他只是在反反复复地唤着沈璧君的名字。

因为沈璧君这人并不在他脑子里，而在他骨髓里，血液里，在他心底，已与他灵魂纠缠在一起。

他又何必再去想呢?

那掌柜的也明白了，心里也在暗暗叹息：“这一男一女本来很相配，又很相爱，为什么偏要分手？”

萧十一郎痴痴地瞧着、反复地低唤……忽然伏在地上，放声痛哭起来。哭得就像是个孩子。

连那掌柜的心都酸了。

“那位姑娘若是瞧见他这模样，不知道还能不能忍心离开他？”

掌柜的心里暗暗庆幸，自己这一生中还没有为情如此颠倒，如此痛苦，现在又幸而过了为情颠倒的年纪。

他却不知没有经历过这种情感的人，人生中总难免有片空白，这片空白正是所有其他任何事都填不满的。

“道是不相思，相思令人老。几番细思量，还是相思好……”

门外已隐隐传来马蹄声、脚步奔腾声。

忽然间，“砰、砰、砰”，三声大震。

三面的窗子都被踢碎，三个人一跃而入，一人站在门口，手持一柄青森森的长剑，脸色都比剑还青、还冷，正是海南第一高手海灵子！

萧十一郎还似全无感觉，还是坐在那里，痴痴地瞧着手里的金钗，低低地呼唤着沈璧君的名字。

他真的醉了。

从左面窗中跃入的赵无极，眼睛里发着光，笑道：“想不到杀人如草的‘大盗’萧十一郎，居然还是个多情种子。”

厉刚冷笑道：“难怪沈璧君要为他辩白，原来两人已……哼！”

沈璧君，有人在说沈璧君。

萧十一郎忽然抬起头，瞪着厉刚。

其实他也许什么也没有瞧见，但眼神看来却那么可怕。

厉刚竟不由自主后退了一步。

海灵子厉声道："莫等他清醒了，快出手！"

喝声中，他掌中的剑已化为闪电，向萧十一郎咽喉刺出。

萧十一郎也许并不知道这一剑就可要他的命，但二十年从未放下的武功，也已融入了他的灵魂。

他随手一挥。

只听"叮"的一声，他手里的金钗，竟不偏不倚迎着了海灵子的剑锋！

这名扬天下的海南第一剑客，竟被他小小的一根金钗震得退出了两步，连掌中的剑都几乎把握不住。

赵无极脸色变了变。

他自从接掌"先天无极"的门户以后，武功虽未精进，气派却大了不少，无论走到哪里，从来也没有人看见他带过兵刃。

但此时他却从腰畔抽出了一柄精钢软剑，斜斜划了个圆弧，不但身法灵动，气度更是从容潇洒。

"先天无极"门的武功，讲究的本是"以静制动，以逸待劳，以守为攻，以快打慢"。

他剑方出手，只听急风一响，一柄旱烟筒已抢在他前面，向萧十一郎脊椎下的"沧海"穴打了过去。

屠啸天的人看来虽然土头土脑，甚至已有些老态龙钟，但出手却当真是又狠、又准、又快！

赵无极自恃身份，故作从容，出手一向好整以暇，不求急进，但瞧见屠啸天这一招攻出，他手腕突也一震，精钢软剑夹带着锐风，斜斜划向萧十一郎右颈后的大血管，只要这一剑得手，萧十一郎必将血流如注，至死无救。

那边海灵子还未等喘过气来，就又挥剑扑上。

海南剑法本以辛捷狠辣见长，海南门下的剑客不出手则已，一出手必定是立刻要取人性命的杀手!

萧十一郎自出道以来，从未败过，无论谁能杀了他，都是件了不起的事，无名的人必将立刻成名，有名的人名声必将更响，是以这三人都在争先出手，像是生怕被人抢去了这份光彩。

只听又是“叮”的一响，火星四溅。

海灵子的剑竟迎上了赵无极的剑锋。

萧十一郎的人却已自剑锋下滚了出去。

双剑相击，海灵子和赵无极的脸上都不禁有些发红，随手抖出了个剑花，正待转身追击。

但听“嘭”的一声，萧十一郎的身子突然飞了起来，“砰”地，撞上了柜台，鼻下嘴角都已沁出了鲜血。

他实在醉得太厉害，竟未看到一直站在角落里的厉刚。

赵无极、海灵子、屠啸天，三个人抢着出手，谁知反而被厉刚捡了便宜，抢了头功。

海灵子板着脸，冷笑道：“厉兄的三十六路大摔碑手，果然名不虚传，以后若有机会，我少不得要领教领教。”

厉刚的脸上根本从来也瞧不见笑容，冷冷道：“机会必定有的，在下随时候教。”

就在这时，又听得“叮”的一响。

原来这两人说话的时候，屠啸天见机会难得，怎肯错过？掌中的旱烟袋已向萧十一郎头顶的“百会”穴击下。

谁知赵无极的剑也跟了过来，也不知是有意，是无意，剑锋划过烟斗，屠啸天这一招就打歪了。

但他的烟管乃精钢所铸，分量极是沉重。

赵无极的剑也被他震得斜斜飞了上去，两人目光相遇，虽然都想勉强笑一笑，但那神情却比哭还难看得多。

厉刚冷笑了一声，道："此人中了我一掌，不劳各位出手，他也是活不成的了。"

屠啸天勉强笑道："我曾听人说过，若要证明一个人是否真的死了，只有一个法子，就是先割下他的头来瞧瞧。"

赵无极也勉强笑道："不错，这句话我也曾听过，而且从未忘记。"

厉刚冷笑道："这倒简单得很，此刻就算是三尺童子，也能割下他的头颅……"

海灵子突也冷笑了一声，道："只怕未必吧！"

厉刚怒道："未必？"

他目光一转，脸色也变了。

萧十一郎正在瞧着他们发笑。

这双眼睛虽还是蒙蒙眬眬，布满血丝，虽然还带着七分醉意，但不知何时已睁得很大。

一个人若快死了，眼睛绝不是这样子。

赵无极眼珠子一转，淡淡道："姓萧的朋友，你中了厉刚厉大侠的'大摔碑手'，本该赶快闭上眼睛去死才对，为何还睁着眼睛在这里发笑？"

萧十一郎突然大笑起来，笑得连气都透不出。

厉刚纵然深沉，此刻脸也不禁红了，怒喝道："你笑什么？"

萧十一郎笑道："你的'大摔碑手'真像他说的那么厉害么？"

他不等厉刚回答，突然站了起来，挺着自己的胸膛，大笑道：

“来、来、来，我不妨再让你在这里打两巴掌试试。”

厉刚脸色已由红转青，铁青着脸，一字字道：“这是你自取其辱，怨不得我！”

他肩不动，腰不拧，脚下向前踏出了一步，掌尖前探，堪堪触及萧十一郎的胸膛，掌心才突然向外一吐。

这正是内家“小天星”的掌力。

萧十一郎竟不避不闪，硬碰硬接了他这一掌。

只听“嘭”的一声，如击败革。

但这一次萧十一郎竟还是稳稳地站着，动也不动，简直就像是个钉子般钉在地上了。

厉刚脸色发白，再也说不出话来。

他的确已将“大摔碑手”练到九成火候，纵不能真的击石如粉，但一掌击出，只要是血肉之躯，实在不可能挨得住的。

谁知萧十一郎这人竟像是铁打的。

他一掌拍上萧十一郎的胸膛，就觉得有一股潜力反激而出，若不是他下盘拿得稳，只怕已被这一股反激之力震倒。

赵无极、海灵子面面相觑，虽然有些幸灾乐祸，但究竟是同仇敌忾，心里也是惊骇多于欢喜。

只见萧十一郎笑嘻嘻地瞧着厉刚，过了半晌，忽然问道：“你练的这真是‘大摔碑手’么？”

厉刚道：“哼。”

萧十一郎笑道：“以我看这绝不会是大摔碑手，而是另一门功夫。”

赵无极瞟了厉刚一眼，故意问道：“却不知是哪一门功夫？”

萧十一郎目光四转，笑道：“这门功夫我恰巧也学过，我练给你们瞧瞧。”

他吃东西并不太挑嘴，只要是用豆子做的东西，无论是豆腐、豆干、油豆腐、干丝，他都很喜欢吃。

但酒一喝多，无论什么都吃不下了，所以方才他虽然要了盘红烧豆腐，却留下了一大半，还放在那边桌上。

此刻他竟摇摇摆摆地走了过去，伸出手将盘子里的豆腐捞了几块出来，重重往地上一摔。

豆腐自然立刻被摔得稀烂。

萧十一郎居然一本正经地板着脸，道："这门功夫叫'摔豆腐手'，和'大摔碑手'是同路的功夫，只不过是师娘教出来的。"

别人本来还不知道他究竟在干什么，听了这话，才知道萧十一郎不但武功高明，臭人的本事更是高人一等。

海灵子第一个大笑起来。

此时此刻，他本来是笑不出的，他平生也根本从未这么样大笑过，但想到厉刚面上的表情，他笑不出也要笑，而且笑得特别响。

别人一笑，萧十一郎也笑了，笑得弯下了腰。

其实他也笑不出的。

二十年来，死在厉刚"大摔碑手"下的人已不知有多少，萧十一郎挨了他两掌，受的内伤实已很重。

但喝醉了的人，往往不计利害、不知轻重，明明不能说的话一醉就会说了出来，明明不能做的事也照样做了。

因为酒一下肚，明明只有五尺高的人，就会忽然觉得自己有八尺高，明明手无缚鸡之力的人，也会觉得自己是个大力士。

所以喝醉了的人常常喜欢找人打架，无论打不打得过，也先打了再说，就算最聪明的人，一喝醉也会变成呆子。

萧十一郎若在清醒时，当然绝不会以自己的血肉之躯去接厉刚的这一掌，只可惜萧十一郎喝醉了时，也和别的人全没两样。

屠啸天虽也在笑，但萧十一郎的一举一动他都很注意。

姜毕竟是老的辣。

屠啸天比别人多活了二三十年，这二三十年并不是白活的，面上虽在笑着，眼睛里却全无丝毫笑意，突然道：“这门功夫我倒也学过的。”

萧十一郎大笑道：“哦？你是不是也想来试试？”

屠啸天道：“正有此意。”

这四字说出，掌中的旱烟管也已击出。

只觉他手腕震动，一个烟斗似乎变成了三个，分打萧十一郎前胸玄机、乳根、将台，三处大穴。

屠啸天号称海内打穴第一名家，就这一招“三潭印月”，一招打三穴，放眼天下，实已很少有人能比得上。

萧十一郎的身子根本没有动，右手如抓苍蝇，向外一抓，这支旱烟管就莫名其妙地到了他手里。

屠啸天的脸一下子就变得比纸还白。

萧十一郎大笑道：“我只喝酒，不抽烟，这玩意儿我没用。”

他双手一拗，似乎想将这烟管拗断，却不知烟管竟是精钢所铸，他一拗未断，忽然大喝一声，只听得“叮”的一声，烟斗虽被他拗得绷了出去，打在墙上，但他嘴里也喷出了一口鲜血，全都喷在屠啸天的身上。

屠啸天本似已吓呆了，被鲜血一激，突然转身，一个肘拳击上了萧十一郎的胸膛。

这一次萧十一郎再也挨不住了，身子也被撞得飞出，但见剑光一闪，赵无极的剑已闪电般刺入了他胁下。

寻不着车马。

沈璧君力已将竭，一口气已几乎喘不过来。

但她就算力竭而死，也不会停下脚的。

“我绝不能让萧十一郎因我而死，我无论如何也要救他。”

她心里只有这一个念头，别的事她已全不管了。

夜很静。

她认准了方向，全力飞掠，前面有墙，她就掠过墙，前面有屋，她就掠过屋，也不管是谁家的墙院，谁家的屋子。

这种事她以前本不敢做的，但现在她已不在乎。

只要能救得了萧十一郎，无论要她做什么她都不在乎。

一片乌云掩来，掩去了星光月色。

沈璧君忽然发觉自己竟迷失了方向！

萧十一郎倒在墙角下，喘息着。

他眼虽是眯着的，似已张不开，但目光却很清澈。

他的酒终于醒了。

酒不醒反而好些，酒一醒，他忽然觉得全身都痛苦得仿佛要裂开——酒，已化为冷汗流出。

屠啸天仰面大笑道：“现在只怕真连三尺童子都能割下他的脑袋了。”

赵无极微笑道：“既是如此，就让在下来动手吧！”

屠啸天忽然顿住笑声，道：“且慢。”

赵无极皱了皱眉，道：“还等什么？”

屠啸天笑道：“是我杀了他，怎敢劳动掌门人去割他的脑袋。”

赵无极仰天大笑了几声，道：“想不到屠兄近来也学会用剑了。”

屠啸天怔了怔，冷冷道：“我已老朽，已无心再去学剑，好在这管旱烟，也未必就比剑不中用？”

赵无极悠然笑道："这人致命的伤口，明明是剑伤，无论谁都可看得出来，屠兄使的若不是剑，这剑伤是哪里来的呢？"

屠啸天脸色变了变，冷笑道："若非老夫那一拳，这一剑只怕再也休想沾着他的衣裳。"

厉刚突也冷笑了一声，道："若非他早已受了内伤，阁下的头颅，只怕也已和这烟斗一样了。"

海灵子冷冷道："人家站在那里不动，他居然还有脸出手，这样的君子，倒也少见得很！"

厉刚怒道："你有何资格说话？你可曾沾着他的毫发？"

海灵子厉声道："至少我并未乘人之危，捡人便宜。"

突听萧十一郎长长叹了口气，喃喃道："看样子，我这脑袋必定值钱得很，否则这些人怎会你抢我夺，就像狗抢骨头似的？"

四个人脸上阵青阵白，谁也说不出话来。

萧十一郎道："我正头疼得要命，有人能将它割下来，我正求之不得，你们有胆子的，就来拿吧！"

他忽然向屠啸天笑了笑，道："但你现在真有把握能割下我的脑袋么？……你为何不来试试？"

屠啸天脸色发白，竟不由自主后退了半步。

萧十一郎目光移到赵无极身上，道："你呢？你方才抢着动手的，现在为何不来了？"

赵无极的手紧握着剑柄，掌心已沁出了冷汗。

萧十一郎喘息着，道："海南剑派门下，素来心黑而无胆，想必是不敢出手的了。"

海灵子气得发抖，但掌中的剑还是不敢刺出。

百足之虫，死而不僵；狮虎垂危，犹有余威。

萧十一郎道："至于你……"

他目光忽然刀一般盯在厉刚脸上，冷笑道："你这'见色不乱'的真君子，我早已看透你了，你现在只要敢再往前走一步，我就要你立刻死在我脚下！"

厉刚铁青着脸，满头冷汗涔涔而落，但两只脚却生像已被钉在地上，再也无法向前移动半步！

萧十一郎忽又大笑起来。

赵无极忍不住问道："你笑什么？"

萧十一郎道："我笑的是你们这四个无胆的匹夫！"

他大笑着接道："其实我这头颅早已等着你们来割了，你四人无论谁来下手，我都已无力反抗，只可笑你们竟无一人有此胆量！"

四个人面上阵红阵白，竟被骂得抬不起头来！

萧十一郎道："我这头颅虽已等人来取，但凭你们这四人，还不配！"

他忽然抽出了腰畔的刀，仰面长笑道："萧十一郎呀萧十一郎呀，想不到你这颗大好的头颅，竟无人敢来一割，到头来还得要你自己动手！"

赵无极忽然喝道："且慢！"

萧十一郎喘息着，大笑道："你现在再想来割，已来不及了。日后江湖中人总有一日会知道，萧十一郎只不过是死在自己手上的！你们这四位大英雄、大侠客，竟只能在旁边瞧着。"

赵无极淡淡道："我们本就不是什么英雄豪杰，若非早已知道你已烂醉如泥，也许根本就不敢到这里来。"

萧十一郎道："这话倒不错。"

赵无极笑了笑，道："但我们怎会知道你在这里？又怎会知道你醉了呢？"

萧十一郎脸色突然变了，厉声道："你怎会知道的？"

赵无极悠然道：“这是谁告诉我们的，你难道还想不出？”

他冷笑着接道：“连夫人早已将你恨之入骨，要我们来将你乱刀分尸，所以才先灌醉你，只可笑你还捧着她的金钗，自我陶醉，你岂非比我们还要可笑得多？”

萧十一郎忽然狂吼一声，扑了上去！

他伤口上的血本已凝结，这一用力，伤口就又绷裂，鲜血一股股飙了出来。

但这一刀之威，仍是势不可当。

赵无极挥剑迎了上去，“叮”的一声，他虎口已被震裂，掌中剑竟也把持不住！

他整个人都被这一刀震麻了，两腿一软，跌了下去。

萧十一郎的第二刀已又砍下。

赵无极心胆皆丧，再也顾不得什么身份气派，就地一滚，滚出了七八尺，“砰”地撞在柜台角上，额角立刻被撞出了个大洞。

萧十一郎已又追了过来。

赵无极魂都吓飞了，只见他刀已扬起，突然“当”地落在地上，他身子摇了摇，也随着倒下。

第十八章

亡　命

萧十一郎毕竟不是铁打的！

他血流个不停，力气也流尽了。

赵无极又一滚，抄起了地上的刀，狂笑道：“我迟早还是要你死在我手上！”

霹雳一声，暴雨倾盆。

一阵狂风自窗外卷入，卷倒了屋子里的两支残烛。

赵无极刀已扬起，眼前忽然什么也瞧不见了。

黑暗，死一般的黑暗，死一般的静寂，甚至连呼吸声都听不见。

赵无极的手紧握着刀柄，他知道萧十一郎就在刀下！

但萧十一郎真的还在那里么？

赵无极的掌心正淌着冷汗。

突然间，电光一闪。

萧十一郎正挣扎着想站起来，但随着闪电而来的第二声霹雳，又将他震倒，就倒在刀下。

赵无极的手握得更紧，静等着另一次闪电。

这一刀砍下去，一定要切切实实砍在萧十一郎脖子上！

这一刀绝不能再有丝毫差错。

隆隆的雷声已经终于完全消失，正已到了第二次闪电击下的时候。

闪电一击，萧十一郎的头颅就将随着落下。

想到这一刻已近在眼前，赵无极的心也已不禁加速了跳动。

他只恨现在烛火已灭，不能看见萧十一郎面上的表情。

就在这时，屋子里突然多了阵急促的喘息声。

门外雨声如注，这人似乎自暴雨中突然冲了进来，然后就动也不动地站在那里，因为他也必定什么都瞧不见。

他想必也在等着那闪电一击。

这人是谁?

赵无极不由自主向后面瞧了一眼，虽然他也明知道是什么也瞧不见的，但还是忍不住要去瞧瞧。

就在这时，电光又一闪!

一个人披头散发，满身湿透，瞪大了眼睛站在门口，目光中充满了惊惶、悲愤、怨恨、恐惧之意。

是沈璧君。

赵无极一惊，沈璧君也已瞧见了他，手突然一扬。

电光一闪即熄，就在这将熄未熄的一刹那间，赵无极已瞧见沈璧君手中有一蓬金丝暴射而出!

这正是沈璧君家传，名震天下的夺命金针!

赵无极已顾不得伤人，抖手挽起一片刀花，护住了面目，身子又就地向外滚出了七八尺，砰的一声，也不知撞上了什么。

又一声霹雳震击过，电光又一闪。

沈璧君已冲了过来，扑倒在萧十一郎身上。

四下又是一片黑暗，震耳的霹雳声中，她甚至连萧十一郎的喘息声都听不见，但她的手却已摸到他身上有湿黏黏的一片。

是血!

沈璧君嘶声道："你们杀了他！……是谁杀了他？"

凄厉的呼声，竟似比雷声更震人心弦。

黑暗中，一只手向沈璧君抓了过来。

雷声减弱，电光又闪。

沈璧君瞧见了这只手，枯瘦、乌黑得如鹰爪。正是海灵子的手。

海灵子另一只手还紧握着剑，似乎想一把抓开沈璧君，接着再一剑刺穿萧十一郎的咽喉！

但他也瞧见了沈璧君的眼睛，比闪电还夺人的眼睛！

火一般燃烧着的眼睛！

直到闪电再亮，他的手还停顿在那里，竟不敢抓下去！

沈璧君厉声道："滚！滚开！全都滚开！无论谁敢再走近一步，我就叫他后悔终生！"

呼声中，她已抱起萧十一郎，乘着黑暗向门外冲出。

只听一人道："且慢！"

电光再闪，正好映在厉刚脸上。

他铁青的脸被这碧森森的电光所映，映得更是说不出的诡秘可怖。

沈璧君怒喝道："闪开！你有多大的胆子，敢拦住我？"

闪光中，她的手似又扬起！

厉刚也不知是被她的气势所慑，还是畏惧她手里的夺命金针，竟不由自主向后退了两步。

沈璧君已向他身旁冲了出去。

屠啸天长长叹了口气，道："纵虎归山，萧十一郎这一走，日后我们只怕就难免要一个个死在他手上了！"

厉刚怒道："你为何不来拦住她？"

屠啸天叹道："你莫忘了，沈璧君毕竟是连城璧的妻子！她若受了伤，谁承当得起？”

赵无极忽然笑了笑，道：“但你若是连城璧，现在还会认她做妻子么？”

屠啸天默然半晌，忽也笑了笑，道：“无论如何，我们现在再追也不迟，反正她也走不远的。”

厉刚道：“不错，追！”

暴雨如注。

雨点打在人身上，就好像一粒粒石子。

无边的黑暗，雨水帘子般挂在沈璧君眼前。

她根本瞧不清去路，也不知道究竟该逃到哪里去。

天地虽大，却似已无一处能容得下他们两个人。幸好后面还没有人追来，沈璧君放慢了脚步，迟疑着道：“该走哪条路？”

电光一闪，她忽然发觉一个人痴痴地站在暴雨中，正痴痴地在瞧着她。

是连城璧！他怎么也到了这里？

沈璧君虽然并没有看清他的面目，但这双眼睛，眼睛里所包含的这种情意，除了连城璧还有谁？

她的脚忽然似乎被一种虽然无形但却巨大的力量拖住！

无论如何，连城璧毕竟是她的丈夫。

电光又一闪，这一次，她才看清了他。

他全身都已湿透，雨水自他头上流下来，流过他的眼睛，流过他的脸。他却只是痴痴地站在那里，动也不动。

他目中既没有怨恨，也没有愤怒，只是痴痴地望着她，全心全意地望着她，除了她之外，他什么都已瞧不见，什么都不在乎。

连城璧本来永远都是修饰整洁，风度翩翩的，无论任何人，在任何时候瞧见他，他都像是一株临风的玉树，神采照人，一尘不染。

但现在——

沈璧君从来也没有看见他如此消沉，如此狼狈过。

她突然觉得一阵热血上涌，连喉头都似被塞住，情不自禁向他走了过去，嗄声道：“你……你一直在跟着我？”

连城璧慢慢地点了点头。

沈璧君道：“但你并没有来拦住我。”

连城璧沉默了半晌，缓缓道：“只因我明白你的心意……”

沈璧君道：“你明白么？真的明白？”

连城璧叹道：“若不是你，他不会落得如此地步，你怎么能不救他？”

忽然间，沈璧君整个人似也痴了，心里也不知是悲伤，还是欢喜？

“无论如何，他毕竟还是了解我的。”

在这一刹那间，连城璧若是叫她带着萧十一郎逃走，她也许反而会留下，以后她纵然还是会后悔。

但在这一刹那间，她绝不忍抛下他一个人孤零零地站在暴雨中。

连城璧柔声道：“我们回去吧，无论他受的伤多么重，我都会好好照顾他的，绝不会让任何人再伤他毫发。”

沈璧君突然向后面退了两步，道：“你……你相信他不是坏人？”

连城璧道：“你说的话，我几时怀疑过？”

沈璧君身子忽然颤抖了起来，颤声道：“但他们方才要来杀他时，你并没有拦阻，你明知他们要来杀他，却连一句话也没有说。”

她一面说，一面向后退，突然转身飞奔而出。

连城璧忍不住喝道：“璧君……”

沈璧君大声道：“你若真的相信我，现在就该让我走，否则以后我永远也不要见你，因为你也和别人一样，是个伪君子！”

连城璧身形已展动，又停下！

雨更大了。

沈璧君的身形已消失在雨水中。

只听一人叹道：“连公子的涵养，果然非人能及，佩服佩服。”

震耳的霹雳声中，这人的语声还是每个字都清清楚楚地传入连城璧耳里，只可惜他的脸色别人却无法瞧见。

一个人手里撑着柄油伞，慢慢地自树后走了出来，闪电照上他的脸，正是“稳如泰山”司徒中平。

他脸上带着诡秘的微笑，又道：“在下若和连公子易地相处，萧十一郎今日就再也休想逃走了，也正因如此，所以在下最多也不过只是个保镖的，连公子却是名满天下、人人佩服的大侠，日后迟早必将领袖武林。”

连城璧脸上连一点表情都没有，淡淡道：“你究竟想说什么？”

司徒中平笑道：“我只是说，连公子方才若杀了他，虽只不过是举手之劳而已，但怕被人知道连公子也会乘人之危，岂非于侠名有损？连夫人更难免伤心，如今连公子虽未杀他，他反正也是活不长的。”

连城璧没有说话。

司徒中平道：“方才赵无极他们也已追了过来，连夫人虽未瞧见，连公子却自然不会瞧不见，现在他们既已追去，夜雨荒山，以连夫人之力，又还能逃得多远？既然已有人杀他，连公子又何必自己出手？”

连城璧沉默了良久，缓缓道：“这些话，你自然不会对别人说的，是么？”

司徒中平道：“连公子也知道在下一向守口如瓶，何况，在下此时正有求于连公子。”

连城璧淡淡道：“你若非有求于我，也不会故意在我面前说这些话

了。”

司徒中平大笑着道：“连公子果然是目光如炬，其实在下所求之事，在连公子也只不过是举手之劳而已。”

连城璧忽然笑了笑，道：“江湖中人人都知道司徒中平‘稳如泰山’，依我看，却未必。”

司徒中平脸色变了变，勉强笑道：“在下也正和连公子一样，本就是别人无法看透的。”

连城璧沉下了脸，冷冷道：“你看我是个会被人所胁的人么？”

司徒中平身子不由自主向后缩了缩，再也笑不出来。

连城璧叹了口气，道：“其实我也知道，你如此做，也是情非得已，只因你要求我的事，平时我是绝不会答应的。”

司徒中平变色道：“连公子已知道我要求的是什么事？”

连城璧淡淡道：“若要人不知，除非已莫为。你们的事，有几件是我不知道的？但你们只知我涵养很深，却未想到我有时也会翻脸无情的。”

司徒中平依然瞧着他，就像是第一次看到这个人似的。

连城璧叹道：“其实每个人都有两种面目，有善的一面，也要有恶的一面，否则他非但无法做大事，简直连活都活不下去。”

司徒中平满头水流如注，也不知是雨水还是冷汗，突然抛下了手里的油伞，飞也似的逃了出去。

闪电又击下！

连城璧的剑却比闪电还快！

司徒中平连一声惨呼都未发出，长剑已自他后背刺入，前心穿出，将他整个人钉在地上！

连城璧垂首瞧着他，叹息着道：“没有人能真‘稳如泰山’的，也许只有死人……”

他慢慢地拔出剑。

剑锋上的血立刻就被暴雨冲洗得干干净净。

荒山。

闪电照亮了山坳后的一个洞穴。

沈璧君也不管洞穴中是否藏有毒蛇、猛兽，不等第二次闪电再照亮这洞穴，就已钻了进去。

洞穴并不深。

她紧紧抱着萧十一郎，身子拼命往里缩，背脊已触及冰凉坚硬的石壁，她用力咬着嘴唇，不让自己喘息。

雨水挂在洞口，就像是一重水晶帘子。

她忽然觉得自己就像是一匹狼，一匹被猎人和恶犬追踪着的狼，她忽然了解了狼的心情。

赵无极他们并没有放过她。

她虽然没有真的看到他们，但她知道。

一个人到了生死关头，感觉就也会变得和野兽一样敏锐，仿佛可以嗅得出敌人在哪里。

这是求生的本能。

但无论是人或野兽，都会有种错觉，到了一个可以避风雨的地方，就会觉得自己已安全得多。

沈璧君颤抖着，伸出手——

萧十一郎的心还在跳，还有呼吸。

她闭上眼睛，长长叹了口气，过了半晌，他身子突然发起抖来，牙齿也在“咯咯”地打战，仿佛觉得很冷，冷得可怕。

沈璧君心里充满了怜惜，将他抱得更紧。

然后，她就感觉到萧十一郎在她怀抱中渐渐平静，就好像一个受了惊骇的孩子，知道自己已回到母亲的怀抱。

世上只有母亲的怀抱才是最安全的。

虽然外面还是那样黑暗，风雨还是那么大，虽然她知道敌人仍在像恶犬般追踪着她。

但她自己的心忽然也变得说不出的平静。一种深挚的、不可描述的母爱，已使她忘却了惊惶和恐惧。

孩子固然要依赖母亲。

母亲却也是同样在依赖着孩子的。

世上固然只有母亲才能令孩子觉得安全，但也唯有孩子才能令母亲觉得幸福、宁静……

这种感觉是奇妙的。

她自己也不知道自己怎会有这种感觉。

因为她还不太懂得真正的爱情。

恋人们互相依赖，也正如孩子和母亲。

闪电和霹雳已停止。

除了雨声外，四下已听不到别的声音了。

沈璧君也不知道是该再往前面逃，还是停留在这里，恍恍惚惚中，她总觉得这里是安全的，绝没有任何人能找得到他们。

她这是不是在欺骗自己？

有时人们也正因为会欺骗自己，所以才能活下去，若是对一切事都看得太明白、太透彻，只怕就已没有活下去的勇气。

恍恍惚惚中，她似又回到了深谷里的那间小小的木屋。

萧十一郎正在外面建筑另一间，雨点落在山石上，就好像他用石锤在敲打着木头。

声音是那么单调，却又是那么幸福。

她眼帘渐渐合起，似已将入睡。

她虽然知道现在睡不得，却已支持不下去……

恐惧并不是坏事。

一个人若忘了恐惧，就会忽略了危险，那才真的可怕。

幸好这时萧十一郎已有了声音！

他身子仿佛微微震动了一下，然后就轻轻问道："是你？"

四下一片黑暗，暗得什么都分辨不出。

沈璧君看不到萧十一郎，萧十一郎自然也看不到她。

但他却已知道是她，已感觉出她的存在。

沈璧君心里忽然泛起了一阵温暖之意，柔声道："是我……你刚刚睡着了？"

萧十一郎很久没有回答，然后才轻轻叹息了一声："你不该来的。"

沈璧君道："为……为什么？"

萧十一郎道："你知道……我不愿意连累你。"

沈璧君道："若不是我，你怎会这样子？本就是我连累了你。"

萧十一郎道："没有你，他们一样会找到我，没有你，我一样能活下去，你明白吗？"

沈璧君道："我明白。"

萧十一郎道："好，你走吧！"

沈璧君道："我不走！"

她很快地接着道："这次无论你说什么，我都不会走了。"

萧十一郎从来也未曾听到她说过如此坚决的话。

她本是很柔弱的人，现在已变了！

他本想再像以前那么样刺伤她，让她不能不走。

但也不知为了什么，那些尖刻的话他竟再也无法说出来。

沈璧君仿佛笑了笑，柔声道："好在那些人已走了，我们总算已逃了出来，等到天一亮，我就可以送你回去，那时我……我再走也不迟。"

萧十一郎又沉默了很久，忽也笑了笑，道："你根本不会说谎，何必说谎呢？"

沈璧君道："我……说谎？"

萧十一郎道："那些人无论哪一个，都绝不会放过我的，我明白得很。"

他声音虽然还是那么虚弱，却已又带着些讥诮之意。

沈璧君道："他们为什么一定要你死？"

萧十一郎道："因为我若死了，他们就可以活得更安全，更有面子。"

沈璧君终于听出了他话中的讥诮之意，试探着问道："是不是只有你才知道他们曾做过哪些见不得人的事？"

萧十一郎没有回答。

沉默就是回答。

沈璧君长长叹息了一声，道："其实，你用不着告诉我，我现在也已看清这些自命侠义之辈的真面目了。"

萧十一郎道："哦？"

沈璧君道："他们说的，跟他们做的，完全是两回事。"

萧十一郎道："所以他们为了要杀我，必定不惜用出各种手段。"

沈璧君道："的确是这样。"

萧十一郎道："所以，你还是走的好，你不必陪我死。"

沈璧君道："我不走！"

她的回答还是只有这三个字。

这三个字里包含的决心，比三万个字还多。

萧十一郎知道自己就算说三十万个字，也无法改变她这决心的。

他只有一个字也不说。

过了很久，沈璧君忽又问道："我知道赵无极他们必定是做过许多亏心事，但厉刚呢？"

萧十一郎冷笑道："你觉得厉刚真是个见色不乱的真君子，是不是？"

沈璧君道："别人都这样说的。"

萧十一郎道："我却只能这么说，在男人面前，他也许是个君子，但遇着单身的美丽女子，他身上恐怕就只剩下头发还像个君子了。"

沈璧君不说话了，因为已说不出话来。

雨还是很大。

萧十一郎忽然道："天好像已有些亮了。"

沈璧君道："嗯。"

萧十一郎道："你真的不肯一个人走？"

这次沈璧君只回答了一个字："是。"

萧十一郎道："好，那么我们一齐走。"

沈璧君又迟疑了。

天已亮了，敌人就在外面，他们一走出去，只怕就要……

沈璧君道："等雨停再走不好么？"

萧十一郎道："我知道你讨厌这场雨，但我却很感激。"

沈璧君道："感激？"

萧十一郎道："就因为这场雨冲乱了我们的足迹，所以他们直到现在还没有找着我们，也就因为这场雨，所以我们才有机会逃走。"

沈璧君道："机会？什么机会？"

暴雨自山路上冲下来，就好像一道小小的瀑布。

厉刚、赵无极、屠啸天、海灵子，在山路的分岔口停下。

赵无极叹了口气，道：“这场雨倒真帮了他们不少忙，非但冲走了他们的足迹，连他们的味道都冲掉了，我们就算带着猎犬，只怕也追不到他们。”

海灵子冷冷道：“他们还是逃不了。”

屠啸天道：“不错，这种路连我们都走不快，何况沈璧君？何况她还带着个重伤的人。”

他笑了笑，接着道：“我们这位连夫人的功夫，大家自然都清楚得很。”

赵无极道：“但至少我们现在就不知道该往哪条路上追。”

厉刚忽然道：“分开来追！”

赵无极沉吟着，道：“也好，我和海道长一道，厉兄……”

厉刚道：“我一个人走。”

这句话未说完，已展动身形，向左面一条山径扑了上去。

赵无极、屠啸天、海灵子，三个人站在那里静静地瞧着他身影消失。

屠啸天悠然道：“这人的掌力虽强，轻功也不弱，脑袋却不怎么样。”

赵无极笑了笑，道：“你是说他选错了路？”

屠啸天道：“不错，沈璧君和萧十一郎绝不会从这条路上逃的。”

海灵子道：“怎见得？”

屠啸天道：“因为这条路比较好走。”

他又解释着道：“一个人在逃命时，反而不会选好走的一条路的，总认为若向难走的一条路逃，别人也就很难找到。”

赵无极笑道：“不错，每个人都难免有这种毛病，我只奇怪，厉刚也是老江湖了，怎会想不到？”

屠啸天望着自雨笠檐前流落的雨水，忽也笑了笑，道：“还有件事，我也始终觉得奇怪。”

赵无极道：“哪件事？”

屠啸天道：“厉刚人称君子，不知也做了些什么见不得人的事，被萧十一郎发觉，所以才非要将萧十一郎杀死不可。”

赵无极笑道：“他坚持要一个人走，只怕也是生怕萧十一郎在我们面前揭穿他的秘密吧。”

萧十一郎似在思索着，沈璧君就又问了句：“什么机会？”

萧十一郎道：“他们猜不出我们往哪条路逃，一定会分开来搜索。”

沈璧君道：“嗯。”

萧十一郎道：“厉刚生怕我在人前说出他的秘密，一定不愿和别人同行。”

沈璧君道：“但赵无极、屠啸天和海灵子呢？他们三个人最近就好像已黏在一起似的。”

萧十一郎道：“但这次他们一定也会分开。”

沈璧君道：“为什么？”

萧十一郎笑了笑，道：“能杀了我，是件很露脸的事，谁也不愿别人分去这份功劳。”

沈璧君道：“可是，他们难道就不怕一个人的力量不够么？”

萧十一郎道：“他们知道我已受了重伤，已无力反抗。”

沈璧君道：“但我却没有受伤。”

萧十一郎又笑了道：“你以为你的武功和他们差不多？”

沈璧君咬着嘴唇，道：“我只知道他们四个人，无论谁也不敢跟我交手。”

萧十一郎叹了口气，道："他们怕你，因为你是沈璧君，是连夫人，并不是为了你的武功。"

沈璧君又不说话了。

萧十一郎道："但他们还是算错了一件事。"

沈璧君道："哦？"

萧十一郎道："他们不知道，野兽对伤痛的忍耐力，总比人强些。"

沈璧君忍不住笑了，道："他们更不知道你的忍耐力比野兽还强。"

萧十一郎道："所以只要我算得不错，以我们两人之力，无论要对付他们其中哪个人，都可以对付得了。"

他缓缓接着道："只要他们分开来追，我们就有机会将他们一个个杀死！"

这句话中已带着种杀气。

沈璧君似乎打了个寒噤，过了半天，才叹息着道："你若猜错了呢？"

萧十一郎道："我们至少总有机会赌一赌的！"

虽然天已亮了，但在暴雨中，目力犹无法及远。

沈璧君扶着萧十一郎走出了山穴，道："我们往哪里去？"

萧十一郎道："哪里都不去，就等在这里！"

沈璧君愕然道："就等在这里？"

萧十一郎道："逃，我们是逃不了的，所以只有等在这里，引他们来。"

沈璧君道："可是……可是……"

萧十一郎没有听她说下去，道："这样做，虽然很冒险，但至少是在以逸待劳，因为我们现在的气力已有限，已不能再浪费了。"

沈璧君望着他，目中充满了爱慕。

她觉得萧十一郎的确是任何人都比不上的。

萧十一郎忽又笑了笑，道："我现在只是在猜想，第一个找到我们的是谁？"

沈璧君道："你猜会是谁？"

萧十一郎道："屠啸天。"

沈璧君道："你为什么猜是他？"

萧十一郎道："他的江湖经验最丰富，轻功也不比别人差。"

他微笑着接着道："第一个抓到鸡的，一定是条老狐狸。"

沈璧君道："他若来了，我该怎么样做？"

萧十一郎沉吟着，道："老狐狸都难免会有种毛病。"

沈璧君道："什么毛病？"

萧十一郎道："疑心病。"

沈璧君道："所以我们就要对准他这毛病下手。"

萧十一郎笑道："一点也不错，我们只要……"

他说话的声音忽然变得很低很低，除了沈璧君外，谁也听不到。

第一个找来的，果然是屠啸天。

他果然是一个人来的。

沈璧君坐在山穴前一块石头上，似已痴了，暴雨如注而下，她仿佛一点感觉都没有，屠啸天来了，她也似没有瞧见。

屠啸天一眼就瞧见了她，却没有瞧见萧十一郎。

萧十一郎莫非躲在山洞里？

屠啸天迟疑着，慢慢地走了过去，脸上带着假笑，故作惊讶，道："连夫人，你怎会在这里？"

沈璧君这才抬头瞧了他一眼，居然笑了笑，道："你怎么到现在才来？”

屠啸天目光闪动着，道：“连夫人难道在等我么？”

沈璧君道：“我迷了路，正在等着人来送我回去。”

屠啸天道：“那位萧十一郎呢？”

沈璧君叹了口气，道：“他已死了，你们本就该知道他是活不长的。”

屠啸天慢慢地点了点头，也叹息着道：“他受的伤确实很重，但若是有名医救治，还是很快就会复原的。”

他忽然笑了笑，接着道：“却不知他的尸身在哪里，也许还未真的断气呢？”

沈璧君目光有意无意地向山洞里瞧了一眼，立刻又垂下头，道：“我跑了半夜，实在一点力气也没有了，只得将他的尸身抛下。”

屠啸天道：“抛在哪里？”

沈璧君讷讷道：“黑夜之中，也不知究竟抛在哪里了，慢慢找，也许还可以找着。”

屠啸天笑道：“一定可以找着的。”

他脸色突然一沉，人已蹿到山洞前，高声道：“姓萧的，事已至此，你躲在里面又有什么用？还是老老实实地出来吧！”

山洞中没有应声。

沈璧君面上却露出了惊惶之色。

屠啸天眼珠子一转，突然蹿到沈璧君身旁，道：“得罪了！”

三个字出口，他已扣住了沈璧君的手腕。

沈璧君变色道：“你想干什么？”

屠啸天道：“也没什么，只不过想请连夫人先走一步，带我到山洞里去瞧瞧。”

沈璧君脸都吓白了，犹疑着，终于跺了跺脚。

屠啸天已将她推入了山洞，厉声道：“姓萧的，你听着，连夫人已在我手里，你若敢玩什么花样，我就叫你们连死都不得好死……”

最后一个“死”字，他并没有说出来。

这“死”字已变作一声惨呼！

他只觉得好像有千百只蜜蜂，一齐钉入了他的后颈和背脊。

沈璧君乘机挣脱了手，反手一掌击出。

屠啸天踉跄后退，退到洞口，霍然转身。

萧十一郎正站在洞外笑嘻嘻地瞧着他。

屠啸天连眼珠子都快凸了出来，咬着牙道：“你……你这恶贼……”

萧十一郎微笑道：“不错，我是恶贼，你却是笨贼，你以为我在洞里，我偏在外面。”

屠啸天道：“你……你……你用的是什么恶毒的暗器？”

萧十一郎道：“只不过是沈家的金针，自然是有毒的那种。”

屠啸天死灰色的脸，突然一阵扭曲。

然后，他的人也倒下。

就在他倒下去的时候，萧十一郎也倒了下去。

沈璧君奔出来，扶起他，柔声道：“你没事么？”

萧十一郎道：“我只怕自己会先倒下来，我若先倒下，他也许就能再多支持一会儿，先将我杀了。”

沈璧君透了口气，嫣然道：“想不到你用金针的手法，并不在我之下。”

萧十一郎叹了口气，道：“一个人到了生死关头，无论做什么都会比平时做得好些的。”

屠啸天自从倒下去后，就没有再动过。

萧十一郎喘息着，瞧着他，喃喃道："幸好老狐狸的疑心病都很重，否则哪有鸡的活路？"

沈璧君道："我将他拖到洞里去好不好？"

萧十一郎道："不好，他还有用。"

沈璧君道："有用？"

萧十一郎闭上眼睛，道："第二个来的，一定是赵无极。"

沈璧君并没有问他是从哪点判断出的。

她已完全相信他。

萧十一郎道："赵无极的为人，不但聪明，而且狡猾。聪明人大多有种毛病，就是自作聪明，狡猾的人大多胆小。"

沈璧君道："你准备怎么样对付他？"

萧十一郎道："我靴筒里有把小刀，你拿出来。"

刀很锋利。

沈璧君轻拭着刀锋，嫣然道："你什么都不讲究，用的刀却很讲究。"

萧十一郎笑了笑，道："我喜欢刀。"

他立刻又接着道："我喜欢它，并不是因为它能杀人。"

沈璧君道："我明白。"

萧十一郎道："好的刀，本身就是完美的，就好像无瑕的璧玉一样，你只要将它拿在手里，心里就会觉得很满足。"

沈璧君道："但'匹夫无罪，怀璧其罪'，好刀常常都会替人找来许多麻烦。"

萧十一郎笑道："我自已惹的麻烦已够多了，有没有好刀都一样。"

说了这几句话，他们都觉得松弛了些。

沈璧君道："你要这把刀干什么？"

萧十一郎拿过了刀，道："你回过头去。"

沈璧君凝注着他道："我不必回头，无论你做什么事，我知道都是对的，何必回头？"

萧十一郎避开了她的目光，一刀插入了屠啸天的胸膛。

然后，他才解释着道："这么样一来，赵无极就会认为我是面对面杀死屠啸天的了。"

沈璧君道："嗯。"

萧十一郎道："对面有两排树，你瞧见了没有？"

沈璧君道："赵无极认为你杀了屠啸天，一定不敢过来，一定会退到那两排树中去，是不是？"

萧十一郎笑道："不错，你不但已学会很多，而且学得很快。"

沈璧君道："但他退过去后又怎样呢？"

萧十一郎道："你将左面一排树，选较柔韧的树枝，弯曲下来，用……用你的头发系在地面的石头或者树根上。"

他凝视着沈璧君，道："你能做得到吗？"

沈璧君情不自禁摸了摸满头流云般的柔发，道："我一定能做到。"

萧十一郎瞧着她，心里充满了感激。

因为他知道女人对自己的头发是多么珍视，有时她们甚至宁愿割下头来，也不愿牺牲头发的。

沈璧君道："你还要我做什么？"

萧十一郎道："右面第三棵树，枝叶最浓密，你就躲到那棵树上去。"

沈璧君道："然后呢？"

萧十一郎道："然后你就等着，等赵无极进入树丛，牵动头发，左面的树枝一下子就会突然弹起，赵无极必定会大吃一惊，以为左面还有埋伏。"

沈璧君眼睛亮了，道："他一定就会往右面闪避退却。"

萧十一郎道："不错，那时你就在树上用金针招呼他。"

沈璧君笑道："我明白了。"

萧十一郎道："但你一定要把握机会，要看准他身法的变化已穷，旧力已竭，新力未生的那一瞬间出手，叫他避无可避，退无可退！"

沈璧君嫣然道："你放心，沈家的金针，毕竟不是用来绣花的。"

萧十一郎长长松了口气，笑道："这就叫安排香饵钓金鳌，不怕他来，只怕他不来！"

突听一人冷笑道："好！果然是妙计！"

第十九章

奇　计

海灵子。

来的是海灵子。

萧十一郎毕竟不是神仙，毕竟有算错的时候。

沈璧君全身都凉了。

头戴雨笠、手持长剑的海灵子，已站在她面前，距离她还不及七尺，湿透了的衣裳蛇皮般紧贴在他枯柴般的身上。

他看来就像是个刚从地狱里逃出来，向人索命的魔鬼！

沈璧君连看都不敢看他，扭过头，去看萧十一郎。

萧十一郎居然在笑。

海灵子冷冷道："两位只怕再也想不到来的会是我吧？"

萧十一郎大笑道："你以为我想不到？其实我早就看到你鬼鬼祟祟地躲在那里了。我那些话就是说给你听的，否则你怎么敢现身？"

他笑得那么开心，说得又那么自然。

连沈璧君都几乎忍不住要相信他这番话是真的。

海灵子脸色也不禁变了变，但脚步并没有停。

他走得并不快，因为他每走一步，脚步与剑锋都完全配合。

他行动时全身几乎完全没有破绽。

他并不是个轻易就会被人两句话动摇的人。

萧十一郎不再等了，因为他知道不能再等了。

他用尽全力，扑了过去。

然后，他倒下。

他气力已不继，就像块石头似的，往半空中跌在海灵子足下。

沈璧君惊呼失声。

海灵子的剑已毒蛇般下击，直刺萧十一郎腰后软胁。

萧十一郎似已不能闪避，身子一缩，以右臀去迎海灵子的剑！

“哧”地一声，剑锋入肉，鲜血四溅。

海灵子面露狞笑，正想拔剑再刺！

谁知萧十一郎突然反手，以肉掌握住了剑锋。

海灵子一挣，未挣脱，身形已不稳。

金针已暴雨般射了过来！

萧十一郎应变的急智，永远是任何人都想象不到的。

他自知力竭，伤重，绝难对敌，竟拼命以血肉之躯去迎海灵子的剑，为的只是要将海灵子毒蛇般的剑扼死！

他必须要给沈璧君一个出手的机会。

他只怕沈璧君会轻易放过这机会，那么他们就必死无疑了！

幸好沈璧君已学会了很多。霎眼间，她已发出七把金针！

“满天花雨”！

这名字虽普通，但却是暗器中最厉害的手法。

萧十一郎先倒下，正是怕阻住她的暗器。

海灵子一声狂吼，撤剑，萧十一郎已滚了过去，抱住了他的腿。他倒下时，胸膛上已多了柄匕首。

一柄几乎完美无瑕的匕首，却刺在这丑恶无比的人身上！

萧十一郎仰面躺着，喘息着，他觉得雨点打在他身上，已不再发疼。

是雨已小了，还是他已麻木?

沈璧君呆呆地站在那里，茫然望着倒在地上的海灵子。

她几乎不相信这是真的。

她整个人都似乎已将虚脱。

萧十一郎挣扎着，像是要爬起来。

沈璧君这才定了定神，赶过去扶住他，柔声道：“你……你的伤……”

看到他的伤口，她眼泪已流下面颊。

萧十一郎道：“我的伤没关系，扶我坐起来。”

沈璧君道：“可是你……你还是躺着的好。”

萧十一郎苦笑道：“我一定要坐起来，否则只怕就要永远躺在这里了！”

雨虽小了，却仍未停。

萧十一郎盘膝坐在海灵子和屠啸天的尸体旁，似在调息。

沈璧君一直在看他，仿佛天地间就只剩下了他这么一个人，仿佛她目光只要离开他，她这人就会崩溃。

萧十一郎眼睛一直是闭着的，突然道：“赵无极，你既已来了，为何还躲在那里？”

沈璧君心一震，目光四下搜索，哪有赵无极的人影?

过了很久很久，萧十一郎突然又道：“赵无极，你既已来了，为何还躲在那里？”

同样的一句话，他竟说了四遍。

每隔盏茶工夫就说一次，说到第三次时，沈璧君已明白他这只不过是在试探，但等他说到第四次时，赵无极果然被他说出来了。

赵无极步履虽很安详，但面上却带着惊讶之色。他自信步履很轻，实在想不通萧十一郎怎会知道他已来了的。

萧十一郎眼睛已张开，却连瞧都没有瞧他一眼，淡淡笑道："我知道你迟早总会来的，想不到你竟来得这么迟，连海灵子都比你早来了一步。"

赵无极目光掠过地上的尸身，脸色也变了，瞪着萧十一郎，满面都是惊讶和怀疑之色。

萧十一郎道："你用不着瞪我，他们两位并不是我杀的！"

赵无极道："不是你？是谁？"

萧十一郎道："我也不知道是谁，他们刚走到这里，就突然倒下去死了。"

赵无极目光闪动，道："他们是自己死的？"

萧十一郎道："不错，你只要走过来，看看他们的伤痕就知道了。"

赵无极非但没有再向前走，反而往后退了几步，道："用不着再往前走了，在这里我就可以看得很清楚！"

萧十一郎道："你不相信我的话？"

赵无极嘴唇动了动，却没有开口。

萧十一郎叹了口气，道："我已力竭，又受了重伤，连逃都逃不了，怎么能杀得死屠大侠和南海剑派的第一高手？"

他又叹了口气，道："现在我坐在这里，只不过是在等死而已。"

赵无极道："等死？"

萧十一郎苦笑道："不瞒你说，现在你若要来割下我的脑袋，我连一点反抗之力都没有，最惨的是，连沈姑娘的金针都用完了。"

沈璧君只觉嘴里在发苦，苦得要命。

她自然知道萧十一郎说的是真话。

但他为什么要说真话？他疯了么？

赵无极若是真的走过来，后果实在是不堪设想。

但赵无极非但没有往前去，反而又退后了几步。

萧十一郎道："你若要杀我，现在就是最好的机会，你为什么还不过来动手？"

赵无极突然仰面大笑起来，笑得几乎淌出了眼泪。

萧十一郎道："你杀人的时候一定要笑么？"

赵无极大笑道："两位一搭一档，戏真演得不错，只可惜在下既没有屠老儿那么土，也没有海灵子那么蠢。"

萧十一郎道："你以为我在骗你？"

赵无极道："我只不过还不想被人在胸膛上刺一刀而已。"

萧十一郎叹了口气，道："这机会太好了，错过了实在可惜。"

赵无极笑道："多谢多谢，阁下的好意，我心领了！"

萧十一郎道："你现在若走，一定会后悔的！"

赵无极笑道："活着后悔，也比死了的好。"

这句话未说完，他身形已倒纵而出。

萧十一郎道："你若想通了，不妨再回来，我反正是逃不了的。"

这句话赵无极也不知听见了没有。

因为话未说完，他已走得踪影不见了。

赵无极一走，沈璧君整个人就软了下来，嫣然道："我真没想到赵无极会被你吓走。"

萧十一郎长长叹息了一声，苦笑着道："你以为我有把握？"

沈璧君道："但我已快急死了，你还是那么沉得住气。"

萧十一郎叹道："那也多亏了这场雨。"

沈璧君道："这场雨？"

萧十一郎道："其实那时我又何尝不是满头冷汗，但赵无极却一定以为那只不过是雨水，我身上的血迹也被雨冲走了。”

他笑了笑，又接着道：“这场雨一下，每个人都变成了落汤鸡，大家都同样狼狈，否则以赵无极的精明，又怎会看不出毛病来？”

沈璧君望着他的笑容，面上忽然露出了忧虑之色。

他虽在笑着，却笑得那么苦涩，那么疲倦。

萧十一郎自然知道她忧虑的是什么。

沈璧君终于忍不住道：“厉刚到现在还没有找来，只怕不会来了吧。”

萧十一郎道：“嗯！只怕是不会来了。”

两人目光相遇，沈璧君突然握住了他的手。

她平时不会这么做的，但现在却不同。

现在也许就是他们相聚的最后一刻了。

他们嘴里虽还在骗着自己，心里却都很明白。

厉刚必定会来的，而且很快就会来了。

就算没有人来，他们也很难再支持下去，厉刚来了，他们哪里还有生路？

厉刚的心，就像是一把刀！

沈璧君凝注着萧十一郎，道：“我……我只要你明白一件事。”

萧十一郎道：“你说。”

沈璧君咬了咬嘴唇，垂下头，柔声道：“无论怎么样，我都绝没有后悔。”

萧十一郎没有说话，也没有移动，整个人却似已痴了。

也不知过了多久，萧十一郎突然道：“只要你肯，我还是有对付厉刚的法子。”

雨渐帘纤。

厉刚摘下了雨笠，用衣袖擦着脸。

他几乎已找遍了半山，几乎已将绝望。

就在这时，他发现了沈璧君和萧十一郎。

萧十一郎仰面倒在那里，海灵子就压在他右边，手里还握着剑，剑已刺入了萧十一郎的胯骨。

屠啸天倒在左边，一只手扣住萧十一郎的脉门，另一只手还印在他心口的“玄机”穴上。

这三人想必经过一场恶斗，已同归于尽了。

再过去几步，才是沈璧君。

她胸膛还在微微起伏着，显然还没有死。

她脸色苍白，长长的睫毛覆盖在眼帘上，湿透了的衣衫，紧紧裹着她那修长却成熟的胴体。

厉刚自从第一眼看到她，目光就没有离开，脚步也没有移动，面上却还是连一丝表情也没有。

沈璧君似已睡着，又似已晕迷，全不知道有人已到了她身旁。

厉刚岩石般的脸，忽然起了一种极奇异的变化，那双刀一般锐利，冰一般冷的眼睛里，也似有股火焰燃烧了起来。

他呼吸也渐渐急促，仿佛叹息了一声，喃喃道：“果然不愧是天下无双的美人……”

这句话还没有说完，他已扑在沈璧君身上。

沈璧君的身子似在颤抖。

厉刚喘息着，撕开了她的衣襟，眼睛里的火焰燃烧得更炽热……

突然，这双眼睛死鱼般凸了出来。

他的人也突然挺直，僵硬，嘴里“嘶嘶”地吐着气——

一丝鲜血，慢慢地自嘴角沁出。

一柄刀已插入他心脉旁的肋骨之间。

沈璧君还是在不停地颤抖着，全身打着冷战。

她的手紧握着刀柄，厉刚的血就流在她这双春葱般的玉手上。

她甚至可以感觉出厉刚的身子在逐渐僵硬，逐渐冰冷……

她用尽全身力气，疯狂地推开了他，站起来，喘息着，牙齿不停地“咯咯”打战，连嘴唇上都再也没有一丝血色。

然后，她突然弯下腰，呕吐起来。

上山虽艰苦，但有时下山却更难。

沈璧君挣扎着，扶着萧十一郎，在山路上踉跄而奔。

虽然她知道此时外面已不再有人追赶，但她还是用尽全力在奔跑，她只想快跑，走得离厉刚远些。

她这下才认清了这“见色不乱真君子”的真面目。

萧十一郎一直没有说话，因为他知道这时候任何话，都可能会令她受到刺激，他绝不能让她再受到任何伤害。

他只是在心里感激。

沈璧君若不是为了他，是死也不肯做出这种事来的。

山路旁，密林中，仿佛有两条人影。

但他们并没有发觉。

他们再也想不到连城璧此刻在他们方才经过的密林里。

连城璧眼看着他们走过，既没有说话，更没有阻拦。甚至连他的脸色看来都还是那么平静。

站在他身旁的正是赵无极。

赵无极平时一向自命镇定的功夫不错，此刻却也忍不住了。

他已知道方才上了当，已忍不住要追过去。

但连城璧却拉住了他。

赵无极愕然，试探着问道：“连兄难道不想将嫂夫人劝回来？”

连城璧慢慢地摇了摇头，淡淡道：“她想回来，迟早总会回来的，若不想回来，劝也没有用。”

赵无极沉默着，似在猜测着连城璧的用意，过了很久，嘴角才慢慢露出了一丝很奇特的微笑。

他微笑着，喃喃道：“不错，连夫人迟早总会回来的，萧十一郎反正已活不长了。”

走过前面的山坡，就是平地。

萧十一郎用手掩住嘴，轻轻地在咳嗽。

沈璧君柔声道：“你要不要歇歇再走？”

萧十一郎摇了摇头，身子突然倒了下去，捂着嘴的手也松开。

掌心已满是鲜血。

沈璧君大骇，挣扎着抱起他。

就在这时，她腹中突然觉得一阵无法形容的绞痛，就仿佛心肝五脏都已绞到一起，连胆汁都已绞了出来。

她全身突然虚脱，就从这山坡上滚了下去。

萧十一郎比沈璧君醒来得早。

他一醒就想到了沈璧君，立刻就开始寻找。

其实他根本用不着找，因为沈璧君就躺在他身旁。

但他们躺着的地方，并不是那山坡下的草地，而是一张很柔软，很舒服，还挂着流苏锦帐的大床。

床上的被褥都是丝的，光滑、崭新，绣着各式各样美丽的花朵，绣得那么精细，那么生动。

他们身上也换了光滑崭新的丝袍，丝袍上的绣工，也和被褥上的同样精致，同样华美。

萧十一郎忽然发觉自己到了个奇异的地方。

这难道是梦？

屋子里其实也并没有什么太离奇古怪的陈设，只不过每样东西都精致到了极点，甚至已精致得有些夸张。

就连一个插烛的灯台，上面都缀满了晶莹的明珠，七色的宝石，锦帐上的流苏竟是用金丝缕成的。

但萧十一郎却知道这地方的主人绝不是个暴发户。

因为每件东西都选得很美，这么多东西摆在一起，也并没有令人觉得拥挤、俗气，看来甚至还很调和。

暴发户绝不会有这么样的眼光。

就算这是场梦，也是场奇异而华美的梦。

只可惜萧十一郎并不是喜欢做梦的人。

他悄悄溜下床，没有惊动沈璧君——他不愿沈璧君醒来时发现他睡在旁边，他不愿做任何使她觉得难堪的事。

地上铺着厚而软的波斯毡。

萧十一郎赤着足，穿过屋子。

这段路他本来一霎眼就可走过的，现在却走了很多时候，每走一步，他全身的骨骼都似乎要散开。

但他的伤势无疑已好了很多，否则他根本连一步都走不动。

他伤势怎会忽然好了这么多？

是因为睡了一觉？还是因为有人替他治过伤？

这里的主人是谁？

为什么要救他？

问题还有很多，但他并不急着去想。

因为他知道急也没有用。

对面有扇门，雕花的门，镶着黄金环。

门是虚掩着的。

推开了这扇门，萧十一郎就走入了比梦还离奇的奇境!

他这一生从未经历过，也永远想象不到的奇境!

这间屋子比方才那间还大，屋里却只有一张桌子。

一张桌子几乎就已占据了整个屋子。

桌上竟也摆着栋屋子，是栋玩偶房屋。

就连孩子们的梦境中，也不会有如此精美的玩偶房屋。

整栋房屋都是用真实的木材和砖瓦建筑的，瓦是琉璃瓦，和皇宫所用的完全一样，只不过至少小了十几倍。

房屋四周，是个很大的花园。

园中有松竹、花草、小桥、流水、假山、亭阁——花木间甚至还有黄犬白兔，仙鹤驯鹿。

树是绿的，花是香的，只不过都比真实的小了十倍。

那些驯鹿白兔虽是木石所塑，但也雕塑得栩栩如生，仿佛只要一招手，它们就会跑到你面前。

萧十一郎最欣赏的就是九曲桥后的那座八角亭，朱栏绿瓦，石桌上还摆了局残棋，下棋的两个高冠老人似已倦了。

一个朱衣老人正在流水旁垂钓，半歪着头，半皱着眉，似乎还在思索那局残棋。

另一个绿袍老者就在他身旁浣足，手里还拿着刚脱下来的双梁福字履，正斜着眼，瞟着那朱衣老人作得意的微笑。

这一局棋，显然他已有胜算在握。

两个都是形态逼真，须眉宛然，身上穿的衣履，也是用极华贵的绸缎剪裁成的，而且剪裁得极合身。

这一切，已足够令人看得眼花缭乱，目眩神迷。

但比起那栋屋子，这些又全不算什么了。

屋子前后一共有二十七间。

有正厅、偏厅、花厅、卧室、客房、仓房，甚至还有厨房。

从窗户里瞧进去，每间房子里的陈设都可以看得很清楚。

每间屋里，每样东西，看来竟似全都是真的。

厅房里摆着紫檀木的雕花椅，椅上铺着织锦缎的垫子。

墙上挂着字画，中堂是一幅山水，烟雨蒙蒙，情致潇洒，仔细一看，那比蝇足还小的落款，竟是吴道子的手笔。

萧十一郎最爱的，还是那副对联：

常未饮酒而醉，

以不读书为通。

这是何等意境！何等洒脱！

厅中有两人枯坐，像是正在等主人接见。

两个青衣小鬟，正捧着茶掀帘而入。

就连那两只比钮扣还小的茶盏，都是真瓷的。

丫环们脸上带着巧笑，仿佛对这两个客人并不太看重，因为她们知道她们的主人对这客人也很轻慢。

主人还在后面的卧室中拥被高卧。

床旁边已有四个丫环在等着服侍他起身了，一人手里捧着形式奇古的高冠，一人手里捧着套织金的黄袍，一人手里打着扇。

还有一人正蹲在地上，刷着靴子。

主人的年纪并不大，白面无须，容貌仿佛极英俊。

床后有个身穿纱衣的美女，正在小解，秀眉微颦，弱不胜衣，仿佛昨夜方经雨露，甜蜜中还带着三分羞煞人的疼痛。

厨房里正在忙碌着，显然正在准备主人的早膳。

萧十一郎叹了口气，喃喃道："这人的福气倒真不错。"

每间屋子里都有人，都是些貌美如花的妙龄少女，有的在抚琴，有的在抄经，有的在绣花，有的在梳妆，也有的还娇慵未起。

二十七间屋子，只有一间是空的。

这屋子就在角落上，外面有浓荫覆盖的回廊，里面四壁全是书，案上还燃着一炉龙涎香。

香炉旁文房四宝俱全，还有幅未完成的图画，画的是挑灯看剑图，笔致萧萧，虽还未完成，气势已自不凡。

看来此间的主人还是个文武双全的高士。

萧十一郎已不是孩子了，但面对着这样的玩偶房屋，还是忍不住瞧得痴了，几乎恨不得将身子缩小，也到里面去玩玩。

听到后面的呻吟声，他才知道沈璧君不知何时也已起来了。

沈璧君脸色苍白，连一丝血色都没有。

但她的眼睛，却也正闪动着孩子般的喜悦。

她倚在门口瞧着这栋玩偶屋宇，也不觉瞧得痴了。

过了很久很久，她才叹了口气，道："好美的屋子，若能在里面住几天，一定很好玩。"

萧十一郎笑道："只可惜谁也没有那么大的神通，能将我们缩小。"

沈璧君转过头，凝注着萧十一郎，过了很久，才嫣然一笑，道："我们都没有死。"

萧十一郎慢慢地点了点头，凝注着她道："我们都没有死。"

这虽然只不过是很普通的一句话，但在他们口中说出来，却不知包含了多少欢悦、多少感激。

人的欲望，本来是最难满足的。

但他们仿佛只要能活着，就已别无奢望。

又过了很久很久，沈璧君才垂下头，道："是你带我到这里来的？"

萧十一郎道："我醒来时，已经在这里了。"

沈璧君道："你也不知道这是什么地方？"

萧十一郎道："我也不知道。"

沈璧君又转过头去瞧那玩偶屋，道："我想，这里的主人必定也是位奇人，而且一定很有趣。"

萧十一郎笑了笑，道："若非奇人，也做不出这样的奇事。"

沈璧君道："但他既然救了我们，为什么又不出来与我们相见呢？"

萧十一郎还未回答，只听一阵银铃般的笑声自门外响起。

一人娇笑着道："正因我家主人生怕惊扰了贤伉俪的清梦。"

"贤伉俪"这三个字听在沈璧君耳里，她连耳根都红了。

别人居然将他们当作了夫妻。

她心里只觉乱糟糟的，也不知究竟是什么滋味，想去瞧瞧萧十一郎的表情，又没有这勇气。

她垂着头，并没有看到说话的人进来，只嗅到一阵淡淡的香气。

兰花般的香气。

进来的这人，清雅正如兰花。

她穿着纯白的丝袍，蛾眉淡扫，不着脂粉，漆黑的头发随随便便挽了个髻，全身上下找不出一块金珠翠玉。

她的嘴很大，不笑的时候，显得很坚强，甚至有些冷酷，但一笑起来，露出了那白玉般的牙齿，看来就变得那么柔美妩媚。

她的颧骨很高，却使她的脸平添了几分说不出的魅力。一种可以令大多数男人心迷的魅力。

这女子并不能算美，但站在这华丽无比的屋子中，却显得那么脱俗，若不是沈璧君在她身旁，所有的光辉几乎要全被她一个人夺去了。

沈璧君虽没有看她，但她却在看着沈璧君。

一个美丽的女子遇到另一个更美丽的女子时，总会从头到脚，上上下下，仔细打量一遍的。

女人看女人，有时比男人还要仔细。

然后，她才转过头来打量萧十一郎。

她不是那种时常会害羞的女人，但瞧见萧十一郎那双猫一般的眼睛时，还是不由自主垂下了头，带着三分羞涩，七分甜笑，道："贱妾素素，是特地来侍候贤伉俪的。"

又是"贤伉俪"。

沈璧君头垂得更低，希望萧十一郎能解释。

但萧十一郎若真的解释了，她也许又会觉得很失望。

萧十一郎只淡淡道："不敢当。"

素素道："两位若有什么需要，只管吩咐，若有什么话要问，问我就行了。"

萧十一郎道："我若问了，你肯说么？"

素素抿着嘴笑道："只要是我知道的，知无不言。"

萧十一郎道："我们承蒙相救，却连是谁救的都不知道。"

素素道："那是我们家公子，乘着雨后去行猎时，无意中发现了两位。"

她忽又嫣然一笑，道："我们家公子本不喜欢管闲事的，但见到两位不但郎才女貌，而且情深如海，纵在垂死晕迷时，手还是紧紧握着，舍不得松开……”

听到这里，沈璧君的脸已似在燃烧。

幸好萧十一郎将话打断了，道：“却不知你们家的公子尊姓大名？”

素素笑道：“他姓天，我们做下人的，只敢称他为天公子，怎么敢去问他的名字呢？”

萧十一郎道：“天，天地的天？”

素素道：“嗯。”

萧十一郎道：“有这种姓么？”

素素笑道：“一个人有名姓，只不过是为了要别人好称呼、好分辨而已，只要你愿意，随便姓什么都无所谓的，是么？”

萧十一郎不说话了。

素素笑得更甜，又道：“譬如说，我若问两位贵姓大名，两位也未必肯将真实的姓名告诉我，是么？”

萧十一郎也笑了，道：“却不知这位天公子是否愿意见我们一面？”

素素道：“当然愿意，只不过……”

萧十一郎道：“只不过怎样？”

素素嫣然道：“只不过现在已是深夜，他已经睡了。”

萧十一郎这才发觉了两件事。

屋里根本没有窗子。

有光是因为壁上嵌着铜灯。

素素道：“公子知道两位都不是普通人，而且武功一定很高，是以再三吩咐我们，千万不可怠慢了两位。”

萧十一郎淡淡笑道：“若是武功很高，就不会如此狼狈了。”

素素徐徐地说道：“你受了四处内伤，两处外伤，外伤虽不致命，但那四处内伤，却仿佛是被‘摔碑手’‘金刚掌’这一类的功夫击伤的，普通人只要挨上一掌，就活不成了，你却还能支持得住，若不是武功极高，就是运气太好了。”

萧十一郎笑道：“姑娘非但目光如炬，而且也是位高人，否则又怎会知道我是被哪一种掌力所伤？”

素素巧笑道：“其实我什么都不懂，全都是听别人说的。”

她似乎在逃避着什么，话未说完，已转身走了出去。

萧十一郎既没有阻止，也没有追问。

沈璧君这才偷偷瞟了他一眼，悄声道：“你看这位姑娘怎样？”

萧十一郎道：“还不难看，也不太笨。”

沈璧君笑道：“非但不难看，而且美极了，只看她，就可想见她的主人是个怎么样的人物了。”

萧十一郎沉吟着。

沈璧君又道：“我看这地方的人好像都有点神秘，却不知他对我们是好意，还是坏意？”

只听素素娇笑道：“若是坏意，两位只怕已活不到现在了。”

地毡又软又厚，走在上面，根本一点声音也没有。

沈璧君不禁又红着脸，垂下了头。

素素已捧着两盏茶走进来，带着笑道：“据我们家公子说，这茶叶是仙种，不但益气补身，而且喝下去后，还会有种意想不到的好处。”

她瞟了沈璧君一眼，又笑道：“这本是我们家公子的好意，但两位若不愿接受，也没关系。”

萧十一郎笑了笑，淡淡道：“我们的性命本为天公子所救，这碗茶里就算下毒，我也一样喝下去。”

他果然端起茶，一饮而尽。

素素叹了口气，道：“难怪公子对两位如此看重，就凭这份豪气，已是人所难及的了。”

她看着沈璧君慢慢地喝下那碗茶。

她看着萧十一郎先倒下去，沈璧君也跟着倒了下去。

她笑得仍是那么甜，柔声道：“我方才说过，这碗茶有种意想不到的效力，你们很快就会知道，我并不是骗你们的。”

第二十章

玩偶世界

睡，有很多种；醒，也有很多种。

很疲倦的时候，舒舒服服睡了一觉，醒来时眼睛里看到的是艳阳满窗，自己心爱的人就在身旁，耳朵里听到的是鸟语啁啾，天真的孩子正在窗外吃吃地笑，鼻子里嗅到的是火腿炖鸡汤的香气。

这只怕是最愉快的“醒”了。

最难受的是，心情不好，喝了个烂醉，迷迷糊糊睡了半天，醒来时所有的问题还没有解决，头却疼得恨不能将它割下来。

这种“醒”，还不如永远不醒的好。

被人灌了迷药，醒来时也是晕晕沉沉的，一个头比三个还大，而且还会有种要呕吐的感觉。

但萧十一郎这次醒来时，却觉得轻飘飘的，舒服极了，好像只要摇摇手，就可以在天空中飞来飞去。

沈璧君也还在他身旁，睡得很甜。

他心里恍恍惚惚的，仿佛充满了幸福，以前所有的灾难和不幸，在这一刻间，他全都忘得干干净净。

不幸的是，这种感觉并不太长久。

首先，他看到很多书。

满屋子都是书。

然后，他就看到个香炉。

炉中香烟袅娜，燃的仿佛是龙涎香。

萧十一郎慢慢地站起来，就看到桌上摆着很名贵的端砚、很古的墨、很精美的笔，连笔架都是秦汉时的古物。

他也看到桌上铺着的那张还未完成的图画。

画的是挑灯看剑图。

萧十一郎忽然觉得有股寒意自脚底升起，竟忍不住激灵灵打了个寒噤，就仿佛严冬中忽然从被窝中跌入冷水里。

他站在桌子旁，呆了半晌，转过身。

这屋子有窗户，窗户很大，就在他对面。

从窗子中望出去，外面正是艳阳满天。

阳光照在一道九曲桥上，桥下的流水也在闪着金光。

桥尽头有个小小的八角亭，亭子里有两个人正在下棋。

一个朱衣老人座旁还放着钓竿和渔具，一只手支着额，另一只手拈着个棋子，迟迟未放下去，似乎正在苦思。

另一个绿袍老人笑嘻嘻地瞧着他，面上带着得意之色，石凳旁放着一只梁福字履，脚还是赤着的。

这岂非正是方才还在溪水旁垂钓和浣足的那两个玩偶老人？

萧十一郎只觉头有些发晕，几乎连站都站不住了。

他简直不相信自己的眼睛。

窗外绿草如茵，微风中还带着花的香气。

一只驯鹿自花木丛中奔出，仿佛突然惊觉到窗口有个陌生人正在偷窥，很快地又钻了回去。

花丛外有堵高墙，隔断了边墙外的世界。

但从墙角半月形的门户中望出去，就可以看到远处有个茶几，茶几上还有两只青瓷的盖碗。

这正是萧十一郎和沈璧君方才用过的两只盖碗。萧十一郎用一只手就可以将碗托在掌心。

但此刻在他眼中，这两只碗仿佛比那八角亭还要大些。

他简直可以在碗里洗澡。

萧十一郎并不是个很容易受惊吓的人，但现在他只觉手在发抖，腿在发软，冷汗已湿透了衣裳。

沈璧君正在长长地呼吸着，已醒了。

萧十一郎转过身，挡住了窗子。

沈璧君受的惊吓与刺激已太多，身心都已很脆弱，若再瞧见窗外的怪事，说不定要发疯。

萧十一郎自己也快发疯了。

沈璧君揉着眼睛，道："我们怎会到这里来的？这里又是什么地方？"

萧十一郎勉强笑着，他实在不知道该怎么样回答这句话。

沈璧君叹了口气，道："看来那位天公子真是个怪人！既然没有害我们的意思，为什么又要将我们迷倒后再送到这里来？我们清醒时，他难道就不能将我们送来么？"

萧十一郎笑得更勉强，更不知道该怎么样回答。

沈璧君盯着他，也已发现他的神情很奇怪。

萧十一郎平日要哭就哭、要笑就笑，从来没有勉强过自己。

沈璧君忍不住问道："你……你怎么了？是不是很难受？"

萧十一郎道："没什么。只不过……我也觉得有点奇怪。"

他嘴里在说话，眼睛却在望着沈璧君身后的书桌。

他只恨方才没有将桌上的书收起来，只希望沈璧君方才没有注意到这幅画。

沈璧君诧异着，转过头，顺着他的目光瞧过去。

她脸色立刻变了，怔了半晌，目光慢慢地向四面移动。

四壁都是书箱，紫檀木的书箱。

萧十一郎勉强笑道："天公子也许怕我们闲得无聊，所以将我们送到这里来，这里的书，看上三五年也未必看得完。"

沈璧君嘴唇发白，手发抖，突然冲到窗前，推开了萧十一郎。

曲桥、流水、老人、棋局……

沈璧君低呼一声，倒在萧十一郎身上。

炉中的香，似已将燃尽了。

沈璧君的心却还没有定。

过了很久，她才能说话，道："这地方就是我们方才看到的那栋玩偶屋子？"

萧十一郎只有点了点头，道："嗯。"

沈璧君道："我们现在是在玩偶屋子里？"

萧十一郎道："嗯。"

沈璧君颤声道："但我们的人怎么会缩小了？那两个老人明明是死的玩偶，又怎会变成了活人？"

萧十一郎只能叹息。

这件事实在太离奇，离奇得可怕。

任何人都不会梦想到这种事，也绝没有任何人能解释这种事——这简直比最离奇的梦还要荒唐。

沈璧君连嘴唇都在发着抖，她用力咬着嘴唇，咬得出血，才证明这并不是梦。

萧十一郎苦笑道："我们方才就想到这里来玩玩的，想不到现在居然真的如愿了。"

沈璧君已失去控制，突然拉住他的手，道："我们快……快逃吧！”

萧十一郎道：“逃到哪里去？”

沈璧君怔住了。

逃到哪里去？他们能逃到哪里去？

沈璧君垂下头，一滴眼泪滴在手背上。

门外有了敲门声。

是谁？

门是虚掩着的，一个红衣丫环推门走了进来，眼波流动，巧笑倩然。萧十一郎依稀还认得出她就是那在前厅奉茶的人。

她本也是个玩偶，现在也变成了个有血有肉、活生生的人。

萧十一郎眼睛盯着她的时候，她的脸也红了，垂头请安道：“敝庄主特令贱婢前来请两位到厅上去便饭小酌。”

萧十一郎什么话都没有问，就跟她走了出去。

他知道现在无论问什么，都是多余的。

转过回廊，就是大厅。

厅上有三个人正在聊着天。

坐在主位的，是个面貌极俊美、衣着极华丽的人，戴着顶形式奇古的高冠，看来庄严而高贵，俨然有帝王的气象。

他肤色如玉，白得仿佛是透明的，一双手十指纤纤，宛如女子，无论谁都可看出他这一生中绝对没有做过任何粗事。

他看来仿佛还年轻，但若走到他面前，就可发现他眼角已有了鱼纹，若非保养得极得法，也许已是个老人。

另外两个客人，一个头大腰粗，满脸都是金钱麻子。

还有一个身材更高大，一张脸比马还长，捧着茶碗的手稳如磐石，手指又粗又短，中指几似也和小指同样长，看来外家掌力已练到了十成火候。

这两人神情都很粗豪，衣着却很华丽，气派也很大，显然都是武林豪杰，身份都很尊贵，地位也都很高。

这两个人，萧十一郎都见过的。

只不过他刚刚见到他们时，他们还都是没有灵魂的玩偶。

现在，他们却都有了生命。

萧十一郎一走进来，这三人都面带微笑，长身而起。

那有王者气象的主人缓步离座，微笑道："酒尚温，请。"

他说话时用的字简单而扼要，能用九个字说完的话，他绝不会用十个字。

他说话的声音柔和而优美，动作和走路的姿势也同样优美，就仿佛是个久经训练的舞蹈者，一举一动都隐然配合着节拍。

这人的衣着、谈吐、神情、气度、风姿，都完美得几乎无懈可击。

但萧十一郎对这人的印象并不好。

他觉得这人有些娘娘腔，脂粉气太重。

男人有娘娘腔，女人有男子气，遇见这两种人，他总是觉得很痛苦。

厅前已摆了桌很精致的酒。

主人含笑揖客，道："请上座。"

萧十一郎道："不敢。"

那麻子抢着笑道："这桌酒本是庄主特地准备来为两位洗尘接风的，阁下何必还客气？"

萧十一郎目光凝注着这主人，微笑道："素昧平生，怎敢叨扰？"

主人也在凝注着他，微笑道："既已来了，就算有缘，请。"

两人目光相遇，萧十一郎才发觉这主人很矮，矮得出奇。

只不过他身材长得很匀称，气度又那么高贵，坐着的时候，看来甚至还仿佛比别人高些。

谁也不会想到他居然是个侏儒。

萧十一郎立刻移开目光，没有再瞧第二眼。

因为他知道矮人若是戴着高帽子，心里就一定有些不正常，一定很怕别人注意他的矮，你若对他多瞧了两眼，他就会觉得你将他看成个怪物。

所以矮子常常会做出很多惊人的事，就是叫别人不再注意他的身材，叫别人觉得他高些。

坐下来后，主人首先举杯，道："尊姓？"

萧十一郎道："萧，萧石逸。"

麻子道："石逸？山石之石，飘逸之逸？"

萧十一郎道："是。"

麻子道："在下雷雨，这位……"

他指了指那马面大汉，道："这位是龙飞骥。"

萧十一郎动容道："莫非是'天马行空'龙大侠？"

马面大汉欠了欠身，道："不敢。"

萧十一郎瞧着那麻子，道："那么阁下想必就是'万里行云'雷二侠了。"

麻子笑道："我兄弟久已不在江湖走动，想不到阁下居然还记得贱名。"

萧十一郎道："无双铁掌，龙马精神——二位大名，天下皆知。十三年前天山一战，更是震烁古今，在下一向仰慕得很。"

雷雨目光闪动，带着三分得意，七分伤感，叹道："那已是多年前的往事了，江湖中只怕已很少有人提起。"

十三年前，这两人以铁掌连战天山七剑，居然毫发未伤，安然下山，在当时的确是件了不得的大事。

萧十一郎道："天山一役后，两位侠踪就未出现，江湖中人至今犹在议论纷纷，谁也猜不出两位究竟到何处去了。"

雷雨的神色更惨淡，苦笑道："休说别人想不到，连我们自己，又何尝……"

说到这里，突然住口，举杯一饮而尽。

主人轻叹道："此间已非人世，无论谁到了这里，都永无消息再至人间。"

萧十一郎只觉手心有些发冷，道："此间已非人世？难道是……"

主人安详的脸上，也露出一丝伤感之色，道："这里只不过是个玩偶的世界而已。"

萧十一郎呆住了。

过了很久，他才能勉强说得出话来，嗄声道："玩偶？"

主人慢慢地点了点头，黯然道："不错，玩偶……"

他忽又笑了笑，接着道："其实万物，皆是玩偶，人又何尝不是玩偶？"

雷雨缓缓道："只不过人是天的玩偶，我们都是人的玩偶。"

他仰面一笑，嘶声道："江湖中又有谁能想到，我兄弟已做了别人的玩偶！"

现在萧十一郎全身都在发冷了，道："庄主你……尊姓？"

主人黯然笑道："我来此已有二十年，哪里还记得名姓？"

萧十一郎道："可是……"

主人打断了他的话，缓缓道："再过二十年，两位只怕也会将自己的名姓忘却了。"

在陌生人面前，沈璧君是不愿开口的。

但此刻她只觉自己的心一直在往下沉，忍不住道：“二……二十年？”

主人道：“不错，二十年……我初来的时候，也认为这种日子简直连一天也没法忍受，要我忍受二十年，实在是无法想象。”

他凄然而笑，慢慢地接着道：“但现在，不知不觉也过了二十年了……千古艰难唯一死，无论怎么样活着，总比死好。”

沈璧君怔了半晌，突然扭过头。

她不愿被人见到她眼中已将流下的眼泪。

萧十一郎沉吟着，道：“各位可知道自己是怎会到这里来的么？”

雷雨盯着他，道：“阁下可知道自己是怎会到了这里来的？”

萧十一郎苦笑道：“非但不知道，简直连相信都无法相信。”

雷雨举杯饮尽，重重放下杯子，长叹道：“不错，这种事正是谁也不知道，谁也不相信的……我来此已有十二年，时时刻刻都在盼望着这只不过是场梦，但现在……现在……”

龙飞骥长叹一声，接着道：“但现在我们已知道，这场梦将永无醒时！”

主人慢慢地啜着杯中酒，突然道：“阁下来此之前，是否也曾有过性命之危？”

萧十一郎道：“的确是死里逃生。”

主人道：“阁下的性命，是否也是被一位天公子所救的？”

萧十一郎道：“庄主怎会知道？”

主人叹道：“我们也正和阁下一样，都受过那位天公子的性命之恩，只不过……”

雷雨打断了他的话，恨恨道：“只不过他救我们，并不是什么好心善意，只不过是想让我们做他们的玩偶，做他的奴隶！”

萧十一郎道：“各位可曾见过他？可知道他是个怎么样的人？”

主人叹道："谁也没有见过他，但到了现在，阁下想必也该知道他是个怎么样的人了。"

雷雨咬着牙，道："他哪里能算是个人？简直是个魔鬼！比鬼还可怕！"

说到这里，他不由自主向窗外瞧了一眼，脸上的肌肉突然起了一阵无法形容的变化，整个一张脸仿佛都已扭曲了起来。

主人道："此人的确具有一种不可思议的魔法，我们说的每句话，他都可能听到，我们的每件事，他都可能看到！但现在我已不再怕他！"

他淡淡一笑，接着道："连这种事我们都已遇着，世上还有什么更可怕的事？"

雷雨叹道："不错，一个人若已落到如此地步，无论对任何人、任何事，都不会再有畏惧之心了。"

萧十一郎道："但一个人的所作所为，若是时时刻刻都被人在瞧着，这岂非也可怕得很？"

主人道："开始时，自然也觉得很不安、很难堪，但日子久了，人就渐渐变得麻木，对任何事都会觉得无所谓了。"

龙飞骥叹道："无论谁到了这里，都会变得麻木不仁、自暴自弃，因为活着也没意思，死了也没什么关系。"

主人一向很少开口。

很少开口的人，说出来的话总比较深刻些。

萧十一郎不知道自己以后是否也会变得麻木不仁、自暴自弃，他只知道现在很需要喝杯酒。

一大杯。

他很快地喝了下去，忽然忍不住脱口问道："各位为什么不想法子逃出去？"

这句话，沈璧君本已问过他的。

龙飞骥叹道：“逃到哪里去？”

这句话也正和萧十一郎自己的回答一样。

龙飞骥已接着道：“现在我们在别人眼中，已无异蝼蚁，无论任何人只要用两根手指就可以将我们捏死，我们能逃到哪里去？”

酒已喝得很多了。

主人忽然道：“我们若想逃出去，也并非绝对不可能。”

萧十一郎道：“哦？”

主人道：“只要有人能破了他的魔法，我们就立刻可以恢复自由之身。”

萧十一郎道：“有谁能破他的魔法？”

主人叹了口气，道：“也只有靠我们自己了。”

萧十一郎道：“我们自己？有什么法子？”

主人道：“魔法正也和武功一样，无论多高深的武功，总有一两处破绽留下来，就连达摩易筋经都不例外，据说三丰真人就曾在其中找出了两三处破绽。”

萧十一郎道：“但这魔法……”

主人道：“这魔法自然也有破绽，而且是天公子自己留下来的。”

萧十一郎道：“他为什么要这样做？”

主人道：“挑战！他为的就是向我们挑战。”

萧十一郎道：“挑战？”

主人道：“人生正和赌博一样，若是必胜无疑，这场赌就会变得很无趣，一定要有输赢才刺激。”

萧十一郎笑了笑，道：“不错。”

主人道：“天公子想必也是个很喜欢刺激的人，所以他虽用魔法将我们拘禁，却又为我们留下了一处破法的关键！”

他缓缓接着道："关键就在这宅院中，只要我们能将它找出来，就能将他的魔法破解！"

萧十一郎沉吟着道："这话是否他自己亲口说的？"

主人道："不错，他曾亲口答应过我，无论谁破去他的魔法，他就将我们一齐释放，绝不为难。"

他长长叹息了一声，道："这二十年来，我时时刻刻都在寻找，却始终未能找出那破法的关键！"

萧十一郎默然半晌，道："这宅院一共只有二十七间屋子，是么？"

主人道："若连厨房在内，是二十八间。"

萧十一郎道："那破法的关键既然就在这二十八间屋里，怎会找不出来？"

主人苦笑道："这只因谁也猜不到那关键之物究竟是什么，也许是一粒米、一粒豆、一片木叶，也许只是一粒尘埃。"

萧十一郎也说不出话来了。

主人忽又道："要想找出这秘密来，固然是难如登天，但除此之外，还有个法子。"

萧十一郎道："什么法子？"

主人忽然长身而起，道："请随我来。"

大厅后还有个小小的院落。

院中有块青石，有桌面般大小，光滑如镜。

萧十一郎被主人带到青石前，忍不住问道："这是什么？"

主人道："祭台！"

萧十一郎皱眉道："祭台？"

主人道："若有人肯将自己最心爱、最珍视之物作为祭礼献给他，他就会放了这人！”

他眼睛似乎变得比平时更亮，凝注着萧十一郎，道：“却不知阁下最珍视的是什么？”

萧十一郎没有回答这句话，却反问道：“庄主呢？”

主人苦笑道：“现在留在这里的人，都很自私，每个人最珍视的，就是自己的性命，谁也不愿将自己的性命献给他。”

他很快地接着又道：“但有些人却会将别的人、别的事看得比自己性命还重。”

萧十一郎淡淡道：“这种人世上并不太少。”

主人道：“十年前我就见到过，那是一对很恩爱的夫妻，彼此都将对方看得比自己性命还重，不幸也被天公子的魔法拘禁在这里，那丈夫出身世家，文武双全，本是个极有前途，极有希望的年轻人，但到了这里，就一切都绝望了。”

萧十一郎道：“后来呢？”

主人叹息了一声，道：“后来妻子终于为丈夫牺牲了，做了天公子的祭礼，换得了她丈夫的自由和幸福。”

他一直在瞧着萧十一郎，仿佛在观察着萧十一郎的反应。

萧十一郎完全没有反应，只是在听着。

沈璧君的神情却很兴奋、很激动，垂下头，轻轻问道：“后来天公子真的放了她的丈夫？”

主人叹道：“的确放了。”

他又补充着道：“我一直没有说出他们的名字，只因我想那丈夫经过十年的奋斗，现在一定已是个很有名声，很有地位的人，我不愿他名声受损。”

沈璧君沉默了很久，幽幽道：“这对夫妇实在伟大得很……”

萧十一郎突然冷冷道：“以我看，这夫妻两人只不过是一对呆子。”

主人怔了怔，道：“呆子？”

萧十一郎道：“那妻子牺牲了自己，以为可令丈夫幸福，但她的丈夫若真的将她看得比自己的性命还重，知道他的妻子为了他牺牲，他能活得心安么？他还有什么勇气奋斗？”

主人说不出话来了。

萧十一郎冷冷道：“我想，那丈夫现在纵然还活着，心里也必定充满了悔恨，觉得毫无生趣，说不定终日沉迷于醉乡，只望能死得快些。”

主人默然良久，才勉强笑了笑，道：“他们这样做，虽然未见得是明智之举，但他们这种肯为别人牺牲自己的精神，却还是令我很佩服。”

他不让萧十一郎说话，接着又道：“只不过，在这里活下去也没有什么不好，人世间的一切享受，这里都不缺少，而且绝没有世俗礼教的拘束，无论你想做什么，绝没有人管你。”

雷雨大笑道：“不错，我们反正也落到这般地步了，能活着一天，就要好好地享受一天，什么礼教，什么名誉，全去他妈的！”

他忽然站起来，大声道：“梅子、小雯，我知道你们就在外面，为什么不进来？”

只听环佩叮当，宛如银铃。

两个满头珠翠的锦衣少女，已带着甜笑，盈盈走了进来。

雷雨一手搂住了一个，笑着道：“这两人都是我的妻子，但你们无论谁若看上了她们，我都可以让给他的。”

沈璧君面上的血色一下子褪得干干净净，变得苍白如纸。

雷雨瞪着她，道：“你不信？好。”

他突又放开了左手搂着的那女子，道：“小雯，你身上最美的是什么？”

小雯嫣然道：“是腿。”

她的身材很高，腰很细，眼睛虽不大，笑起来却很迷人，无论从哪方面看，都可算是美人胚子。

雷雨笑道：“你的腿既然很美，为什么不让大家瞧瞧？”

小雯抿嘴一笑，慢慢地拉起了长裙。

裙子里并没有穿什么，一双修长、丰满、结实、光滑而白腻的腿，立刻呈现在大家眼前。

沈璧君也不知是为了惊惧，还是愤怒，连指尖都颤抖起来。

小雯却还是笑得那么甜，就像是屋子里只有她一个人，手提着长裙，轻巧地转了个身。

裙子扬得更高了。

主人微笑着，举杯道：“如此美腿，当饮一大杯，请。”

萧十一郎手里正拿着酒杯，居然真喝了下去。

雷雨拍了拍右手搂着的女子，笑道：“梅子，你呢？”

梅子眼波流动，巧笑道：“你说我最美的是什么？”

雷雨大笑道：“你身上处处皆美，但最美的还是你的腰。”

梅子眨着眼，兰花般的手，轻巧地解着衣钮。

衣襟散开。她的腰果然是完美无瑕，不盈一握。

主人又笑道：“雷兄，你错了。”

雷雨道：“错了？”

主人笑道：“她最美的地方不在腰，而在腰以上的地方。”

腰以上的地方，突然高耸，使得她的腰看来仿佛要折断。

雷雨举杯笑道：“是，的确是我错了，当浮一大白。”

梅子娇笑着，像是觉得开心极了。

沈璧君垂头，只恨不得能立刻冲出这间屋子，只要能逃出这魔境，无论要她到哪里都没关系。

她觉得甚至连地狱都比这地方好些。

雷雨又向萧十一郎举杯，笑道："你看，我并没有骗你吧？"

萧十一郎面上还是一点表情也没有，淡淡道："你没有骗我。"

雷雨道："不止是我，这里每个人都和我同样慷慨的，也许比我还要慷慨多了。"

萧十一郎道："哦？"

主人突然叹了口气，道："他说的并不假，人到了这里，就不再是人了，自然也不再有羞耻之心，对任何事都会觉得无所谓。"

他凝注着萧十一郎，悠然接着道："两位现在也许会觉得很惊讶，很看不惯，但再过些时候，两位自然也会变得和别人一样的！"

第二十一章

真情流露

萧十一郎和沈璧君被带进了一间屋子。

到了这种地方，他们已经不能再分开了。

他们只有承认是夫妻。

屋子里自然很舒服，很精致，每样东西都摆在应该摆的地方，应该有的东西绝没有一样缺少。

无论任何人住在这里，都应该觉得满意了。

但沈璧君却只是站在那里，动也不动。这屋子里的东西无论多精致，她却连手指都不愿去碰一碰。

她觉得这屋子里每样东西像是都附着妖魔的恶咒，她只要伸手去碰一碰，立刻就会发疯。

过了很久，萧十一郎才慢慢地转过身，面对着她，道："你睡，我就在这里守护。"

沈璧君咬着嘴唇，摇了摇头。

萧十一郎柔声道："你看来很虚弱，现在我们绝不能倒下去。"

沈璧君道："我……我睡不着。"

萧十一郎笑了笑，道："你还没有睡，怎么知道睡不着？"

沈璧君目光慢慢地移到床上。

床很大，很华丽，很舒服。

沈璧君身子忽然向后面缩了缩，嘴唇颤抖着，想说话，但试了几次，都没有说出一个字来。

萧十一郎静静地瞧着她，道：“你怕？”

沈璧君点了点头，跟着又摇了摇头。

萧十一郎叹了口气，道：“你在怕我？……怕我也变得和那些人一样？”

沈璧君目中忽然流下泪来，垂着头道：“我的确是在怕，怕得很。这里每个人我都怕，每样东西我都怕，简直怕得要死，可是……”

她忽又抬起头，带泪的眼睛凝注着萧十一郎，道：“我并不怕你，我知道你永远不会变的。”

萧十一郎柔声道：“你既然相信我，就该听我的话。”

沈璧君道：“可是……可是……”

她突然奔过来，扑入萧十一郎怀里，紧紧抱着他，痛哭着道：“可是我们该怎么办呢？怎么办呢？难道我们真要在这里过一辈子，跟那些……那些……那些人过一辈子？”

萧十一郎的脸也已发白，缓缓道：“总有法子的，你放心，总有法子的。”

沈璧君道：“可是你并没有把握。”

萧十一郎目光似乎很遥远，良久良久，才叹了口气，道：“我的确没把握。”

他很快地接着又道：“但我们还有希望。”

沈璧君道：“希望？什么希望？”

萧十一郎道：“也许我能想出法子来破天公子的魔咒。”

沈璧君道：“那要等多久？十年？二十年？”

她仰起头，流着泪道：“求求你，求求你让我做一件事。”

萧十一郎道：“你说。”

沈璧君道："求求你让我去做那恶魔的祭典，我情愿去，莫说要我在这里待十年二十年，就算叫我再待一天，我都会发疯。"

萧十一郎道："你……"

沈璧君不让他说话，接着又道："我虽然不是你的妻子，可是……为了你，我情愿死，只要你能好好地活着，无论叫我怎么样都没关系。"

这些话，她本已决定要永远藏在心里，直到死——

但现在，生命已变得如此卑微，如此绝望，人世间所有的一切，和他们都已距离得如此遥远，她还顾虑什么？她为什么不能将真情流露？

萧十一郎只觉身体里的血忽然沸腾了，忍不住也紧紧拥抱着她。

这是他第一次拥抱她。

在这一瞬间，荣与辱，生与死，都已变得微不足道。

生命，也仿佛就是为这一刻而存在的。

良久良久，沈璧君才慢慢地，微弱地吐出口气，道："你……你答应了？"

萧十一郎道："要去，应该由我去。"

沈璧君霍然抬起头，几乎是在叫着，道："你——"

萧十一郎轻轻地掩住了她的嘴，道："你有家，有亲人，有前途，有希望，应该活着的。但是我呢？只不过是个无足轻重的流浪汉，什么都没有，我死了，谁也不会关心。"

沈璧君目中的眼泪又泉涌般流了出来，沾湿了萧十一郎的手。

萧十一郎的手自她嘴上移开，轻拭着她的泪痕。

沈璧君凄然道："原来你还不明白我的心，一点也不明白，否则你怎会说死了也没有人关心，你若死了，我……我……"

萧十一郎柔声道："我什么都明白。"

沈璧君道："那么你为什么要说？"

萧十一郎道："我虽然那么说，可是我并没有真的准备去做那恶魔的祭礼！"

他凝注着沈璧君，一字字接着道："我也绝不准你去！"

沈璧君道："那么……那么你难道准备在这里过一辈子？"

她垂下头，轻轻地接着道："跟你在一起，就算住在地狱里，我也不会怨，可是这里……这里却比地狱还邪恶，比地狱还可怕！"

萧十一郎道："我们当然要想法子离开这里，但却绝不能用那种法子。"

沈璧君道："为什么？"

萧十一郎道："因为我们若是那样做了，结果一定更悲惨。"

沈璧君道："你认为天公子不会遵守他的诺言？"

萧十一郎道："我认为这只不过是个圈套。他非但要我们死，在我们死前，还要尽量作弄我们、折磨我们，令我们痛苦！"

他目中带着怒火，接着道："我认为他不但是个恶魔，还是个疯子！"

沈璧君不说话了。

萧十一郎道："我们若是为了要活着，不惜牺牲自己心爱的人，向他求饶，他非但不会放过我们，还会对我们嘲弄、讥笑。"

沈璧君道："但你也并不能确定，是么？"

她显然还抱着希望。

大多数女人，都比男人乐观些，因为她们看得没有那么深，那么远。

萧十一郎道："但我已确定他是个疯子，何况，他说的这法子本就充满了矛盾，试想一个人若为了自己要活着，就不惜牺牲他的妻子，那么他岂非显然将自己的性命看得比他妻子重？他既然将自己性命看得最重，就该用自己的性命做祭礼才是，他既已用性命做祭礼，又何必再求别人放他？”

他很少说这么多话，说到这里，停了半晌，才接着道：“一个人若死了，还有什么魔法能将他拘禁得住？”

沈璧君沉默了半晌，突然紧紧拉住萧十一郎的手，道：“我们既然已没有希望，不如现在就死吧！”

“死”，无论在任何人说来，都是件极痛苦的事。

但沈璧君说到“死”的时候，眼睛却变得分外明亮，脸上也起了种异样的红晕，“死”在她说来，竟像是件很值得兴奋的事。

她的头倚在萧十一郎肩上，幽幽地道：“我不知道你怎么想，但我却早已觉得，活着反而痛苦，只有‘死’，才是最好的解脱！”

萧十一郎柔声道：“有时，死的确是种解脱，但却只不过是懦夫和弱者的解脱！何况……”

他声音忽然变得很坚定，道：“现在还没有到死的时候，我们至少要先试试，究竟能不能逃出去。”

沈璧君道：“但那位庄主说的话也很有理，在别人眼中，我们已无异蝼蚁，只要用一块小石头，就能将我们压死。”

萧十一郎道：“要逃，自然不容易，所以我必须先做好三件事。”

沈璧君道：“哪三件？”

萧十一郎道：“第一，我要等伤势好些。”

他笑了笑，接着道：“那位天公子显然不愿我死得太快，已替我治过伤，也不知他用的是什么魔法，还是医药，反正灵得很，我想再过几天，我的伤也许就会好了。”

沈璧君透了口气，道：“但愿如此。”

萧十一郎道：“第二，我得先找出破解他的魔法和秘密。”

沈璧君道：“你认为那秘密真在这庄院中？你认为这件事他没有说

谎？”

萧十一郎道：“每个人都有赌性，疯子尤其喜欢赌，所以他一定会故意留下个破绽，赌我们找不找得到。”

沈璧君叹道：“还有第三件事呢？”

萧十一郎目光转到窗外，道：“你看到亭子里的那两个人了么？”

方才的那一局残棋已终，两个老人正在喝着酒，聊着天。那朱衣老人拉着绿袍老人的手，指着棋盘，显然是在邀他再着一盘。

输了棋的人，总是希望还有第二盘，直到他赢了时为止。

萧十一郎道：“我总觉得这两个老头子很特别。”

沈璧君道：“特别？”

萧十一郎道：“若是我猜得不错，这两人一定也是在江湖中绝迹已久的武林高人，而且比雷雨和龙飞骥还要可怕得多。”

沈璧君道：“所以，你想先查明他们两人究竟是谁？”

萧十一郎叹道：“我只希望他们不是我想象中的那两个人，否则，就只他们这一关，我们也许都无法闯过。”

忍耐。

沈璧君从小就学会了忍耐。

因为在她那世界里，大家都认为女人第一件应该学会的事，就是忍耐，女人若不能忍耐，就是罪恶。

所以沈璧君也觉得“忍耐”本就是女人的本分。

但后来，她忽然觉得有很多事简直是无法忍耐的。

在这种地方，她简直连一天都过不下去。

现在，却已过了四五天了。

她并没有死，也没有发疯。

她这才知道忍耐原来是有目的、有条件的，为了自己所爱的人，人们几乎能忍受一切。

尤其是女人。

因为大多数女人本就不是为自己而活着的，而是为了她们心爱的人——为她的丈夫，为她的孩子。

这四五天来，沈璧君忽然觉得自己仿佛又长大了许多……

这宅院几乎是正方形的，就和北京城里“四合院”格式一样。

一进大门，穿过院子，就是厅。

厅后还有个院子，这种院子通常都叫“天井”。

天井两侧，是两排厢房。

后面一排屋子，被主人用来做自己和姬妾们的香闺卧房。

旁边还有个小小的院落，是奴仆们的居处和厨房。

雷雨住在东面那面厢房里，他和他的两个“老婆”、四个丫环，一共占据了四间卧房和一间小厅。

剩下的两间，才是龙飞骥住的。

龙飞骥是个很奇怪的人，对女人没有兴趣，对酒也没有兴趣，就喜欢吃，而且吃得非常多。

他吃东西的时候，既不问吃的是鸡是鸭，也不管好吃难吃，只是不停地将各种东西往肚子里塞。

最奇怪的是，他吃得愈多，人反而愈瘦。

西面的那排屋子，有五间的门永远是关着的，据说那两位神秘的老人就住在这五间屋子里。

但萧十一郎从未看到他们进去，也从未看到他们出来过。

萧十一郎和沈璧君就住在西厢剩下的那两间屋子里，一间是卧室，另一间就算是饭厅。

每天到了吃饭的时候，就有人将饭菜送来。

菜很精致，而且还有酒。

酒很醇，也很多，多得足够可以灌醉七八个人。

醉，可以逃避很多事。

在这里，萧十一郎几乎很少看到一个完完全全清醒的人。

这几天来，他已对这里的一切情况都很熟悉。

主人的话不错，你只要不走出这宅院的范围，一切行动都绝对自由，无论你想到哪里，无论你想干什么，都没有人干涉。

但自从那天喝过接风的酒，萧十一郎就再也没有瞧见过主人，据说他平时本就很少露面。

一个人若要应付十几个美丽的姬妾，一天的时间本就嫌太短了，哪里还有空做别的事?

每天吃过早饭，萧十一郎就在前前后后闲逛，像是对每样东西都觉得很有趣，见了每个人都含笑招呼。

除了雷雨和龙飞骥外，他很少见到别的男人。

进进出出的女孩子们，对他那双发亮的大眼睛也像是很有兴趣，每当他含笑瞧着她们的时候，她们笑得就更甜了。

萧十一郎一走，沈璧君就紧紧关起了门。

她并不怕寂寞。

她这一生，本就有大半是在寂寞中度过的。

现在，已是第五天了。

晚饭的菜是笋烧肉、香椿炒蛋、芙蓉鸡片、爆三样，一大盘熏肠和酱肚，一大碗小白菜汆丸子汤。

今天在厨房当值的，是北方的大师傅。

沈璧君心情略为好了些，因为她已知道萧十一郎喜欢吃北方的口味，这几样菜正对他的胃口。

她准备陪他喝杯酒。

平时只要饭菜一送来，萧十一郎几乎也就跟着进门了，吃饭的时候，他的话总是很多。

无论他说什么，沈璧君都很喜欢听。

只有在这段时候，她才会暂时忘记恐惧和忧郁，忘记这是个多么可怕的地方，忘记他们的遭遇是多么悲惨。

但今天，饭菜都已凉了，萧十一郎却还没有回来。

其实，这种经验她也已有过很多。

自从成婚的第二个月之后，她就常常等得饭菜都凉透，又回锅热过好几次，连城璧还没有回来。一个月中，几乎有二十八天她是一个人吃饭的。

她本已很习惯了。

但今天，她的心特别乱，几次拿起筷子，又放下，几乎连眼睛都望穿了，还是瞧不见萧十一郎的影子。

萧十一郎从未让她等过，今天是怎么回事？

难道又有什么可怕的事发生在他身上？

在这种地方，本就是什么事都可能会发生的。

沈璧君忽然发觉自己对萧十一郎的倚赖竟是如此重，思念竟是如此深，几乎已连一时一刻都没法子离开他。

芙蓉鸡片已结了冻，连汤都凉透了。

沈璧君咬了咬牙，悄悄开了门，悄悄走出去。

这是她第一次走出这屋子。

回廊上每隔七八步，就挂着个宫纱灯笼。她忽然发现有个人正倚在栏杆上，笑嘻嘻地瞧着她。

是雷雨。

沈璧君想退回去，已来不及了。

雷雨已在向她含笑招呼，这时候她再退回去，岂非太无礼？

灯光下，雷雨脸上的麻子看来更密、更深。

每粒麻子都像是在对着她笑，笑得那么暧昧，那么可恶。

沈璧君勉强点了点头，想尽快从他身旁冲过去。

她一定要去找萧十一郎。

雷雨突然拦住了她，笑道："用过饭了么？"

沈璧君道："嗯。"

雷雨道："今天是老高掌勺，据说他本是京城里'鹿鸣春'的大师傅，手艺很不错。"

沈璧君道："哦。"

雷雨道："这院子虽不太大，但若没有人陪着，也会迷路，姑娘若一不小心，闯到庄主的屋里去，那可不是好玩的。"

沈璧君板着脸，道："谁是姑娘？"

雷雨道："不是姑娘，是夫人？"

沈璧君道："哼。"

雷雨笑嘻嘻道："夫人可知道你的丈夫现在在什么地方吗？"

沈璧君的心一跳，道："你知道？"

雷雨道："我当然知道。"

沈璧君勉强使自己脸色好看些，道："却不知他在哪里，我正要找他。"

雷雨悠然道："以我看，还是莫要找的好，找了反而烦恼。"

沈璧君的心又一跳，道："为什么？"

雷雨笑得更可恶，道："你要我说真话？"

沈璧君道："当然。"

雷雨道："你知道，这里有很多很美丽的小姑娘，都很年轻，又都很寂寞，你的丈夫又是个不很难看的男人。"

他眯起了眼，笑道：“夫人虽然是天香国色，但山珍海味吃久了，也想换换口味的……”

沈璧君早已气得发抖，忍不住大声道：“不许你胡说！”

雷雨笑道：“你不信？要不要我带你去瞧瞧？那个小姑娘虽然没有你这么漂亮，却比你年轻。女人只要年轻，男人就有胃口。”

沈璧君气得连嘴唇都已发抖。

雷雨道：“我劝你，什么事还是看开些好，这里的人，本就对这种事看得很淡，就好像吃白饭一样，他能找别的女人，你为什么不能找别的男人？反正大家都是在找乐子，两人扯平，心里就会舒服些。”

他眼睛已眯成一条线，伸出手就要去拉沈璧君，道：“来，用不着害臊，反正迟早总有一天，你也免不了要跟别人上……”

沈璧君没有让他说出下面那个字，突然一个耳光，掴在他脸上。

雷雨似未想到她的出手如此快，竟被打怔了。

沈璧君手藏在袖中，眼睛瞪着他，一步步向后退。

雷雨手捂着脸，突然狞笑道：“你这是敬酒不吃吃罚酒，到了这里，你就算真的三贞九烈，也不由得你不依，你逃也逃不了的。”

他步步向前逼。

沈璧君大喝道：“站住，你再往前走一步，我的金针就要你的命！”

雷雨怔了怔，道：“金针？”

沈璧君道：“你既然也在江湖中走动过，总该听说过沈家的金针，见血封喉，百发百中，你有把握能避得开？”

雷雨脚步果然停了下来，道：“你是沈太君的什么人？”

沈璧君道：“我就是她孙女……”

这句话未说完，她已退回房中，“砰”地关起了门！

门外久久没有动静，雷雨似乎已真的被沈家的金针吓退了。

沈璧君靠在门上，不停地喘息着。

她的心在疼，疼得几乎已忘记了惊恐和愤怒。

“……她比你年轻……女人只要年轻，男人就有胃口……你丈夫在找别的女人……要不要我带你去瞧瞧……”

这些话，就像针一般在刺着她的心。

萧十一郎虽然并不是她的丈夫，但也不知为了什么，就算她知道连城璧有了别的女人，她也不会像现在这么痛苦。

“我不信，不信，绝不信……他绝不会做这种事的！”

可是，他为什么还不回来呢？

这里一共有三十几个少女，都很美丽，也都很会笑。

其中只有一个没有对萧十一郎笑过，甚至没有正眼瞧过他。

这少女的名字叫“苏燕”。

萧十一郎现在就躺在苏燕的床上。

苏燕的头，正枕着萧十一郎宽阔的胸膛。

她阖着眼，睫毛很长，眼角是向上的，可见她张开眼的时候，一定很迷人——女人只要有双迷人的眼睛，就已足够征服男人了。

何况，她别的地方也很美。

虽然盖着被，还是可以看出她的腿很美，胴体结实而有弹性，线条却很柔和，既不太丰满，也不太瘦弱。

屋子里本来很静，这时候突然发出了一阵银铃般的娇笑声。

女人的笑，也有很多种。大多数女人，只会用嘴笑，她们的笑，只不过是种声音，有些人的笑声甚至会令人起很多鸡皮疙瘩。能用表情笑的女人，已经很少见了。

她们若会用眉毛笑，用眼睛笑，用鼻子笑，男人看到这种女人笑的时候，常常都会看得连眼珠子都像是要凸了出来。

还有种女人，全身都会笑。

她们笑的时候，不但有各种表情，而且会用胸膛向你笑，用腰肢向你笑，用腿向你笑。

男人若是遇着这种女人，除了拜倒裙下，乖乖地投降外，几乎已没有第二条路可走了。

苏燕就是这种女人。

她的胸膛起伏，腰肢在扭动，腿在摩擦。

萧十一郎并不是个木头人，已有点受不了，忍不住问道："你笑什么？"

苏燕道："我在笑你。"

萧十一郎道："笑我？"

苏燕道："你呀，有了那么样一个漂亮的太太，还不老实。"

萧十一郎也笑了，道："有哪个男人是老实的？"

苏燕吃吃笑道："有人说，男人就像是茶壶，女人是茶杯，一个茶壶，总得配好几个茶杯。"

萧十一郎笑道："比喻得妙极了，你这是听谁说的？"

苏燕道："自然是男人说的，可是……"

她支起半个身子，盯着萧十一郎道："这里的女孩子个个都很漂亮，你为什么会挑上我？"

萧十一郎笑道："一个人若要偷嘴吃，当然要挑最好吃的。"

苏燕咬着嘴唇，道："可是我连瞧都没有瞧过你一眼，你怎么知道我会上你的钩？"

萧十一郎道："愈是假正经的女人，愈容易上钩，这道理男人都很明白。"

他话未说完，苏燕已扑到他身上，纠缠着不依道："什么，你说我假正经？你以为我随随便便就会跟人家上床？老实告诉你，雷雨想勾我，已想得发疯，可是我瞧见他那一脸大麻子就生气。”

萧十一郎忍住笑道：“麻子又有什么不好？十个麻子九个俏，有的女人还特别喜欢麻子哩！何况，熄了灯，还不都是一样。”

苏燕“啪”地，轻轻给了他个耳刮子，笑骂道：“我本来以为雷大麻子已经够坏的了，谁知道你比他更不是东西。”

萧十一郎道：“这里的男人除了龙飞骥外，大概没有一个好东西。”

苏燕道：“一点也不错。”

萧十一郎道：“那两个老头子呢？除了下棋外，大概已没有什么别的兴趣了吧？”

苏燕撇了撇嘴，冷笑道：“那你就错了，这两个老不死，人老心却不老，除了庄主留下来的之外，这里的女孩子哪个没有被他们欺负过？”

萧十一郎道：“雷雨的老婆呢？”

苏燕道：“那两个骚狐狸，本就是自己送上门去的。”

萧十一郎道：“雷雨难道甘心戴绿帽子？”

苏燕道：“雷大麻子在别人面前虽然耀武扬威，但见了他们两人，简直连屁都不敢放一个。”

萧十一郎眨着眼，道：“雷雨年轻力壮，又会武功，为什么要怕那两个糟老头子？”

苏燕突然不说话了。

萧十一郎道：“这两个老头子武功难道比雷雨还高？”

苏燕还是不说话。

萧十一郎道：“你可知道他们姓什么？叫什么？”

苏燕道：“不知道。”

萧十一郎笑了笑，道：“他们是什么时候来的？这你总该知道了吧？”

苏燕道：“也不知道，我来的时候，他们已经在这里了。”

萧十一郎道：“你是什么时候来的？”

苏燕道：“有好几年了。”

萧十一郎道：“你怎么会到这里来的呢？”

苏燕勉强笑了笑，道：“还不是跟你们一样，糊里糊涂地就来了。”

萧十一郎道：“你年纪还轻，难道真要在这种鬼地方过一辈子？”

苏燕叹了口气，道：“既已到了这里，还不是只有认命了。”

她又伏到萧十一郎身上，腻声道：“大家开开心心的，为什么要谈这种事呢？来……”

萧十一郎刚伸手搂住了她，突又大声叫起痛来。

苏燕道：“你干什么？抽了筋？”

萧十一郎喘息着，道：“不……不是，是我的伤……伤还没有好。”

苏燕红着脸，咬着嘴唇，用手戳着他的鼻子，笑骂道：“挑来挑去，想不到却挑了你这个短命的病鬼！”

沈璧君坐在饭桌旁，垂着头，眼睛红红的，像是刚哭过。

桌上的饭菜，连动都没有动。

萧十一郎敲了半天门，门才开。

平时只要萧十一郎回来，沈璧君面上就会露出春花般的笑。

但今天，她始终垂着头，只轻轻问了句话：“你在外面吃过饭了？”

萧十一郎道：“没有，你呢？……你为什么不先吃？”

沈璧君道：“我……我还不饿。”

她垂着头，盛了碗饭，轻轻放在萧十一郎面前，道："菜都凉了，你随便吃点吧……这些菜，本来都是你爱吃的。"

萧十一郎忽然觉得只要有她在，连这地方居然都充满了家的温暖。

沈璧君也盛了半碗饭，坐在旁边慢慢地吃着。

也不知为了什么，萧十一郎心里突又觉得有些歉意，仿佛想找些话来说，却又偏偏不知道该如何开口。

这也就像是个在外面做了亏心事的丈夫，回到家时，总会尽量温柔些，做妻子的愈不说话，做丈夫的心里反而愈抱歉。

萧十一郎终于道："这几天我已将这院子前前后后都量过了。"

沈璧君道："哦？"

萧十一郎道："我总觉得这地方绝不止二十八间屋子，本该至少有三十间的，只可惜我找来找去，也找不到多出来的那两间屋子在哪里。"

沈璧君沉默了半晌，轻轻道："这里的女孩子很多，女孩子的嘴总比较快些，你为什么不去问问她们呢？"

萧十一郎终于明白她是在为什么生气了。

原来她是在吃醋，为他吃醋。

只要是男人，知道有女人为他吃醋，总是非常愉快的。

萧十一郎心里也觉得甜丝丝的，他这一生，从来也没有这种感觉，过了很久，他才决定要说老实话。

他苦笑着道："我本来是想问的，只可惜什么也没有问出来。"

他忽又接着道："但她们的口风愈紧，愈可证明她们必定有所隐瞒，证明这里必定有什么不可告人的秘密，我只要知道这点，也就够了。"

沈璧君又沉默了半晌，才轻轻道："你不准备再去问她们了？"

萧十一郎凝注着她，缓缓道："绝不会再去。"

沈璧君头垂得更低，嘴角却露出了微笑。

她本来并不想笑，但这笑却是自心底发出的，怎么能忍得住？

看到她的笑，萧十一郎才觉得肚子饿了，很快地扒光了碗中的饭，道："小姑娘已问过，明天我就该去问老头子了。"

沈璧君嫣然道："我想……明天你一定会比今天回来得早。"

这句话没说完，她自己的脸也红了起来。

女人醋吃得太凶，固然令人头疼，但女人若是完全不吃醋，男人们的乐趣岂非也减少了很多？

第六天，晴天。

萧十一郎走到前面的庭园中，才发现围墙很高，几乎有五六个人高，本来开着的那道角门，也已经关起，而且还上了锁。

门是谁锁起来的？为了什么？

在天公子眼中，这些人既已无异蝼蚁，纵然逃出去，只要用两根手指就能拈回来，为什么还要防范得如此严密？

萧十一郎嘴角仿佛露出了一丝笑意。

老人不知何时又开始在八角亭中饮酒下棋了。

萧十一郎慢慢地走过去，负手站在他们身旁，静静地瞧着。

老人专心于棋局，似乎根本没有发现有个人走过来。

风吹木叶，流水呜咽，天地间一片安详静寂。

老人们的神情也是那么悠然自得。

但萧十一郎一走近他们身旁，就突然感觉到一股凌厉逼人的杀气，就仿佛走近了两柄出鞘的利剑似的。

神兵利器，必有剑气。

身怀绝技的武林高手，视人命如草芥，身上也必定会带着种杀气！

萧十一郎隐隐感觉出，这两人一生中必已杀人无算！

朱衣老人手里拈着个棋子，正沉吟未决。绿袍老人左手支颊，右手举杯，慢慢地啜着杯中酒，看他的神情，棋力显然比那朱衣老人高出了许多。

这杯酒喝完了，朱衣老人的棋还未落子。

绿袍老者突然抬头瞧了瞧萧十一郎，将手中的酒杯递过来，点了点石桌上一只形式奇古的酒壶。

这意思谁都不会不明白，他是要萧十一郎为他斟酒。

“我凭什么要替你倒酒？”

若是换了别人，纵不破口大骂，只怕也将掉头不顾而去。

但萧十一郎却不动声色，居然真的拿起了酒壶。

壶虽已拿起，酒却未倒出。

萧十一郎慢慢地将壶嘴对着酒杯。

他只要将酒壶再偏斜一分，酒就倾入杯中。

但他却偏偏再也一动不动。

绿袍老人的手也停顿在空中，等着。

萧十一郎不动，他也不动。

朱衣老人手里拈着棋子，突然也不动了。

这三人就仿佛突然都被魔法定住，被魔法夺去了生命，变成了死的玩偶。

地上的影子渐渐缩短，日已当中。

一个多时辰已过去了。

三个人都没有动，连指尖都没有动。每个人的手都稳如磐石。

地上的影子又渐渐由短而长。

日已偏西。

萧十一郎的手只要稍有颤抖，酒便倾出。

但三个时辰过去了，他的手还是磐石般动也不动。

绿袍老人的神情本来很安详，目中本来还带着一丝讥诮之意，但现在却已渐渐有了变化，变得有些惊异，有些不耐。

他自然不知道萧十一郎的苦处。

萧十一郎只觉得手里的酒壶愈来愈重，似已变得重逾千斤，手臂由酸而麻，由麻而疼，疼得宛如被千万根针在刺着。

他头皮也有如针刺，汗已湿透衣服。

但他还是咬紧牙关，忍耐着，尽力使自己心里不去想这件事。

因为他知道现在绝不能动。

他们全身虽然都没有任何动作，但却比用最锋利的刀剑搏斗还要险恶。

壶中的酒若流出，萧十一郎的血只怕也要流出来。

这是一场内力、定力、体力和忍耐的决斗。

这是一场绝对静止的决斗。

所以这也是一场空前未有的决斗。

这一场决斗虽险恶，却不激烈；虽紧张，却不精彩。

这一场决斗由上午开始，直到黄昏，已延续了将近五个时辰，却没有任何一个人走过来瞧一眼。

生活在这里的人，关心的只是自己，你无论在干什么，无论是死是活，都绝不会有人关心的。

第二十二章

最长的一日

暮色四合。

大厅中已亮起了灯火，走廊上的宫纱灯笼也已被点燃。

灯光自远处照过来，照在绿袍老人的脸上。

他脸色苍白，眼角的肌肉已在轻微地跳动。

但他的手还是稳如磐石。

萧十一郎几乎已气馁，几乎已崩溃。

他的信心已开始动摇，手也已将开始动摇。

他几乎已无法再支持下去，这场决斗只要再延续片刻——

但就在这时，只听“嗤”的一声！朱衣老人手里拈着的棋子突然射出，“当”的一声，酒壶的壶嘴如被刀削，落下，跌碎。

酒涌出，注入酒杯。

酒杯已满，绿袍老人手缩回，慢慢地啜着杯中酒，再也没有瞧萧十一郎一眼。

萧十一郎慢慢地放下酒壶，慢慢地走出八角亭，走上曲桥，猛抬头，夜色苍茫，灯光已满院。

萧十一郎站在桥头，凝注着远处的一盏纱灯，久久都未举步。

他从来也未发觉，灯光竟是如此柔和，如此亲切。

“能活着，毕竟不是件坏事。”

只有经历过死亡恐惧的人，才知道生命之可贵。

“饭菜恐怕又凉了……”

萧十一郎悄悄揉着手臂，大步走了回去。

今天，几乎是他一生中最长的一天，但这一天并不是白过的。

他毕竟已有了收获。

他身上每一根肌肉都在酸疼，但心情却很振奋，他准备好好吃一餐，喝几杯酒，好好睡一觉。

明天他还有很多很多事要做，每件事都可能决定他的一生。

门是开着的。

沈璧君一定又等得很着急了。

“只希望她莫要又认为我是在和那些小姑娘鬼混。”

萧十一郎悄悄地推开门，他希望能看到沈璧君春花般的笑。

他永远想不到推开门后看到的是什么，会发生什么事。

否则他只怕永远也不会推开这扇门了！

桌上摆着五盘菜：蟹粉鱼唇、八宝辣酱、清炒鳝糊、豆苗虾腰，一大盘醉转弯拼油爆虾是下酒的，一只砂锅狮子头是汤。

今天在厨房当值的，是位苏州大司务。

菜，也都已凉了。

桌子旁坐着一个人，在等着。

但这人并不是沈璧君，而是那已有四五天未曾露面的主人。

屋子里没有燃灯。

宫灯的光，从窗棂中照进来，使屋子里流动着一种散碎而朦胧的光影，他静静地坐在光影中，看来仿佛也变得很虚玄、很诡秘、很难以捉摸，几乎已不像是个有血有肉的活人，而像是个幽灵。

墙上，挂着幅画，画的是钟馗捉鬼图。他眼睛瞬也不瞬地盯在这幅画上，似已瞧得出神。

萧十一郎一走进来，心就沉了下去。他忽然有了种不祥的预感，就像是一匹狼，已嗅出了灾祸的气息，而且灾祸已来到眼前，纵想避免，也已太迟了。

主人并没有回头。

萧十一郎迟疑着，在对面坐了下来。

他决定什么话都不说，等主人先开口。因为他根本就不知道事情已发生了什么变化，也猜不出别人将要怎么样对付他。

也不知过了多久，主人忽然长长叹了口气，道："旧鬼未去，新鬼又生，既有各式各样的人，就有各式各样的鬼，本就永远捉不尽的，钟道士又何苦多事？"

萧十一郎倒了杯酒，一饮而尽。

主人也倒了杯酒，举杯在手，目光终于慢慢地转过来，盯着他，又过了很久，忽然笑了笑，道："你看来已很累了。"

萧十一郎也笑了笑，道："还好。"

主人悠然道："和他们交手，无论用什么法子交手，都艰苦得很。"

萧十一郎道："还好。"

主人目光闪动，道："经此一战，你想必已知道他们是谁了？"

萧十一郎淡淡一笑，道："也许我早就知道他们是谁了。"

主人道："但你还是敢去和他们交手？"

萧十一郎道："嗯。"

主人仰面而笑，道："好，有胆量，当敬一杯。"

萧十一郎道："请。"

主人饮尽了杯中酒，忽然沉下了脸，道："除此之外，你还知道了什么？”

萧十一郎道：“知道得并不多，也不太少。”

主人冷冷道：“希望你知道得还不太多，一个人若是知道得太多，常常都会招来杀身之祸，那就还不如完全不知道的好了。”

萧十一郎将空了的酒杯放在指尖慢慢地转动着，忽然道：“她呢？”

主人道：“谁？”

萧十一郎道：“内人。”

主人突又笑了笑，笑得很奇特，缓缓道：“你是问那位沈姑娘？”

萧十一郎盯着那旋转着的酒杯，瞳孔似乎突然收缩了起来，眼珠子就变得说不出的空洞。

过了很久，他才慢慢地点了点头。

主人的眼睛却在盯着他，一字字问道：“她真是你的妻子？”

萧十一郎没有回答。

主人跟着又追问道：“你可知道她出了什么事？你可知道她身子为何会如此虚弱？”

萧十一郎长长吸了口气，道：“她出了什么事？”

主人淡淡道：“她本来再过几个月就会有个孩子的，现在却没有了。”

“当”地，旋转着的酒杯自指尖飞出，撞上墙壁，粉碎。

萧十一郎眼睛还是盯着那根空空的手指——手指还是直挺挺地竖在那里，显得那么笨拙、那么无助、那么可笑。

主人笑了笑，悠然道：“你若连这种事都不知道，又怎么可能是她的丈夫？又怎配做她的丈夫！”

萧十一郎眼睛终于自指尖移开，盯着他，道：“她在哪里？”

主人拒绝回答这句话，却缓缓道：“你有没有注意到一件事？这里最美丽的女人、最舒服的屋子，所有一切最好的东西，都是属于我的。”

他盯着萧十一郎，又道：“你可知道这是什么缘故？”

萧十一郎道：“什么缘故？”

主人道：“这只因我最强！”

他又笑了笑，接着道：“我早就告诉过你，在这里既不讲道义，也没有礼法，谁最有力量，谁最强，谁就能取得最好的。”

萧十一郎道：“你的意思是——”

主人道：“你既已到了这里，就得顺从这里的规矩。沈姑娘既非你的妻子，也不属于任何人，那么，谁最强，谁就得到她！”

他将空了的酒杯捏在手里，缓缓接道：“所以现在她已属于我，因为我比任何人都强，也比你强！”

他的手纤细而柔弱，甚至比女人的手还要秀气。

但说完了这句话，他再摊开手，酒杯已赫然变成了一堆粉末。

一堆比盐还细的粉末！

萧十一郎霍然站了起来，又缓缓坐了下去。

主人却连瞧也没有瞧他一眼，悠然道：“这就是你的好处，你比大多数年轻人都看得清楚，知道我的确比你强，你也比大多数年轻人都能忍耐，所以你才能活到现在。”

他笑了笑，接着道：“要找一个像你这样的对手，并不容易，所以我也不想你死得太快，只要你够聪明，也许还能活下去，活很久。”

萧十一郎突然长长叹了口气，道：“我的毛病就是太聪明了，太聪明的人，是活不长的。”

主人道：“那倒未必，我岂非也已活得很长了么？你若真够聪明，就该少说些话，多喝些酒，那么，就算你吃了亏，我也会对你有所补偿。”

萧十一郎道："补偿？"

主人微笑道："苏燕——她虽然没有沈姑娘那么美，但却有很多沈姑娘比不上的好处，而且，她岂非正是你自己挑中的么？你失去了一个，又得回一个，并没有吃亏。只要你也和别人一样，对什么事都看得开些，你还是可以快快乐乐地在这里过一辈子，也许比在外面还要活得愉快得多。"

萧十一郎道："我若不愿待在这里呢？"

主人沉下了脸，道："你不愿也得愿意，因为你根本别无选择，你根本逃不出去！"

萧十一郎忽然也笑了笑，道："也许，我已找出了破解这魔法的关键！"

主人的脸色变了，但瞬即展颜笑道："你找不到的，没有人能找得到！"

萧十一郎道："我若找到了，你肯让我将她带走？"

主人道："你要找多久？"

萧十一郎道："用不着多久，就是现在！"

主人道："你若找不到呢？"

萧十一郎断然道："我就在这里待到死，一辈子做你的奴隶！"

主人的笑容忽又变得很温柔，柔声道："这赌注并不小，你还是再考虑考虑的好。"

萧十一郎道："赌注愈大，愈有刺激，否则还不如不赌的好，这就看你敢不敢跟我赌了。"

主人笑道："再大的赌注，我也吃得下，输得起，你难道还不放心么？"

萧十一郎道："一言为定？"

主人道："话出如风！"

萧十一郎道："好！"

"好"字出口，他身子突然从墙上撞了过去。"轰"的一声，灰石飞扬，九寸厚的墙已被他撞破了个桌面般大的洞！

萧十一郎的人已撞入了隔壁的屋子！

这间屋子很大，却没有窗户。屋里简直可说什么都没有，只有张很大的桌子，桌子上摆着栋玩偶的房屋，园中亭台楼阁，小桥流水，有个绿袍老人正在溪水边浣足……

萧十一郎喘息着，面上终于露出了笑容，笑道："这就是破解你魔法的关键，是么？"

主人的脸色苍白，没有说话。

萧十一郎道："你故意仿照你住的这地方，造了这么样一栋玩偶房屋，故意先让我们瞧见，然后再将我们带到这里来，让我们不由自主生出种错觉，以为自己也已被魔法缩小，也变成了玩偶……"

他接着又道："这计划虽然荒谬，却当真是妙不可言，因为无论谁也想不到世上竟有像你这种疯狂的人，居然会做出这种荒唐的事来。"

主人也大笑起来，笑道："的确没有人能想得到，我已用这种法子捉弄过不知多少人了，那些人到最后不是发了疯，就是自己割了颈子。"

萧十一郎道："所以你觉得这法子不但很有用，而且很有趣？"

主人笑道："当然很有趣，你若也见过那些人突然发觉自己已被'缩小'了时的表情，见到他们拼命地喝酒，拼命地去找各种法子麻醉自己，直到发疯为止，你也会觉得世上绝不会再有更有趣的事了。"

他大笑着接道："那些人为了要活下去，再也不讲什么道义礼法，甚至连名誉地位都不要了，到最后为了一瓶酒，他们甚至可以出卖自己的妻子！"

萧十一郎道："你难道认为世上所有的人都和他们一样？"

主人笑道："你若见过那些人，你才会懂得，人，其实并不如自己想象中那么聪明，有时简直比狗还贱，比猪还笨。"

萧十一郎冷冷道："但你莫忘了，你自己也是个人！"

主人厉声道："谁说我是人？我既然能主宰人的生死和命运，我就是神！"

萧十一郎叹了口气，道："只有疯子，才会将自己当作神。"

主人面上忽又露出了那种温柔的笑容，柔声道："你也莫要得意，你现在还在我的掌握中，我还可以主宰你的生死命运。"

萧十一郎道："我也没有忘记你答应过我的话。"

主人道："也许我自己忘了呢？"

萧十一郎笑了笑，道："我相信你，你既然将自己当作神，就绝不会对人食言背信的，否则你岂非也和别人同样卑贱？"

主人盯着他，喃喃道："你的确很聪明，我一直小看了你！"

萧十一郎道："她呢？你现在总该放了她吧！"

主人道："我还得问你几句话。"

萧十一郎道："我本就在等着你问。"

主人道："这秘密你是怎么看破的？"

萧十一郎笑道："我们若真已到了玩偶的世界，怎会再见到阳光？但这里，却有阳光。"

主人叹了口气，道："我本就发觉疏忽了这一点，但到了这里的人，神智就已混乱，谁也不会注意到这点疏忽，连我自己都已渐渐忘了。"

萧十一郎道："大多数人都自以为能看得很远，对近在眼前的反而不去留心，你当然也很明白人心的这种弱点，所以才会将我安顿在这里，你以为我绝对想不到秘密的关键就在我自己住处的隔壁。"

主人道："你是怎么想到的？"

萧十一郎道："我只不过隐隐觉得这地方必定有两间隐藏着的秘密屋子，并不能确定在哪里，方才只不过是碰碰运气而已。"

他笑了笑，接着道："我的运气还不错。"

主人沉默了半晌，淡淡道："一个人的运气无论多么好，总有一天会变坏的。"

长夜已将过去。

主人还坐在那间屋子里，屋子里还是没燃灯。

黑暗中，慢慢地现出了一条纤小朦胧的人影，慢慢地走到他身后，轻轻地替他捶着背，柔声道："你看来也有些累了。"

语声柔和而甜美，带着种无法形容的吸引力。

主人既没有说话，也没有回头。

窗纸渐渐发白，曙色照亮了那人影。

她身材不高，但曲线却是那么柔和，那么匀称，圆圆的脸，眼睛大而明亮，不笑的时候也带着几分笑意。

她笑得不但甜美，而且纯真，无论谁看到她的笑容，都会将自己所有的忧郁烦恼全都忘记。

小公子！

小公子怎会也到了这里？

过了很久，主人才叹了口气，道："你说得不错，萧十一郎的确不是个普通人，我不该小看他的。"

小公子道："所以你就不该放他走！"

主人道："我要让人知道，我说出的话，就是金科玉律！"

小公子道："可是……纵虎归山……"

主人打断了她的话，微笑道："他们现在虽然走了，不出十天，就会回来。"

小公子道："回来？你说他们还会回来？"

主人道："一定会回来！"

小公子笑了，道："你认为萧十一郎有毛病？"

主人道："萧十一郎虽未必，但沈璧君却非回来不可。"

小公子道："你有把握？"

主人道："你几时见我做过没把握的事？"

小公子道："她为什么要回来？"

主人道："因为我已将她的心留在这里。"

小公子眨着眼，吃吃地笑了。

主人道："你不信？"

小公子笑道："我只不过想不通你用的是什么法子？"

主人道："一个男人若想留住女人的心，只有两种法子。"

小公子道："哪两种？"

主人道："第一种，是要她爱你，这当然是最好的法子，但却比较困难。"

小公子道："第二种呢？"

主人道："第二种就是要她恨你，一个女人若是真的恨你，就会时时刻刻地想着你，忘也忘不了，甩也甩不开。"

他微笑着，接着道："这法子就比较容易多了。"

小公子眼珠转动着，道："但女人若没有真的爱过你，就绝不会恨你。"

主人笑道："你错了，爱也许只有一种，恨却有很多种。"

小公子道："哦？"

主人道："若有人杀了你最亲近的人，你恨不恨他？"

小公子说不出话了。

主人道："我已想法子让她知道，沈家庄是我毁了的，她祖母也是我杀了的！”

小公子道：“可是，这种恨……”

主人道：“这种恨也是恨，她恨我愈深，就愈会想尽各种法子回到我身边来，因为只有在我身边，她才有机会杀我，才有机会报仇！”

小公子默然半晌，道：“既然如此，她为什么要走呢？”

主人道：“因为她不愿意连累萧十一郎，她知道她若不走，萧十一郎也不会走。”

小公子目光闪动着，道：“这么说，你也知道她爱的是萧十一郎？”

主人道：“女人若是爱上了一个男人，不是瞎子就能看得出。”

小公子咬着嘴唇，道：“你有把握能得到她？”

主人笑道：“只要她在我身边，我就有把握。”

小公子道：“但你既然知道她爱的是别人，就算得到她，又有什么意思？”

主人笑道：“只要我能得到她，就有法子能令她将别的男人全都忘记。”

小公子敲着背的手突然停了下来，头垂得很低。

主人转过身，拉住她的手，笑得很特别，道：“这法子别人不知道，你总该知道的。”

小公子“嘤咛”一声，倒入他怀里……

第二十三章

吓坏人的新娘子

萧十一郎忽然觉得他和沈璧君之间的距离又变得遥远了。

在那“玩偶山庄”中，他们不但人在一起，心也在一起。

在那里，他们的确已忘了很多事，忘了很多顾虑。

但现在，一切事又不同了。

有些事你只要活着，就没法子忘记。

路长而荒僻，显然是条已被废弃了的古道。

路旁的杂草已枯黄，木叶萧萧。

萧十一郎没有和沈璧君并肩而行，故意落后了两步。

沈璧君也没有停下来等他。

现在，危险已过去，伤口将愈，他们总算已逃出了魔掌，本该觉得很开心才是，但也不知为什么，他们的心情反而很沉重。

难道他们觉得又已到了分手的时候?

难道他们就不能不分手?

突然间车辚马嘶，一辆大车急驰而来!

萧十一郎想让出道路，车马竟已在他身旁停下。

马是良驹，漆黑的车身，亮得像镜子。甚至可以照得出他们黯淡的神情，疲倦而憔悴的脸。

车窗上垂着织锦的帘子。

帘子忽然被掀起，露出了两张脸，竟是那两个神秘的老人。

朱衣老人道："上车吧。"

绿袍老人道："我们送你一程。"

萧十一郎迟疑着，道："不敢劳动。"

朱衣老人道："一定要送。"

绿袍老人道："非送不可。"

萧十一郎道："为什么？"

朱衣老人道："因为你是第一个活着从那里走出来的人。"

绿袍老人道："也是第一个活着从我眼下走出来的人。"

两人的面色都很冷漠，他们眼睛里却闪动着一种炽热的光芒。

萧十一郎第一次感觉到他们也是活生生的人。

他终于笑了笑，拉开了车门。

车厢里的布置也正如那山庄里的屋子，华丽得近于夸张，但无论如何，一个已很疲倦的人坐上去，总是舒服的。

沈璧君却像是呆子。

她直挺挺地坐着，眼睛瞪着窗外，全身都没有放松。

萧十一郎也有些不安，因为老人们的眼睛都在瞬也不瞬地盯着她。

朱衣老人忽然道："你这次走了，千万莫要再回来！"

绿袍老人道："无论为了什么，都千万莫要再回来！"

萧十一郎道："为什么？"

朱衣老人目中竟似露出了一丝恐惧之色，道："因为他根本不是人，是鬼，比鬼还可怕的妖怪，无论谁遇着他，活着都不如死了的好！"

绿袍老人道："我们说的'他'是谁，你当然也知道。"

萧十一郎长长吐出口气，道："两位是什么人，我现在也知道了。"

朱衣老人道："你当然会知道，因为以你的武功，当今天下，已没有第四个人是你敌手，我们正是其中两个。"

绿袍老人道："但我们两人加起来，也不是他一个人的敌手！"

朱衣老人的嘴角在颤抖，道："天下绝没有任何人能接得住他三十招！"

绿袍老人道："你也许只能接得住他十五招！"

沈璧君咬着嘴唇，几次想开口，都忍住了。

萧十一郎沉思着，缓缓道："也许我也已猜出他是谁了。"

朱衣老人道："你最好不要知道他是谁，只要知道他随时能杀你，你却永远没法子杀他。"

绿袍老人道："世上根本就没有人能杀得死他！"

萧十一郎道："两位莫非已和他交过手？"

朱衣老人沉默了半晌，长叹道："否则我们又怎会待在那里，早上下棋，晚上也下棋……"

绿袍老人道："你难道以为我们真的那么喜欢下棋？"

朱衣老人苦笑道："老实说，现在我一摸到棋子，头就大了，但除了下棋外，我们还能做什么？"

绿袍老人黯然道："二十年来，我们未交过一个朋友，也没有一个人值得我们交的，只有你……但我们最多只能送你到路口，就得回去。"

萧十一郎目光闪动，道："两位难道就不能不回去？"

老人对望了一眼，沉重地摇了摇头。

朱衣老人嘴角带着丝凄凉的笑意，叹道："我们已太老了，已没有勇气再逃了。"

绿袍老人笑得更凄凉，道：“以前，我们也曾经试过，但无论你怎么逃，只要一停下来，就会发现他在那里等着你！”

萧十一郎沉吟着，良久良久，目中突然射出了剑锋的锋芒，盯着老人，缓缓道：“合我们三人之力，也许……”

朱衣老人很快地打断了他的话，厉声道：“不行！绝对不行！”

绿袍老人道：“这念头你连想都不能想！”

萧十一郎道：“为什么？”

朱衣老人道：“因为你只要有了这念头，就会想法子去杀他。”

绿袍老人道：“只要你想杀他，结果就一定要死在他手里！”

萧十一郎道：“可是……”

朱衣老人又打断了他的话，怒道：“你以为我们是为了什么要来送你的？怕你走不动？你以为我们出来一次很容易？”

绿袍老人道：“我们来就是要你明白，你们这次能逃出来，全是运气，所以此后你只要活着一天，就离他愈远愈好！永远不要再回来，更不要动杀他的念头，否则你就算还能活着，也会觉得生不如死。”

朱衣老人长长叹了口气，道：“就和我们一样，觉得生不如死。”

绿袍老人道：“若是别人落在他手中，必死无疑，但是你……他可能还会留着你，就像留着我们一样，他无聊时，就会拿你做对手来消遣。”

朱衣老人道：“因为他只有拿我们这种人做对手，才会多少觉得有点乐趣。”

绿袍老人道：“但我们却不愿你重蹈我们的覆辙，做他的玩物，否则你是死是活，和我们又有什么关系？”

朱衣老人目光遥视着窗外的远山，缓缓道：“我们已老了，已快死了，等我们死后，他别无对手可寻时，一定会觉得很寂寞……”

绿袍老人目中闪着光，道：“那就是我们对他的报复！因为除此之外，我们就再也找不出第二种报复的法子了！”

萧十一郎静静地听着，似已说不出话来。

车马突然停下。

朱衣老人推开了车门，道：“走，快走吧，走得愈远愈好。”

绿袍老人道：“你若敢再回来，就算他不杀你，我们也一定要你的命！”

前面，已是大道。

车马又已绝尘而去，萧十一郎和沈璧君还站在路口发着怔。

沈璧君的脸色发白，突然道：“你想，这两人会不会是‘他’故意派来吓我们的？”

萧十一郎想也没有想，断然道：“绝不会！”

沈璧君道：“为什么？”

萧十一郎道：“这两人也许会无缘无故地就杀死几百个人，但却绝不会说一句谎。”

沈璧君道：“为什么？他们究竟是谁？”

萧十一郎道：“二十年来，武林中只怕没有比他们更有名，更可怕的人了，江湖中人只要听到他们的名字……”

他还没有说出他们的名字，远处突然传来了一阵鼓乐声。

萧十一郎抬起头，就看到一行人马，自路那边蜿蜒而来。

对子马和鼓乐手后面，还有顶花轿。

是新娘子坐的花轿。

新郎官头戴金花，身穿蟒袍，骑着匹毛色纯白，全无杂色的高头大马，走在行列最前面。

世上所有的新郎官，一定都是满面喜气，得意洋洋的——尤其是新娘子已坐在花轿里的时候。

一个人自己心情不好的时候，也很怕看到别人开心得意的样子。

萧十一郎平时本不是如此自私小气的人，但今天却是例外，他也不知道是无意，还是有意，突然弯下腰去咳嗽起来。

沈璧君头虽是抬着的，但眼睛里却什么也瞧不见，看到别人的花轿，她就会想到自己坐在花轿里的时候。

那时她心里还充满了美丽的幻想，幸福的憧憬。

但现在呢？

她只希望现在坐在花轿里的这位新娘子，莫要遭遇到和她同样的事，除了自己的丈夫外，莫要再爱上第二个男人。

新郎官坐在马上，头抬得很高。

一个人在得意的时候，总喜欢看着别人的样子，总希望别人也在看他，总觉得别人也应该能分享他的快乐。

但这新郎官也是例外。他人虽坐在马上，一颗心却早已钻入花轿里，除了他的新娘子外，全世界所有的人他都没有放在心上、瞧在眼里。

因为这新娘他得来实在太不容易。

为了她，他也不知吃了多少苦，受了多少气。

为了她，他身上的肉也不知少了多少斤。

他本来几乎已绝望，谁知她却忽然点了头。

“唉，女人的心。”

现在，受苦受难的日子总算已过去，她总算已是他的。

眼见花轿就要抬进门，新娘子就要进洞房了。

想到这里，他百把斤重的身子忽然轻得好像要从马背上飘了起来。

他抬头看了看天，又低头看了看地。

“唉，真是谢天谢地。”

八匹对子马，十六个吹鼓手后面，就是那顶八人抬的花轿。

轿帘当然是垂着的。

别的新娘子一上了花轿，最刁蛮、最调皮的人也会变成呆子，动也不敢动，响也不敢响，甚至连放个屁都不敢，就算有天大的事，也得忍着。

但这新娘子，也是例外。

帘子居然被掀开了一线，新娘子居然躲在轿子里向外偷看。

萧十一郎刚抬起头，就看到帘子后面那双骨碌碌四面乱转的眼睛。

他也忍不住觉得很好笑："人还在花轿里，已憋不住了，以后那还得了？"

这样的新娘子已经很少见了，谁知更少见的事还在后头哩。

轿帘突然掀起。

红绸衣、红绣鞋，满头凤冠霞帔，穿戴得整整齐齐的新娘子，竟突然从花轿里飞了出来。

萧十一郎也不禁怔住。

他再也想不到这新娘子竟飞到他面前，从红缎子衣袖里伸出了手，"啪"的一声，用力拍了拍他肩头，银铃般娇笑道："你这小王八蛋，这些日子，你死到哪里去了！"

萧十一郎几乎已被那一巴掌拍得跌倒，再一听到这声音，他就好像真的连站都站不住了。

吹鼓手、抬轿的、跟轿的，前前后后三四十个人，也全都怔住，瞪大了眼睛，张大了嘴，那神情就好像嘴里刚被塞下个煮熟滚烫的鸡蛋。

沈璧君也已怔住，这种事，她更是连做梦都没有想到过。

新娘子笑着道："我只不过擦了一斤多粉，你难道就认不出我是谁了？"

萧十一郎叹了口气，苦笑道："我就算认不出，也猜得到的……世上除了风四娘外，哪里还找得出第二个这样的新娘子？"

风四娘脸上的粉当然没有一斤，但至少也有三两。

这当然是喜娘们的杰作，据说有本事的喜娘不但能将黑姑娘"漂白"，还能将麻子姑娘脸上的每个洞都填平。所以世上每个新娘子都很漂亮，而且看来差不多都一样。

但再多的粉也掩不住风四娘脸上那种洒脱而甜美的笑容，那种懒散而满不在乎的神情。

风四娘毕竟是风四娘，毕竟和别的新娘子不同，就算有一百双眼睛瞪着她，她还是那般模样。

她还是咯咯地笑着，拍着萧十一郎的肩膀，道："你想不想得到新娘子就是我？想不想得到我也有嫁人的一天？"

萧十一郎苦笑着，道："实在想不到。"

风四娘虽然不在乎，他却已有些受不了，压低了声音道："但你既已做了新娘子，还是赶快上轿吧，你看，这么多人都在等你。"

风四娘瞪眼道："要他们等等有什么关系？"

她提起绣裙，轻巧地转了个身，又笑道："你看，我穿了新娘子的衣服，漂不漂亮？"

萧十一郎道："漂亮，漂亮，漂亮极了，这么漂亮的新娘子，简直天下少有。"

风四娘指头戳他鼻子，道："所以我说你呀！……你实在是没福气。"

萧十一郎摸着鼻子，苦笑道："这种福气我可当不起。"

风四娘瞪起眼，又笑了，眨着眼笑道："你猜猜看，我嫁的是谁？"

萧十一郎还未说话，新郎官已匆匆赶了过来。

他这才看清这位新郎官四四方方的脸，四四方方的嘴，神情虽然很焦急，但走起路来还是四平八稳，连帽子上插着的金花都没有什么颤动，整个人看起来就像是块刚出炉的硬面饼。

萧十一郎笑了，抱拳道："原来是杨兄，恭喜恭喜。"

杨开泰看见他就怔住了，怔了半晌，好容易才挤出一丝笑容，也抱了抱拳，勉强笑道："好说好说，这次我们喜事办得太匆忙，有很多好朋友帖子都没有发到，下次……"

刚说出"下次"两个字，风四娘就踩了他一脚，笑骂道："下次？这种事还能有下次？我看你真是个呆脖子鹅。"

杨开泰也知道话说错了，急得直擦汗，愈急话就愈说不出，只有在下面去拉风四娘的衣袖，吃吃道："这……这种时候……你……你……你怎么能跑出轿子来呢？"

风四娘瞪眼道："为什么不能，看见老朋友，连招呼都不能打么？"

杨开泰道："可是……可是你现在已经是新娘子……"

风四娘道："新娘子又怎样，新娘子难道就不是人？"

杨开泰涨红了脸，道："你……你们评评理，天下哪有这样的新娘子？"

风四娘道："我就是这样子，你要是看不顺眼，换一个好了。"

杨开泰气得直跺脚，喘着气道："不讲理，不讲理，简直不讲理……"

风四娘叫了起来，道："好呀，你现在会说我不讲理了，以前你为什么不说？"

杨开泰擦着汗，道：“以前……以前……”

风四娘冷笑道：“以前我还没有嫁给你，所以我说的话都有道理，连放个屁都是香的，现在我既已上了花轿，就是你们姓杨的人了，所以你就可以作威作福了，是不是？是不是？”

杨开泰又有些软了，叹着气，道：“我不是这意思，只不过……只不过……”

风四娘道：“只不过怎样？”

杨开泰眼角偷偷往后面瞟了一眼，几十双眼睛都在瞪着他，他的脸红得都快发黑了，悄悄道：“只不过你这样子，叫别人瞧见会笑话的。”

他声音愈低，风四娘喊得愈响，大声道：“笑话就笑话，有什么了不起，我就是不怕别人笑话！”

杨开泰脸色也不禁变了。他毕竟也是个人，还有口气，毕竟不是泥巴做的，忍不住也大声道：“可是……可是你这样子，要我以后怎么做人？”

风四娘怒道：“你觉得我丢了你们杨家的人，是不是？”

杨开泰闭着嘴，居然给她来了个默认。

风四娘冷笑道：“你既然认为我不配做新娘子，这新娘子我就不做好了。”

她忽然取下头上的凤冠，重重地往地上一摔，大声道：“你莫忘了，我虽然上了花轿，却还没有进你们杨家的门，做不做你们杨家的媳妇，还由不得你，还得看我高不高兴。”

抬轿的、跟轿的、吹鼓手，看得几乎连眼珠子都凸了出来。

他们其中有些人已抬了几十年的花轿，已不知送过多少新娘子进人家的门，但这样的事，他们非但没见过，简直连听都没听说。

杨开泰更已快急疯了，道：“你……你……你……”

平时他只要一急，就会变成结巴，现在哪里还能说得出话来？

萧十一郎本来还想劝劝，只可惜他对风四娘的脾气太清楚了，知道她脾气一发，就连天王老子也是劝不了的。

风四娘索性将身上的绣袍也脱了下来，往杨开泰头上一摔，转身拉住了萧十一郎的手，道："走，我们走，不做杨家的媳妇，看我死不死得了。"

"你不能走！"

杨开泰终于将这四个字叫了出来，赶过去拉风四娘的手。

风四娘立刻就重重地甩开了，大声道："谁说我不能走？只要我高兴，谁管得了我？"

她指着杨开泰的鼻子，瞪着眼，道："告诉你，你以后少碰我，否则莫怪我给你难看！"

杨开泰木头人般怔在那里，脸上的汗珠一颗颗滚了下来。

萧十一郎看得实在有些不忍，正考虑着，想说几句话来使这场面缓和些，但风四娘已用力拉着他，大步走了出去。

他挣也挣不脱，甩也甩不开，更不能翻脸，只有跟着往前走，苦着脸道："求求你，放开我好不好，我又不是不会走路。"

风四娘瞪眼道："我偏要拉着你，连我都不怕，你怕什么？"

遇见风四娘，萧十一郎也没法子了，只有苦笑道："可是……可是我还有个……有个朋友。"

风四娘这才想起方才的确有个人站在他旁边的，这才回头一笑，道："这位姑娘，你也跟我们一起走吧！人家杨大少爷有钱有势，我们犯不着待在这里受他们的气。"

沈璧君迟疑着，终于跟了过去。

这只不过是因为她实在也没法子在这地方待下去，实在不忍再看杨开泰的可怜样子，否则她实在是不愿跟他们走的。

她的脸色也未必比杨开泰好看多少。

风四娘既然已转过身，索性又瞪了杨开泰一眼，道："告诉你，这次你若敢还像以前那样在后面盯着我，我若不把你这铁公鸡身上的鸡毛一根根拔光，就算我没本事。"

杨开泰突地跳了起来，大声道："你放心，就算天下女人都死光，我也不会再去找你这女妖怪！"

就算是个泥人，也有土性的。

杨开泰终于发了脾气。

风四娘反倒怔住了，怔了半晌，才冷笑道："好好好，这话是你说的，你最好不要忘记。"

现在，风四娘的脸色也变得很难看了。

走了很长的一段路，她都没有说话，却不时回头去望一眼。

萧十一郎淡淡道："你用不着再瞧了，他绝不会再跟来的。"

风四娘的脸红了红，冷笑道："你以为我是在瞧他？"

萧十一郎道："你难道不是？"

风四娘道："当然不是，我……我只不过是在瞧这位姑娘。"

话既已说了出来，她就真的瞧了沈璧君一眼。

沈璧君虽然垂着头，但无论谁都可看出她也有一肚子气。

风四娘拉着萧十一郎的手松开了，勉强笑道："这位姑娘，你贵姓呀？"

沈璧君道："沈。"

她虽然总算说话了，但声音却是从鼻子里发出来的，谁也听不出她说的是个什么字。

风四娘笑道："这位姑娘看到我这副样子，一定会觉得很奇怪。"

萧十一郎叹了口气，道："她若不奇怪，那才是怪事。"

风四娘道："但姑娘你最好莫要见怪，他是我的老朋友了，又是我的小老弟，所以……我一看到他就想骂他两句。"

这样的解释，实在还不如不解释的好。

萧十一郎只有苦笑。

沈璧君本来也应该笑一笑的，可是脸上却连一点笑的意思也没有。

风四娘直勾勾地瞧着她，眼睛比色狼看到漂亮女人时睁得还要大，突又将萧十一郎拉了过去，悄悄道："这位姑娘是不是你的……你的那个？"

萧十一郎只好苦笑着摇头。

风四娘眼波流动，吃吃笑着道："这种事又没有什么好难为情的，你又何必否认……她若不是，为什么会吃我的醋？"

她的嘴，简直快咬着萧十一郎的耳朵了。心里真像是故意在向沈璧君示威——天下的女人，十个中只怕有九个有这种要命的脾气。

沈璧君故意垂下头，好像什么都没有瞧见。

风四娘说话的声音本就不太小，现在又提高了些，道："却不知这是谁家的姑娘，你若真的喜欢，就赶紧求求我，我这老大姐说不定还可以替你们说个媒。"

萧十一郎的心在收缩。

他已不敢去瞧沈璧君，却又情难自禁。

沈璧君也正好抬起头，但一接触到他那充满了痛苦的眼色，她目光就立刻转开了，沉着脸，冷冷道："你为什么不向你这位老大姐解释解释？"

风四娘瞟了萧十一郎一眼，抢着道："解释什么？"

沈璧君的神色居然很平静，淡淡道："我和他只不过是很普通的朋友，而且，我已是别人的妻子。"

风四娘也笑不出来了。

沈璧君慢慢地接着道："我看你们两位倒真是天生的一对，我和外子倒可以去替你们说媒，我想，无论这位……这位老大姐是谁家的姑娘，多少总得给我们夫妻一点面子。"

她说得很平静，也很有礼。

但这些话每个字都像是一把刀，萧十一郎的心已被割裂。

他似已因痛苦而麻痹，汗，正沁出，一粒粒流过他僵硬的脸。

风四娘也怔住了。

她想不出自己这一生中，有什么时候比现在更难堪过。

沈璧君缓缓道："外子姓连，连城璧，你想必也听说过。"

风四娘似乎连呼吸都停顿了。她做梦也想不到，连城璧的妻子会和萧十一郎走在一起。

沈璧君的神色更平静，道："只要你肯答应，我和外子立刻就可以……"

萧十一郎忽然大喝道："住口！"

他冲过去，紧紧抓住了沈璧君的手。

沈璧君冷冷地瞧着他，就仿佛从未见过他这个人似的。

她的声音更冷淡，冷冷道："请你放开我的手好么？"

萧十一郎的声音已嘶哑，道："你……你不能这样对我！"

沈璧君竟冷笑了起来，道："你是我的什么人？凭什么敢来拉住我的手？"

萧十一郎仿佛突然被人抽了一鞭子，手松开，一步步向后退，锐利而明朗的眼睛突然变得说不出的空洞，呆滞……

风四娘的心也在刺痛。

她从未见过萧十一郎这种失魂落魄的样子。直到现在，她才了解萧十一郎对沈璧君爱得有多么深，痛苦有多么深，她只恨不得能将方才说的那些话全都吞回去。

就算那些话每个字都已变成了石头，她也甘心吞回去。

直退到路旁的树下，萧十一郎才有了声音，声音也是空洞的，反反复复地说着两句话：“我是什么人？……我凭什么？……”

沈璧君的目光一直在回避着他，冷冷道：“不错，你救过我，我本该感激你，但现在我对你总算已有了报答，我们可以说已两不相欠。”

萧十一郎茫然道：“是，我们已两不相欠。”

沈璧君道：“你受的伤还没有完全好，我本来应再多送你一程的，但现在，既然已有人陪着你，我也用不着再多事了。”

她说到这里，她停了停，因为她的声音也已有些颤抖。

等她恢复平静，才缓缓接着道：“你要知道，我是有丈夫的人，无论做什么，总得特别谨慎些，若有什么风言风语传出去，大家都不好看。”

萧十一郎道：“是……我明白。”

沈璧君道：“你明白就好了，无论如何，我们总算是朋友……”

说到这里，她猝然转过身。

风四娘突然脱口唤道：“沈姑娘……”

沈璧君的肩头似在颤抖，过了很久，才淡淡道：“我现在已是连夫人。”

风四娘勉强笑了笑，道：“连夫人现在可是要去找连公子么？”

沈璧君道：“我难道不该去找他？”

风四娘道：“但连夫人现在也许还不知道连公子的去向，不如让我们送一程，也免得再有意外。”

沈璧君冷冷道：“这倒用不着两位操心，就算我想找人护送，也不会麻烦到两位。”

她冷冷接着道：“杨开泰杨公子本是外子的世交，而且，他还是位君子，我去找他，非但什么事都比较方便得多，而且也不会有人说闲话。”

风四娘非但笑不出，连话都说不出了。她这一生很少有说不出话的时候，只有别人遇见她，才会变成哑巴，但现在，在沈璧君面前，她甚至连脾气都不能发作。

她实未想到看来又文静、又温柔的女人，做事竟这样厉害。

沈璧君缓缓道：“以后若是有机会，我和外子也许会请两位到连家庄去坐坐，只不过，我想这种机会也不会太多。”

她开始向前走，始终也没有回头。

她像是永远再也不会回头！

第二十四章

此情可待成追忆

风很冷，冷得人心都凉透。

树上枯黄的残叶，正一片片随风飘落。

萧十一郎就这样，站在树下，没有声音，没有表情，更没有动作。

也不知过了多久，风四娘终于长长叹了口气，苦笑道："是我害了你……我这人为什么总是会做错事，说错话？"

萧十一郎仿佛根本没有听到她在说什么，但又过了很久，他突然道："这根本不关你的事。"

风四娘道："可是……"

萧十一郎打断了她的话，道："该走的人，迟早总是要走的，这样也许反倒好。"

风四娘沉吟着，道："你的意思是说，长痛不如短痛？"

萧十一郎道："嗯。"

风四娘道："这当然也是一句话，说这话的人也一定很聪明，可是人的情感，并不是这么简单的。"

她笑了笑，笑得很凄凉，慢慢地接着道："有些问题，也并不是这么容易就可以解决的。"

萧十一郎合起眼睛，垂首道："不解决又如何？"

风四娘沉默了很久，黯然道：“也许你对，不解决也得解决，因为这是谁都无可奈何的事。”

萧十一郎也沉默了很久，霍然抬头，道：“既已解决，我们又何必再提？”

他拉起风四娘的手，笑道：“走，今天我破例让你请一次，我们喝酒去。”

他笑了，风四娘也笑了。

但两人的笑容中，却都带着种说不出的沉痛，说不出的寂寞……

“此情可待成追忆，只是当时已惘然。”

这两句诗，沈璧君早就读过了，却一直无法领略。直到现在，她才能了解，那其中所蕴含的寂寞和酸楚，真是浓得化也化不开。

无论谁遇到这样的事，都只有心碎。

沈璧君的泪已流下，心在呼唤：“萧十一郎，萧十一郎，我并不是故意要这么样做的，更不想这么样对你，可是，你还年轻，还有你的前途，我不能再拖累你。”

“现在你当然会很难受，甚至很愤怒，但日子久了，你就会渐渐将我忘记。”

忘记，忘记，忘记……忘记真如此简单？如此容易？

沈璧君的心在绞痛，她知道自己是永远也无法忘记他的。

在她心底深处，又何尝不希望他永远莫要忘记她——她若知道他真的已忘记她时，她宁可去死，宁可将自己一分分剁碎，剁成泥，烧成灰。

路旁有林。

沈璧君突然奔入枯林，扑倒在树下，放声大哭了起来。

她只希望能哭晕过去，哭死。

因为她已无法再忍受这种心碎的痛苦。

她本觉这么样做是对的，本以为自己可以忍受，但却未想到这痛苦是如此强烈，如此深邃。

也不知过了多久，她忽然感觉到有只温柔而坚定的手，在轻抚着她的头发。

“萧十一郎？莫非是萧十一郎回来了？”

萧十一郎若是真的来了，她决定再也不顾一切，投入他怀抱中，永不分离，就算要她抛弃一切，要她逃到天涯海角，她也愿意。

她回过头。

她的心沉了下去。

树林里的光线很黯，黯淡的月色从林隙照下来，照着一个人的脸，一张英俊、秀气、温柔的脸。

来的人是连城璧。

他也憔悴多了，只有那双眼睛，还是和以前同样温柔，同样亲切。

他默默地凝注着沈璧君，多少情意，尽在无言中。

沈璧君的喉头已塞住，心也塞住了。

良久良久，连城璧终于道：“家里的人都在等着，我们回去吧！”

他语声还是那么平静，仿佛已将所有一切的事全都忘记，又仿佛这些事根本全没有发生过似的。

但沈璧君又怎能忘得了呢？每件事、每一段快乐和痛苦，都已刻入她的骨髓，刻在她心上。

这全是她至死也忘不了的。

“春蚕到死丝方尽，蜡炬成灰泪始干。”

沈璧君目光忽然变得很遥远，心也回到远方。

她记得在很久以前，在同样一个秋天的黄昏，他们漫步到一个枯林里，望着自枯枝间漏下的斜阳，感叹着生命的短促，直到夜色已笼罩了大地，她还是没有想到已是该回去的时候。

那时连城璧就曾对她说："家里的人都在等着，我们回去吧！"

同样的一句话，几乎连说话的语气都是完全一模一样。

那天，她立刻就跟着他回去了。

可是现在，所有的事都已改变了，她的人也变了，已逝去的时光，是永远没有人能挽回的。

沈璧君长长地叹了口气，幽幽道："回去？回到哪里去？"

连城璧笑得还是那么温柔，柔声道："回家，自然是回家。"

沈璧君凄然道："家？我还有家？"

连城璧道："你一直都有家的。"

沈璧君道："但现在却已不同了。"

连城璧道："没有不同，因为事情本就已过去，只要你回去，所有的事都不会改变。"

沈璧君沉默了很久，嘴角露出了一丝凄凉的微笑，缓缓道："我现在才明白了。"

连城璧道："你明白了什么？"

沈璧君淡淡道："你要的并不是我，只不过是要我回去。"

连城璧道："你怎么能说……"

沈璧君打断了他的话，道："因为连家的声名是至高无上的，绝不能被任何事玷污，连家的媳妇绝不能做出败坏门风的事。"

连城璧不说话了。

沈璧君缓缓道："所以，我一定要回去，只要我回去，什么事都可以原谅，可是……"

她声音忽然激动起来，接着道："你有没有替我想过，我也是人，并不是你们连家的摆设。”

连城璧神情也很黯，叹道：“难道你……你认为我做错了什么事？”

沈璧君的头垂下，泪也又已流下，黯然道：“你没有做错，做错了的是我，我对不起你。”

连城璧柔声道：“每个人都会做错事的，那些事我根本已忘了。”

沈璧君慢慢地摇了摇头，道：“你可以忘，我却不能。”

连城璧道：“为什么？”

沈璧君又沉默了很久，像是忽然下了很大的决心，一字字道：“因为我的心已变了！”

连城璧也像是突然被人抽了一鞭子，连站都已站不稳。

沈璧君咬着嘴唇，缓缓接着道：“我知道说真话有时会伤人，但无论如何，总比说谎好。”

连城璧的手握得很紧，道：“你……你……你真的爱他？”

沈璧君的嘴唇已被咬出血，慢慢地点了点头。

连城璧突然用手握住了她肩头，厉声道：“你说，我有哪点不如他？”

他的声音也已嘶哑，连身子都已因激动而颤抖。

他一向认为自己无论遇着什么事都能保持镇静，因为他知道唯有“镇静”才是解决事情的方法。

直到现在，他才知道自己错了。

他毕竟也是个人，活人，他的血毕竟也是热的。

沈璧君的肩头似已被捏碎，却勉强忍耐着，不让泪再流下。

她咬着牙道：“他也许不如你，什么地方都不如你，可是他能为我牺牲一切，甚至不惜为我去死，你……你能么？”

连城璧怔住，手慢慢地松开，身子慢慢地往后退。

沈璧君的目光也在回避着他，道："你以前也说过，一个女人的心若变了，无论如何也无法挽回的，若有人想去挽回，所受的痛苦必定更大。"

连城璧一双明亮的眼睛也变得空空洞洞，茫然凝视着她，喃喃道："好，你很好……"

这句话他反反复复也不知说了多少遍，突然冲过来，重重地在她脸上掴了一耳光。

沈璧君动也不动，就像是已完全麻木，就像是已变成了个石头人，只是冷冷地盯着他，冷冷道："你可以打我，甚至杀了我，我也不怪你，但你却永远也无法令我回心转意……"

连城璧突然转过身，狂奔了出去。

直到这时，沈璧君的目光才开始去瞧他。

目送着他背影远去、消失，她泪珠又一连串流了下来。

"我对不起你，对不起你，但我这么样做，也是不得已的，我绝不是你想象中那么狠心的女人。"

"我这么样做，也是为了不忍连累你。"

"我只有以死来报答你，报答你们……"

她只恨不得能将自己的心撕裂，人也撕裂，撕成两半。

她不能。

除了死，她已没有第二种法子解决，已没有选择的余地！

夜已临。

沈璧君的泪似已流尽。

她忽然站了起来，整了整衣衫，向前走。

她的路只有一条。这条路是直达"玩偶山庄"的！

她似乎已瞧见了那张恶毒的笑脸，正在微笑着对她说："我早就知道你会回来，因为你根本就没有第二条路走！"

酒，喝得并不快。

萧十一郎心口就仿佛被什么东西塞住了，连酒都流不下去。

风四娘又何尝没有心事？她的心事也许比他更难说出口。

而且，这是个很小的摊子，卖的酒又酸、又苦、又辣。

风四娘根本就喝不下去。

她并不小气，但新娘子身上，又怎么会带钱呢？这小小的市镇里，也根本就找不到她典押珠宝的地方。

萧十一郎更永远都是在“囊空如洗”的边缘。

风四娘突然笑了，道：“我们两人好像永远都只有在摊子上喝酒的命。”

萧十一郎茫然道：“摊子也很好。”

他的人虽在这里，心却还是停留在远方。

他和沈璧君在一起，虽然永远是活在灾难或不幸中，却也有过欢乐的时候，甜蜜的时候。

只不过，现在所有的欢乐和甜蜜也都已变成了痛苦，想起了这些事，他只有痛苦得更深。

风四娘很快地将一杯酒倒了下去，苦着脸道：“有人说，无论多坏的酒，只要你喝快些，喝到后来，也不觉得了，但这酒却好像是例外。”

萧十一郎淡淡道：“在我看来，只有能令人醉的酒，才是好酒。”

他只想能快点喝醉，头脑却偏偏很清醒。

因为“痛苦”本就能令人保持清醒，就算你已喝得烂醉如泥，但心里的痛苦还是无法减轻。

风四娘凝视着他，她已用了很多方法来将他的心思转移，想些别的事，不再去想沈璧君。

现在她已知道这是办不到的。

无论她再说什么，他心里想的还是只有一个人。

风四娘终于叹息了一声，道：“我想，她这么样对你，一定有她的苦衷，一定还有别的原因，我看她绝不像如此狠心的女人。”

萧十一郎缓缓道：“世上本就没有真正狠心的女人，只有变心的女人。”

这语声竟是那么遥远，仿佛根本不是从他嘴里说出来的。

风四娘道：“我看，她也不会是那种女人，只不过……”

萧十一郎突然打断了她的话，道：“你可知道现在还活着的人之中，武功最高的是谁？”

风四娘自然不知道他为何会忽然问出这句话来，沉吟了半晌，才回答道：“据我所知，是逍遥侯。”

萧十一郎道：“我知道你是认得他的。”

风四娘道：“嗯。”

萧十一郎道：“他是个怎么样的人？”

风四娘道：“我没有见过他。”

萧十一郎也怔住了，道：“你不但认得他，据我所知，他还送过你两柄很好的剑。”

风四娘道：“但我却没有见过他的人。”

萧十一郎苦笑道：“你又把我弄糊涂了。”

风四娘也笑了笑，道：“我每次去见他的时候，都是隔着帘子和他谈话。有一次，我忍不住冲进帘子想去瞧瞧他的真面目。”

萧十一郎道：“你没有瞧见？”

风四娘叹了口气，道：“我自己认为动作已经够快了，谁知我一冲进帘子，他人影已不见。”

萧十一郎冷冷道：“原来他并不是你的朋友，根本不愿见你。”

风四娘却笑了笑，而且好像很得意，道："正因为他是我的朋友，所以才不愿见我。"

萧十一郎道："这是什么话？"

风四娘道："因为这世上只有两种人能见得到他的真面目。"

萧十一郎道："哪两种？"

风四娘道："一种是他要杀的人……他要杀的人，就必定活不长了。"

萧十一郎默然半晌，道："还有一种呢？"

风四娘道："还有一种是女人——他看上的女人。只要他看上的女人，就没有一个能逃脱他的掌握，迟早总要被他搭上手。"

萧十一郎脸色变了变，倒了杯酒在喉咙里，冷笑道："如此说来，他并没有看上你。"

风四娘脸色也变了，火气似乎已将发作，但瞬即又嫣然笑道："就算他看不上我好了，反正今天你无论说什么，我都不生气。"

她不让萧十一郎说话，接着又道："江湖中有关他的传说也很多，有人说，他又瞎又麻又丑，是以不敢见人，也有人说他长得和楚霸王很像，是条腰大十围、满脸胡子的大汉。"

萧十一郎道："从来没有人说过他很好看？"

风四娘笑道："他若是真的很好看，又怎会不敢见人？"

萧十一郎悠悠道："那也许是因为他生得很矮小，生怕别人瞧不起他。"

风四娘的眼睛睁大了，盯着萧十一郎道："难道你见过他？"

萧十一郎没有回答这句话，却反问道："你是不是又想到关外走一趟？"

风四娘道："嗯。"

萧十一郎道："这次你在关外有没有见到他？"

风四娘道：“没有，听说他已入关来了。”

萧十一郎沉吟着，道：“他武功真的深不可测？”

风四娘叹了口气，道：“不说别的，只说那份轻功，已没有人能比得上。”

萧十一郎突然笑了笑，道：“难道连我也不是他的敌手？”

风四娘凝注着他，缓缓道：“这就很难说了！”

萧十一郎道：“有什么难说的？”

风四娘道：“你武功也许不如他，可是我总觉得你有股劲，别人永远学不会，也永远比不上的劲。”

她笑了笑，接着道：“也许那只是因为你会拼命，但一个人若是真的敢拼命，别人就要对你畏惧三分。”

萧十一郎目光凝注远方，喃喃道：“你错了，我以前并没有真的拼过命。”

风四娘嫣然道：“我并没有要你真的去拼命，只不过说你有这股劲。”

萧十一郎笑道：“你又错了，若是真到了时候，我也会真的去拼命的。”

他虽然在笑，但目中却连一丝笑意都没有。

风四娘面色突又变了，盯着萧十一郎的脸，探问着道：“你突然问起我这些事，为的是什么？”

萧十一郎淡淡道：“没有什么。”

他表面看来虽然很平静，但眉目间已露出了杀气。

这并没有逃过风四娘的眼睛。

她立刻又追问道：“你是不是想去找他拼命？”

风四娘目光似乎也不肯离开他的脸，一字字道：“那只因你想死！”

她很快地接着道："也许你认为只有'死'才能解决你的痛苦，是么？"

萧十一郎面上的肌肉突然抽紧。

他终于已无法再控制自己，霍然长身而起，道："我的酒已喝够了，多谢。"

风四娘立刻拉住他的手，大声道："你绝不能走！"

萧十一郎冷冷道："我要走的时候，绝没有人能留得住我。"

突听一人道："但我一定要留住你。"

语声很斯文，也很平静，却带着说不出的冷漠之意。

话声中，一个人慢慢地自黑暗中走了出来，苍白的脸，明亮的眼睛，步履很安详，态度很斯文，看来就像是个书生。只不过他腰畔却悬着柄剑，长剑！

剑鞘是漆黑色的，在昏灯下闪着令人心都会发冷的寒光。

风四娘失声道："是连公子么？"

连城璧缓缓道："不错，正是在下，这世上也许只有在下一人能留得住萧十一郎。"

萧十一郎的脸色也变了，忍不住道："你真要留下我？"

连城璧淡淡一笑，道："那只不过是因为在下的心情不太好，很想留阁下陪我喝杯酒。"

他瞳孔似已收缩，盯着萧十一郎，缓缓道："在下今日有这种心情，全出于阁下所赐，就算要勉强留阁下喝杯酒，阁下也不该拒绝的，是么？"

萧十一郎也在凝视着他，良久良久，终于慢慢地坐下。

风四娘这才松了口气，嫣然道："连公子，请坐吧。"

灯光似乎更暗了。

连城壁的脸，在这种灯光下看来，简直就跟死人一样。

他目光到现在为止，还没有离开过萧十一郎的眼睛。他似乎想从萧十一郎的眼睛里，看出他心里究竟在想什么。

但萧十一郎目光却是空洞洞的，什么也看不出来。

卖酒的本来一直在盯着他们——尤其特别留意风四娘，他卖了一辈子的酒，像风四娘这样的女客人，还是第一次见到。

他并不是君子，只希望这三人赶快都喝醉，最好醉得不省人事，那么，他至少就可以偷偷地摸摸风四娘的手——能摸到别的地方自然更好。

但现在……

他发觉自从这斯斯文文的少年人来了之后，他们两人就仿佛有了一种说不出的难受滋味。

他并不知道这就是杀气，他只知道自己一走过去，手心就会冒汗，连心跳都像是要停止。

风四娘在斟着酒，带着笑道："这酒实在不好，不知连公子喝不喝得下去？"

连城壁举起杯，淡淡道："只要是能令人喝醉的酒，就是好酒，请。"

这句话几乎和萧十一郎方才说的完全一模一样。

风四娘做梦也想不到连城壁会和萧十一郎说出同样的一句话，因为他们本是极端不同的两个人。

这也许是因为他们在基本上是相同的，只是后天的环境将他们造成了完全不相同的两个人。

也或许是因为他们在想着同一个人，有着同样的感情。

风四娘心里也有很多感慨，忽然想起了杨开泰。

她本来从未觉得自己对不起他，因为她从未爱过他，他既然要自作多情，无论受什么样的罪都是自作自受，怨不得别人。

但现在，她忽然了解到他的悲哀，忽然了解到一个人的爱被拒绝、被轻蔑是多么痛苦。

她心里忽然觉得有点酸酸的、闷闷的，慢慢地举起杯，很快地喝了下去。

连城璧的酒杯又已加满，又举杯向萧十一郎，道："我也敬你一杯，请。"

他似乎也在拼命想将自己灌醉，似乎也有无可奈何，无法忘记的痛苦，似乎只有以酒来将自己麻木。

他又是为了什么？

风四娘忍不住试探问道："连公子也许还不知道，她……"

她正不知该怎么说，连城璧已打断了她的话，淡淡道："我什么都知道。"

风四娘道："你知道？知道有人在找你？"

连城璧笑了笑，笑得很苦涩，道："她用不着找我，因为我一直在跟着她。"

风四娘道："你已见过她？"

连城璧目光转向远方的黑暗，缓缓道："我已见过了。"

风四娘显然很诧异，道："那么她呢？"

连城璧黯然道："走了，走了……该走的，迟早总是要走的……"

这句话竟又和萧十一郎所说的完全一样。

风四娘更诧异："难道她也离开了他？"

"她明明要回去，为何又要离开？"

"她既然已决心要离开他，为什么又要对萧十一郎那么绝情，那么狠心？"

风四娘自己也是女人，却还是无法了解女人的心。

有时甚至连她自己都无法了解自己。

但萧十一郎却似已忽然了解了，整个人都似忽然冷透——由他的心，他的胃，直冷到脚底。

但他的一双眼睛却火焰般燃烧起来。

他知道她更痛苦，更矛盾，已无法躲避，更无法解决。

她只有死。

死，本就是种解脱。

可是，她绝不会白白地死，她的死，一定有代价，因为她本不是个平凡的女人，在临死前，一定会将羞侮和仇恨用血洗清。

萧十一郎的拳紧握，因为他已明白了她的用心，他只恨自己方才为什么没有想到，为什么没有拦住她。

他恨不得立刻追去，用自己的命，换回她的一条命。

可是现在还不能，这件事他必须单独去做。

他不能再欠别人的。

连城璧目光已自远方转回，正凝注着他，缓缓道："我一直认为你是个可怜的人，但现在，我才知道你实在比我幸运得多。"

萧十一郎道："幸运？"

连城璧又笑了笑，道："因为我现在才知道我从来也没有完全得到过她。"

他笑得很酸楚，却又带着种说不出的讥诮之意，也不知是对生命的讥诮，是对别人的讥诮，还是对自己的？

萧十一郎沉默了半晌，一字字道："我只知道她从来也没有做过对不起你的事。"

连城璧瞪着他，忽然仰天大笑了起来，大笑着道："什么对不起？什么对得起？这世上本就没有'绝对'的事，人们又何苦定要去追寻？"

萧十一郎厉声道："你不信？"

连城璧骤然顿住了笑声，凝注杯中的酒，喃喃道："现在我什么都不信，唯一相信的，就是酒，因为酒比什么都可靠得多，至少它能让我醉。"

他很快地干一杯，击案高歌道："风四娘，十一郎，将进酒，杯莫停，会须一饮三百杯，但愿长醉不复醒，古来圣贤皆寂寞，唯有饮者留其名……"

一个人酒若喝不下去时，若有人找你拼酒，立刻就会喝得快了。

连城璧已伏倒在桌上，手里还是紧握着酒杯，喃喃道："喝呀，喝呀，你们不敢喝了么？"

风四娘也已醉态可掬，大声道："好，喝，今天无论你喝多少，我都陪你。"

她喝得愈醉，愈觉得连城璧可怜。

一个冷静坚强的人突然消沉沦落，本就最令人同情。因为改变得愈突然，别人的感受也就愈激烈。

直到这时，风四娘才知道连城璧也是个有情感的人。

萧十一郎似也醉了。

本已将醉时，也正是醉得最快的时候。

连城璧喃喃道："萧十一郎，我本该杀了你的……"

他忽然站起，拔剑，瞪着萧十一郎。

可是他连站都站不稳了，用力一抡剑，就跌倒了。

风四娘赶过去，想扶他，自己竟也跌倒，大声道："他是我的朋友，你不能杀他。"

连城璧咯咯笑道："我本该杀了他的，可是他已经醉了，他还是不行，不行……"

两人你一句，我一句，像是说得很起劲，但除了他们自己外，谁也听不懂他们说的是什么。

然后，他们突然不说话了。

过了半晌，萧十一郎竟慢慢地站了起来。暗淡的灯光下，他俯首凝视着连城壁，良久良久。

他神情看来就像是一匹负了伤的野兽，满身都带着剑伤和痛苦，而且自知死期已不远了。

连城壁突又在醉中呼喊："你对不起我，你对不起我……"

萧十一郎咬着牙，喃喃道："你放心，我一定会把她找回来的，我只希望你能好好待她，只希望你们活得能比以前更幸福……"

第二十五章

夕阳无限好

萧十一郎又闯入了“玩偶山庄”。

他第一眼看到的就是小公子那纯真无邪、温柔甜美的笑容。

小公子斜倚在一株松木的高枝，仿佛正在等着他，柔声笑道：“我就知道你也会回来的，只要来到这里的人，从来就没有一个能走得了。”

萧十一郎神色居然很冷静，只是面色苍白得可怕，冷冷道：“她呢？”

小公子眨着眼，道：“你还说谁，连沈璧君？”

她故意将“连”字说得特别重。

萧十一郎面上还是全无表情，道：“是。”

小公子嫣然道：“她比你回来得还早，现在只怕已睡了。”

萧十一郎瞪着她，眼角似已溃裂。

小公子也不敢再瞧他的眼睛了，眼波流动，道：“你要不要我带你去找她？”

萧十一郎道：“要！”

小公子吃吃笑道：“我可以帮你这次忙，但你要用什么来谢我呢？”

萧十一郎道：“你说。”

小公子眼珠子又一转，道："只要你跪下来，向我磕个头，我就带你去。"

萧十一郎什么话也没有说，就突然跪了下来，磕了个头——他目中甚至连痛苦委屈之色都没有。

因为现在已再没有别的事能使他动心了。

八角亭里，老人们还在下着棋。

两人都没有回头，世上仿佛也没有什么事能令他们动心了。

小公子一跃而下，轻抚着萧十一郎的头发，吃吃笑道："好乖的小孩子，跟阿姨走吧。"

屋子里很静。

逍遥侯躺在一张大而舒服的床上，目中带着点说不出是什么味道的笑意，凝注着沈璧君。

沈璧君就坐在他对面的椅子上，紧张得一直想呕吐。

被他这种眼光瞧着，她只觉自己仿佛已是完全赤裸着的，她只恨不得能将这双眼睛挖出来，嚼碎，吞下去！

也不知过了多久，逍遥侯突然问道："你决定了没有？"

沈璧君长长吸入了口气，咬着嘴唇，摇了摇头。

逍遥侯微笑着道："你还是快些决定的好，因为你迟早要这么样做的，只有听我的话，你才有机会，否则你就白来了。"

沈璧君身子颤抖着。

逍遥侯又道："我知道你要杀我，可是你若不肯接近我，就简直连半分机会也没有——你也知道我绝不让穿着衣裳的女人接近我。"

沈璧君咬着牙，颤声道："你若已知道我要杀你，我还是没有机会。"

逍遥侯笑得更邪，眯着眼道："你莫忘记，我也是男人，男人总有心动的时候，男人只要心一动，女人就可乘虚而入……”

他眼睛似已眯成了一条线，悠然接着道：“问题只是，你有没有本事能令我心动。”

沈璧君身子颤抖得更剧烈，嗄声道：“你……你简直不是人！”

逍遥侯大笑道：“我几时说过我是人？要杀人容易，要杀我，那就要花些代价了。”

沈璧君瞪着他，狠狠地瞪着他，良久良久，突然咬了咬牙，站起来，用力撕开了衣襟，脱下了衣服。

她脱得并不快，因为她的人、她的手，还是在不停地发抖。

上面的衣衫除下，她无瑕的胴体就已有大半呈现在逍遥侯眼前。

他眼中带着满意的表情，微笑着道：“很好，果然未令我失望，我就算死在你这种美人的手下，也蛮值得了。”

沈璧君嘴唇已又被咬出了血，更衬得她肤色如玉。

她的胸膛更白，更晶莹，她的腿……

突然间，门被撞开。

萧十一郎出现在门口。

萧十一郎的心已将爆炸。

沈璧君的人都似已完全僵硬，麻木，呆呆地瞧着他，动也不动，然后突然间就倒下，倒在地上。

逍遥侯却似乎并不觉得意外，只是叹了口气，喃喃道：“拆散人的好事，至少要短阳寿三十年的，你难道不怕？”

萧十一郎紧握拳，道：“我若要死，你也得陪着。”

逍遥侯道：“哦？你是在挑战？”

萧十一郎道：“是。”

逍遥侯笑了，道：“死的法子很多，你选的这一种并不聪明。”

萧十一郎冷冷道："你先出去！"

逍遥侯瞪了他半晌，又笑了，道："世上还没有人敢向我挑战的，只有你是例外，所以……我也为你破例一次，对一个快要死的人，我总是特别客气的。"

他本来是斜卧着的，此刻身子突然平平飞起，就像一朵云似的飞了出去——就凭这一手轻功，就足以将人的胆吓碎。

萧十一郎却似乎根本没有瞧见，缓缓走向沈璧君，俯首凝注着她，目中终于露出了痛苦之色。

他的心在嘶喊："你何苦这么样做，何苦这么样委屈自己？"

但他嘴里却只是淡淡道："你该回去了，有人在等你。"

沈璧君闭着眼，眼泪泉水般从眼角向外流。

萧十一郎沉声道："你不该只想着自己，有时也该想想别人的痛苦，他的痛苦也许比任何人都要深得多。"

沈璧君突然大声道："我知道他的痛苦，但那只不过是因为他的自尊受了伤害，并不是为了我。"

萧十一郎道："那只是你的想法。"

沈璧君道："你呢？你……"

萧十一郎打断她的话，冷冷道："我无论怎么样都与你无关，我和你本就全无关系。"

沈璧君忽然张开了眼睛，带着泪凝注着他。

萧十一郎虽然在拼命控制着自己，可是被这双眼睛瞧着，他的人已将崩溃，心已将粉碎……

他几乎已忍不住要伸手去拥抱她，她也几乎要扑入他怀里。

相爱着的人，只要能活着，活在一起，就已足够，别的事又何必在乎——就算死在一起，也是快乐的。

那至少也比分离的痛苦容易忍受得多。

但就在这时，风四娘突然冲进来了。

她看来比任何人都激动，大声道：“我早就知道你在这里，你以为我真的醉了么？”

萧十一郎的脸沉了下去，道：“你怎会来了的？”

其实他也用不着问，因为他已瞧见小公子正躲在门后偷偷地笑。

萧十一郎立刻又问道：“他呢？”

风四娘道：“他现在比你安全得多，可是你……你为什么要做这种傻事？”

萧十一郎根本拒绝听她说的话，默然半晌，缓缓道：“你来了也好，你既来了，就带她回去吧。”

风四娘眼圈又红了，道：“我陪你。”

萧十一郎道：“我一直认为你很了解我，但你却很令我失望。”

风四娘道：“我当然了解你。”

萧十一郎一字字道：“你若真的了解我，就应该快带她回去。”

他没有再多说一句话，一个字。

风四娘凝注着他，良久良久，终于叹了口气，黯然道：“你为什么总不肯替人留下第二条路走？”

萧十一郎目光又已遥远，道：“因为我自己走的也只有一条路！”

死路！

一个人到了迫不得已，无可奈何时，就只有自己走上死路。

沈璧君要冲出去，却被风四娘抱住。

“他若要去，就没有人能拦住他，否则他做出的事一定会更可怕。”

这话虽是风四娘说的，沈璧君也很了解。

她哭得几乎连心跳都停止。

突听一人银铃般笑道："好个伤心的人儿呀，连我的心都快被你哭碎了，只不过，其实你根本用不着为他难受的，因为你一定死得比他更快。"

风四娘瞪起了眼，道："你敢动她？"

小公子媚笑道："我为什么不敢？"

风四娘忽然也笑了，道："你真是个小妖精，连我见了都心动，只可惜你遇上了我这个老妖精，你那些花样，在我面前就好像是小孩子玩的把戏。"

小公子张大了眼睛，像是很吃惊，道："哦，真的么？"

风四娘道："你不妨试试。"

小公子又笑了，道："现在我的确也很想试试，只可惜我已经试过了。"

这次轮到风四娘吃惊了，动容道："你试过了？"

小公子悠然道："我不但试过了，而且很有效。"

风四娘突又笑了，道："你吓人的本事也不错，只可惜在我面前也没有效。"

小公子笑道："在你面前也许没有效，因为你的脸皮太厚，但在你手上却很有效，因你的手一直比小姑娘还嫩。"

风四娘忍不住抬起手来瞧了瞧，脸色立刻变了。

小公子道："方才我拉着你的手进来，你几乎一点也没有留意，因为那时你的心已全都放在萧十一郎一个人身上了。"

她媚笑着又道："现在我才知道，喜欢他的人可真不少，能为自己的心上人而死，死得也算不冤枉了。"

风四娘居然又笑了，道："小丫头，你懂得的倒真不少。"

她话未说完，已出手。

江湖中人一向认为风四娘的出手比萧十一郎更可怕，因为她出手更毒、更辣，而且总是在笑得最甜的时候出手，要你做梦也想不到。

小公子却想到了，因为她出手也一样。

这本该是场很精彩的决斗，只可惜风四娘的手已被小公子的毒针刺入，已变得麻木不灵了。

所以这一战很快就结束。

小公子瞧着已动不了的风四娘，嫣然道：“我不杀你，因为你太老了，已不值得我动手。”

她目光转向沈璧君，道：“可是你不同了……你简直比我还要令人着迷，我怎么能不杀你？”

沈璧君似已完全被悲痛麻木，根本未将死活放在心上。

小公子柔声道：“现在萧十一郎已走入绝路，已无法来救你，你自己也不敢跟我交手的，你难道一点也不在乎？”

沈璧君不动，不听，也不响。

小公子眨着眼，道：“噢，我知道了，你一定还等着人来救你……是不是在等那醉猫，你现在想不想见见他？”

她拍了拍手，就有两个少女吃吃地笑着，扶着一个人走进来，远远就可以嗅到一阵阵酒气扑鼻。

连城璧竟也被她架来了。

瞧见连城璧，沈璧君才惊醒过来，她从未想到连城璧也会喝得这么醉，醉得这么惨，令她更悲痛、更难受。

小公子走过去，轻拍着连城璧的肩头，柔声道：“现在，我就要杀你的老婆了，我知道你心里也一定很难受，只可惜你只有瞧着，也许连瞧都瞧不清楚。”

连城璧突然弯下腰，呕吐起来，吐得小公子一身都是臭酒。

少女们娇呼着，捂着鼻子闪开。

小公子皱起眉，冷笑道：“我知道你是想找死，可是我偏偏……”

突然间，剑光一闪。

一柄短剑已刺入了她的心口。

好快的剑，好快的出手。

风四娘也怔住了。

她现在才想起，“袖中剑”本就是连家的救命杀手，可是她从未见过，也没有别人见过，甚至连沈璧君都未见过。

见过的人，都已入了坟墓。

就只为了练这一招，他已不知练过几十万次、几百万次，他甚至在梦中都可随便使出这一招。

可是他从没有机会使出这一招。

小公子已倒下瞪着他，好像还不相信这件事是真的。

她从未想到自己也和别人一样，也死得如此简单。

然后，她嘴角突然露出一丝甜笑，瞧着连城璧，柔声道：“我真该谢谢你，原来‘死’竟是件这么容易的事，早知如此，我又何必辛辛苦苦地活着呢？你说是么？”

她喘息着，目光转向风四娘，缓缓道：“你的解药就在我怀里，你若还想活下去，就来拿吧，可是我劝你，活着绝没有死这么舒服，你想想，活着的人哪一个没有痛苦，没有烦恼……”

路，蜿蜒通向前方。

一个红衣老人和一个绿袍老者并肩站在那里，遥视着路的尽头，神情都很沉重，似乎全未留意身后又有三个人来了。

直到这时，连城璧似乎还未完全清醒。

也许他根本不愿清醒，不敢清醒，因为清醒就得面对现实。

现实永远是残酷的。

沈璧君走在最后面，一直垂着头，似乎不愿抬头，不敢抬头，因为只要一抬头，也就会面对一些她不敢面对的事。

他们都在逃避，但又能逃避多久呢？

风四娘慢慢地走到老人们身旁，过了很久，才缓缓道："他们就是从这条路走的？"

红衣老人道："嗯。"

风四娘道："你在等他们回来？"

绿袍老者道："嗯。"

风四娘长长吁了口气，讷讷道："你想……谁会回来？"

她本不敢问，却又忍不住要问。

红衣老人沉吟着，缓缓道："至少他是很难回来了。"

风四娘的心已下沉，她自然知道他说的"他"是谁。

绿袍老人突也道："也许，他们两个人都不会再走回来。"

红衣老人慢慢地点了点头，道："但愿如此。"

风四娘突然大声道："你们以为他一定不是逍遥侯的对手？你们错了，他武功也许要差一筹，可是他有勇气，他有股劲，很多人以寡敌众，以弱胜强，就因为有这股劲。"

红衣老人、绿袍老者同时瞧了她一眼，只瞧了一眼，就扭过头，目光还是遥注着路的尽头，神情还是同样沉重。

风四娘还想说下去，喉头却已被塞住。

沈璧君的头突然抬起，走向连城璧，走到他面前，一字字道："我也要走。"

连城璧茫然道："你也要走了么？"

沈璧君看来竟然很镇定，缓缓道："无论他是死是活，我都要去陪着他。"

连城璧道："我明白。"

沈璧君说得很慢，道："可是，我还是不会做对不起你的事，我一定会让你觉得满意……"

她猝然转身，狂奔而去。

无论谁都可以想到，她这一去，就再也不会回来了。

黄昏，夕阳无限好。

全走了，每个人都走了，因为再等下去也是多余的。

这本是条死路。

走上这条路的人，就不会再回头的。

只有风四娘，还是在痴痴地向路的尽处凝望。

"萧十一郎一定会回来的，一定……"

连城璧是最后走的，走时他已完全清醒。

风四娘只望他能振作，萧十一郎能活下去，她不忍眼见着他们被这"情"字毁了一生！

她有这信心。

可是她自己呢？

"我永远不会被情所折磨，永远不会为情而苦，因为我从来没有爱过人，也没有人真的爱过我。"

这话她自己能相信么？

夕阳照着她的眼睛，她眼中怎会有泪光闪动？

"萧十一郎，萧十一郎，求求你不要死，我只要知道你还活着，就已满足，别的事全不要紧。"

夕阳更绚丽。

风吹过，乌鸦惊起。

风四娘回过头，就瞧见了杨开泰。

他静静地站在那里，还是站得那么直、那么稳。

这人就像是永远不会变的。

他静静地瞧着风四娘，缓缓道：“我还是跟着你来了，就算你打死我，我也还是要跟着你。”

平凡的言词，没有修饰，也不动听。

但其中又藏着多少真情?

风四娘只觉心已热了，忍不住扑过去，扑入他怀里，道：“我希望你跟着我，永远跟着我，我绝不会再让你伤心。”

杨开泰紧紧搂住了她，道：“就算你令我伤心也无妨，因为若是离开你，我只有更痛苦，更伤心。”

风四娘不停地说道：“我知道你，我知道……”

她忽然发觉，被爱的确要比爱人幸福得多。

可是，她的眼泪为什么又流了下来呢?

《萧十一郎》完

相关情节请看《火并萧十一郎》

读客文化将出版以下古龙经典作品

《小李飞刀1：多情剑客无情剑》

《小李飞刀2：边城浪子》

《小李飞刀3：九月鹰飞》

《小李飞刀4：天涯·明月·刀》

《陆小凤传奇1：金鹏王朝》

《陆小凤传奇2：绣花大盗》

《陆小凤传奇3：决战前后》

《陆小凤传奇4：银钩赌坊》

《陆小凤传奇5：幽灵山庄》

《陆小凤传奇6：凤舞九天》

《陆小凤传奇7：剑神一笑》

《楚留香新传1：借尸还魂》

《楚留香新传2：蝙蝠传奇》

《楚留香新传3：桃花传奇》

《楚留香新传4：新月传奇·午夜兰花》

《七种武器1：长生剑·孔雀翎》

《七种武器2：碧玉刀·多情环》

《七种武器3：离别钩·霸王枪》

《七种武器4：愤怒的小马·七杀手》

《萧十一郎》

《火并萧十一郎》

《绝代双骄》

《欢乐英雄》

《三少爷的剑》

《流星·蝴蝶·剑》

《武林外史》

《白玉老虎》

《圆月弯刀》

《大人物》

《绝不低头》

《碧血洗银枪》

《彩环曲》

《苍穹神剑》

《大地飞鹰》

《风铃中的刀声》

《护花铃》

《剑毒梅香》

《剑客行》

《猎鹰·赌局》

《名剑风流》

《飘香剑雨》

《七星龙王》

《失魂引》

《血鹦鹉》

《英雄无泪》

《游侠录》

《月异星邪》

读客

激发个人成长

多年以来，千千万万有经验的读者，都会定期查看熊猫君家的最新书目，挑选满足自己成长需求的新书。

读客图书以“激发个人成长”为使命，在以下三个方面为您精选优质图书：

1. 精神成长

熊猫君家精彩绝伦的小说文库和人文类图书，帮助你成为永远充满梦想、勇气和爱的人！

2. 知识结构成长

熊猫君家的历史类、社科类图书，帮助你了解从宇宙诞生、文明演变直至今日世界之形成的方方面面。

3. 工作技能成长

熊猫君家的经管类、家教类图书，指引你更好地工作、更有效率地生活，减少人生中的烦恼。

每一本读客图书都轻松好读，精彩绝伦，充满无穷阅读乐趣！

古龙诞辰80周年
纪念手册

一笑

目　录

一、关于“武侠”——古龙

听说倪匡准备写《中国武侠小说史》，对一个写武侠小说的人说来，这实在是件非常值得欢喜兴奋的事。

武侠小说之由来已久，武侠小说之不被重视，由来也已久，现在终于有人挺身而出，为这种小说作一个有系统的纪录，使它日后也能在小说的历史中占一席地。这件工作的本身，已无疑是武侠小说历史中的一大盛事；只要是写武侠小说的人，都应该来共襄盛举。

所以我也不免见猎心喜，只可惜我既没有倪匡兄那么大的魄力，也没有那么大的本事。我只不过像是个献曝的野人，想把我对武侠小说的一点点心得和感想写出来，既不能算正式的纪录，更不能算严肃的评论。

假如它还能引起读者诸君一点点兴趣，为倪匡兄的工作作一点铺路的工作，我就已心满意足了。

01

关于武侠小说的源起，一向有很多种不同的说法——自太史公的《游侠列传》开始，中国就有了武侠小说——这当然是其中最堂皇的一种，但接受这种说法的人并不多。

因为武侠小说是传奇的，如果一定将它和太史公那种严肃的传记相提并论，就未免有点自欺欺人了。

在唐人的小说记事中，才有些故事和武侠小说比较接近。

《唐人说荟》卷五，张鹜的《耳目记》中，就有段故事是非常传奇、非常“武侠”的：

> 隋末，深州诸葛昂，性豪侠，渤海高瓒闻而造之，为设鸡肫而已，瓒小其用。明日大设，屈昂数十人，烹猪羊等长八尺，薄饼阔丈余，裹馅粗如庭柱，盘作酒碗行巡，自作金刚舞以送之。
>
> 昂至后日屈瓒，屈客数百人，大设，车行酒，马行炙，挫碓斩脍，硙轹蒜齑，唱夜叉歌，狮子舞。
>
> 瓒明日设，烹一双子十余岁，呈其头颅手足，座客皆攫喉而吐之。
>
> 昂后日报设，先令美妾行酒，妾无故笑，昂叱下。须臾蒸此妾坐银盘，仍饰以脂粉，衣以绫罗，遂擘腿肉以啖，瓒诸人皆掩目。昂于奶房间撮肥肉食之，尽饱而止。
>
> 瓒羞之，夜遁而去。

这段故事描写诸葛昂和高瓒的豪野残酷，已令人不可思议，这种描写的手法，也已经和现代武侠小说中比较残酷的描写接近。

但这故事却是片断的，它的形式和小说还是有段很大的距离。

当时，民间的小说、传奇、评话、银字儿中，也有很多故事是非常“武侠”的。譬如说，盗盒的红线、昆仑奴、妙手空空儿、虬髯客，这些人物，就几乎已经和现代武侠小说中的人物互无分别。

武侠小说中，最主要的武器是剑，关于剑术的描写，从唐时开始，就有很多比现代武侠小说中的描写更神奇。

红线和大李将军的剑术，已被渲染得几近神话。但有关公孙大娘的传说，却无疑是有根据的，绝非空中楼阁。

杜甫的《观公孙大娘弟子舞剑器行》，其中对公孙大娘和她弟子李十二娘剑术的描写，就是非常生动而传神的。

“昔有佳人公孙氏，一舞剑器动四方。观者如山色沮丧，天地为之久低昂。霍如羿射九日落，矫如群帝骖龙翔。来如雷霆收震怒，罢如江海凝清光……”

杜甫是个诗人，诗人的描写，虽不免近于夸张，可是以杜甫的性格和他的写作习惯看来，他纵然夸张，也不会太离谱。

何况，号称“草圣”的唐代大书法家张旭，也曾自言：“始吾闻公主与担夫争路，而得笔法之意，后见公孙氏舞剑器，而得其神。”

由此可见，公孙大娘不但实有其人，她的剑术，也必定是非常可观的——剑器虽然不是剑，是舞，但是舞剑也必然可以算是剑术的一种，只可惜后人看不到而已。

那么，以此类推，武侠小说中有关武功的描写，也并非全无根据，至少它并不像一些“文艺界的卫道者”所说的那么荒谬。

这些古老的传说和记载，点点滴滴，都是武侠小说的起源，再经过民间的评话、弹词和说书的改变，才渐渐演变成现在的这种形式。

《彭公案》《施公案》《七侠五义》《小五义》和《三侠剑》等，就都是根据“说书”而写成的，已可算是我们这一代人所能接触到的最早的一批武侠小说。

《七侠五义》本来并没有七侠而是“四侠五义”，后来经过一代文学大师俞曲园（樾）先生的增订修改，加上黑妖狐智化、小诸葛沈仲元、小侠艾虎，才变为现在这种版本，而风行至今。所以严格说来，俞曲园也是我们这些“写武侠小说的”的前辈。

张杰鑫的《三侠剑》是比较后期的作品，所以它的形式和现在的武侠小说最接近。

这本小说中最主要的一个人物，本来应该是“金镖胜英”，他的“迎门三不过，甩头一字”和“鱼鳞紫金刀”，都是“天下扬名”的武器，但他却并不是个可以令人热血沸腾的英雄人物。

他太谨慎，太怕事，而且有点老奸巨猾，他掌门弟子黄三太的性格也一样。比起来，伤在黄三太镖下的山东窦尔墩，就比他们有豪气得多，但窦尔墩后来却偏偏又被黄三太的儿子黄天霸击败了。

胜英、黄三太、黄天霸，本是一脉相承的英雄，但却又偏偏都不是真正的典型英雄人物。

胜英是“剑客”艾莲迟的第四个徒弟，但武功比起他的师兄弟来，却差得很多，非但比不上他的大师兄“镇三山，辖五岳，赶浪无丝鬼见愁，大头鬼王”夏侯商元，就算跟他的五师弟“飞天玉虎”蒋伯芳、六师弟“海底捞月”叶潜龙比起来，也望尘莫及。

所以我以前一直想不通，张杰鑫为什么要将他书中的英雄写成这么样一个人，直到现在我才了解，他当时这么样写，是有他的苦衷的。

在清末那种社会环境，根本就不鼓励人们做英雄，老成持重的君子，才是一般人认为应该受到表扬的。

武侠小说也和别的小说一样，要受到社会习惯的影响，所以从一本武侠小说中，也不难看出作者当时的时代背景。

张杰鑫的这本《三侠剑》，非但结构散漫，人物也太多，并不能算是本成功的小说，因为这本小说，本来就不是有计划地写出来的，而是别人根据他的“说书”笔录的。叫座的说书，应听众和书场老板的要求，欲罢不能，只有漫无限制地延长下去，到后来当然难免会变得尾大不掉，甚至无法收场。

我特别提出这本书来，就因为后来所有的武侠小说，几乎全都犯了这种通病，人物和故事的发展，常常都会脱离主线很远。最显著的两个例子，就是平江不肖生的《江湖奇侠传》和还珠楼主的《蜀山剑侠传》。

02

平江不肖生和还珠楼主都是才气纵横、博闻强记的天才作家，他们的作品都是海阔天空、任意所之、雄奇瑰丽、变化莫测的。

平江不肖生向恺然，和三湘奇侠柳森严是同一时代的人物，他的《江湖奇侠传》据说就是根据柳森严的传说再加以渲染写成的，书中的主角——“金罗汉”吕宣良的弟子柳迟，就是柳森严的化身。

但后来故事的发展，已完全脱离了这条主线，前面写的绝顶高手，到后来竟变成了不堪一击的人物。很多人看这本书，都是看了一半兴趣就降低了，正如有些人看“红楼”只看前八十回，看“三国”看到死诸葛吓走活司马后就罢手一样。

因为后面的一段，看了实在有点叫人泄气，但前面的一段，却是非常精彩的，甚至可以说百看不厌，所以《江湖奇侠传》不但在当时可以轰动，而且在武侠小说中，也可算是本不朽的名著。

这种只有一半精彩的名著，例子并不少，《格列佛游记》和《镜花缘》也是这样的——最妙的是，这两本书本身也有很多相像的地方，前面的一半，都是假借一些幻想中的王国，来讽刺当时社会中的病态，和人性中可悲可笑的一面。

《格列佛游记》中，有大人国和小人国；《镜花缘》中，也有君子国和女儿国。这种奇妙的偶合，实在是非常有趣的。由此可见，东方人和西方人的思想哲学，在基本上并没有太大的分歧，只可惜后世的读者，往往只接受书中趣味的吸引，而忽略了其中的寓意。

《蜀山剑侠传》的结构虽然也很散漫，趣味却是一致的，每一个人物的性格，都绝对能前后呼应，每一个人的来历和武功，都交代得非常清楚，而且层次分明。若单以武侠小说而论，这本书无疑是要比《江湖奇侠传》成功。

除了写人物生动突出外，书中写景，也是一绝，写古代的居室之美，服用器皿之精，饮食之讲究，更没有任何一本武侠小说能比得上。看这本书的时候，无异同时也看了一本非常有趣的食谱和游记。

我一向认为武侠小说的趣味，本该是多方面的。多方面的趣味，只有在武侠小说中，才能同时并存。

——侦探推理小说中没有武侠，武侠小说中却能有侦探推理；言情文艺小说中没有武侠，武侠小说中却能有文艺言情。

这正是武侠小说一种非常奇怪的特性，像《蜀山剑侠传》的写法，正好能将这种特性完全发挥。

所以这种写作的方式，一直在武侠小说中占有非常重要的地位，还珠楼主李寿民也因此而成为承先启后、开宗立派的一代大师。

除了“蜀山”之外，还珠楼主的著作有《柳湖侠隐》《长眉真人传》《峨嵋七矮》《云海争奇记》《兵书峡》《青门十四侠》《青城十九侠》《蛮荒侠隐》《黑森林》《黑蚂蚁》《力》等，其中大多数都和“蜀山”有很密切的关系。

这些书，几乎没有一部是真正完整结束的，因为他写的局面实在太大，所以很难收拾残局，直到现在为止，还是有很多武侠小说会犯同样的毛病。

但是和还珠楼主同一时代的作者中，却有一个人从未受到他的影响，这人就是王度庐。

03

王度庐的作品，不但风格清新，自成一派，而且写情细腻，结构严密，每一部书都非常完整。

他的名著《鹤惊昆仑》《宝剑金钗》《剑气珠光》《卧虎藏龙》《铁骑银瓶》，虽然是同一系统的故事，但每一个故事都是独立的，都结束得非常巧妙。

他也是第一个将写文艺小说的笔法，带到武侠小说中来的人。

和他同时的名家，还有郑证因、朱贞木、白羽。除了这几人外，写《胜字旗》的还素楼主，写《碧血鸳鸯》的徐春羽，虽然也拥有很多读者，但比起他们来，就未免稍逊一筹了。

郑证因是我最早崇拜的一位武侠小说作家，他的文字简洁，写侠林中事令人如身历其境，写技击更是专家，几乎能将每一招、每一式都写得极生动逼真，所以有很多人都认为他本身也必定精于技击。

他是位多产作家，写的书通常都很短，所以显得很干净利落，其中最长的一部是《鹰爪王》，最有名的一部也是《鹰爪王》。他的写作路线，仿效的人虽不多，但是他书中的技击招式和帮会规模，却至今还被人在采用，所以他无疑也具有一派宗主的身份。

如果将当时的武侠小说分为五大派，还珠楼主、王度庐、郑证因、朱贞木、白羽，就是五大门派的掌门人。

朱贞木的《七杀碑》《罗刹夫人》《彦魔岛》《龙冈恩仇记》……

白羽的《十二金钱镖》《毒砂掌》《狮林三鸟》……

每一本都是曾经轰动一时的名著，都曾经令我废寝忘食，一看就是一个通宵。

除此之外，还有两部书虽然不太为人所知，却是我最偏爱的。

那就是白羽和于芳合著的《神弹乾坤手》和《四剑震江湖》。

我一直不知道于芳是个怎么样的人，为什么只写了这样短短的两部书，就不再有作品问世了。

事实上，这些名家的作品都不太多，而且在二十年前，就已几乎不再有新作问世，所以在四十和五十年代之间的一段时候，可以算是武侠小说最消沉的一段时候。

在这段时期中，只出了一位抄袭的“名家”，将还珠楼主书中的《黑摩勒》和《女侠夜明珠》，抄成了一部很畅销的武侠小说。

直到五十年代开始后，才有个人出来“复兴”了武侠小说，为武侠小说开创了一个新的局面，使得武侠小说又蓬勃发展了二十年。

在这二十年中名家辈出，作品之丰富和写作技巧的变化，都已到达一个新的高峰，比起还珠楼主他们的时代，尤有过之。

开创这个局面的人，就是金庸。

04

我本不愿讨论当代的武侠小说作者，但金庸却可以例外。

因为他对这一代武侠小说的影响力，是没有人能比得上的，近十八年来的武侠小说，无论谁的作品，多多少少都难免受到他的影响。

他融合了各家各派之长，其中不仅是武侠小说，还融会了中国古典文学和现代西洋文学，才形成了他自己的独特风格，简洁、干净、生动！

他的小说结构严密，局面虽大，但却能首尾呼应，其中的人物更栩栩如生，呼之欲出。

尤其是杨过。

杨过无疑是所有武侠小说中，最可爱的几个人的其中之一。

杨过、小龙女、郭襄间的感情，也无疑可以算是武侠小说中最动人的爱情故事之一。

最重要的是他创造了这一代武侠小说的风格，几乎很少有人能突破。

可是在他初期作品中，还是有别人的影子。

在《书剑恩仇录》中，描写“奔雷手”文泰来逃到大侠周仲英的家，藏在枯井里，被周仲英无知的幼子，为了一架望远镜出卖，周仲英知道这件事后，竟忍痛杀了他的独生子。

这故事几乎就是法国文豪梅里美最著名的一篇短篇小说的化身，只不过将金表改成了望远镜而已。

但这绝不影响金庸先生的创造力，因为他已将这故事完全和他自己的创造联成一体，看起来是一气呵成的。看到《书剑恩仇录》中的这一段故事，几乎比看梅里美《尼尔的美神》故事集中的原著，更能令人感动。

看到《倚天屠龙记》中，写张无忌的父母和金毛狮王在极边冰岛上的故事，我也看到了另一位伟大作家——杰克·伦敦的影子。

金毛狮王的性格，几乎就是“海狼”。

但是这种模仿却是无可非议的。

因为他已将“海狼”完全吸收溶化，已令人只能看见金毛狮王，看不见海狼。

武侠小说最大的优点，就是能包罗万象，兼收并蓄——你可以在武侠小说中写“爱情文艺”，却不能在“文艺”小说中写武侠。

每个人在写作时，都难免会受到别人影响的。“天下文章一大抄”，这句话虽然说得有点过火，却也并不是完全没有道理。

一个作家的创造力固然可贵，但联想力、模仿力，也同样重要。

我自己在开始武侠小说时，就几乎是在拼命模仿金庸先生。写了十年后，在写《名剑风流》《绝代双骄》时，还是在模仿金庸先生。

我相信武侠小说作家中，和我同样情况的人并不少。

这一点金庸先生也无疑是值得骄傲的。

金庸先生所创造的武侠小说风格虽然至今还是足以吸引千千万万的读者，但武侠小说还是已到了要求新、求变的时候。

因为武侠小说已写得太多，读者们也已看得太多了。

有很多读者看了一部书的前两本，就已经可以预测到结局。

最妙的是，越奇诡的故事，读者越能猜到结局。

因为同样“奇诡”的故事已被写过无数次了，易容、毒药、诈死、最善良的女人就是女魔头——这些圈套，都已很难令读者上钩。

所以情节的诡奇变化，已不能再算是武侠小说中最大的吸引力。

人性的冲突才是永远有吸引力的。

武侠小说中已不该再写神，写魔头，已应该开始写人，活生生的人！有血有肉的人！

武侠小说中的主角应该有人的优点，也应该有人的缺点，更应该有人的感情。

写《包法利夫人》的大文豪福楼拜曾经夸下一句海口。

他说：

“十九世纪后将再无小说。”

因为他觉得所有的故事情节，所有的情感变化，都已被十九世纪的那些伟大作家们写尽了。

可是他错了。

他忽略了一点。

纵然是同样的故事情节，如果从不同的角度去看，写出来的小说就是完全不同的。

人类的观念和看法，本来就在永远不停地改变，随着时代改变。

武侠小说写的虽然是古代的事，也未尝不可注入作家自己新的观念。

因为小说本来就是虚构的。

写小说不是写历史传记。写小说最大的目的，就是要吸引读者、感动读者。

武侠小说的情节若已无法再变化，为什么不能改变一下，写写人类的情感、人性的冲突，由情感的冲突中，制造高潮和动作。

05

武侠小说中当然不能没有动作，但描写动作的方式，是不是也应该改变了呢?

——这道人一剑削出，但见剑光点点，剑花错落，霎眼间就已击出七招，正是武当“两仪剑法”中的精华，变化之奇幻曼妙，简直无法形容。

……

这大汉怒喝一声，跨出半步，出手如电，一把就将对方的长剑夺过，轻轻一拗，一柄百炼精钢制成的长剑，竟被他生生拗为两段。

……

这少女剑走轻灵，身随剑走，剑随身游，霎眼之间，对方只觉得四面八方都是她的剑影，也不知哪一剑是实，哪一剑是虚?

……

这书生曼声长吟：“劝君更进一杯酒，西出阳关无故人。”掌中剑随着朗吟声斜斜削出，诗句中那种高远清妙、凄凉萧疏之意，竟已完全融入这一剑中。

……

郑证因派的正宗技击描写，“平沙落雁”“立鸟划沙”“黑虎偷心”“拨草寻蛇”；还珠楼主派的奇秘魔力、裸裎魔女……这些，固然已经有些落伍，可是我前面所写的那些“动作”，读者们也已看过多少遍了呢?

应该怎么样来写动作，的确也是武侠小说的一大难题。

我总认为“动作”并不一定就是“打”。

小说中的动作和电影不同，电影画面的动作，可以给人一种鲜明生猛的刺激，但小说中描写的动作没有这种力量了。

小说中动作的描写，应该是简短而有力的、虎虎有生气的、不落俗套的。

小说中动作的描写，应该先制造冲突，情感的冲突、事件的冲突，让各种冲突堆积成一个高潮。

然后再制造气氛，紧张的气氛、肃杀的气氛。

用气氛来烘托出动作的刺激。

武侠小说毕竟不是国术指导。

武侠小说也不是教你如何去打人、杀人的。

血和暴力，虽然永远有它的吸引力，但是太多的血和暴力，就会令人反胃了。

几乎所有的小说中，都免不了要有爱情故事。

爱情本来就是人类情感中最基本的一种，也是最早的一种，远比仇恨还要早。

我们甚至可以说，没有爱情，就没有人类。

几乎所有伟大的爱情故事中都充满了波折、误会、困难和危机，令读者为故事中相爱的人焦急流泪。

罗密欧与朱丽叶、梁山伯与祝英台、抱着桥柱而死的尾生……他们的困难虽能解决，但最后还是因为“误会”而死。

席格尔《爱情故事》中的男女主角，他们的爱情几乎可以说是完全顺利的，任何困难都没有能阻扰他们的爱情。

最后的结局却还是悲剧。

好像有很多人都认为爱情故事一定要是悲剧，才更能感人。

在武侠小说中，王度庐的小说正是这一类故事的典型。

尤其是《宝剑金钗》中的李慕白和俞秀莲，他们虽然彼此相爱很深，但却永远未能结合，有很多次他们眼见已将结合了，到最后却又分手。

因为李慕白心里总认为俞秀莲的未婚夫“小孟”是为他而死的，他若娶了俞秀莲，就不够义气，就对不起朋友。

这就是他们唯一不能结合的原因。

我却认为这原因太牵强了。

不但我认为如此，就连故事中的江南鹤、史胖子、德啸峰，连俞秀莲的师兄杨铁枪，也都认为这理由根本就不能成为理由。

可惜李慕白是个非常固执的人，无论别人怎么劝他，无论俞秀莲怎么样对他表示爱慕之意，到了最后关头，他还是用慧剑斩断了情丝。

有很多人也许会因此认为李慕白是条有血性、够义气的硬汉。

我却认为这是李慕白性格中最不可爱的一点。

我认为他提不起，放不下，不但辜负了俞秀莲的深情，也辜负了朋友们的好意。

他甚至连“小孟”都对不起，因为小孟临死时，是要他好好照顾俞秀莲的，因为小孟知道俞秀莲对李慕白的感情。

可是他却让俞秀莲痛苦了一生。

以现代心理学的观点看来，李慕白简直可以说是个有心理变态的人。

因为他的家庭不幸，从小父母双亡，他的叔父对他也不好，他从小就没有得到过爱，所以他畏惧爱，畏惧负起家庭的责任。

所以只要有女孩子爱他，他总是要逃避，总是不敢挺起胸膛来接受。

他对俞秀莲如此，对那可怜的风尘女子织娘也一样。

说得偏激些，他简直是个不折不扣的自怜狂。

这故事虽然无疑是成功的，不但能感动读者，而且能深入人心，我却不喜欢这故事。

我总认为人世间悲惨不幸的事已够多，我们为什么不能让读者多笑一笑？为什么还要他们流泪？

杨过和小龙女就不同了，他们的爱情虽然经过了无数波折和考验，但他们的爱心始终不变。

杨过爱小龙女是不顾一切、没有条件的，既不管小龙女的出身和年纪，也不管她是否被人玷污，他爱她，就是爱她，从不退缩，从不逃避。

我觉得这才是真正的男子汉大丈夫。

假如小龙女因为自觉身子已被人玷污，又觉得自己年纪比杨过大，所以配不上杨过，因此而将杨过让给了郭襄，而且对他们说："你们才是真正相配的，你们在一起才能得到幸福。"

假如故事真是这样的结局，我一定会气得吐血。

有些人也许会认为这故事的传奇性太浓，太不实际，但我却认为爱情故事本来就应该是充满幻想和"罗曼蒂克"的。

就因为我自己从小就不喜欢结局悲惨的故事，所以我写的故事，大多数都有很圆满的结局。

有人说：悲惨的情操比喜剧高。

我一向反对这种说法，我总希望能为别人制造些快乐，总希望能提高别人对生命的信心和爱心。

假如每个人都能对生命充满了热爱，这世界岂非会变得美丽得多?

有一次去花莲，有人介绍了一位朋友给我，他居然是我的读者。

他是个很诚实、很老实的人，这种人通常都吃过别人的亏，上过别人的当，他也不例外。

一夜在微醺之后，他告诉我，有一阵他也曾很消沉，甚至想死，但看了我的小说后，他忽又发现生命还是值得珍惜的。

我听了他的话，心里的愉快真像得到了最荣誉的勋章一样。

在我早期的小说《孤星传》里，我曾写过一个很荒唐的故事。

一个男孩子和一个女孩子，在他们去捉蝴蝶的时候，他们的家忽然被毁灭，等他们带着美丽的蝴蝶回去时，他们的父母亲人都已惨死，他们的家已变成一片废墟。

他们的年纪还小，但世界上却已没有他们可以依靠的人。

他们只有靠自己。

从此那男孩子就用尽一切力量，来照顾那女孩子，他吃尽了各种苦，受尽了饥寒的折磨，有了吃的和穿的，他总是先让给他的小情人。

在这种情况下，他的发育当然不能健全。

到后来他们终于遇到救星，有两位世外高人分别收容了他们。

男孩子跟着一个住在塔上的孤独老人走了，收容那女孩子的，却是位声名很显赫的女侠。

他们虽然暂时分别，但他们知道迟早总有再相聚的一天。

所以他们拼命努力，都练成了一身很高深的武功。

男孩子练的武功属于阴柔一类的，而且大部分时候都耽在那孤塔上，再加上他发育时所受到的折磨，他长大了后，当然是个很矮小的人。

那女子练的功夫却是健康的，发育也非常健全。

等他们历尽千辛万苦，重新相聚的时候，他们的满怀热望忽然像冰一样被冻住了。

那男孩子站在女孩子面前，简直就像是个侏儒。

这种结局本来充满对人生的讽刺，本来应该是个很尖酸的悲剧。

但是我不肯。

我还是让他们两人结合了，而且是江湖中最受人羡慕、最受人尊敬的一对恩爱夫妻。

因为他们的爱情并没有因任何事改变，所以值得受人尊敬。

这悲剧竟变成了喜剧。

丘吉尔是个伟人，也是个很乐观的人，他说过一句发人深省的话：

“不幸的遭遇，常能使人逃避更大的不幸。”

只要你能抱着这种看法，生命中就没有什么事能打击你了。

失败虽然不好，但成功却往往是从失败中得来的。

06

但人生中的确有很多悲剧存在，所以任何作者都不能避免要写悲剧。

《萧十一郎》就是个悲剧。

一对武林中最受人尊敬的夫妻，妻子竟然爱上了个声名狼藉的大盗。

在当时的社会中，这无疑是个悲剧。

有很多写作的朋友在谈论这故事时，都说萧十一郎最后应该为沈璧君而死的，这样才能让读者留下一个虽辛酸却美丽的回忆，这样的格调才高。

我还是不愿意。

在最后，我还是为这对恋人留下了一条路，还是为他们留下了希望。

阿飞的故事也是悲剧。

他爱上了一个最不值得他爱的女人，而她根本不爱他。

在这种情况下，悲剧的结局是无法避免的。

但阿飞却并没有因此而倒下去，他反而因此而领悟了真正的人生和爱情。

他并没有被悲哀击倒，反而从悲哀中得到了力量。

这就是《多情剑客无情剑》和《铁胆大侠魂》的真正主题。

但是这概念并不是我创造的，我是从毛姆的《人性枷锁》中偷来的。

模仿绝不是抄袭。

我相信无论任何人在写作时，都免不了要受到别人的影响。

《米兰夫人》虽然是在德芬·杜·莫里哀的阴影下写成的，但谁也不能否认它还是一部伟大的杰作。

在某一个时期的琼瑶作品中，几乎到处都可以看到《蝴蝶梦》和《呼啸山庄》。

《蓝与黑》这名字，也绝不是抄袭《红与黑》的，因为它有自己的思想和意念。

你若被一个人的作品所吸引所感动，在你写作时往往就会不由自主地模仿它。

我写《流星·蝴蝶·剑》时，受到《教父》的影响最大。

《教父》这部书已被马龙·白兰度拍成一部非常轰动的电影，《流星·蝴蝶·剑》中的老伯，就是“教父”这个人的影子。

他是“黑手党”的首领，顽强得像是块石头，却又狡猾如狐狸。

他虽然作恶，却又慷慨好义，正直无私。

他从不怨天尤人，因为他热爱生命，对他的家人和朋友都充满爱心。

我看到这么一个人物时，写作时就无论如何也丢不开他的影子。

但我却不承认这是抄袭。

假如我能将在别人杰作中看到的那些伟大人物全都介绍到武侠小说中来，就算被人侮骂讥笑，我也是心甘情愿的。

武侠小说中，现在最需要的，就是一些伟大的人、可爱的人，绝不是那些不近人情的神。

无论写哪种小说，都要写得有血有肉，但却绝不是那种被剑刺出来的血，被刀割下来的肉，更不是那种“血肉横飞”“血肉模糊”的血肉。

我说的血肉，是活生生的，是活生生的有血有肉的人。

我说的血，是热血，就算要流出来，也要流得有价值。

铁中棠、李寻欢、郭大路……都不是喜欢流血的人。

但是他们宁可自己流血，也不愿别人为他们流泪。

他们的满腔热血，随时都可以为别人流出来，只要他们认为他们做的事有价值。

他们随时可以为了他们真心所爱的人而牺牲自己。

他们的心里只有爱，没有仇恨。

这是我写过的人物中，我自己最喜欢的三个人。

但他们是人，不是神。

因为他们也有人的缺点，有时也受不了打击，他们也会痛苦、悲哀、恐惧。

他们都是顶天立地的男子汉，但他们的性格却是完全不同的。

铁中棠沉默寡言，忍辱负重，就算受了别人的冤屈和委屈，也从无怨言，他为别人所作的牺牲，那个人从来不会知道。

这种人的眼泪是往肚子里流的，这种人就算被人打落牙齿，也会和着血吞下肚子里去。

但郭大路却不同了。

郭大路是个大叫大跳、大哭大笑的人。

他要哭的时候就大哭，要笑的时候就大笑，朋友对不起他时，他会指着这个人的鼻子大骂，但一分钟之后，他又会当掉裤子请这个人喝酒。

他喜欢夸张，喜欢享受，喜欢花钱。他从不想死，但若要他出卖朋友，他宁可割下自己的脑袋来也绝不答应。

他有点轻佻，有点好色，但若真正爱上一个女人时，无论什么事都不能令他改变。

李寻欢的性格比较接近铁中棠，却比铁中棠更成熟，更能了解人生。

因为他经历的苦难太多，心里的痛苦也隐藏得太久。

他看来仿佛很消极，很厌倦，其实他对人类还是充满了热爱。

对全人类都充满了热爱，并不仅是对他的情人，他的朋友。

所以他才能活下去。

他平生唯一折磨过的人，就是他自己。

李寻欢和铁中棠、郭大路还有几点不同的地方。

他并不是个健康的人，用现代的医药名词来说，他有肺结核，常常会不停地咳嗽，有时甚至会咳出血来。

在所有的武侠小说主角中，他也许是身体最不健康的人。

但他的心理却是绝对健康的，他的意志坚强如钢铁，控制力也很少有人能比得上。

他避世、逃名，无论做了什么事，都不愿让别人知道。

可是在他活着时，就已成为一个传奇人物。

见过他的人并不多，没有听过他名字的人却很少，尤其是他的刀。

小李飞刀。

他的刀从不随便出手，但只要一出手，就绝不会落空。

我一向很少写太神奇的武功，小李飞刀却是绝对神奇的。

我从未描写过这种刀的形状和长短，也从未描写过它是如何出手，如何练成的。

我只写过他常常以雕刻来使自己的手稳定，别的事我都留给读者自己去想象。

武侠小说中的武功，本来就是全部凭想象创造出来的。

事实上，他的刀也只能想象，无论谁都无法描写出来。

因为他的刀本来就是个象征，象征着光明和正义的力量。

所以上官金虹的武功虽然比他好，最后还是死在他的飞刀下。

因为正义必将战胜邪恶。

黑暗的时间无论多么长，光明总是迟早会来的。

所以他的刀既不是兵器，也不是暗器，而是一种可以令人心振奋的力量。

人们只要看到小李飞刀的出现，就知道强权必将被消灭，正义必将伸张。

这就是我写“小李飞刀”的真正用意。

07

武侠小说中，出现过各式各样奇妙的武器。

刀枪剑戟、斧钺钩叉、鞭锏锤抓、练子枪、流星锤、方便铲、跨虎篮、盘龙棍、弧形剑、三节棍、降魔刀、判官笔、分水镢、峨嵋刺、白蜡大杆子……

刀之中又有单刀、双刀、鬼头刀、九环刀、戒刀、金背砍山刀……

这些武器的种类已够多，但作者们有时还是喜欢为他书中的主角创造出一种独门的奇特武器，有的甚至可以作七八种不同的武器使用，甚至还可以在危急时射出暗器和迷药来。

但武器是死的，人却是活的。

一件武器是否能令读者觉得神奇刺激，主要还是得看使用它的是什么人。

在我的记忆中，印象最深的有几种。

张杰鑫的《三侠剑》中，“飞天玉虎”蒋伯芳用的亮银盘龙棍。

这条棍的本身，并没有什么奇特的地方，绝对比不上“金镖”胜英用的鱼鳞紫金刀，更比不上“海底捞月”叶潜龙用的削铁如泥的宝剑，也比不上“混海金鳌”孟金龙用的降魔杵。

就因为使用它的人是“飞天玉虎”蒋伯芳，所以才让我留下了极深刻的印象。

二十年前我看这本小说时，只要一看到蒋伯芳亮出他的盘龙棍，我的心就会跳。

“鹰爪王”的手是种武器，铁脚板的脚也是种武器，倪匡最喜欢为他电影故事中的主角创造新招式、新武器，每一种都能让人留下很深刻的印象。

他丰富的想象力好像永远都用不完的。

但是武侠小说最常见的武器，还是刀和剑。

尤其是剑。

正派的大侠们，用的好像大多数是剑。

一尘道长的剑，李慕白的剑，黑摩勒的剑，上官瑾的剑，展昭的剑，金蛇郎君的剑，红花会中无尘道长的剑，“蜀山”中三英二云的剑……

这些都是令人难忘的。

但武功到了极峰时，就不必再用任何武器了，因为他“飞花摘叶，已可伤人”，任何东西到了他手里，都可以变成武器。

因为他的剑已由有形，变为无形。

所以武侠小说中的绝顶高手，通常都是宽袍大袖，身无寸铁的。

这也是种很有趣的现象。

好像从来都没有怀疑过，一个人的血肉之躯，是不是能比得上杀人的利器？

暗器也是杀人的利器。

有很多人都认为，暗器是雕虫小技，既不够光明正大，也算不了什么本事，所以真正的英雄好汉，是不该用暗器的。

其实暗器也是武器的一种。

你若仔细想一想，就会发现现代的武器其实就是暗器。

手枪和神箭又有什么分别？机关枪岂非就是古时的连珠弩箭？

练暗器也跟练刀练剑一样，也是要花苦功夫的，练暗器有时甚至比练别的武器还要困难些。

苦练暗器的人，不但要有一双锐利的眼睛，还要有一双稳定的手。

只要你不在背后用暗器伤人，暗器就是完全不可非议的。

武侠小说中令人难忘的暗器也很多。

俞三绝的“十二金钱镖”、“弹指神通”的毒砂、柳家父女的铁莲子……

这些虽不是白羽所创造的暗器，但是他的确描写得很好。

王度庐的小说中，描写的玉娇龙的小弩箭，也跟她的人一样，骄纵、泼辣，绝不给人留余地。

他已将玉娇龙的性格和她的暗器融为一体，这种描写无疑是非常成功的。

《书剑恩仇录》中的“千手如来”赵半山，是武侠小说中暗器最犀利，心肠却最慈最软的人。

《七侠五义》中的“白眉毛”徐良也一样，他的全身上下都是暗器，无论在任何情况、任何角度下，都可以发出暗器来。

“金镖”胜英的甩头一字、迎门三不过，孟金龙的飞抓，上官瑾的铁胆，郑证因写的子母金梭，出手双绝……

这些都是描写得很成功的暗器。

但在武侠小说中被写得最多的，还是四川“唐门”的毒药暗器。

四川是不是真的有“唐门”这一家人，谁也不能确定。

但我相信有很多人都跟我自己一样，几乎都已相信他的存在。

因为这一家人和他们的毒药暗器，几乎在每一个武侠小说作家的作品中都出现过，几乎已和少林、武当这些门派同样真实。

假如它只不过是凭空创造出来的，那么这创造实在太成功了。

只可惜现在谁也记不得究竟是哪一位作者先写出这一家人来的。

在《名剑风流》中，我曾将这一家人制造暗器的方法加以现代化，就好像现在的间谍小说中，制造秘密武器一样。

我写的时候自己觉得很愉快、很得意，因为我认为唐家既能以他的暗器在武林中独树一帜，那么这种暗器当然是与众不同的，制造它的方法当然应该要保密。

但现在我的观念已改变了。

唐家暗器的可怕，也许并不在于暗器的本身，而在于他们发暗器的手法。

暗器也是死的，人才是活的。

一张平凡的弓，一支平凡的箭，到了养由基手里，就变成神奇了。

所以现在我已将写作的重点，完全放在“人”的身上。

各式各样的人，男人、女人。

无论谁都不能否认，这世界上绝不能没有女人。

“永恒的女性，引导人类上升。”

所以连武侠小说中也不能没有女人。

女人也跟男人一样，有好的，有坏的，有可爱的，也有可恨的。

俞秀莲是个典型的北方大姑娘，豪爽、坦白、明朗，但她也是个典型的旧式女性。

所以她虽然深爱着李慕白，却不敢采取主动来争取自己的幸福。

她虽然很刚强，但心里有委屈和痛苦时，也只有默默地忍受。

若是我写这故事，结局也许就完全不同了。

我一定会写她跟定了李慕白，李慕白走到哪里，她就跟到哪里，因为她爱他，爱得很深。

这种写法当然不如王度庐的写法感人，我自己也知道。

但我还是会这么样写的。

因为我实在不忍让这么一个可爱的女人，痛苦孤独一生。

王度庐写玉娇龙，虽然骄纵、任性，但始终还是不敢，也不愿意光明正大地嫁给罗小虎。

因为她总觉得自己是个千金小姐，罗小虎是个强盗，总认为罗小虎配不上她，世俗的礼教和看法，已在她心里生了根。

俞秀莲不能嫁李慕白，是被动的，玉娇龙不能嫁罗小虎，却是她自己主动的。

所以我不喜欢玉娇龙。

所以我写沈璧君，她虽然温柔、顺从，但到了最后关头，她还是宁愿牺牲一切，去跟着萧十一郎。

我总认为女人也有争取自己幸福的权利。

这种观念在那种时代当然是离经叛道，当然是行不通的。

但又有谁能否认，当时那种时代里，没有这种女人？

《铁胆大侠魂》中的孙小红，《绝代双骄》中的苏樱，《大人物》中的田思思……就都是在这种观念下写成的。

她们敢爱，也敢恨，敢去争取自己的幸福，但她们的本性，并没有失去女性的温柔和妩媚，她们仍然还是个女人。

女人就应该是个女人。

这一点看法我和张彻先生完全相同，我的小说中是完全以男人为中心的。

在很小的时候，我就不喜欢看那种将女人写得比男人还要厉害的武侠小说。

我不喜欢《罗刹夫人》，就因为朱贞木将罗刹夫人写得太厉害了，沐天澜在她面前，简直就像是个只会吮手指的孩子。

这并不是因为我看不起女人——我从来也不敢看不起女人，英雄如楚之霸王项羽，在虞姬面前也服帖得很。

但虞姬若也像项羽一样，叱咤风云，跃马横枪于千军万马之中，那么她就不是个可爱的女人了。

女人可以令男人降服的，应该是她的智慧、体贴和温柔，绝不该是她的刀剑。

我尊敬聪明温柔的女人，就和我尊敬正直侠义的男人一样。

“侠”和“义”本来是分不开的，只可惜有些人将“武”写得太多，

“侠义”却写得太少。男人间那种肝胆相照、至死与共的义气，有时甚至比爱情更伟大、更感人！

王度庐写李慕白和俞秀莲之间的感情固然写得好，写李慕白与德啸峰之间的义气写得更好。

德啸峰对李慕白的友情，是完全没有条件的，他将李慕白当作自己的兄弟手足，他为李慕白做事，从不希望报答。

他获罪后被发放离家时，还高高兴兴地拍着李慕白的肩膀，说自己早就想到外面去走动走动了，还再三要李慕白不要为他难受。

他被人欺负时，还生怕李慕白为了替他出气而杀人获罪，竟不敢让李慕白知道。

这种友情是何等崇高，何等纯洁，何等伟大！

李寻欢对阿飞也是一样的，他对阿飞只有付出，从不想收回什么。

爱情是美丽的，美丽如玫瑰，但却有刺。

“世上唯一无刺的玫瑰就是友情！”

爱情虽然比友情强烈，但友情却更持久，更不计条件，不问代价。

勇气也应该是持久的。

在一瞬间凭血气之勇去拼命，无论是杀了人，还是被杀，都不能算是真正的勇气。

苏轼在他的《留侯论》中曾经说过：

“匹夫见辱，拔剑而起，挺身而斗，此不足为勇也。天下有大勇者，卒然临之而不惊，无故加之而不怒，此其所挟持者甚大，而其志甚远也。”

这段文章对勇气已解释得非常透彻。

勇气是知耻，也是忍耐。

一个人被侮辱，被冤枉时，还能够咬紧牙关，继续去做他认为应该做的事，这才是真正的勇气。

所以杨过是个有勇气的人，铁中棠也是，他们绝不会因为任何外来的影响，而改变自己的意志。

敢承认自己的错误，也是种了不起的勇气。

武侠小说中若能多描写一些这种勇气，那么武侠小说的作者一定比现在更受人尊敬了。

二、古龙生平及著作简编

1938年6月7日，生于香港，本名熊耀华。

1950年，举家迁往台湾。

1951年，就读于台湾师范学院附属中学。

1954年，以笔名“古龙”发表译作《神秘的贷款》。同年秋，考入省立成功中学。其间大量写诗，投稿《蓝星诗刊》等。

1955年，父亲熊飞抛弃家庭。不久古龙也离家出走，并加入四海帮。11月，发表处女作《从北国到南国》，开启了他的职业写作生涯。

1957年，就读于淡江英语专科学校英语科。次年肄业。

1960年，第一部武侠小说《苍穹神剑》由第一书社出版。《剑毒梅香》由清华印行、国华出版四集。《剑气书香》《湘妃剑》《孤星传》由真善美出版社出版。《游侠录》由海光出版。

1961年，华源出版《飘香剑雨》和《神君别传》。第一书社出版《月异星邪》《残金缺玉》。明祥出版《失魂引》《剑客行》。

1962年，春秋出版《彩环曲》《护花铃》。

1963年，真善美出版《情人箭》《大旗英雄传》。

1964年，真善美出版《浣花洗剑录》。

1965年，春秋出版《武林外史》《名剑风流》。胡正群《〈名剑风流〉创作前后》称，《名剑风流》出版后古龙声名鹊起，与“武坛三剑客”并列。

1967年，真善美出版《铁血传奇》。

1968年，发表《此“茶”难喝——小说武侠小说》，为古龙最早的笔战文章之一，是他求新求变的起点。

1969年，春秋出版《绝代双骄》《多情剑客无情剑》《借尸还魂》。

1970年，春秋出版《蝙蝠传奇》。香港武侠春秋出版《萧十一郎》。

1971年，武林出版《流星·蝴蝶·剑》。春秋出版《欢乐英雄》《大人物》。《欢乐英雄》是古龙依事件而非依时序叙述的得意之作。

1972年，春秋出版《侠名留香后传》（即《桃花传奇》）。香港武侠春秋出版《长生剑》与《风云第一刀》（即《边城浪子》）。

1973年，香港武侠春秋出版《孔雀翎》《碧玉刀》《多情环》《七杀手》。南琪出版社出版《火并萧十一郎》与《大游侠》（即陆小凤系列作品）。香港武林出版《九月鹰飞》。汉麟出版《绝不低头》，这是古龙作品中唯一一部现代动作小说。

1974年，南琪出版《血鹦鹉》。

1975年，香港武侠春秋出版《霸王枪》。南琪出版《天涯·明月·刀》。

1976年，武林出版《白玉老虎》。香港武侠春秋出版《三少爷的剑》。

1977年，武林出版《碧血洗银枪》《大地飞鹰》。

古龙染上肝病。

1978年，香港武侠春秋出版《刀神》，同年汉麟出版社将《刀神》更名为《圆月弯刀》出版。春秋出版《离别钩》。武侠图书杂志出版社出版《七星龙王》。

1979年，万盛出版《英雄无泪》。香港武林出版《玉剑传奇》（即《新月传奇》）。

1981年，万盛出版《飞刀，又见飞刀》。

1982年，万盛出版《剑神一笑》。

1983年，万盛出版《午夜兰花》。

1984年，万盛出版《风铃中的刀声》。

古龙因肝病住院。

1985年，万盛出版《大时代武侠故事之一猎鹰》与《大时代武侠故事之二赌局》。

1985年，9月19日因拼酒而食道出血住院。9月21日傍晚病逝。

三、古龙妙语辑录——进入古龙世界的捷径

（一）骑最快的马，喝最烈的酒

酒之一物真奇妙，你愈不想喝醉的时候，醉得愈快；到了想喝醉的时候，反而醉不了。

——《小李飞刀：多情剑客无情剑》

在李寻欢的感觉中，天下若还有件事比“不喝酒”更难受，那就是“和讨厌的人在一起喝酒”。

——《小李飞刀：多情剑客无情剑》

酒质最纯，更纯于水，是以祭祀祖先天地时都以酒为醴，无论在任何地方喝酒，都绝无丝毫不敬之处。

——《小李飞刀：多情剑客无情剑》

愈是年轻的人，酒喝得愈快，因为喝酒也需要勇气。

愈有勇气的人，醉得自然也愈快。

——《小李飞刀：多情剑客无情剑》

喝酒痛快的人，心地总比较直爽些，你绝不会看到喝醉酒的人，还在打主意害人的。

——《欢乐英雄》

酒，通常都能带给人一种奇怪的精神和力量。但这种力量却是种骗人的力量——就算骗不到别人，至少总可以骗骗他自己。

——《陆小凤传奇2：绣花大盗》

酒是好酒，朋友也是好朋友。

对一个喜欢喝酒的人来说，好朋友的意思，通常就是酒量很好的朋友。

——《陆小凤传奇5：幽灵山庄》

如果你心里有痛苦，喝醉了是不是就会忘记?

不是!

——为什么?

因为你清醒后更痛苦。

——《陆小凤传奇6：凤舞九天》

酒唯一比水好的地方，就是酒永远不会使人太清醒。

——《楚留香新传3：桃花传奇》

一个人喝酒虽然无趣，至少总比没有酒喝好一点。

——《楚留香新传4：新月传奇·午夜兰花》

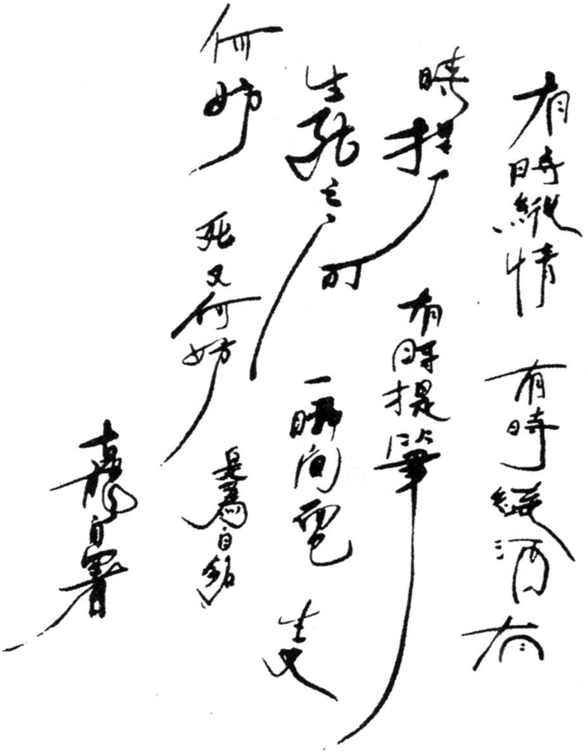

有时纵情，有时纵酒。有时提刀，有时提笔。生死之间，一瞬间而已。生又何妨，死又何妨。是为自铭。——古龙

一个人有了五六分酒意的时候，正是他最清醒的时候。

——《楚留香新传4：新月传奇·午夜兰花》

喝酒就好像下棋，自己跟自己下棋固然是穷极无聊，一个人喝酒也实在无趣得很，萧十一郎从不愿意喝独酒。

——《萧十一郎》

醉了，醉得真快，一个人若是真想喝醉，他一定会醉得很快。

因为他纵然不醉，也可以装醉。最妙的是，一个人若是一心想装醉，那么到后来往往会连他自己也分不清究竟是装醉，还是真醉了。

——《萧十一郎》

他只想能快点喝醉，头脑却偏偏很清醒。

因为"痛苦"本就能令人保持清醒，就算你已喝得烂醉如泥，但心里的痛苦还是无法减轻。

——《萧十一郎》

酒是人类的朋友，尤其失意的人。

——《火并萧十一郎》

英雄若不病酒，正如美人不多愁一般，总令人觉得缺少些风味，只是这病酒之事，史书不传而已。

——《武林外史》

（二）得一知己，死而无憾

一个人一生中若能交到一个可以生死与共的义气朋友，那当真比任何东西都要珍贵得多。

——《小李飞刀：多情剑客无情剑》

一个最可靠的朋友，固然往往会是你最可怕的仇敌，但一个可怕的对手，往往也会是你最知心的朋友。

因为有资格做你对手的人，才有资格做你的知己。

因为只有这种人才能了解你。

——《小李飞刀：多情剑客无情剑》

他并没有为郭嵩阳做过什么，但郭嵩阳却不惜为他去死。

这就是真正的“友情”。

这种友情既不能收买，也不是可以交换得到的，也许就因为世间还有这种友情存在，所以人类的光辉才能永存。

——《小李飞刀：多情剑客无情剑》

但吕凤先却没有生气，心里反而忽然觉得有种奇特的温暖之意，因为他已从李寻欢的眸子里看到了一丝友情的光辉。

这也许就是唯一能驱走人间寂寞与黑暗的光辉。

这是永恒的光辉，只要人性不灭，就永远有友情存在。

——《小李飞刀：多情剑客无情剑》

朋友跟酒一样，都是老的好。

——《小李飞刀3：九月鹰飞》

你明明知道你的朋友在饿着肚子时，却偏偏要恭维他是个可以不食人间烟火的神仙，是条宁可饿死也不求人的硬汉。

你明明知道你的朋友要你寄钱给他时，却只肯寄给他一封充满了安慰和鼓励的信，还告诉他自力更生是件多么高贵的事。

假如你真的是这种人，那么我可以保证，你唯一的朋友就是你自己。

——《陆小凤传奇：金鹏王朝》

一个人到了山穷水尽时，忽然发觉自己还有个朋友，这种感觉绝不是任何事所能代替的。甚至连爱情都不能。

——《陆小凤传奇3：决战前后》

假如你曾经认为一个人是你的朋友，那么这个人永远都是。

——《陆小凤传奇3：决战前后》

朋友要走了，为什么不让他带着笑走？能够让朋友笑的时候，就绝不让朋友生气难受——这是陆小凤的原则。可是他一定要分清谁是仇敌，谁是朋友。

——《陆小凤传奇3：决战前后》

朋友，还是这个世界上最令人愉快的东西。

友谊，更是这个世界上最不能缺少的东西。

——《陆小凤传奇6：凤舞九天》

情人虽是新的好，但朋友总是老的好。

——《楚留香新传2：蝙蝠传奇》

好酒难得，好友更难得。

——《楚留香新传4：新月传奇·午夜兰花》

有些人彼此之间，仿佛有种很奇怪的吸引力，正如铁和磁石一样，彼此只要一遇着，就会被对方牢牢地吸住。

这些人只要彼此能在一起就会觉得很开心，睡地铺也没关系，饿两顿也没关系，甚至连天塌下来他们都不会在乎。

——《欢乐英雄》

这就是朋友。

他们能分享你的快乐，也能分担你的痛苦。

你若有困难，他们愿意帮助。

你若有危险，他们愿意为你挺身而出。

就算你真的做错了什么事，他们也能谅解。

在这种朋友面前，你还有什么秘密不能说的？

——《欢乐英雄》

“为朋友而死的人，是绝不会下地狱的。”

但朋友若都在地狱里，他们也许宁可下地狱，也不愿上天堂。

——《欢乐英雄》

生命本就是一片空白，本就要许许多多有价值的事去充实它，其中若是缺少了友情，剩下的还有多少？

——《三少爷的剑》

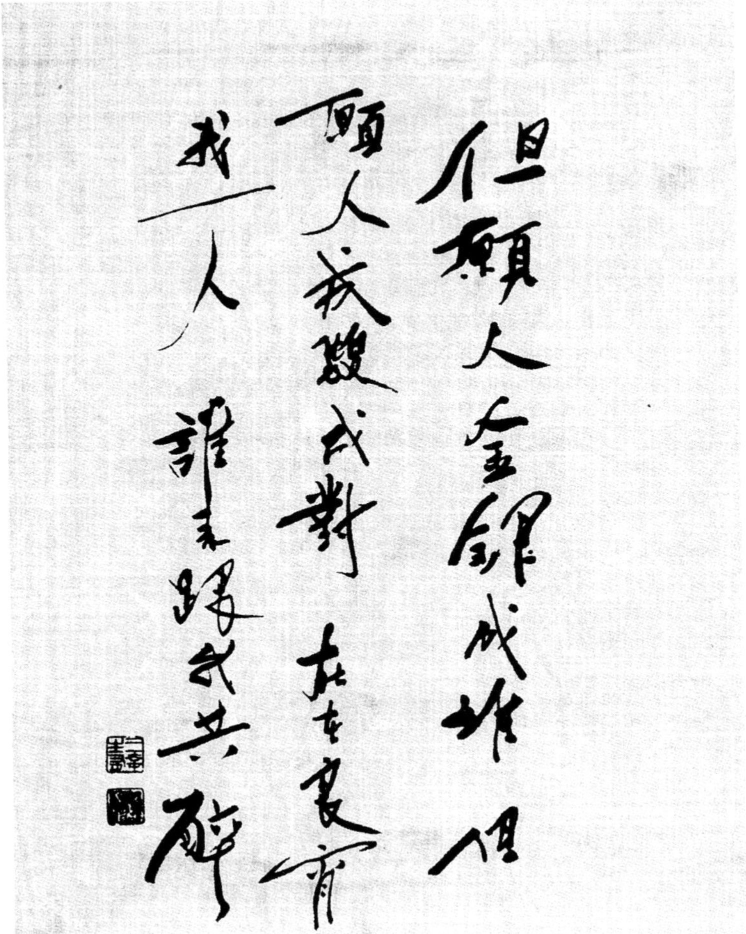

但愿人金银成堆，但愿人成双成对。在在良宵我一人，谁来跟我共醉？——古龙

亲密的朋友不一定是好朋友。

譬如说，“酒”和“赌”，这一对朋友就很亲密，亲密得已很少有人能把他们分开。但这对朋友实在糟透了。

所以赌鬼通常也是酒鬼。

有的人一喝了酒，就想赌；有的人一开始赌，就想喝酒。

结果呢？

结果是，愈输愈喝，愈喝愈输；不醉不休，输光为止。

所以赌场里一定有酒，而且通常都是免费的酒，随便你爱喝多少，就喝多少。

你可以尽管喝，那意思就是你也可以尽管输。

——《大人物》

（三）美丽又复杂的女人

只有骄傲和自信，才是女人最好的装饰品。

——《小李飞刀：多情剑客无情剑》

世上绝没有任何一个男人能真的了解女人，若有谁认为自己很了解女人，他吃的苦头一定比别人更大。

——《小李飞刀：多情剑客无情剑》

无论在什么时候，你若想要一个女人的命并不是件困难的事，可是你如果想要一个女人不吃醋，那简直是做梦。

——《陆小凤传奇6：凤舞九天》

一个正在吃醋的女人，通常都是没什么道理可讲的。

——《陆小凤传奇6：凤舞九天》

大多数女人都会将孩子看得比自己还重要，这是母性，也正是女性的荣光，人类的生命也正因为这缘故才能永远延续。

但孩子若还没有出世，就完全不同了。

女人对自己还没有生出来的孩子，绝不会有很深的感情、很大的爱心。

因为这时她的母性还未完全被引发。

这是人性。

母性是完美的，至高无上的，完全不自私、不计利害、不顾一切，也绝不要求任何代价。

但人性却是有弱点的。

——《萧十一郎》

笑得甜的女人，将来的运气都不会太坏。

——《大人物》

脂粉虽可令女人们变得年轻美丽，但无论多珍贵的脂粉，也比不上她自己脸上那种又羞涩、又甜蜜的微笑。

所以世上绝没有难看的新娘子。

——《大人物》

一个少女的心，实在妙得很。

她们有时悲哀，有时欢喜，有时痛苦，有时愤怒，但却很少会发觉到真正的恐惧。

恐惧本是人类最原始、最深切的一种情感。

但是在少女们的心目中，恐惧却好像并不是一种很真实的感觉。

因为她们根本就没有认真去想过这种事。

何苦去问一个少女，在临死前想的是些什么？她的回答一定是你永远也想不到的。

有个很聪明的人，曾经问过很多少女一个并不很聪明的问题。

“你觉得什么是世上最可怕的事？”

他得到很多种不同的回答。

“被自己所爱的人抛弃最可怕。”

“洗澡时发现有人偷看最可怕。”

“老鼠最可怕——尤其是老鼠钻进被窝时更可怕。”

“和一个讨厌鬼在一起吃饭最可怕。”

“半夜里一个人走黑路最可怕。”

“肥肉最可怕。”

还有些回答简直是那聪明人连想都没有想到过的，简直令人哭笑不得。

但却从来没有一个女孩子的回答是：“死最可怕。”

——《大人物》

当一个男人和女人单独相处时，问话的通常都是女人。

这种情况男人并不喜欢，却应该觉得高兴。

因为女人若不停地问一个男人各种奇奇怪怪的问题，无论她问得多愚蠢，都表示她至少并不讨厌你。

她问的问题愈愚蠢，就表示她愈喜欢你。

但她若连一句话都不问你，你反而在不停地问她。

那就糟了。

因为那只表示你很喜欢她，她对你却没有太大的兴趣。

也许连一点兴趣都没有——一个女人若连问你话的兴趣都没有了，那她对你还会有什么别的兴趣？

这情况几乎从没有例外的。

——《大人物》

一个女孩子若是对别人全都很和气，只有对你不理不睬，那也许就是说她心里没有别人，只有你。

——《欢乐英雄》

（四）天下最复杂，莫过人心与人性

世上最难了解的，就是人心和人性。

——《小李飞刀：多情剑客无情剑》

面具换得多了，渐渐就会忘记自己本来是什么样的一张脸。

——《小李飞刀：多情剑客无情剑》

一个人只有在很想“得到”的时候，才会怕“失去”。

这种患得患失的感觉，也正是人类许多种弱点之一。

——《小李飞刀：多情剑客无情剑》

世上也唯有能满足的人，才能领略到真正的快乐。

——《小李飞刀：多情剑客无情剑》

人们对自己不懂的事，总会觉得有些害怕的。

——《小李飞刀：多情剑客无情剑》

爱的力量永远比仇恨伟大。有时仇恨看来虽然更尖锐，更深切，但只有爱的力量才是永恒不变的。

——《小李飞刀2：边城浪子》

一个人的欲望若是太多、太大，就一定会老得很快。欲望就是人类最大的痛苦。

——《小李飞刀4：天涯·明月·刀》

一个人内心深处，往往会有些秘密是自己都不知道的——也许并不是真的不知道，只不过不敢去把它发掘出来而已。

——《陆小凤传奇4：银钩赌坊》

你若也想和陆小凤一样，受人爱戴尊敬，就一定要先明白一件事。

——真正能令人折服的力量，绝不是武功和暴力，而是忍耐和爱心。

这并不是件容易事，除了广阔的胸襟外，还得要有很大的勇气！

——《陆小凤传奇4：银钩赌坊》

“情”字和石头绝不一样，你无论用多大力气，都踢不走的。你以为已将它踢走时，它一下子却又弹了回来，你用的力气愈大，它弹回来的力道也愈强。你若想一脚将它踩碎，这一脚往往会踩在你自己心上。

——《楚留香新传：借尸还魂》

也许就因为他的情太多，太浓，一发就不可收拾，所以平时才总是要作出无情的样子。

——《楚留香新传3：桃花传奇》

说谎的目的，如果不是为了要讨好对方，就是为了要保护自己。

——《七种武器3：离别钩·霸王枪》

无论多恶毒周密的计划，都终必会失败的，因为人还有一种更强大的力量存在。那就是人类的信心和爱心。

——《七种武器3：离别钩·霸王枪》

这是大仁大勇者心中的秘密，这是大智大慧者心中的弱点，这也是武林中神话般的英雄心中的人性，只是，他那闪亮的地位与声名，已闪花了别人的眼睛，使别人看不到这些。

世上，永远没有人会同情他生命中的寂寞，会怜悯他爱情上的不幸，因为所有人对他的情感，只有敬仰、羡慕，或者妒忌、怀恨。

这就是英雄的悲哀，只是古往今来，英雄的悲哀是最少会被别人发现的！

——《护花铃》

世人若都能保持婴儿般的心境，那么血腥和丑恶的事，就会少多了。

——《护花铃》

（五）人在江湖，身不由己，但要活出自己

只要自己问心无愧，何必去管别人怎么想，一个人是为了自己活着，并不是为了别人。

——《小李飞刀：多情剑客无情剑》

真正的快乐是在你正向上奋斗的时候。

你只要经历过这种快乐，你就没有白活。

——《小李飞刀：多情剑客无情剑》

古往今来，真正的武林高手，都是特立独行，不受影响的人。一个人若连自己的个性都没有，又怎么能练得出独特的武功来。

——《小李飞刀3：九月鹰飞》

人活着，只不过为了自己的心安快乐。若是连生趣都没有，那么就算他的声名、财富和权力都能永远保存，又有什么用？

——《小李飞刀4：天涯·明月·刀》

名妓如名侠，都是江湖人，都有一种相同的性格，都不是一般人可以用常情和常理来揣度的。

在某些时候，名妓甚至也好像名侠一样，能够把生死荣辱置之度外。

——《飞刀，又见飞刀》

那不但要苦练，还得要有一种别人无法了解的狂热与爱好。无论什么事都一样，你要求的若是完美，就得先对它有一种狂热的爱好。就像西门吹雪对剑的热爱一样。

——《陆小凤传奇3：决战前后》

假如你自己也觉得自己是个有用的人，就绝不会想死的，因为你的生命已有了价值，你就会觉得它可贵可爱。

假如你真正全心全意地去帮助过别人，就一定会明白这道理，因为只要你肯去帮助别人，就一定是个有用的人。

——《陆小凤传奇4：银钩赌坊》

一天中最黑暗的时候，也正是最接近光明的时候。

人也一样。

只要你把这段艰苦黑暗的时光挨过去，你的生命立刻就会充满了光明和希望。

——《陆小凤传奇4：银钩赌坊》

一个人若已迷失了自己，那么除了他自己外，还有谁能找得到他呢?

——《陆小凤传奇5：幽灵山庄》

他相信一个人只要有决心，无论在什么地方，都可以打出一条出路来的。

——《陆小凤传奇6：凤舞九天》

只要你能证明你自己并不是个没有用的人，你无论流多少汗，都已值得。

这就是生命的意义，只有懂得这意义的人，才能真正享受生命，才能活得快乐。

——《楚留香新传3：桃花传奇》

“花开花落，人聚人散，都是无可奈何的事。”

她的声音中确实有种无可奈何的悲哀：“人在江湖，就好像花在枝头一样，要开要落，要聚要散，往往都是身不由己的。”

——《楚留香新传4：新月传奇·午夜兰花》

“我相信每个人都有一种格局，也就是说，一种气质，一种气势，一种性格，一种智慧，这是与生俱来的，也是后天培养出来的。”

金老太太说：“一个高格局的人，就算运气再坏，也要比一个低格局的人运气最好时好得多。”

——《楚留香新传4：新月传奇·午夜兰花》

想了也没有用的事，又何必去想？

知道了反而会痛苦烦恼的事，又何必要知道？

无论在多危险恶劣的环境中，他想的都是些可以让他觉得愉快的事，可以让他的精神振奋，可以让他觉得生命还充满希望。

所以他还活着，而且活得永远都比别人愉快得多。

——《楚留香新传4：新月传奇·午夜兰花》

每个人这一生中都要做一些他本来不愿做的事，他的生命才有意思。

——《楚留香新传4：新月传奇·午夜兰花》

忍受的另一种意思就是奋斗！

继续不断的忍受，也就是继续不断的奋斗，否则你活得就全无意思。

江湖路上百战艰辛，此一生生世飘零。人未醉，只胸中有一股悲愤填膺。——古龙

因为生命本就是在苦难中成长的!

——《大人物》

人生正和赌博一样，若是必胜无疑，这场赌就会变得很无趣，一定要有输赢才刺激。

——《萧十一郎》

一个人走入了江湖，就好像骑上虎背，要想下来实在太困难。

——《流星·蝴蝶·剑》

这就是江湖人的命运，生活在江湖中，就像是风中的落叶、水中的浮萍，往往都是身不由主的。

——《三少爷的剑》

谢晓峰道：“有句话你千万不可忘记。”

铁开诚道：“什么话？”

谢晓峰道：“只要你一旦做了江湖人，就永远是江湖人。”

铁开诚道：“我也有句话。”

谢晓峰道：“什么话？”

铁开诚道：“只要你一旦做了谢晓峰，就永远是谢晓峰。”

——《三少爷的剑》

（六）寂寞，浪子的标配

一个真正的高手活在世上，必定是寂寞的，因为别人只能看到他们辉煌的一面，却看不到他们所牺牲的代价，所以根本就没有人能了解他。

——《小李飞刀：多情剑客无情剑》

寂寞，可怕的寂寞。

一个人在真正寂寞时又沉醉，就像是在水里快被淹死时一样，只要能抓住一样可以抓得住的东西，就再也不想放手了。

——《小李飞刀2：边城浪子》

流浪在天涯的浪子们，他们几时享受过“过年”的吉祥和欢乐，别人在过年的时候，岂非也正是他们最寂寞的时候。

——《小李飞刀3：九月鹰飞》

在如此寒冷的冬夜里，一个寂寞的浪子，又怎么能心不酸？

寂寞，刀一样的寂寞。

对一个幸福的人来说，寂寞并不可怕，有时甚至反而是种享受。

可是等到他的幸福已失去时，他就会了解寂寞是件多么可怕的事了。

有时那甚至比刀锋更尖锐，一下子就能刺入你的心底深处。

——《小李飞刀3：九月鹰飞》

做一个无拘无束的浪子，虽然也有很多欢乐，可是欢乐后的空虚和寂寞，却是很少有人能忍受的。

也很少有人能了解，失眠的长夜，曲终人散时的惆怅，大醉醒来后的沮丧……那是什么滋味，也只有他们自己心里才知道。

——《陆小凤传奇3：决战前后》

流浪也是种疾病，就像是癌症一样，你想治好它固然不容易，想染上这种病也同样不容易。

所以无论谁都不会在一夜间变成浪子，假如有人忽然变成浪子，一定有某种特别的原因。

据说陆小凤在十七岁那年，就曾经遇到件让他几乎要去跳河的伤心事，他没有去跳河，只因为他已变成浪子。

——《陆小凤传奇4：银钩赌坊》

“贫穷”岂非也正是寂寞的一种？寂寞岂非总是会跟着贫穷而来？

你有钱的时候，寂寞总是容易打发的，等到你囊空如洗时，你才会发现寂寞就像是你自己的影子一样，用鞭子抽都抽不走。

——《陆小凤传奇4：银钩赌坊》

古来英雄多寂寞……一个人在低处时，总想往高处走，但走得愈高，跟上去的人就少，等他发现高处只剩下他一个人时，再想回头已来不及了。

——《楚留香新传：借尸还魂》

人生之路，是崎岖、蜿蜒而漫长的，爬得越高的人，寂寞就越重，直到他爬上了巅峰，也许他才会发现巅峰上所有的，除了黄金色的声名荣誉，银白色的成功滋味外，便只有灰黑色的寂寞。

——《护花铃》

萧十一郎道："你我萍水相逢，你请我喝酒，喝完了我就走，我若知道你的名字，心里难免感激，日后少不得要还请你一顿，那么现在这酒喝得就无趣了，所以这姓名么……我不必告诉你，你也是不说的好。"

——《萧十一郎》

他这一生永远都是个"局外人"，永远都是孤独的，有时他真觉得累得很，但却从不敢休息。

因为人生就像是条鞭子，永远不停地在后面鞭打着他，要他往前面走，要他去找寻，但却又从不肯告诉他能找到什么……

他只有不停地往前走，总希望能遇到一些很不平凡的事，否则，这段人生的旅途岂非就太无趣?

——《萧十一郎》

有些人纵然天天在和别人说笑游乐，但心里却比谁都寂寞，有些人虽然整天独坐，但只要想到远方也有个人在想着他，他也就不会觉得寂寞了。

——《名剑风流》

寂寞，多么可怕的寂寞。

只有经常忍受寂寞的人，才知道突然感觉到不再寂寞是多么幸福，多么快乐。

只可惜这种快乐太难得。

有时纵然有成群人围绕着你，你还是会觉得寂寞无法忍受。

——《流星·蝴蝶·剑》

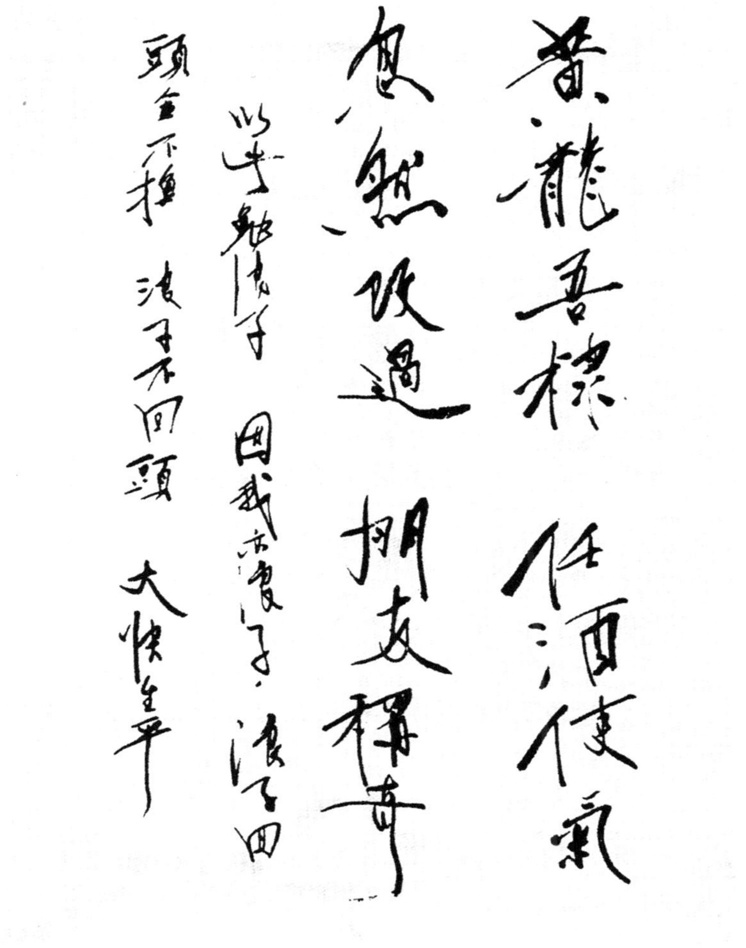

黄龙吾棣，任酒使气。忽然改过，朋友称奇。以此勉浪子，因我亦浪子，浪子回头金不换。浪子不回头，大快生平。——古龙

真正的寂寞是什么样子？也许没人能说得出来，因为那时你根本就不知道自己在想什么。

——《大人物》

（七）读一遍就上瘾的古龙体

他不愿阿飞再想这件事，忽然抬头笑道："你看，这棵树上的梅花已开了。"

阿飞道："嗯。"

李寻欢道："你可知道已开了多少朵？"

阿飞道："十七朵。"

李寻欢的心沉落了下去，笑容也冻结。

因为他数过梅花。

他了解一个人在数梅花时，那是多么寂寞。

——《小李飞刀：多情剑客无情剑》

也不知过了多久，阿飞才缓缓道："是你。"

李寻欢道："是我。"

阿飞道："你毕竟还是来了。"

李寻欢道："我毕竟还是来了。"

阿飞道："我知道你一定会来的。"

李寻欢道："我是一定要来的。"

——《小李飞刀：多情剑客无情剑》

冷风如刀，以大地为砧板，视众生为鱼肉。万里飞雪，将穹苍作洪炉，熔万物为白银。

——《小李飞刀：多情剑客无情剑》

他看着叶开手里的花生，道："放下去。"

叶开道："我不能吃你的花生？"

这人冷冷道："不能，你可以叫我杀了你，也可以杀了我，但却不能吃我的花生。"

叶开道："为什么？"

这人道："因为路小佳说的。"

叶开道："谁是路小佳？"

这人道："我就是。"

——《小李飞刀2：边城浪子》

叶开忍不住又道："你为什么还是戴着这草帽？"

墨九星道："因为外面有狗在叫。"

叶开怔了怔，道："外面有狗叫，跟你戴草帽又有什么关系？"

墨九星冷冷道："我戴不戴草帽，跟你又有什么关系？"

——《小李飞刀3：九月鹰飞》

"天涯远不远？"

"不远！"

"人就在天涯，天涯怎么会远？"

——《小李飞刀4：天涯·明月·刀》

蔷薇有刺，明月呢？

明月有心，所以明月照人。

她的名字就叫作明月心。

——《小李飞刀4：天涯·明月·刀》

西门吹雪吹的不是雪，是血。他剑上的血。

——《陆小凤传奇：金鹏王朝》

夜。秋夜。

残秋。

黑暗的长巷里静寂无人，只有一盏灯。

残旧的白色灯笼几乎已变成死灰色，斜挂在长巷尽头的窄门上，灯笼下却挂着个发亮的银钩，就像是渔翁用的钩一样。

银钩不停地在秋风中摇晃，秋风仿佛在叹息，叹息着这世上为何会有那么多人愿意被钓上这个银钩？

——《陆小凤传奇4：银钩赌坊》

田思思咬着嘴唇，忽又大声道：“无论怎么样，你也休想要我嫁给你！”

杨凡道：“你真的不嫁？”

田思思道：“不嫁。”

杨凡道：“决心不嫁？”

田思思道：“不嫁。”

杨凡道：“你会不会改变主意？”

田思思的声音更大，道：“说不嫁就不嫁，死也不嫁。”

杨凡忽然站起来，恭恭敬敬地向她作了个揖，道：“多谢多谢，感激不尽。”

田思思怔了怔，道：“你谢我干什么？”

杨凡道：“我不但要谢你，而且还要谢天谢地。”

田思思道："你有什么毛病？"

杨凡道："我别的毛病倒也没有，只不过有点疑心病。"

田思思道："疑心什么？"

杨凡道："我总疑心你要嫁给我，所以一直怕得要命。"

——《大人物》

剑气纵横三万里。

一剑光寒十九洲。

残秋。

木叶萧萧，夕阳满天。

萧萧木叶下，站着一个人，就仿佛已与这大地秋色融为一体。

因为他太安静。

因为他太冷。

一种已深入骨髓的冷漠与疲倦，却又偏偏带着种逼人的杀气。

他疲倦，也许只因为他已杀过太多人，有些甚至是本不该杀的人。

他杀人，只因为他从无选择的余地。

——《三少爷的剑》

燕十三道："杀过人后，我一定要喝酒。"

乌鸦道："没有杀人，我也喝酒。"

燕十三道："喝过酒后，我一定要去找女人。"

乌鸦道："没有喝酒，我也找女人。"

燕十三大笑，道："想不到你竟是个酒色之徒。"

乌鸦道："彼此彼此。"

他们喝得真不少。

燕十三道："你既是个酒色之徒，今天我就让你一次。"

乌鸦道："让什么？"

燕十三道："让你付账。"

——《三少爷的剑》

郭大路道："我有个秘密，已憋了很久，再不说出来，只怕就要发疯了，可是……可是我想说出来，又怕你笑我。"

王动道："你……你得的难道是……是花柳病？"

郭大路道："不是。"

王动松了口气，道："那就没关系了，你尽管说出来，我绝不笑你。"

郭大路又犹豫半天，才苦着脸道："相思病也不只一种，我得的却是最见不得人的那一种。"

王动道："为什么见不得人？窈窕淑女，君子好逑，求之不得，辗转反侧，那本是天经地义的事，有什么丢人？"

郭大路道："可是……可是……我这相思病，并不是为女人得的。"

王动也怔住了，怔了半天，才试探着问道："你相思病的对象难道是个男人？"

郭大路点点头，简直好像要哭出来的样子。

王动好像很害怕的样子，故意压低了声音，悄悄道："不会是我吧？"

郭大路看着他，也不知是想哭，还是想笑，只有板着脸道："我的病倒还没有这么重。"

——《欢乐英雄》

流星的光芒虽短促，但天上还有什么星能比它更灿烂、辉煌！

当流星出现的时候，就算是永恒不变的星座，也夺不去它的光芒。

蝴蝶的生命是脆弱的，甚至比最鲜艳的花还脆弱。

可是它永远只活在春天里。

它美丽，它自由，它飞翔。

它的生命虽短促却芬芳。

只有剑，才比较接近永恒。

一个剑客的光芒与生命，往往就在他手里握着的剑上。

但剑若也有情，它的光芒是否也就会变得和流星一样短促？

——《流星·蝴蝶·剑》

“我知道钩是种武器，在十八般兵器中名列第七，离别钩呢？”

“离别钩也是种武器，也是钩。”

“既然是钩，为什么要叫作离别？”

“因为这柄钩，无论钩住什么都会造成离别。如果它钩住你的手，你的手就要和腕离别；如果它钩住你的脚，你的脚就要和腿离别。”

“如果它钩住我的咽喉，我就要和这个世界离别了？”

“是的。”

“你为什么要用如此残酷的武器？”

“因为我不愿被人强迫跟我所爱的人离别。”

“我明白你的意思了。”

“你真的明白？”

“你用离别钩，只不过为了要相聚。”

“是的。”

——《七种武器3：离别钩·霸王枪》

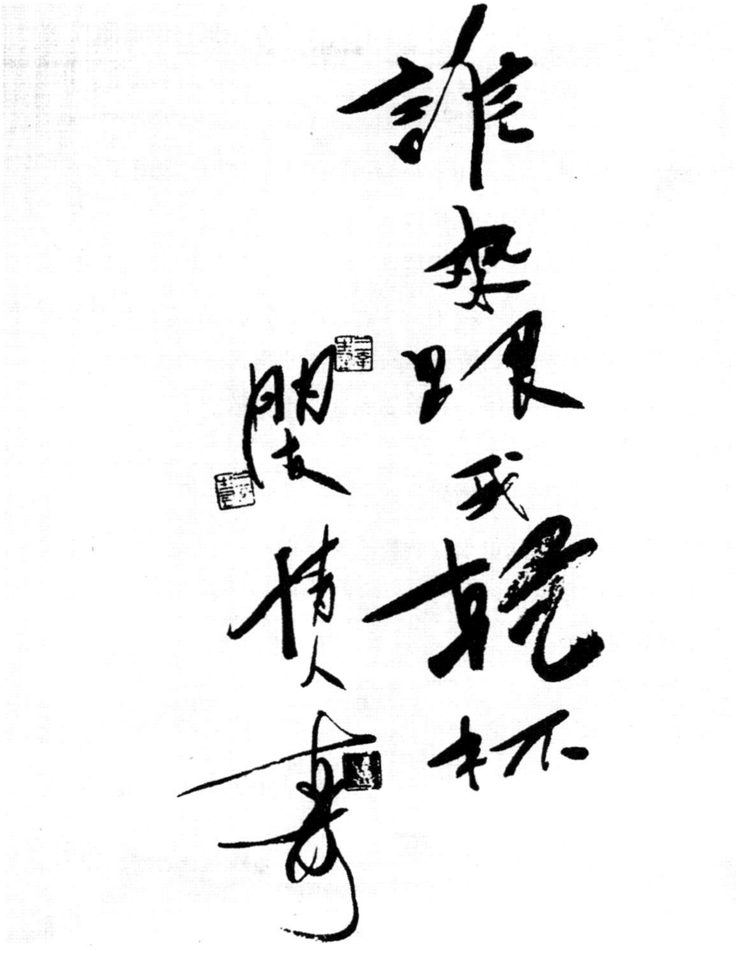

谁来跟我干杯。——朋友 情人 古龙

读客®文化

火并萧十一郎（上）

古 龙 著

文匯出版社

目　录

第一章

七个瞎子

初秋，艳阳天。

阳光透过薄薄的窗纸照进来，照在她光滑如缎子般的皮肤上，水的温度恰巧比阳光暖一点。她懒洋洋地躺在水里，将一双纤秀的腿高高跷起，让脚心去接受阳光的轻抚。

轻得就像是情人的手。

可是风四娘心里并不愉快。

经过了半个月的奔驰后，能洗个热水澡，虽然已几乎可以算是世上最愉快的事，可是一个人心里头如有她现在这么多心事，这世上也许就没有任何一件事能让她觉得愉快了。

风四娘通常并不是个忧郁的人，但现在看来却仿佛很忧郁。

风在窗外轻轻地吹，外面是一片乱石山冈。

这地方她来过，两年前来过。

两年前，她也同样在这屋子里洗过个热水澡，她记得那时的心情还很愉快。

至少比现在愉快得多。

从外表看来，她跟两年前并没有什么分别。

她的胸还是很挺，腰还是很细，小腹还是平坦的，一双修长的腿，也仍然同样光滑坚实。

她的眼睛也还是妩媚明亮的，笑起来还是同样能令人心动。

可是她自己心里知道，她已苍老了很多，一个人内心的衰老，才是真正可怕的。

这两年来，她还是没有亏待自己。

她还是一样骑最快的马，爬最高的山，吃最辣的菜，喝最烈的酒，玩最快的刀，杀最狠的人。

她还是在尽量享受着人生。

只可惜无论什么样的享受，都已不能驱走她心里的寂寞；一种深入骨髓的寂寞，就像是木柱里的白蚁一样，已将她整个人都蛀空了。

除了寂寞外，更要命的是思念。

对青春的思念，对往事的思念，所有的思念中，都只有一个人。

她自己虽不愿承认，但世上却永远没有任何人能代替这个人在她心目中的地位。

连杨开泰都不能。

她嫁给了杨开泰，却又在洞房花烛的那天逃走。

想起杨开泰那四四方方的脸，规规矩矩的态度，想起他那种真挚而诚恳的情意，她也觉得自己实在对不起这个老实人，但连她自己也无可奈何。

因为她忘不了萧十一郎！

无论他是在天涯，还是在海角，无论他是活，还是死，她都一样忘不了他，永远也忘不了。

一个女人若没有自己所爱的男人在身旁，那么就算每天都有千千万万个人在陪着她，她还是会同样觉得寂寞。

对一个已经三十五岁的女人说来，世上还有什么事比寂寞和思念更不可忍受？

她痴痴地看着自己光滑、晶莹、几乎毫无瑕疵的胴体，眼泪仿佛已将流了下来……

突然间，“砰”的一声响，窗户、门、木板墙壁，同时被撞破了七八个大洞。

风四娘笑了。

两年前她在这里洗澡时，也发生同样的事——历史为什么总是会重演的？

和两年前一样，她还是舒舒服服地躺在盆里，用一块丝巾轻拭着自己的手。

但这次她的脸色却已变了，她实在觉得很奇怪。

这次来偷看她洗澡的人，竟全都是瞎子！

七个大洞里，已有七个人走了进来，漆黑的长发，漆黑的衣裳，眼睛也都已只剩下两个黑黝黝的洞，左手提着根白色的明杖，右手却拿着把扇子。

七个人围着风四娘洗澡的木盆，七张苍白的脸，都完全没有表情。

风四娘又笑了：“连瞎子都要来看我洗澡，我的魔力倒真不小。”

七个人不但是瞎子，而且还像是哑巴，全都紧紧地闭着嘴。

过了很久很久，其中才有个人忽然道：“你没有穿衣服？”

风四娘大笑，道：“你们洗澡的时候穿衣服？”

这瞎子道：“好，我们等你穿起衣服来。”

风四娘道：“你们既然看不见我，那我又何必穿衣服？”她眼波流动，忽又叹了口气，道，“我真替你们可惜，像我这么好看的女人在洗澡，你们居然看不见，实在是件很遗憾的事。”

这瞎子冷冷道：“不遗憾。”

风四娘道："不遗憾？"

这瞎子道："瞎子也是人，虽然不能看，却可以摸，不但可以摸，还可以做很多别的事。"

他说的本是很下流的话，但是他脸上的表情却很严肃。

因为他说的是真话。

风四娘忽然觉得有点冷了，她知道这种人，只要说得出，就一定做得到。

这瞎子又道："所以你最好老实些，我们叫你穿衣服，你最好就赶快穿衣服。"

风四娘道："你们是想要我干什么？"

这瞎子道："要你跟着我们走。"

风四娘道："有眼睛的人，反而要跟着没有眼睛的人走？"

这瞎子道："不错。"

风四娘道："无论你们到哪里，我都跟你们到哪里？"

这瞎子道："不错。"

风四娘道："你们若是掉进粪坑里去，我也得跟着跳下去？"

这瞎子道："不错。"

他脸上的表情居然还是很严肃，风四娘却又忍不住笑了。

这瞎子道："我说的并不是笑话。"

风四娘道："但我却觉得很好笑。"

这瞎子道："很好笑？"

风四娘道："你们凭什么认为我会听你们的话？"

这瞎子道："不凭什么。"

风四娘道："你们虽然瞎，却并不聋，难道从来也没有听说过，风四娘洗澡的时候，身上也一样带着杀人的利器，也一样能杀人的？"

这瞎子道："我们听说过。"

风四娘道："可是你们一点也不怕？"

这瞎子道："对我们说来，天下已经没有可怕的事了。"

风四娘道："死你们都不怕？"

这瞎子道："我们已不必怕。"

风四娘道："为什么？"

这瞎子脸上突又露出种很奇怪的表情，冷冷道："因为我们都已死过一次。"

没有人能死两次的。

这本是句很荒谬的话，但是从这瞎子嘴里说出来，就绝不会有人觉得荒谬了，因为他说的是真话。

风四娘忽然觉得很冷，就好像坐在一盆快结冰的冷水里。

但若就这样被他们吓住，乖乖地穿起衣服来跟着他们走，那就不是风四娘了。

风四娘叹了口气，道："偷看我洗澡的人，眼睛都一定会瞎的，只可惜你们本来就已经是瞎子了。"

这瞎子冷冷道："实在可惜。"

风四娘道："幸好我虽然没法子让你们再瞎一次，却可以要你们再死一次。"

她的手轻轻一拂，兰花般的纤纤玉指间，突然飞出了十几道银光。

风四娘并不喜欢杀人，但若到了非杀不可的时候，她的手也绝不会软。

她的银针虽然不如沈家的金针那么有名，却也很少失手过。

银针一发十四根，分别向七个瞎子的咽喉射过去。

瞎子们手里的折扇突然扬起、展开，十四根银针就突然全都不见了。

只见七柄扇子上，都写着同样的六个字："必杀萧十一郎！"

鲜红的字，竟像是用血写成的。

无论谁若肯用血写在扇子上，那当然就表示他的决心已绝不会改变，而且也不怕让人知道。

风四娘叹了口气，苦笑道："可怜的萧十一郎，为什么总是有这么多人要你死呢？"

这瞎子冷冷道："因为他该死！"

风四娘道："你们都跟他有仇？"

这瞎子脸上的表情，已变得充满了怨毒和仇恨。

他已用不着回答，无论谁都可以看得出，他们之间的仇恨很深。

风四娘道："难道你们的眼睛，就是因为他才会瞎的？"

这瞎子恨道："我说过，我们都已死过一次。"

风四娘道："哦？"

这瞎子道："因为我们现在都已不是以前那个人，那个人已死在萧十一郎手里！"

风四娘道："你们以前是什么人？"

这瞎子道："以前我们至少是个有名有姓的人，现在却已只不过是个瞎子。"

风四娘道："所以你们也想要他死一次？"

这瞎子道："非死不可。"

风四娘又笑了，道："既然如此，你们就应该找他去，为什么来找我？我又不是他的娘。"

这瞎子冷冷道："你是来干什么的？"

风四娘道："这里是乱石山，乱石山是强盗窝，我恰巧有个老朋友也是强盗。”

这瞎子道：“快刀花平？”

风四娘道：“你们也知道他？”

这瞎子冷笑道：“关中群盗的总瓢把子，江湖中有谁不知道？”

风四娘松了口气，道：“你们既然知道他，就应该让我去找他。”

这瞎子道：“不必。”

风四娘道：“不必？不必是什么意思？”

这瞎子道：“这意思就是说，你若要见他，我随时都可以叫他来。”

风四娘笑了笑，道：“他难道也很听你们的话？”

这瞎子道：“因为他知道瞎子也杀人的。”他忽然挥了挥手，沉声道，“送花平进来。”

这句话刚说完，门外就有样东西飞了进来，风四娘伸手接住，竟是个乌木盒。

风四娘道：“看来这好像只不过是个盒子。”

瞎子道：“是的。”

风四娘道：“花平好像并不是个盒子。”

花平当然不是盒子，花平是个人。

瞎子道：“你为何不打开盒子来看看？”

风四娘笑道：“花平难道还会藏在这盒子里？”

她的笑容突然冻结，她已打开盒子。

盒子里当然不会是人，但却有只手，一只血淋淋的右手。

花平的手。

花平已没有手！

刀，一定要用手才能握住的。

一个以刀法成名的人，两只手若都已被砍断，他怎么还能活得下去？

风四娘叹了口气，黯然道：“看来我只怕已永远见不到这个人了。”

瞎子道：“现在你总该明白，你若要一个人去死，并不一定要砍下他脑袋来的。”

风四娘点点头，她的确已明白。

瞎子道：“所以我们只要毁了你这张脸，你也就等于死了。”

风四娘道：“所以我最好还是乖乖地穿起衣服，跟你们走？”

瞎子道：“不错。”

风四娘忽然大笑，道：“你们这些瞎了眼的王八蛋，你们真看错人了，你们也不打听打听，风四娘活了三十……岁，几时听过别人话的？”

她骂人的时候也笑得很甜，这瞎子却已被她骂得怔住。

风四娘道：“你们若想请我到什么地方去，至少也该先拍拍我的马屁，再找顶轿子来抬我，那么我也许还可以考虑考虑。”

她没有再说下去。

就在这时，山谷间忽然响起一阵奇异的吹竹声。

接着，门外又传来“叮”的一声响。

瞎子们皱了皱眉，其中四个人突然将手里的明杖在木盆边缘上一戳，只听“笃”的一声，明杖已穿进了木盆，交叉架起。

这四个人就像是抬轿子一样，将风四娘连人带盆抬了起来。

四个人同时出手，同时抬脚，忽然间就已经到了门外。

门外也有个人站在那里，面对着蓝天白云下的乱石山冈，手里也提着根短棍。

但这人不是瞎子，却是个只剩下一条腿的跛子。

他手里的短棍在石地上轻轻一点，又是“叮”的一声响，火星四溅。

这短棍竟是铁打的。

短棍一点，他的人已到了七八尺外，却始终没有回过头来看风四娘一眼。

风四娘叹了口气，喃喃道：“想不到我居然会在这里遇见一个君子，居然好像从来也没有看见过女人洗澡的君子。”

山风吹过，这跛子的衣袂飞扬，眨眼间就已走出了很远。

这个只有一条腿的残废，竟远比有两条腿的人走得还快。

四个瞎子左边两个，右边两个，架着风四娘和那大木盆，跟在他身后，山路虽崎岖，但他们却走得四平八稳，连盆里的水都没有一点溅出来。

那跛子短杖在地上一点，发出“叮”的一响，他们就立刻跟了出去。

风四娘终于明白。

“这跛子原来是带路的。”

可是他明明知道有个赤裸的绝色美人在后面，居然能忍住不回头来看，这种人若不是世间少有的真君子，就一定是自恃身份，不肯做这种让人说闲话的事。

这跛子本来难道也是个很有身份的人？

难道他也死过一次？

秋已渐深，山风中已有寒意。

风四娘已开始在后悔了，她本来的确应该先穿上衣服的。

她现在已真的觉得有点冷，却又不能赤裸裸地从盆里跳起来。

何况，她也实在想看看，这些奇怪的瞎子，究竟想把她带到哪里去，究竟想干什么。

她的好奇心已被引了起来。

她本就是个喜欢刺激，喜欢冒险的女人。

瞎子倒还是紧紧地闭着嘴。

风四娘忍不住道：“喂，前面那位一条腿先生，你既是个君子，就该把身上的衣服脱下来给我穿。”

跛子还是不回头，好像不但是个跛子，而且还是聋子。

风四娘就算有天大的本事，遇见这样几个又哑又瞎、又聋又跛的人，也没有法子了。

这条路本来是往山下走的，转过一个山坳，忽然又蜿蜒向上。

前面一片枫林，枫叶已被秋色染红。

风四娘索性也不理这些人了，居然曼声低吟起诗来：“停车坐爱枫林晚，霜叶红于二月花……”

枫林中忽然有人银铃般娇笑，道：“风四娘果然是风四娘，这种时候，她居然还有心情吟诗。”

声音如黄莺出谷，说话的显然是个很娇媚的年轻少女。

那跛子本已将走入枫林，突然凌空翻身，倒纵回来，沉声叱问：“什么人？”

他落在地上时，居然还是背对着风四娘，也不知是他不敢看风四娘，还是不敢让风四娘看见他。

瞎子们的脚步也停下，脸上的表情，似又显得很紧张。

枫林中笑声如银铃般响个不停，已有个梳着条乌油油大辫子的小姑娘，笑嘻嘻地走了出来。

秋天的夕阳照在她白生生的脸上，她的脸看来就像是春天的花朵。

风四娘忍不住道：“好漂亮的小姑娘……”

这小姑娘娇笑道：“只可惜这个小姑娘在风四娘面前一比，就变成个小丑八怪了。”

风四娘嫣然道：“像这样一个又聪明又漂亮的小姑娘，总不会是跟这些怪物一路的吧？”

小姑娘盈盈一拜，道：“我叫心心，是特地来送衣服给风四娘的。”

“心心，好美的名字，简直就跟人一样美。”

风四娘忽然觉得愉快起来了。

她已看见这心心姑娘身后，果然还跟着两个垂髫少女，手里托着个金盘，上面果然有一套质料高贵、颜色鲜艳的新衣裳。

心心又笑道：“我们虽然不知道四娘衣裳的尺寸，可是这么好身材的人，无论穿什么衣裳，都一定会好看的。”

风四娘嫣然道：“像这么样好心的小姑娘，将来一定能找得到如意郎君的。”

心心的脸红了红，却摇着头道：“好心的不是我，是我们家的花公子。”

风四娘道：“花公子？”

心心道：“他知道四娘来得匆忙，没有穿衣裳，山上的风又大，怕四娘着了凉，所以特地要我送这套衣裳来。”

风四娘道：“看来这位花公子，倒是一个很体贴的人。”

心心抿着嘴笑道：“他本来就是的，不但体贴，而且温柔极了。”

风四娘道：“但我却好像并不认得这样一位花公子呀！”

心心笑道：“现在虽然还不认得，但以后就会认得的。”

风四娘也笑了，道：“不错，又有谁是一生出来就认得的呢？能认得这样一个温柔体贴的男人，无论什么样的女人都不会反对的。”

心心笑得更甜，道：“花公子本来也只希望四娘能记得世上还有他这样一个男人。”

风四娘道：“我绝对忘不了。”

那两个垂髫少女，已捧着金盘走了过来。

那跛子突然道：“站住！”

少女们没有说话，风四娘却已瞪起了眼，道：“你凭什么要人家站住？”

跛子不理她，却瞪着心心，道：“你说的花公子，是不是花如玉？”

他的声音低沉嘶哑，说不出有多么难听。

心心道：“除了花如玉花公子外，世上还有哪位花公子会这么温柔体贴？”

跛子道：“他在哪里？”

心心道：“你问他干什么？难道你想去找他？”

跛子好像吓了一跳，竟不由自主，向后退了两步。

心心悠然道：“我也知道你不敢去找他的，所以我告诉你也没有用。”

跛子长长吸了口气，厉声道：“这衣服你带回去，花如玉碰过的东西就有毒，我们不要。”

风四娘道：“你们不要，我要！”

心心道：“既然四娘要，你们还不赶快把衣服送过去？”

垂髫少女迟疑着，好像还有点怕。

心心淡笑道：“怕什么？这些人的样子虽然凶，但却绝不敢拦住你们的……”

那跛子突然冷笑一声，手里的短棍已闪电般向她咽喉点了过去。

这一招又急又狠，用的竟仿佛是种很辛辣的剑法，不但剑法很高，而且一出手就是杀招。

他居然用这种厉害的招式，来对付一个十六七岁的小姑娘，风四娘已经看不顺眼了。

风四娘若是已经对一个人看不顺眼，这个人迟早总要倒霉的。

跛子看来很快就要倒霉了。

他一棍刺出，心心的人忽然间就已从他肋下钻了过去，就像水里的鱼一样，甚至连鱼都没有她灵活。

风四娘却吃了一惊，她实也没想到，这小姑娘竟有这么样一身好功夫。

但跛子的应变也不慢，身子不转，“倒打金钟”短棍已从肋下反刺了出去。

心心冷笑道：“这是你先出手的，你自己要找倒霉，可怨不得我。”

三句话说完，跛子已攻出十五招，竟把手里这条短棍当作剑用，剑法辛辣狠毒，已无疑是当代一流剑客的身手。

心心却轻轻松松地就避开了，身子滴溜溜一转，手里突然多了柄寒光四射的短刀。

跛子第十六招攻出，心心反手一撩，只听“叮”的一声，这根精钢打成的短棍，已被她一刀削断了。

心心笑道：“我是不是说过你要倒霉的，你现在总该相信了吧？”

她笑得虽可爱，但出手却很可怕，短刀已化成一道寒光，纵横飞舞。

风四娘用最快的速度穿起了那身鲜艳的绣袍，跛子手里一根三尺多长的铁棍，已只剩下了一尺二三。

刀光已将他整个人笼罩住，每一刀刺出，都是致命的杀手。

风四娘本来在为心心担心，现在却反而有点为他担心了。

她自己不喜欢杀人，也不喜欢看着别人在她面前被杀。

何况，她总觉得这跛子用的剑法很熟悉，总觉得自己一定知道这个人。

只不过这小姑娘好心替她送衣服，现在她总不能帮着这跛子说话。

奇怪的是，那七个瞎子反而不着急，还是动也不动地站着，就好像七个木头人一样。

忽然间，“嗤”的一响，一片淡淡的血珠溅起，跛子肩上已被划了道七八寸长的血口。

心心吃吃地笑着，道：“你跪在地上，乖乖地叫我三声姑奶奶，我就饶了你。”

跛子急攻七招，又是“叮”的一响，他手里一尺多长的短棍，又被削断了一截。

他无疑已可算是江湖中的一流剑客，但在这小姑娘面前，他的剑法却好像突然变成了第八流的。

心心的出手不但又急又快，而且招式之诡秘变化，每一招都令人不可思议。

风四娘实在想不通，她小小年纪，这一身武功是怎么练出来的。

心心道：“我问你，你究竟肯不肯叫？”

跛子突然发出野兽般的怒吼，用力地把手中一截断棍掷在地上，伸出一双骨节狰狞的大手，扑过去抓心心的咽喉。

心心似已被他这凄厉的吼声吓住了，手中刀竟忘了刺出。

突然间，这一双大手已到了她面前。

心心反而笑了，嫣然道：“你真忍心杀我？”

她笑得比春花还灿烂，比蜜还甜。

跛子似也看得痴了，出手竟慢了下来，就在这时，心心的笑容突然冷了，雪亮的刀锋已刺向他咽喉。

他实在不忍杀这小姑娘，但这小姑娘若是杀了他，却连眼睛都不会眨一眨。

就在这时，枫林仿佛忽然卷起了阵狂风，一条四五丈长的长鞭，就像是长蛇般，随着狂风卷过来，鞭梢在心心手腕上轻轻一搭，心心手里的刀已冲天飞起。

接着，她的人也被卷起，凌空翻了四五个筋斗，才落下来，又在地上打了几个滚，才勉强站住，握刀的手已变得又红又肿。

风四娘自己也是用鞭子的。

她知道鞭子愈长，愈难施展。

她从来也没有见过这么长的鞭子，也从来没有见过这么灵活的鞭子。

无论谁能将这么长的鞭子，运用得这么灵活，都一定是个非常可怕的人。

她忽然觉得今天的日子很不吉利，今天她遇见的人，好像没有一个不是非常可怕的怪物。

等她见到这个人时，她才知道真正的怪物是什么样子的。

这个人才是个真正的怪，怪物中的怪物。

对心心来说，今天的日子当然更不吉利。

她用另一只手捧着被打肿了的手，疼得已经要哭出来，但等她看见这个人时，她却似已吓得连哭都不敢哭出来。

这个人并不是走来的，也不是坐车来的，当然更不是爬来的。

他是坐在一个人头上来的，坐在一个巨人般的大汉头上。

这大汉身长九尺，精赤着上身，却戴着顶大帽子。

帽子就像是方桌一样，是平稳的，这个人就坐在帽子上，穿着件绣满了各式各样飞禽的五色彩袍，左面的袖子却是空的。

他的脸看来倒不怪，苍白的脸色，带着种很有威严的表情，一双眼睛炯炯有光，漆黑的头发上，戴着顶珍珠冠。

事实上，若是只看这张脸，他甚至可以算是个很英俊的男人。

但是他身上却仿佛带着种说不出的阴险诡秘之气，仔细一看，才知道他并不是坐着，而是站着的，只不过两条腿都已从根上被割断了。

这个人的四肢，竟已只剩下一只右手，那条五尺长的鞭子，就在他右手里。

风四娘倒抽了口凉气，只觉得今天的日子实在很不吉利。

心心的脸上，更已连一点血色都没有了，忽然大声道："是他先动手的，你不信可以问他自己。"

这人冷冷地看着她，过了很久，才慢慢地点了点头，道："我知道。"

他的声音居然也很清朗，很有吸引力，他没有残废的时候，显然是个对女人很有吸引力的男人。

心心道："我只不过是奉花公子之命，来送衣裳给风四娘的。"

这人道："我知道。"

心心松了口气，勉强笑道："既然你全都知道，我是不是可以走了？"

这人道："你当然可以走。"

心心一句话都不再说，掉头就跑。

这人居然也没有阻拦，风四娘又不禁觉得他并没有想象中那么可怕了。

谁知心心刚奔出了枫林，忽然又跑了回来，本来已经肿了的手臂，现在竟已肿得比腿还粗，一张春花般鲜艳的脸，也似已变成了灰色，嘶声道："你的鞭子上有毒？"

这人道："是有一点。"

心心道："那……那怎么办呢？"

这人道："你知不知道我这两条腿，一只手，是怎么断的？"

心心摇摇头。

这人道："是我自己砍断的。"

心心道："你为什么要砍断自己的手？"

这人道："因为我手上中了别人的毒。"

心心就像是忽然又挨了一鞭子，站都站不住了，失声道："你……你难道也想要我变成个残废？"

这人冷冷道："残废又如何？这里的人岂非全都是残废？"

心心指着面前的大汉，道："他就不是残废。"

大汉突然咧开嘴一笑。

心心又怔住了。

这大汉虽然四肢俱全，不瞎也不跛，但嘴里却没有舌头。

心心仰起脸看着他，忽然间已泪流满面，道："你真要我自己把这只手砍下来？"

这人道："手上有毒，就要砍手，腿上有毒，就要砍腿。"

心心流着泪，道："可是……可是我舍不得。"

这人道："我若也舍不得，现在已死过三次。"

风四娘忍不住冲过来，大声道："她怎么能跟你比，她是个女人。"

这人冷冷道："女人也是人。"

风四娘道："你也是人，你凭什么要坐在别人的头上？"

这人道："因为我本就是人上人。"

风四娘道："人上人？"

这人道："吃得苦中苦，就是人上人。"

风四娘道："你吃过苦中苦？"

这人道：“你若也割下自己两条腿，一只手来，你就知道我是不是吃过苦中苦了。”

风四娘也不能不承认，这人的确是吃过苦中苦的。

第二章

怪物中的怪物

所以他就是人上人。

那柄寒光四射的短刀，已掉在地上，就在心心的脚下。

心心慢慢地弯下腰，捡起了这柄刀，流着泪，看着风四娘，凄然道："你现在总该已看清他是个什么样的人了。"

风四娘咬着牙，道："现在我只不过有点怀疑，他究竟是不是人？"

心心道："就因为他自己是个残废，所以就希望看着别人跟他一样变成残废，可是我……我就算要砍断这只手，也偏偏不让他看见。"

她忽又转过身，头也不回地走了。

风四娘跺了跺脚，忽然大声道："像你这么漂亮的女孩子，就算少只手，也一样有人喜欢的，你用不着难受。"

她叫别人不要难受，可是她自己的眼圈都已红了。

人上人看着她，冷冷道："想不到风四娘居然是个心肠很软的女人。"

风四娘也抬起头，瞪着他，冷冷道："可是你就算把这最后一只手也砍下来，我也不会难受。"

人上人道："你同情她？"

风四娘道："哼。"

人上人道："你知道她是怎样的人？"

风四娘道："她是个女人，我也是个女人。"

人上人道："你身上所穿着的，就是她送给你的衣裳？"

风四娘道："不错。"

人上人道："你最好赶快脱掉。"

风四娘道："脱什么？"

人上人道："脱衣服。"

风四娘笑了，道："你想看我脱衣服？"

人上人道："一定要脱光。"

风四娘突然跳起来，大声道："你在做梦。"

人上人叹了口气，道："你自己不脱，难道要我替你脱？"

风四娘道："你敢？"

人上人又叹了口气，道："若连女人的衣服我都不敢脱，我还敢干什么？"

他的手轻轻一抬，长鞭忽然像毒蛇向风四娘卷了过来。

风四娘从来也没有看见过这么可怕的鞭子，鞭子上就好像长着眼睛一样，鞭梢忽然间已卷住了她的衣服。

这鞭子本身就好像会脱女人的衣服。

鞭梢已卷住了风四娘的衣服，只要轻轻一拉，这件崭新的、鲜艳的绣袍，立刻就会被撕成两半。

风四娘要脱衣服的时候，都是她自己脱下来，这世上从来也没有一个男人脱过她的衣服。

但这次却好像要破例了。

她既不敢去抓这条鞭子，要闪避也已太迟。

心心的手刚才被鞭梢轻轻一卷，就已肿得非砍下来不可，风四娘是亲眼看见的。

她虽不愿被人脱光衣服，却也不愿砍掉自己的手。

只听“嘶”的一声，衣襟已被扯破。

风四娘突然大声道：“等一等，要脱我自己脱。”

人上人道：“你肯？”

风四娘道：“这么漂亮的一件衣服，撕破了实在可惜。”

人上人道：“风四娘也会心疼一件衣服？”

风四娘道：“风四娘也是女人，漂亮的衣服，又有哪个女人不心疼？”

人上人道：“好，你脱。”

鞭子在他手里，就像是活的，说停就停，要收就收。

风四娘叹了口气，道：“其实我已是个老太婆了，脱光了也没有什么好看的，可是你一定要我脱，我也只好脱，谁叫我打不过你？”

她慢慢地解开两粒衣钮，突然飞起一脚，踢在那赤膊大汉的肚子上。

射人先射马，只要这大汉一倒下去，人上人也得跟着跌下来，就算不跌个半死，至少也没工夫再来脱女人的衣服。

风四娘的武功本来就不太可怕，她可怕的地方并不是武功。

她一向独来独往，在江湖中混了十几年，若是单凭她的武功，衣服也不知被人脱过多少次了。

她的脚看来虽然很秀气，但却踢死过三条饿狼、一只山猫，还曾经将盘踞祁连山多年的大盗满天云，一脚踢下万丈绝崖。

这一脚的力量实在不小，谁知她一脚踢在这大汉的肚子上，这大汉却连动也不动，竟像是连一点感觉都没有。

风四娘自己的脚反而被踢痛了。

她虽然吃了一惊，可是她的人却已借着这一脚的力量，向后翻了出去。

“打不过就跑。”

一个在江湖中混了十几年的人，这道理当然不会不懂的。

可是她自己也知道这次未必能跑得掉。

她已听见鞭梢破风的声音，像响尾蛇一样跟着她飞了过来。

她的身法再快，也没有鞭子快。

就在这时，突听弓弦一响，两道银光闪电般飞来，打在鞭子上。

长鞭就像是条被人打中七寸的毒蛇，立刻软软地垂下。

枫林外一个人冷冷道：“光天化日下，就想在大路上脱女人的衣服，未免将关中的武林道太不看在眼里了吧？”

风四娘已经坐在一棵枫树上面，恰巧看见了这个人。

这人高大魁伟，满面红光，一头银丝般的长发披在身上，穿着大红斗篷，手里倒挽柄比人还长的金背弓，在斜阳下闪闪发光。

他整个人都仿佛在闪闪发着光。

等他抬头，风四娘才看出他脸上满布皱纹，竟已是个老人。

可是他说起话来还是声如洪钟，腰杆还是标枪般挺得笔直，全身还是充满了力量。

风四娘从来也没有看见过这么年轻的老人。

这时那两道银光也落在地上，滴溜溜地打滚，竟是两粒龙眼般大小的银丸。

人上人眼睛盯着这两粒银丸，忽然皱了皱眉，道：“金弓银丸斩虎刀？”

银发老人道：“追云捉月水上飘！”

人上人道：“厉青锋？”

银发老人突然纵声长笑，道：“三十年不走江湖，想不到居然还有人记得我。”

笑声穿云裂石，满林枫叶都像是快要被震得落下。

风四娘也几乎从树上掉下来。

她没见过这个人，但却知道这个人。

“金弓银丸斩虎刀，追云捉月水上飘”厉青锋纵横江湖时，她还是刚出世的孩子。

等她出道时，厉青锋早已退隐多年了，近三十年来的确从来也没有人见过他。

但风四娘还是知道江湖中有这么样一个人，也知道他就是当今天下武林中，手脚最干净、声名最响亮的独行大盗。

若不是后来又出现了个萧十一郎，他还是近百年来，江湖中最了不起的独行盗。

据说他有一次到了京城，京城里的富家千金们，只为了想看他一眼，竟不惜半夜里坐在窗口，开着窗子等他。

这当然只不过是传说，风四娘从来也不相信的。

可是现在她却已有点相信了。

一个六十多岁的老人，若还有这种精神，这种气派，他若年轻三十岁，连风四娘都说不定会在半夜里打开窗子等他的。

就好像她常常坐在窗口等萧十一郎一样。

厉青锋忽然抬起头看了她一眼，道：“你就是风四娘？”

风四娘嫣然道：“你三十年不走江湖，想不到居然还知道江湖中有个风四娘。”

厉青锋道：“好，风四娘果然名不虚传。我若早知道江湖中有你这样的一个人，我说不定早十年就已出来了。”

风四娘道：“我若早知道你在哪里，说不定十年前就已去找你了。”

厉青锋大笑，道：“只可惜我来迟了十年。”

风四娘笑着道："谁说你来迟了？你来得正是时候呢！"

厉青锋眼睛更亮，道："那怪物刚才欺负了你，现在我既已来了，你要我怎么对付他，只管说。"

风四娘眼珠子转了几转，道："他要我脱衣服，我也想叫他脱光衣服看看。"

厉青锋大笑，道："好，你就在树上等着看吧。"

他大笑着，忽然抽刀，抽出了他那柄五十七斤重的斩虎刀，一刀向面前的枫树上砍了过去。

只听"咔嚓"一声，这棵比海碗都粗的枫树，竟被他一刀砍断了，哗啦啦倒下。

幸好风四娘距离还远，忍不住道："这棵树又没有欺负你，你为什么砍它一刀？"

厉青锋道："它挡了我的路。"

风四娘道："无论什么东西挡住你的路，你都要给它一刀？"

厉青锋道："不错！"

风四娘叹了口气，喃喃道："像这样的男人，现在为什么连一个都没有了，否则我又怎么会直到现在还是个女光棍？"

她说的声音不大，却恰好能让厉青锋听见。

厉青锋好像又年轻了十岁，一步就从断树桩上跨了过去。

人上人冷冷地看着他，悠然道："这么大年龄的人，居然还要在女人面前逞威风，倒真是件怪事。"

厉青锋沉下了脸，道："你不服？"

人上人道："我只奇怪，像你这种人，怎么能活到现在的。"

厉青锋厉声道："幸好你是现在遇见我，若是三十年前，此刻你已死在我刀下。"

人上人道："现在你只不过想要我脱光衣服，然后再带风四娘走。”

厉青锋道：“我本来还想砍断你一只手的，只可惜你已剩下一只手。”

人上人道：“这只手却不是用来脱衣服的。”

厉青锋冷笑道：“难道你这只手还能杀人？”

人上人道：“杀得也不多，一次只杀一个。”

他的手一抖，长鞭已毒蛇般向厉青锋卷了过来。

厉青锋的斩虎刀也砍了出去。

这两种兵刃，一刚一柔，但柔能克刚，厉青锋一刀砍出，已知道自己吃亏了。

忽然间，鞭梢已卷住了他的刀，绕了七八个圈子，那赤膊大汉立刻跟着向前跨出两步，一掌向他胸膛上打了过去。

这大汉看来很笨重，但出手却又快又狠，用的招式虽然一点花哨也没有，却非常有力，也非常有效。

厉青锋掌中刀被缠住，左手的金弓却推出，弓弦挡住了大汉的手，只听“当”的一声，大汉的铁拳竟已被割破道血口。

这弓弦竟利如刀锋。

大汉怒吼一声，伸手去抓他的弓，谁知厉青锋的手一转，弓梢急点大汉的胸膛。

这大汉铁打般的身子，竟被点得连站都站不稳了。他人一倒，人上人当然也得跟着跌下。

谁知人上人凌空翻身，从厉青锋头顶上掠了过去。

厉青锋本来是对付一个人的，想不到这个人竟然分成了两个，一个在前，一个却到了他身后。

他皱了皱眉，四丈长的鞭子，中间一段已绕上了咽喉。

他临危不乱，斩虎刀向上挥出，长鞭立刻像弓弦般绷直，本来是鞭梢缠住刀的，现在却变成刀拉住了鞭子。

两人交手数招，看来虽然也没有什么花哨，但变化之奇，出手之急，应变之快，你若没有在旁边看着，简直连想象都无法想象。

你若能在旁边看着，每一招都绝不肯错过。

只可惜在旁边的却是七个瞎子，那个跛子虽不瞎，居然也一直背对他们，好像生怕被风四娘看见他的脸。

风四娘呢？

风四娘竟已不见了。

这个女人有时真就像是风一样不可捉摸。

泉水就像是一条银线般，从山巅流下来。

夕阳满天。

风四娘坐在一块石头上，将一双脚泡在冷而清澈的泉水中。

这是双纤秀而美丽的脚，她一向都保养得很好，脚上甚至连一个疤都找不出来。

她常常喜欢看自己的脚，也知道大多数男人都很喜欢看她的脚。

但这双脚刚才却已被粗糙的山石和锐利的树枝割破了好几块。

现在她不但脚很疼，心也很疼。

厉青锋并不是个讨厌的男人，而且是去救她的，对她好像并没有什么恶意。

但风四娘却已发现他也并没有什么好意。

像他这样的男人，若是对一个女人大献殷勤时，通常都绝不会有什么好意的。

何况，他显然也是为了她而来的，而且也要将她带走。

他就算能将那个人上人打成人下人，对风四娘也并没有什么好处。

风四娘当然也并不是真的想看那个畸形的残废脱光衣服。

世上绝没有任何人想看他脱光衣服。

“既然这两个人都不是好东西，为什么不让他们自己去狗咬狗？”

所以风四娘一有了机会，就绝不肯留在那里再多看一眼。

就算那两个人能打出一朵花来，她也绝不肯再多看一眼。

风四娘一看就知道是个很聪明的女人，从来没有判断错误过，所以直到现在，还没有任何一个男人脱过她的衣服。

但对她说来，今天的日子实在很不吉利。

今天她非但遇见了很多倒霉事，而且每件事都很奇怪。

泉水清冷，从她的脚心，一直冷到她心里。

现在她已冷静多了，已可将这件事，从头到尾再仔细想一遍。

她到这乱石山来，当然不是凑巧路过的，但她却从未向别人说过，她要到这里来。

她的行踪，也跟风一样，从来也没有人能捉摸。

但现在至少已有三个人是来找她的——花如玉、人上人和厉青锋。

他们怎么会知道她在这里呢？怎么会知道她要到这里来？

风四娘一向是个很喜欢享受的女人，她什么都吃，就是不肯吃苦。

不肯吃苦的人，武功当然不会很高。幸好她很聪明，有时虽然很凶，却从来也没有真的跟别人结下过什么深仇大恨。

这也正是她最聪明的地方。

她不但聪明，而且很美，所以她总是有很多有力量的朋友。

她泼辣的时候，像是条老母狗；温柔的时候，却又像是只小鸽子。

她有时天真如婴儿，有时却又狡猾如狐狸。

像这么样一个女人，若不是真正有必要，谁也不会来惹她的。

但现在却忽然有三个人找上她了，而且是三个很不平凡的人。

有些女人也许会因此而很得意，但风四娘却不是个平凡的女人。

她知道一个能忍心砍断自己一双腿、一只手的人，若是要找一个女人时，绝不会只为了想要脱光这女人的衣服。

一个已在江湖中销声匿迹了三十年的大盗，若是对一个女人大献殷勤，当然也绝不会只为了这女人长得漂亮。

他们来找她，究竟是为了什么？

风四娘想来想去，只有一个原因——

萧十一郎！

萧十一郎，这个要命的萧十一郎，为什么总是会惹上这么多的麻烦呢？

这个人好像天生下来就是找麻烦的，不但别人要找他麻烦，他自己也要找自己的麻烦。

风四娘第一次见到他的时候，他就正在找自己的麻烦。

那时他还是个大孩子，居然想迎着势如雷霆般的急流，冲上龙湫瀑布。

他试了一次又一次，跌得头晕眼花，皮破血流，但却还要试。

他究竟想证明什么呢？

这种事除了笨蛋外，还有谁能做得出？

连风四娘有时都认为他是个笨蛋，但他却偏偏一点也不笨。

非但不笨，而且聪明得出奇。

他只不过时常会做一两件连笨蛋都不肯做的笨事而已。

所以这个人究竟是笨，还是聪明？究竟可爱，还是可恨？连风四娘都分不清楚。

她只知道自己是永远也忘不了这个人的了。

有时她想他想得几乎发疯，但有时却又不想看见他，不敢看见他。

这两年来，她一直都没有见过他。

自从那天他和逍遥侯一起走上了那条绝路后，她就没有再见过他。

她甚至以为永远再也见不到他了。

因为这世上所有活着的人，还没有一个能战胜逍遥侯。

没有人的武功比逍遥侯更高，没有人能比他更阴险，更毒辣，更可怕。

但萧十一郎却偏偏要去找他，偏偏要去跟他决一死战。

这一战的结果，也从来没有人知道，大家只知道萧十一郎是绝不会再活着出现了，甚至连风四娘都已几乎绝望。

但是就在这个时候，她偏偏又听到萧十一郎的消息。

所以她来到乱石山，所以她的脚才会破，才会遇见这些倒霉的事。

所以她现在才会像个呆子般抱着脚坐在这里想他，想得心都疼了……

这个要命的萧十一郎，为什么总是令人忘也忘不了呢？

风四娘忽然觉得饿了。

她在想萧十一郎的时候，从来也不会觉得饿的。

可是她现在已决定不再想下去。

这里是什么地方？距离那强盗客栈有多远？她全不知道。

她的衣服、行李和武器，全都在客栈里，她自己却在荒山里迷了路。

现在已是黄昏，正是该吃晚饭的时候，四下却看不见炊烟。

她忽然发觉这满天绚丽的夕阳，原来竟不如厨房烟囱冒出来的黑烟好看。

就算她知道路，她也不愿意走回去，这倒并不是因为她怕那些人再回去找她，而是她实在不愿再冒脚被割破的险。

在她看来，这双脚实在比她的肚子重要得多。

可是她的肚子偏偏不听话，已经在表示抗议，“咕咕”地叫了起来。

应该怎样来安慰这肚子呢？

风四娘叹了口气，正想找找看附近有没有比她更倒霉的山鸡和兔子。

她没有看见兔子，却看见了六个人。

四个精神抖擞的锦衣壮汉，抬着顶绿绒小轿，两个衣着更华丽的年轻后生，跟在轿子后面，从山坡下走了上来。

山路如此崎岖，真难为他们怎么把这顶轿子抬上来的。

轿子里坐着的是什么人？气派倒真不小，在这种地方，居然还坐轿？

风四娘很少坐轿子，她觉得坐在轿子里气闷，她喜欢骑马，骑最快的马。

但她却坐过花轿。

她又不禁想起了那天，她正坐在花轿里准备去拜天地，忽然看见萧十一郎和沈璧君在路旁，她居然穿着凤冠霞帔，就从轿子里跳了出来，几乎将杨家迎亲的那些人活活吓死。

从此，她就又多了一个外号，叫作“吓死人的新娘子”。

于是她又不禁想起了萧十一郎，想起了那个可怜又可爱的美人沈璧君，想起了他们悲伤的遭遇。

若不是为了沈璧君，萧十一郎就绝不会和逍遥侯结下冤仇，绝不会去找逍遥侯拼命。

但若不是为了萧十一郎，沈璧君也绝不会有那种悲惨的遭遇。

一个武林中最受人尊敬、最被人羡慕的女人，竟爱上了江湖上名声最狼藉的大盗。

她本来几乎已拥有这世间所有值得别人羡慕的事，她不但有很好的出身，有一个年少英俊、文武双全的丈夫，而且还已经快有孩子了。

但她为了萧十一郎，却放弃了这所有的一切，使得很多人都跟着她受苦。

这怪谁呢？

风四娘绝不怪她，因为风四娘自己本来也是这样的女人。

为了这一份真情，她们是不惜牺牲一切，放弃一切的。

若不是为了萧十一郎，她自己怎么会变成现在这样子？

现在她本应穿着缎子衣服，坐在杨家金碧辉煌的客厅里，等着奴仆佣人们开晚饭的。

风四娘叹了口气，决定不让自己再想下去。

她抬起头，才发现轿子早已停了下来，那两个长得漂亮的年轻后生，已经掀起轿帘。

轿子里却没有人。

他们从轿子里捧出了卷红毡，铺在地上，直铺到风四娘面前。

风四娘张开眼睛，吃惊地看着他们，忍不住问道："你们是来接我的？"

这两个漂亮的年轻后生点了点头，笑得比女孩子还甜。

风四娘立刻又问："是谁叫你们来接我的？"

“金菩萨。”

风四娘笑了，她本该早就想起这是金菩萨叫人来接她的。

除了金菩萨外，谁有这种气派？

她微笑着叹了口气，道：“看来我的运气还不错，总算遇见个人了。”

她刚才遇见的都不是人，她今天简直就好像活见了鬼。

金菩萨是个什么样的人呢？

他是个矮矮胖胖的人，一天到晚总是笑眯眯的，就像是弥勒佛一样。

所以别人才叫他“菩萨”。

别人从来也不知道他的家财有多少，只听说他有个金山，只要他高兴，随时都可以把一串串的金子往家里送。

所以他又叫“金菩萨”。

为了急人之难，他就算一下子花掉成千上万两的金子，也绝不会皱一皱眉头的。

但是他一下子杀掉十七八个人时，也绝不会眨一眨眼。

他有个最宠爱的姬妾，叫红红，因为她总是喜欢穿红衣服。

有一次他大宴渤海龙王，红红为客人斟酒时，无缘无故地笑了笑，笑得很轻佻，很无礼。

金菩萨就笑眯眯地叫她退下去，一个时辰后，红红再回来的时候，身上还是穿着很鲜艳的红衣服，脸上还是抹着脂粉，但却是坐在一个大银盘子里，被人捧上来的，捧到桌上。

因为她已被蒸熟。

金菩萨居然还笑眯眯地割下她身上一块最嫩的肉，请渤海龙王下酒。

渤海龙王本是想来跟他争一争风头，斗一斗豪阔的。

但这顿饭吃过后，这位乘兴而来的武林大豪，就连夜走了。

金菩萨就是这么样一个人。

风四娘认得金菩萨已很久，她对这个人的印象不错。

因为金菩萨也一向对她不错。

“你对我好，我就对你好。”

这就是风四娘的原则。

她是个女人，女人通常总有她们自己一套原则的——一种男人总是想不通的原则。

可是金菩萨又怎么会知道她在这里？怎么会忽然到这里来了呢？

这些问题风四娘并没有想。

现在她心里想着的，是一碗用鸡汁和火腿炖得很烂的鱼翅。

金菩萨的眼睛本来就很小，看见风四娘时，更笑得眯成了一条线。

他笑眯眯地看着风四娘，从头到脚都仔细地看了一遍，忽然叹了口气，道：“我不该请你来的。”

风四娘道：“为什么？”

金菩萨道：“我每次看见你的时候，心里都会觉得很难受。”

风四娘说道：“像我这么漂亮的女人，你看着会难受？”

金菩萨说道：“就因为你太漂亮了，我看着才会难受。”

风四娘道：“我不懂。”

金菩萨说道：“你应该懂得的……你现在是不是很饿？”

风四娘叹道：“已经快饿疯了。”

金菩萨道：“你若看着一大碗红烧肉摆在你面前，却偏偏吃不到，你难受不难受？”

风四娘笑了。

她在她不讨厌的男人面前笑起来的时候，笑得总是特别好看，笑声也总是特别好听的。

金菩萨忽又问道：“你还没有嫁人？”

风四娘道：“还没有。”

金菩萨道：“你为什么总是不肯嫁给我？”

风四娘眨了眨眼，道：“因为你的钱太多了。”

金菩萨道：“钱多又有什么不好？”

风四娘道：“太有钱的男人、太英俊的男人，我都不嫁。”

金菩萨道：“为什么？”

风四娘道：“因为这种男人每个女人都喜欢的，我怕别的女人来抢。”

金菩萨道：“你不抢别人的丈夫，已经很客气了，谁能抢得走你的丈夫？”

风四娘道：“就算抢不走，我也会觉得很紧张。”

金菩萨道：“为什么？”

风四娘道：“你若抱着一大碗红烧肉，坐在一群饿鬼中间，你紧张不紧张？”

金菩萨也笑了，眼睛又眯成了一条线。

风四娘眨着眼道：“其实我心里是喜欢你的，只要你肯把你的金山送掉，我马上就嫁给你。”

金菩萨道：“有了金山，就要不到你这样的美人，我若将金山送给别人，岂非害了他？”他用力摇着头，道，“害人的事，我是从来也不做的。”

风四娘大笑，道：“几年不见，你还是跟以前一样有趣，难怪我总是想要见你。”

金菩萨叹道：“只可惜我的钱太多了。”

风四娘道：“实在可惜。”

金菩萨道：“所以我们只能做朋友。”

风四娘道：“我们一直都是好朋友。”

金菩萨笑道：“能听到这句话，简直比吃红烧肉还开心。”

风四娘眼珠子转了转，道：“就因为我们是朋友，所以我有句话要问你。”

金菩萨道：“我早就在等着你问了。”

风四娘道：“你是不是特地来找我的？你怎么会知道我在这里？”

金菩萨眯着眼，沉吟着道：“你要我说实话，还是要我说谎？”

风四娘道：“我本来是很喜欢听男人说谎的，因为谎话总比实话好听。”

金菩萨的眼睛里露出赞赏之意，叹道：“你的确是个聪明女人，只有最笨的女人，才总是会逼着男人说实话。”

风四娘道：“但这次我却想听实话。”

金菩萨笑眯眯道：“只不过要听实话，总是要付出点代价的。”

风四娘道：“我知道。”

金菩萨道：“你还是要听？”

风四娘道：“嗯。”

金菩萨又考虑了半天，才缓缓道：“我来找你，是为了一个人。”

风四娘道：“为了谁？”

金菩萨道：“萧十一郎。”

萧十一郎，又是萧十一郎。

只要听见这名字，风四娘心里就会有种说不出的滋味，也不知是甜，是酸，是苦？

但是她脸上却偏偏要做出很冷淡的样子，冷冷道："原来你是为了萧十一郎才来找我的？"

金菩萨道："你要我说实话的。"

风四娘冷笑道："萧十一郎跟我又有什么关系？我又不是他的娘。"

金菩萨道："但你们也是朋友。"

风四娘不再否认，也不能再否认。

萧十一郎的仇敌远比朋友多，江湖中几乎已没有人不知道她是萧十一郎的朋友。

金菩萨道："两年前，他去找逍遥侯拼命的时候，听说你也在。"

风四娘冷冷道："他不是去拼命，他是去送死。"

金菩萨道："所以自从那次之后，江湖中每个人都以为他死了。"

风四娘道："江湖中就不知道有多少人希望他赶快死。"

金菩萨道："但他却偏偏没有死。"

风四娘说道："你怎么知道他没有死？你看见过他了？"

金菩萨道："我没有，我只不过已听到他的消息而已。"

风四娘道："什么消息？"

金菩萨道："他非但没死，而且还忽然走运了。"

风四娘道："像他那么倒霉的人，也会有走运的时候？"

金菩萨道："一个人运气来了时，本就连城墙都挡不住的。"

风四娘道："他走了什么运？桃花运？"

金菩萨叹道："他桃花运已走得太多了，所以才常常倒霉，但这次却幸好不是。"

风四娘道："哦？"

金菩萨道："至少你现在是更不会嫁给他的了。"

风四娘板着脸，道："就算天下的男人都死光了，我也不会嫁给他。"

她嘴里这么说的时候，心里却好像有根针在刺着。

金菩萨笑眯眯地看着她，道："你当然不会嫁给这种人的，他不但很年轻，很英俊，而且据说还忽然变成了天下最有钱的人。"

风四娘道："比你还有钱？"

金菩萨道："当然比我有钱多了。"

风四娘道："他的钱难道是从天上掉下来的？"

金菩萨道："天上虽然不会掉下钱来，地上却可能长出来。"

风四娘道："哦？"

金菩萨道："江湖中人都知道这世上有三笔最大的宝藏，却一直没有人找得到。"

风四娘道："难道他找到了？"

金菩萨叹了口气，道："我说过，运气来了时，连城墙都挡不住的。"

风四娘冷笑道："好几年前，就有人说他发了大财，但他身上却常常连请我吃面的钱都没有。"

金菩萨道："我也知道以前有关他的谣言很多，但这次却不是。"

风四娘道："你怎么知道不是？"

金菩萨道："有人亲眼看见他在开封输了几十万两银子，而且全都是十足十的纹银，是一箱箱抬去输的。"

风四娘道："他本来就是个赌鬼。"

金菩萨道："还有人亲眼看见他用十斗珍珠，将杭州最红的一个妓女买下来，又花了五十万两银子，替她买了座大宅院。"

风四娘咬了咬嘴唇，冷冷地道："他本来就是个色鬼。"

金菩萨道："但他却只不过在那里住了三天，就把那个女人甩掉

了。”

风四娘脸色已好看了些，却还是冷冷道：“这也不稀奇，他本来就是无情无义的人。”

金菩萨道：“看见他的这些人，都是以前就认得他的，而且绝不会看错，何况就算他们看错了，另外还有些人却是绝不会看错的。”

风四娘道：“另外还有些什么人？”

金菩萨没有回答这句话，却反问道：“你刚才是不是见到了七个瞎子？”

风四娘点点头。

金菩萨道：“你知不知那些瞎子本来是什么人？”

风四娘摇摇头。

金菩萨道：“别人我也不知道，我只知道其中有两个是昆仑四剑中的老大和老三，还有一个就是点苍的新任掌门人谢天石。”

风四娘的眉又皱了起来。

萧十一郎惹祸的本事，好像已愈来愈大了。

金菩萨道：“至少他们这几个人是绝不会认错，因为他们都是在萧十一郎刀下被逼刺瞎自己的眼睛，何况……”

他的眼睛好像忽然变大了两倍，慢慢地接着道：“他们就算认错他的人，也绝不会认错他手里的那把刀，谁也不会认错那把刀。”

风四娘动容道：“割鹿刀？”

金菩萨的眼睛里闪着光，说道：“不错，就是割鹿刀。”

风四娘道：“他们以前看见过割鹿刀？”

金菩萨道：“没有。”

江湖中真正看见过割鹿刀的人，至今还不多。

风四娘冷笑说道：“既然没有看见过，怎么能认得出？”

金菩萨道：“割鹿刀的形状本来就和一般的刀不同。何况，谢天石的松纹剑，交手只一招就被削断了。”

江湖中能削断松纹剑的刀也不多。

风四娘眼珠子一转，道：“可是割鹿刀也是人人都可以用的，你若用割鹿刀去杀人，难道就是萧十一郎？”

金菩萨又眯起眼笑了，道：“萧十一郎若长得像我这副尊容，那位武林中的第一美人就绝不会看上他了，他的麻烦也就少得多了。”

提起沈璧君，风四娘心里仿佛又被针在刺着。

金菩萨道：“何况谢天石以前本就见过萧十一郎的，以他现在的身份地位，我想他绝不会说谎。”

风四娘道：“萧十一郎为什么要逼着他刺瞎自己的眼睛？”

金菩萨道：“听说是因为他在无意中多看了沈璧君两眼。”

风四娘道：“只因为他看了沈璧君两眼，萧十一郎就要挖出他的眼睛来？”

金菩萨道：“不错。”

风四娘道：“错了，一定错了，萧十一郎绝不是这种人。”

金菩萨道：“他是的。”

风四娘道：“不是！”

金菩萨道：“是。”

风四娘的眼睛突然发直，脸上的表情也忽然变得很奇怪，用力咬着牙，像是在勉强忍耐着一种突发的痛苦，又像是已气得说不出话来。

金菩萨道：“萧十一郎和逍遥侯那一战，究竟是谁胜谁负，江湖中至今还没有人知道，只不过萧十一郎的确还没有死，这已是绝无疑问的事。”

风四娘瞪着他，一双灵活明亮的眼睛，竟已变得死鱼般呆滞。

金菩萨道：“他现在虽然还活着，但迟早还是要死的。”

风四娘的嘴唇动了动，好像想说什么，却没有说出来。

金菩萨道："因为他身上带着三样武林中人人都想要的宝藏，那就是他的宝藏、他的割鹿刀和他项上的人头。"他叹了口气，接着道，"无论谁身上带着这样三件宝贝，在江湖中行走都危险得很。"

风四娘的手似已在发抖。

金菩萨道："我若是他，我无论要到什么地方去，都绝不会让人知道，所以我实在不懂，他为什么要约你在这里相见？为什么要将这消息告诉别人？我……"

这句话还没有说完，风四娘突然跳起来，抓起面前的一把椅子，用力摔了出去，接着又扯下了自己的头发，倒在地上打起滚来。

金菩萨怔住，他实在想不到风四娘会做出这种事。

风四娘是不是疯了？

风四娘忽然又从地上跳起来，站在金菩萨面前，咯咯地笑个不停。

金菩萨也笑了，道："我们是老朋友，也是好朋友，有什么都可商量，你又何必气成这样子？"

他相信风四娘绝不会真的忽然发疯的，她一定是在装疯。谁知风四娘突然怪叫一声，伸出手来扼他的脖子，金菩萨这才吃了一惊。

幸好他虽然愈来愈胖，反应却还是很快，身手也不慢，一闪身，就避开了七八尺。

风四娘没有扼住他的脖子，竟反手扼住了自己的脖子，而且扼得很用力，额上竟已暴出了青筋，连舌头都吐了出来，她头发本已披散，再加上这舌头一吐出来，实在像是个活鬼。

金菩萨吃惊地看着她，这才发现她好像竟是真的疯了。

一个像风四娘这么爱美的女人，若不是真的疯了，怎么会在别人面前露出这种丑态？

女人通常是宁死也不愿意被别人看见自己这种丑态的。

金菩萨的脸也不禁有点发白，正想想个法子安慰安慰她。

谁知风四娘竟又直挺挺地倒了下去，而且一倒下去，就动也不动了。

金菩萨忍不住唤道："四娘，四娘……"

风四娘还是不动，一张脸竟已变成了死灰色，眼珠子似也凸了出来。

金菩萨更吃惊，慢慢地走过去，伸手探了探她的鼻息，她竟已连呼吸都停止。

风四娘不但疯了，而且竟已死在这里。

金菩萨又怔住，他实在不相信这是真的，他自己也像连动都不能动了。

就在这时，只听衣袂带风声响，他面前忽然出现了一个人，满头银发，手持长弓，正是"金弓银丸斩虎刀"厉青锋。接着，又有一阵沉重的脚步声响起，人上人也来了。

风四娘一走，他们就没有再打下去的理由。

他们都不是血气方刚的年轻小伙子了，无缘无故地拼命，他们绝不干。

他们的目的是要找风四娘，现在终于找到这里来，两个人吃惊地看着风四娘，都忍不住要问："这是怎么回事？"

金菩萨道："也没有什么事，只不过死了一个人而已。"

厉青锋道："她真的死了？"

金菩萨道："看来好像不假。"

厉青锋怒道："你杀了她？"

金菩萨叹了口气，道："我怎么舍得杀她？"

厉青锋没有再问，因为他知道这句话不假——风四娘活着的确比死了有用得多。

金菩萨又叹道："我现在才知道，原来一个人真是会被活活气死的。"

厉青锋道："她是气死的？"

金菩萨苦笑道："除此之外，我实在想不出别的原因来。"

人上人忽然道："你若脱下她的衣服来，就能想得出了。"

厉青锋怒道："她的人已经死了，你还要脱她的衣服？"

人上人冷冷道："你若早点让我脱下她的衣服来，也许她就不会死了。"

厉青锋皱了皱眉，金菩萨已经弯下腰，掀起风四娘的衣角，深深吸了口气，突然变色道："她的衣服上有毒。"

人上人道："衣服本不是她的。"

厉青锋道："是谁的？"

人上人道："花如玉这个人你听说过没有？"

厉青锋动容道："这衣服本是花如玉的？"

人上人点点头，冷笑道："我早知道只要花如玉碰过的东西，都一定有毒。"

厉青锋道："但我也知道，若是没有好处的事，花如玉绝不肯做的。"

人上人道："不错。"

厉青锋道："他杀了风四娘，又有什么好处？"

人上人道："不知道。"

厉青锋皱眉道："风四娘活着，对他才有好处，他本不该下这种毒手的。"

金菩萨叹道："有了风四娘，就有了萧十一郎，这好处实在不小。”他的眼睛忽又眯了起来，笑道，“两位既然是为此而来的，现在不妨就将她带走。”

人上人道：“我们要的是活风四娘，不是死的。”

厉青锋道：“她既然死在你这里，你至少也该替她收尸。”

金菩萨沉下了脸，说道：“死在我这里，这是什么话？”

厉青锋道：“至少她跟你见面时，还是活生生的一个人。”

金菩萨冷冷道：“可是她来的时候就已中了毒，那时两位都跟她在一起，两位若是想将责任推在我身上，就未免太不公道了。”

突听外面有个人轻轻叹息了一声，道：“她活着时人人要抢，现在她尸骨未寒，三位就已恨不得将她喂狗了，像这样无情无义的人，风四娘地下若有知，只怕是一定不会放过他的。”

第三章

怜香惜玉的花如玉

夜色已临。

一个人施施然从外面的黑暗中走了进来，头上戴着顶紫缎镶嵌珍珠顶冠，身上穿着件刻丝万字锦底滚花袍，外面套着紫缎子绣五彩坎肩，腰上围着松石大革带，镶着二十四颗上好珍珠，珠光圆润，每一颗都大如龙眼。

他的脸也像是珍珠般光滑圆润，挺直的通天鼻梁，眸子漆黑，嘴唇却红如樱桃，不笑时脸上也仿佛带着三分笑意。

在灯光下看来，就算是豆蔻年华的美女，也没有他这么样妩媚姣好。

但每个人看见他时，脸色却好像全都忽然变了。

“花如玉！”

就算没有见过他的人，也知道他是花如玉。

他的确是个如花似玉的人。

不是女人，是男人。

花如玉自己也知道，像他这样的男人，世上并没有几个。

所以他的态度温柔优雅，眉宇间却又带着三分傲气。

他微笑着走进来，却连看都没有向金菩萨他们看一眼，只是凝视着地上的风四娘，柔声道："可怜你活着时千娇百媚，死了后却无人闻问，但愿你一缕芳魂，早登极乐。别的人虽然无情无义，我花如玉却一定会好好照顾你。"

人上人忍不住冷笑道："你照顾她？"

花如玉长叹道："我跟她虽然非亲非故，却也不忍眼见着她死后遭人如此冷落。"

人上人冷冷道："你几时变成这么好心的？"

花如玉道："我本就是个怜香惜玉的人。"

人上人道："听你说得这么好听，她难道不是死在你手上的？"

花如玉这才抬起头看了他一眼，淡笑道："她若是死在我手上的，你难道还想替她报仇不成？"

人上人不说话了，他当然不会为了一个死人和花如玉拼命。

花如玉笑了笑，道："金菩萨菩萨心肠，是不是肯替她料理后事？"

金菩萨不开口。

花如玉道："厉青锋人称侠盗，难道也不肯？"

厉青锋闭着嘴。

花如玉叹了口气，道："三位既然全不要她，她的后事，也只好由我来照料了。"

他挥了挥手，外面立刻有两个青衣少女闪身而入，抬起了风四娘的尸骨，很快地退出门外，又一闪身就消失在夜色中。

花如玉黯然自语道："人情冷暖，世情炎凉，我今日收了她的尸身，等他日我死了后，却不知有谁会来葬我？"

他叹息着，慢慢地走了出去，他的脚步虽轻，但只要他走过的地方，立刻就现出个很深的脚印。

厉青锋本来想追出去，看到了地上的脚印，立刻又忍住。

金菩萨摇了摇头，喃喃道："这个人长得虽如花似玉，心肠却如狼似虎，我实在不懂他怎么会来替风四娘收尸？"

人上人冷冷地说道："也许他想换换口味，吃个死人。"

花如玉真的连死人都吃？

风四娘没有死，她睁开眼睛的时候，就看见了心心。

心心的手也没有断，她两只手非但还是完整的，而且是柔美纤秀，连一点伤痕都没有。

风四娘吃惊地看着她，道："你的手……"

心心嫣然道："我的手没有风四娘美。"

风四娘道："你还有两只手？"

心心道："我一直都有两只手。"

风四娘叹了口气道："我还以为你有三只手哩。"

心心道："怎么会有三只手？"

风四娘道："若没有三只手，刚才中了毒的那只手怎么不见了？"

心心嫣然道："若是连那么一点点毒我都受不了，我就算有三十只手，现在也早就全都不见了。"

风四娘道："那只不过是一点点毒？"

心心道："很少的一点点。"

风四娘道："可是你刚才……"

心心道："我刚才只不过想让四娘知道，那怪物是个什么样的人而已。"

风四娘盯着她看了半天，道："我刚才是不是说过，你一定能找得到个如意郎君的？"

心心道："嗯。"

风四娘又叹了口气道："现在我倒真有点替你那如意郎君担心了，像你这样的老婆，男人怎么吃得消呢？"

屋子里布置得精致而华丽。

风四娘四下看了一眼，又忍不住问道："我怎么会到这里来的？"

心心道："是我们抬你来的。"

风四娘道："抬我来的？"

心心道："你刚才已死过一次。"

风四娘眨了眨眼，道："我怎么死的？"

心心道："我送去的那套衣服上有毒。"

风四娘道："连衣服上都能下毒？"

心心道："别人不能，花公子能。"

风四娘道："他为什么要毒死我？"

心心抿着嘴一笑，道："因为他怕别人把你撕成好几半。"

风四娘苦笑道："刚才来抢我的人实在不少。"

心心道："可是你一死，那些人就全都连沾都不敢沾你了。"

风四娘道："所以你们就把我抬了回来？"

心心柔声道："无论你是死是活，我们都一样会照顾你的。"

风四娘道："你们连死人都能救得活？"

心心道："别人不能，花公子能。"

风四娘叹道："看来你们这位花公子，真是个了不起的人。"

心心叹了口气，道："说老实话，我还真的没看见过比他更了不起的人。"

风四娘眼波流动，道："为什么不让我看看他？"

心心笑说道："就算我想不让你看他，他也不答应的。"

只听珠帘外已有人道："公子传话，四娘若是已醒了过来，就请到前厅用酒。”

前厅布置更富丽堂皇，看来就像是个用锦绣堆成的世界。

桌上也已堆满了酒菜。

心心道：“今天的菜是我准备的，有肥鸡烧鸭子、云片豆腐一品，燕窝火熏鸡丝、攒丝锅烧鸡一品，肥鸡火熏炖白菜一品，三鲜丸子一品，鹿筋炖肉一品，清蒸鸭子糊猪肉一品，炒鸡一品，燕窝鸭条、鲜虾丸子、脍鸭腰、溜海参各一品，外加鸡泥萝卜酱、肉丝炒翅子、酱鸭子、咸菜炒茭白四碟下酒菜，还有野鸡汤一品，酥油茄子一品，粳米膳一品，竹节卷小头一品，蜂糕一品……”

她还没有说完，风四娘已听得怔住了。

心心又道：“这桌菜是我按照御膳房的菜单准备的，不知道够不够吃。”

风四娘道：“你还不知道够不够吃？”

心心道：“嗯。”

风四娘说道：“你以为我是谁？是个大肚子的弥勒佛？”

心心嫣然一笑，说道：“我只不过知道你一定饿得很。”

风四娘叹了口气，苦笑着说道：“我本来的确饿得很，可是这么多鸡鸭鱼肉，我别说吃，就算看，也看饱了。”

她刚坐下，就看见一个人掀起珠帘走进来。

连风四娘都没有看见过这么好看的男人——她见过的男人本已不少。

花如玉已微笑着向她一揖，却又突然皱起了眉，道：“今天的菜是谁准备的？”

心心道：“是我。”

花如玉叹了口气，道：“你真是个粗人，把这么多鸡鸭鱼肉堆在桌子上，四娘莫说吃，就算看，也要看饱了。”

风四娘忍不住笑道：“想不到花公子居然还是风四娘的知己。”

花如玉道：“能有四娘这样的红粉知己，花如玉死而无憾。”

风四娘嫣然道：“你不会死的，连死人你都能救活，你自己怎么会死？”

花如玉叹道：“看来又是心心多嘴。”

风四娘道：“但她还没有告诉我，这里究竟是什么地方。”

花如玉笑道：“四娘本是到什么地方来的？”

风四娘道：“乱石山。”

花如玉道：“这里就是乱石山。”

风四娘眼珠一转，说道：“乱石山有这么漂亮的地方？”

心心抢着道：“这地方本来并不漂亮，可是我们公子一来，就漂亮了。”

花如玉笑了笑，道：“我只不过从不愿虐待自己而已。”

风四娘又笑了，道：“看来你不但是我的知己，还是我的同道。”

花如玉道：“只要四娘不把我看成金菩萨他们的同道，我就已心满意足了。”

风四娘盯着他，过了很久，才缓缓道：“你不是他们的同道？”

花如玉微笑说道：“金菩萨一心只想谋财，人上人和厉青锋一心只想害命，四娘看我像是个谋财害命的人么？”

风四娘笑道：“你不像，但他们都是想谋谁的财，害谁的命呢？”

花如玉叹道：“萧十一郎，当然是萧十一郎。”

风四娘道：“你是不是为了萧十一郎来的？”

花如玉道：“不是。”

风四娘道：“真的不是？”

花如玉微笑道：“莫说只有一个萧十一郎，就算有十个萧十一郎，也无法打动我，要我到这种穷山恶水的地方来。”

风四娘道：“是什么打动了你？”

花如玉道：“是一个人。”

风四娘道：“谁？”

花如玉道：“你。”

风四娘又笑了，道：“我喜欢听男人说谎，谎话总是叫人听着舒服的。”

花如玉却叹了口气，道：“只可惜这次我说的不是谎话。”

风四娘道：“哦？”

花如玉道：“除了四娘外，世上还有什么人能要我到这种地方来？”

风四娘瞪着眼道：“我好像并没有要你到这种地方来。”

花如玉道：“只可惜我还是非来不可。”

风四娘道：“非来不可？为什么？”

花如玉又叹了口气，道：“做丈夫的若知道妻子有了危急，当然非来不可。”

风四娘笑了，道：“原来花大哥是为了花大嫂而来的。”

花如玉道：“嗯。”

风四娘道：“我们这位花大嫂，想必也一定是位如花似玉的美人了。”

花如玉点了点头，一双眼睛眨也不眨地盯在她脸上，忽又叹了口气，道：“这位花大嫂的确是个如花似玉的美人儿，我真不知道是几生才修来的好福气呢。”

风四娘道：“所以你最好还是小心点。”

花如玉道：“小心什么？”

风四娘嫣然一笑，道：“小心你的眼睛，她若知道你这么样盯着我看，说不定会吃醋的。”

花如玉道：“她不会。”

风四娘道：“难道这位花大嫂从来也不吃醋？”

花如玉说道：“她常常吃醋，但是却绝不会吃你的醋。”

风四娘道：“为什么？”

花如玉说道：“因为花大嫂就是你，你也就是花大嫂。”

风四娘怔住。

花如玉微笑道：“其实我自从跟你成亲之后，就再也没有看过别的女人了。无论谁有了你这么样如花似玉的娇妻，都绝不会再将别的女人看在眼里的。”

风四娘终于长长吐出口气，道：“原来我就是花大嫂。”

花如玉道：“你本来就是的。”

风四娘道：“我是什么时候嫁给你的呢？”

花如玉道：“你自己难道忘了？”

风四娘道：“我忘了。”

花如玉叹道：“其实你不该忘记的，因为那天正好是五月初五。”

风四娘道：“端午节？”

花如玉说道：“不错，我们就是端午节那天成的亲。”

风四娘的心已沉了下去。

今年端午的前后几天，她心情很不好——每到过年过节的时候，她心情总是不太好的。

所以她也跟往年一样，找了个地方，一个人躲了起来。

那几天她既没有见过别的人，也没有任何人看见过她。

她自己当然知道她绝没有嫁给花如玉，但除了她自己之外，就再也找不到另外一个人能替她证明了。

花如玉看着她，笑得更愉快，又道：“我们的婚事虽仓促，但总算办得还风光，而且还有媒有证，你就算想赖，也是赖不掉的。”

风四娘忽然又笑了，道：“能嫁给你这样的如意郎君，我欢喜还来不及，为什么要赖？”

花如玉道：“你假如真的喜欢我，为什么要在洞房花烛夜那天晚上偷偷溜掉？”

风四娘笑道：“因为我已经习惯了，每到洞房花烛夜的时候，我总是要溜一次的。”

花如玉道：“但现在我既然又找到了你，就绝不会再让你溜了。”

风四娘忍不住叹了口气，苦笑道：“我知道。”

她的确知道这次是绝对溜不掉的。

所以她忽然间就已经糊里糊涂地变成花如玉的老婆了，你说这件事有多妙。

无论怎样看，花如玉都应该算是个非常好看的男人，不但年少多金，而且温柔体贴，无论谁能嫁给这么样的一个男人，都应该觉得很愉快了，但风四娘现在却只觉得连哭都哭不出来。

花如玉还是在深情款款地看着她，就好像恨不得赶快将这娇滴滴的新娘子抱进洞房去。

风四娘却恨不得一下子就把他活活捏死，只可惜她也知道，要捏死这个人，并不是件容易的事。

花如玉微笑着柔声说道：“洞房我已经又再准备好了。”

风四娘道：“哦？”

花如玉道：“这些东西你若不喜欢吃，我们现在就可以先进洞房去。”

风四娘眼珠子转了转，道：“这么好的菜，不吃岂非可惜？”

她果然大吃起来，而且从来也没有吃得这么多。

因为她知道这一顿吃过后，下一顿就不知要到什么时候才能吃得到嘴了。

花如玉笑眯眯地在旁边看着，等着。

风四娘用眼角瞟着他，忍不住冷笑道："娶了个这么能吃的老婆，你还笑得出？"

花如玉道："怎么会笑不出？"

风四娘道："你不怕我把你吃穷？"

花如玉笑道："能娶到你这么有福气的老婆，我怎么会穷？"

风四娘牙痒痒的，真想咬下他一块肉来，可是她就算咬下来也吞不下去了。

她已连一钱肉都吞不下，无论人肉猪肉都一样吞不下。

花如玉道："你吃完了？"

风四娘只好承认，道："今天我胃口不好，少吃一点。"

花如玉柔声道："那么现在……"

风四娘立刻打断了他的话："现在我想喝酒，你难道不陪我喝几杯？"

花如玉道："我当然陪你。"

风四娘的眼睛又亮了，道："我喝多少，你就喝多少？"

花如玉微笑道："别人不来灌我，新娘子难道反而想灌醉我？"

风四娘也微笑着道："洞房花烛夜的时候，新郎官岂非总是要喝醉的？"

她笑得实在有点不怀好意，她的确是想把这个人灌醉。

谁知花如玉看起来虽然很秀气，喝起酒来却像是个酒桶。

像风四娘这样的女人，想灌醉她的男人也不知道有多少。

她酒量若没有两下子，也不知要被别人灌醉多少次了——那么她的衣服也不知要被人脱下多少次了。

她喝酒还有个最大的本事，别人酒一喝多，眼睛就会变得迷迷糊糊，可是，她愈喝得多，眼睛反而愈亮，谁也看不出她是不是真喝醉了，所以她酒量虽然并不太好，也很少有人敢跟她拼酒。

谁知花如玉也一样，酒喝得愈多，他看来反而愈清醒。

风四娘的眼睛已亮得像是盏灯，一直瞪着他，忍不住道："你喝醉过没有？"

花如玉笑道："喝酒的人，谁没有喝醉过？"

风四娘道："所以你也喝醉过？"

花如玉道："我常醉。"

风四娘说道："可是你喝起来并不像常会喝醉的样子。"

花如玉道："谁说的，去年我就醉过一次。"

风四娘道："去年？"

花如玉道："五年前我也醉过一次。"

风四娘道："你这一辈子只醉过两次？"

花如玉道："两次已经很多了。"

风四娘叹了口气，苦笑道："有些人一天醉两次，也不嫌多。"

花如玉悠然道："其实我也想多醉几次，只可惜酒总是不够。"

风四娘道："要多少酒才够？"

花如玉道："我自己也不太清楚，只知道去年那次我只不过喝了十二坛竹叶青，就已不省人事了。"

风四娘又怔住，十二坛竹叶青，就算要往盆里倒，也得倒上老半天的。

花如玉道："这次我们来得匆忙，带来的酒也不多，好像一共只有十二坛，若是你觉得不够，我现在就可以叫人下山去买。"

风四娘又叹了口气，道："十二坛酒别说喝下去，就算把我泡在里面，也足够淹死我了。"

花如玉道：“你还想喝多少？”

风四娘道：“一点也不喝了。”

花如玉的眼睛也像金菩萨一样眯了起来，柔声道：“那么现在……”

风四娘忽然跳了起来，说道：“现在我们就进洞房去。”

于是风四娘就跟这个陌生的男人进了洞房。

这是她第二次进洞房，她走进去的时候，看来就好像烈士走上战场。

这个洞房看来也跟别的洞房没什么两样，屋子里红烛高燃，被子上绣着鸳鸯。

但这个新娘子看来却跟别的新娘子很不一样，她从头到脚，简直没有一个地方看来像是个新娘子。

心心吃吃地娇笑着，唱着喜歌：

今宵良辰美景，
花红柳绿成荫。
明年生个胖娃娃，
抱在怀里见亲娘。

风四娘忽然拍手道：“唱得好，新娘子有赏。”

心心嫣然道：“赏什么？”

风四娘道：“赏你一个大耳光。”

她真的一个耳光打了过去，只可惜心心这小狐狸竟似早已防到了这一招，早已溜了出去，还替他们在外面掩起了门。

花如玉微笑着，悠然道：“其实你用不着赶她走，她也会走的。”

风四娘咬着嘴唇，道："谁说我用不着赶她走？我已经急死了。"

花如玉眯起眼睛，道："急什么？"

风四娘也眯起了眼睛，道："你猜呢？"

她好像已有些醉了，忽然转了个身，就倒在绣着鸳鸯的枕头上，眯着眼睛，看着花如玉，忽又问道："你今年多大了？"

花如玉道："二十一。"

风四娘咯咯地笑了起来，道："我若早点成亲，儿子说不定已有你这么大了。"

这句话说得虽然有点煞风景，却又别有一种撩人的风情。

但花如玉也笑了，道："我一向喜欢年纪比我大的女人，年纪大的女人才懂得风情。"

他微笑着，慢慢地向风四娘走过去。

风四娘眨着眼道："你呢？你懂不懂风情？"

花如玉道："你很快就会知道的。"

风四娘的脸似也有点红了，红着脸，闭起了眼睛。

花如玉的呼吸似已愈来愈近。

风四娘轻轻呻吟了一声，轻轻地道："小弟弟，你是我的小弟弟，姐姐喜欢你……"

花如玉看来也已昏了，吃吃地笑着，道："你喜欢我什么？"

风四娘道："我喜欢你去死。"

她的人忽然从床上弹了起来，眨眼间已攻出了七掌，踢出了三脚。

一个男人在发昏的时候，本来是绝对躲不过去的，连一招都躲不过去。

谁知花如玉突然又一点都不昏了，他一出手，就握住了风四娘的脚，好快的出手！

风四娘只觉得脚底一麻，全身的力气，忽然间都已从脚底心溜了出去。

花如玉竟已脱下了她的鞋子，轻抚着她的脚心，微笑着道："好漂亮的一双脚。"

风四娘全身都已软了。

又有哪个女人脚心不怕痒的。

她忽然又想起那次为了割鹿刀，落在独臂鹰王司空曙的手里，那个残废的怪物也脱下她的鞋子，而且竟用胡子来刺她的脚。花如玉虽然没有胡子，可是他这双手却比胡子还要命，他的手至少比胡子要灵活得多。

那次是萧十一郎去救了她，这一次呢？天知道萧十一郎现在在哪里！

风四娘气得想哭，却又痒得想笑，她哭也哭不出，笑也不能笑，忍不住叫起来。

花如玉却微笑道："你这么鬼叫，若是被外面的人听见，你猜人家会怎么想？"

风四娘果然连叫都不敢叫了，咬着嘴唇，道："算我服了你了，你放开我好不好？"

花如玉道："不好。"

风四娘道："你……你想怎么样？"

花如玉道："你猜呢？"

风四娘不敢猜，她连想都不敢想。

花如玉道："其实我早就知道你一定会出手的，我一直都在等着，想不到你居然能这么沉得住气，居然能一直等到现在。"他轻轻叹了口气，又道，"只可惜你现在出手还是嫌太早了些。"

风四娘道："我应该等到什么时候再出手？"

现在她只希望能逼他多说几句话了。

花如玉道："你本该等我上了床的。"

风四娘叹了口气，她本来的确是想等到那时候的，她也知道那时候的机会要好得多，只可惜她太怕，怕男人碰到她。

她看来虽然是个很随便的女人，其实却还没有被男人真正碰到过。

花如玉叹息着，又道："由此可见，你还不能算是个真正厉害的女人。"

风四娘道："你却是个真正厉害的男人。"

花如玉微笑道："一点也不错。"

风四娘道："为了这件事，你已计划了很久？"

花如玉道："也有两三个月了。"

风四娘说道："你知道我在过年过节的时候，总是会一个人躲起来的，所以才说是在端午节那天跟我成的亲。"

花如玉笑道："所以你就算想赖，也赖不掉的。"

风四娘道："你也知道我从洞房里溜掉过？"

花如玉道："这件事有很多人都知道，所以你这次若是想赖，我也可以说你又犯了老毛病。"他微笑着，又道，"我还可以说，你本来是想嫁给我的，但一听到萧十一郎的消息，就又想反悔了。"

风四娘道："所以我无论怎么否认，别人都一定不会相信。"

花如玉笑道："所以你已命中注定，要做我的老婆了。"

风四娘说道："可是……可是你为什么要做这种事呢？"

花如玉道："因为我喜欢你。"

风四娘说道："你若真的喜欢我，就不该这样子对我。"

花如玉道："就因为我真的喜欢你，所以才要这样子对付你。"

风四娘道："你……你难道真的要……要……"下面的话，她简直连说都不敢说出来。

花如玉的手已在解她的衣襟。

她忍不住又大叫起来。

花如玉叹了口气，道："难怪有人说洞房如屠宰场了，你这样叫真像是在杀猪。"

风四娘道："你……你真敢脱我衣服？"

花如玉柔声道："我不但要脱你衣服，而且还要脱光。"

风四娘连叫都叫不出来了，她忽然发现自己全身上下，都已赤裸裸地呈现在花如玉面前，她全身都已紧张得起了一粒粒鸡皮疙瘩。

花如玉看着她，眼睛里充满了赞赏之意，微笑着道："你紧张什么？"

风四娘咬着牙，全身不停地发抖。

花如玉道："我知道以前也有男人看见过你洗澡的，那时候你好像一点也不紧张。"

那种情况当然和现在不同，他当然也知道，那些男人最多也只不过看两眼而已，可是他……

风四娘恨恨道："现在我也已让你看过了，你还想干什么？"

花如玉道："这里是洞房，你是新娘子，我是新郎官，你应该知道我想干什么的。"

风四娘道："你真的想娶我？"

花如玉道："当然是真的。"

风四娘道："你……你难道看不出我已是个老太婆了！"

花如玉道："我看不出，你看来简直还像是个十六七岁的小姑娘。"

风四娘忽然发现他的手已放在她的腿上，而且还在轻轻地移动，他的手又轻又软。

风四娘只觉得自己全身也都已软了，又热又软，她毕竟是个女人，毕竟是个三十五岁的女人。

花如玉看着她，微笑着道：“你看来好像真的紧张得很，难道从来也没有男人碰过你？”

风四娘咬着牙，眼泪已沿着面颊流下。

花如玉笑得更得意，道：“原来真的没有男人碰过你，能娶到你这么样的女人，我真是好福气……”

他的人已爬了下去。

风四娘闭上眼睛，流着泪，道：“你总会有一天要后悔的，总有一天……”

这本来是威胁，是警告，可惜她口气却已软了，无论多硬的女人，到了这时候，也会变得软弱的。何况，花如玉毕竟是个很好看的男人。

第四章

寸步不离

女人到了无可奈何时，本就都会接受自己的命运的，现在她已准备接受这种命运。

谁知花如玉却忽然叹了口气，道：“用不着等到以后，现在我就已后悔了。”

风四娘忍不住道：“你后悔什么？”

花如玉道：“后悔我为什么不是个男人。”

风四娘又怔住了。

花如玉轻轻叹息着，轻轻摸着她，道：“我若是个男人，现在岂非开心得很？”

风四娘终于忍不住又叫了起来：“你……你也是个女人？”

花如玉道：“你要不要我也脱光了让你看看？”

风四娘气得连脸都红了：“你……你……你见了鬼了。”

花如玉扑哧一笑，道：“我是个女人，你为什么反而气成这样子，你是不是觉得很失望？”

她的手还在动。

风四娘红着脸，道：“快把你这只手拿开。”

花如玉吃吃地笑道：“我若是个男人，你是不是就不会叫我把手拿开了？”

风四娘咬着嘴唇，道：“你是不是见了活鬼？”

花如玉大笑。

风四娘恨恨道：“我问你，你既然是个女人，为什么要做这种事？”

花如玉笑道：“因为我喜欢你。”

她的手居然还不肯拿开，笑嘻嘻地又道：“像你这么诱惑的女人，无论是男是女，都一样喜欢的。”

风四娘道：“你的手拿不拿走？”

花如玉道：“我偏不拿走，莫忘记你还是我的老婆，反正你这辈子已命中注定要做我的老婆，想赖也赖不掉的。”

风四娘叹了口气，忽然发现了一个真理。

女人无论嫁给什么样的男人，至少都总比嫁给一个女人好得多。

女人若是也嫁给了一个女人，那才真是件要命的事。

现在连这个洞房看来也不像是个洞房了。

风四娘忽然道：“你真的还想娶我？”

花如玉笑道：“当然是真的。”

风四娘道：“你为的究竟是什么？”

花如玉眨着眼，说道：“我说句真话给你听，好不好？”

风四娘道：“当然好。”

花如玉道：“你现在既然是我的老婆，至少就不能再嫁给别人了。”

风四娘道：“别人是谁？”

花如玉道：“萧十一郎！当然就是萧十一郎！”

风四娘的脸立刻沉了下去，道：“你不要我嫁给萧十一郎？”

花如玉道：“嗯。”

风四娘道："是不是因为你自己想嫁给他？"

花如玉笑了笑，道："我既然是你的丈夫，当然也不能再嫁给他。"

风四娘道："你难道是为了别人？"

花如玉道："嗯。"

风四娘道："这个别人是谁？"

花如玉道："你应该知道的。"

风四娘道："沈璧君？"

花如玉叹了口气，道："我觉得她实在太可怜了，萧十一郎若是娶了你，她一定会发疯。"

风四娘冷笑道："其实你根本不必担心的，就算天下的男人全都死光了，我也不会嫁给他。"

花如玉道："你说的是真心话？"

风四娘连话都不说了，她知道女人说的谎话，只能骗得过男人。

在花如玉这样的女人面前，无论她怎么说，都没有用的。

花如玉又叹了口气，道："不管怎么样，你知道萧十一郎要约你到这里来，你就立刻来了。"

风四娘冷冷道："你岂非也是为了他来的？"

花如玉道："这乱石山本来是个很荒凉的地方，虽然是关中群盗的总舵，最多也只不过是个强盗窝而已，但现在这地方却有很多了不起的大人物来了。"

风四娘道："那个坐在别人帽子上的怪物，难道也是个了不起的大人物？"

花如玉道："无论谁能狠得下心，砍断自己的一条手臂和两条腿，都可以算是个了不起的大人物。"

风四娘也不能不承认，那个人上人的确很有种。

有种的人就是强人。

花如玉道："厉青锋跟他一样，到这里来都是为了要萧十一郎项上的人头的。"

风四娘道："厉青锋跟萧十一郎又有什么仇恨？"

花如玉道："厉青锋就是厉刚的老子，厉刚就是死在萧十一郎手上的。"

风四娘恍然，道："难怪厉刚从来不肯说自己的家世，原来他老子竟是个独行大盗。"

花如玉冷笑道："但老子却比儿子强得多。"

风四娘也承认："厉青锋至少还不是个伪君子。"

花如玉道："金菩萨到这里来，当然也不怀好意。除了他们外，不怀好意的人还有很多，只有我跟他们不同。"

风四娘冷笑道："你难道还是个好人？"

花如玉道："我本来就是个好人。"

风四娘道："你这好人到这里来干什么呢？"

花如玉道："好人当然是来做好事的。"

风四娘道："做什么好事？"

花如玉没有直接回答这句话，却反问道："你是来干什么的？"

风四娘道："你明明知道是萧十一郎约我来的。"

花如玉道："是不是他自己约你来的？"

"不是。"

自从那一天分别之后，直到现在，她还没有见过萧十一郎的面。

花如玉道："你只不过听别人说，他在江湖扬言，要你到这里来跟他见面而已。"

风四娘道："因为他也找不到我，这两年来，我们根本就失去了联络。"

花如玉道："既然如此，你又怎么知道那传言是真的？"

风四娘叹了口气，她的确不知道。

她只不过是到这里来碰碰运气而已。

花如玉道："说不定那只是别人故意放出的消息，诱你到这里来，然后再用你做饵，来钓萧十一郎上钩。"

风四娘苦笑道："现在我仔细想想，的确好像是上了别人的当了。"

花如玉叹了口气，道："每个人都难免会上当的，所以上当的也不止你一个。"

风四娘道："除了我还有谁？"

花如玉道："沈璧君。"

风四娘道："她也会到这里来？"

花如玉道："她一定会来。"

风四娘道："难道她并没有跟萧十一郎在一起？"

花如玉道："没有，这两年来，她也跟你一样，一直都在找萧十一郎。"

风四娘皱眉道："谢天石岂非就因为多看了她两眼，眼睛才会瞎的？"

花如玉道："谢天石看见的那个女人，并不是沈璧君。"

风四娘道："不是？"

花如玉道："世上的美人，并不止沈璧君一个，萧十一郎身边的美女，也并不一定就是沈璧君。"

风四娘咬了咬嘴唇，冷笑道："这个人好像一直都在走桃花运。"

花如玉道："所以他迟早总难免要倒霉的。"

风四娘又忍不住叹道："他已倒了一辈子霉了。"

花如玉道："但这次沈璧君却比他更倒霉。"

风四娘道："哦？"

花如玉道："要钓这条大鱼，用沈璧君来做饵，当然也很好。"

风四娘苦笑道："鱼饵的确比鱼还倒霉。"

花如玉道："一点也不错，鱼还没有上钩的时候，鱼饵就已经在钩子上了。"

风四娘道："她现在已经在钩子上？"

花如玉叹道："还不止一个钩子，她已经在两个钩子上了。"

风四娘道："两个钩子？"

花如玉道："两个大钩子。"

风四娘可以想象得到："大钩子才能钓得上大鱼。"

花如玉叹道："沈璧君虽然已被他们紧紧钩住了，自己却一点也不知道。"

风四娘用眼角瞟着她，道："你对她的事好像很关心？"

花如玉道："我是个好人。"

风四娘道："好人有时候也会不怀好意的。"

花如玉又笑了："你在吃醋？"

风四娘没有笑："我只不过有点奇怪而已。"

花如玉道："其实我不但对她关心，对萧十一郎也很关心。"

风四娘道："哦？"

花如玉说道："所以我希望你能帮着我，把沈璧君从钩子上放下来，钩子上若没有饵，鱼也就不会上钩了。"

风四娘道："我为什么要帮你？说不定你也是个钩子呢？"

花如玉道："你应该相信我的。"

风四娘道："为什么？"

花如玉嫣然道："因为我是你的老公，一个女人若连自己的老公都不相信，还能相信谁呢？"

风四娘看着她，终于叹了口气，道："幸好你是个女人，否则我不被你迷死才怪。"

花如玉笑道："我现在就要迷死你。"

她的手指又在动，她的手动得真要命。

风四娘只觉得全身的骨头都好像快要酥了，忍不住大叫："你再不把你这鬼手拿开，我就要……就要……"

花如玉吃吃地笑着，道："你就要怎么样？"

风四娘用力咬着嘴唇，道："我就要送顶绿帽子给你戴了。"

现在花如玉又穿上了她那套华丽如帝王般的衣服，这使她看起来更容光焕发，出群脱俗，就像是只展开了花翎的孔雀。

她面对落地的穿衣铜镜，左照照，右照照，显然对自己的仪表觉得很满意。

风四娘忍不住笑道："难怪别人都说女人最喜欢照镜子，尤其是刚穿上一身漂亮衣服的女人。"

花如玉也笑了，道："这本来就是我的毛病，饭可以不吃，漂亮的衣服却不能不穿。"

她又解释着，道："因为很多人都是先看你的衣服，再看你人的。"

风四娘道："别人只顾看你衣服时，往往就会忘记分辨你究竟是男是女了。"

花如玉笑道："一点也不错，所以虽然有很多人都觉得我有点像女人，却从来也没有人会想到，我真的是个女人。"

风四娘道："可是你为什么总是要打扮成像个男人呢？"

花如玉道："因为我喜欢女人，女人却偏偏喜欢男人。"

风四娘笑道："你平常睡觉的时候，也总是穿得这么整齐？"

花如玉道：“我睡觉的时候总是脱光的，但现在我并不想睡觉。”

风四娘道：“现在难道不是睡觉的时候？”

花如玉道：“不是。”

风四娘用眼角瞅着她，道：“你还想干什么？”

花如玉道：“去做客。”

风四娘道：“现在已半夜三更了，还有人请客？”

花如玉道：“在这种地方，白天才是睡觉的时候。”

风四娘道：“这里的人难道全是夜猫子？”

花如玉道：“因为他们白天根本见不得人。”

风四娘眼珠子转了转，道：“你是不是要我也陪着你去？”

花如玉笑道：“新婚的小两口子，当然是寸步不离的，何况，请客的这个人，又是你的老朋友。”

风四娘道：“我的老朋友？金菩萨？”

花如玉道：“不对。”

风四娘道：“不是他是谁？”

花如玉道：“这里是关中十三寨的地盘，请客的人，当然也就是地盘的主人。”

风四娘道：“快刀花平？”

花如玉道：“对了。”

风四娘道：“可是他两只手好像都已被砍断了。”

花如玉笑了笑，道：“没有手的人，好像也一样能请客的。”

风四娘道：“他还有请客的心情？”

花如玉道：“不管怎么样，帖子上出名的人总是他。”

风四娘道：“看来他最多也只不过是在帖子上出个名而已，幕后必定还另有其人。”

花如玉叹道：“你真是个鬼灵精。”

风四娘盯着她，道："幕后这个人是谁？"

花如玉道："是我。"

风四娘笑了笑，道："我早已想到是你了，若不是你自己请客，又有谁能请得动你？"

花如玉叹了口气，道："一个女人若要讨男人的欢喜，本该装得糊涂点的。"

风四娘嫣然道："除了你之外，客人还有谁？"

花如玉说道："只要是在这里的人，好像全都请了。"

风四娘道："人上人、厉青锋、金菩萨，他们也会去？"

花如玉道："一定会去。"

风四娘道："为什么？"

花如玉道："因为今天晚上还有位特别的客人。"

风四娘道："谁？"

花如玉道："沈璧君。"

风四娘怔了怔，长长吐出口气，道："看来今天晚上这宴会，一定热闹得很。"

花如玉眼睛里带着种奇特的笑意，缓缓道："一定热闹极了……"

快聚堂上，灯光辉煌。

快刀花平披着件鲜红的斗篷，坐在中间的虎皮交椅上，脸色却苍白得可怕。

他动也不动地坐着，就好像一个人坐在另外一个世界里，苍白的脸上，完全没有表情，别人在他面前进进出出，来来去去，他也像是完全没有看见。

他看来实在不像是个好客的主人，客人们看来也不像是愉快的客人。

除了金菩萨外，每个人的脸色，都难看得很。人上人居然还高高地坐在那大汉头上，厉青锋手里紧紧握着他的金背弓，像是随时都在准备着出手。

没有人开口，也没有人跟主人客套招呼。

他们本就不是为了这主人而来的，他们也并不想掩饰这一点。

本来应该很热闹的大厅，却冷冰冰像是个坟墓。

然后风四娘和花如玉忽然出现了，就像是鸡群中忽然飞来了两只孔雀。

无论在什么宴会里，风四娘本就一向是个最出风头的客人。

今天晚上她看来更容光焕发，谁也看不出她已是三十五岁的女人，而且刚死过一次。

看见了她，每个人的眉毛好像都提高了两寸，眼睛也放大了一倍。

能亲眼看见一个刚死的人又活生生地从外面走进来，这种经验毕竟是很难得的。

风四娘眼波流转，嫣然道："才半天不见，你们就不认得我了？"

金菩萨忽然开始咳嗽，就好像忽然着了凉一样。

风四娘道："你病了？"

金菩萨勉强笑道："我假如病了，一定是相思病，我每次看见你的时候，都会生这种病的。"

风四娘笑道："你以后千万不能再有这种病了，否则我先生会吃醋的。"

金菩萨愕然道："你先生？"

风四娘道："先生的意思就是丈夫，你不懂？"

金菩萨道："你……你嫁人了？"

风四娘道："每个女人迟早总要嫁人的。"

金菩萨忍不住问道："你嫁给了谁？"

花如玉道："我。"

金菩萨怔住。

每个人都怔住。

风四娘又抬起头，对人上人一笑，道："现在我们已扯平了。"

人上人道："什么事扯平了？"

风四娘道："现在我已死过一次。"

人上人好像也要开始咳嗽。

风四娘笑道："死和嫁人，本来都是很难得的经验，我居然在一天之中全都有过了，你们说奇怪不奇怪？"

能在一天中得到这两种经验的人，世界上还真没有几个。

风四娘已走到花平面前，微笑道："又是两年不见了。"

花平慢慢地点了点头，道："两年，整整两年。"

风四娘道："算起来我们已经是十多年的老朋友了。"

花平冷冷道："我不是你的朋友，我没有朋友。"

风四娘道："你就算已没有手，也还是一样可以有朋友的。没有手还可以活下去，没有朋友的人，才真正活不下去。"

花平苍白的脸忽然扭曲，忽然站起来，头也不回地冲了出去。

他本不是能接受同情和怜悯的人。

风四娘黯然叹息了一声，回过头，去找那跛子，她刚才还看见他坐在人上人后面的，她想看看他究竟是什么人。

但现在他竟已不见了。

"他为什么总是要躲着我，为什么总是不敢见我的面？"

风四娘没有再想下去，也没法子再想下去。

她和花如玉刚坐下来，就看见了沈璧君。

她第一次看见沈璧君的时候，就觉得沈璧君是她这一生中，所看见过的最温柔、最美丽、风度最好的一个女人。

现在她还是有这样的感觉。

但沈璧君却已有些变了，变得更沉静、更忧郁，也变得憔悴了些，只不过这些改变却只有使得她看来更美，一种令人心醉的美。

她的眼波永远是清澈而柔和的，就像是春日和风中的流水，她的头发光亮柔软，她的腰肢也是柔软的，像是春风中的柳枝。

她并不是那种让男人一看见就会冲动的女人，因为无论什么样的男人看见她，都会情不自禁，忘记了一切。

现在她正慢慢地走了进来。

她绝不做作，但一举一动中，都流露着一种清雅优美的风韵。

她穿的并不是什么特别华丽的衣服，也没有戴什么首饰，因为这些东西对她来说，都已是多余的。

无论多珍贵的珠宝衣饰，都不能分去她本身一丝光彩。

无论多高贵的脂粉打扮，也都不能再增加她一分美丽。

像这么样一个可爱的女人，为什么偏偏如此薄命？

忽然间，大厅里所有的人，呼吸都似已停顿。

这就是武林中第一美人沈璧君。

他们终于见到了沈璧君。

有关她和萧十一郎之间，那些凄凉而美丽的故事，他们不知已听过多少次。

现在她的人已站在他们面前。

他们实在想多看几眼，却又不敢。

这倒并不是因为他们生怕唐突了佳人，而是因为她身后那两双刀锋般的眼睛。

沈璧君并不是一个人来的。

她身后还有两个人。

两个瘦削、修长，就好像两根竹竿一样的老人。

他们身上穿着长袍，却是华丽而鲜丽的，一红一绿，红如樱桃，绿如芭蕉。

他们的神情看来仿佛很疲倦，须发全都已花白，但他们一走入这大厅，每个人都忽然感觉到一股凌厉逼人的杀气。

利器神兵，必有剑气。

身怀绝技的武林高手，视人命如草芥，身上也必定带种杀气。

无论谁都可以隐隐感觉得到，这两人一生中必已杀人无数。

看见这两人，厉青锋的脸色第一个变了。

他们本是属于同一时代的人，厉青锋当然知道这两人的来历。

风四娘也知道。

她忍不住轻轻吐出口气，道："钩子。"

花如玉道："两个大钩子。"

风四娘道："我见过他们。"

花如玉道："在逍遥侯的玩偶山庄里？"

风四娘点点头。

萧十一郎和逍遥侯决战的那一天，这两个老人也在路上相逢。

花如玉道："你现在总该知道，我说的话不假了吧？"

风四娘又点了点头。

她并不知道他们和逍遥侯的关系，只知道他们也在逍遥侯门下。

逍遥侯门下的人，当然不会对萧十一郎怀有什么好意。

花如玉道："所以你一定要想法子，让沈璧君也知道。"

风四娘道："我想不出法子。"

花如玉道："我们后面有道门，你看见了没有？"

风四娘看见了，门很窄。

花如玉道："出了门，你就可以看到一间小木屋。"

风四娘在听着。

花如玉道："那里是女人方便的地方，你若能将沈璧君带到那里去，就可以放心说话了。"

这里的男人们自恃身份，当然绝不会到那种地方去偷听。

风四娘叹了口气，道："好，我想法子。"

她们本在耳语，新婚的夫妻们，本就常常会咬耳朵的。

可是那两个老人的目光，却已闪电般向她们扫了过来。

风四娘虽然明知他们绝对听不见这里说的话，却还是不禁吃了一惊。

幸好这时她已看见了沈璧君温柔的笑容。

沈璧君当然也已认出了这个"吓死人的新娘子"，正在微笑着向她示意。

风四娘也笑了。

那朱衣老人忽然道："想不到'金弓银丸斩虎刀，追云逐月水上飘'厉青锋也在这里。"

绿袍老人道："他一定也想不到我们会来的。"

厉青锋的脸色铁青，冷冷道："两位居然还没有死，实在是令人意外得很。"

朱衣老人道："但你却已该死了的。"

绿袍老人道："若不是我们手下留情，三十年前你就已该死了的。"

厉青锋冷笑道："不错，我的确早就该死了，谁叫我一向独来独往，连个帮手都没有。"

朱衣老人沉下了脸，道："我与你交手时，他并未出手。"

绿袍老人道："我一个人也随时都可以对付你。"

厉青锋道："我若有个帮手，也不会叫他帮我两个打一个的，只要他在旁边呐喊助威就已够了。"

朱衣老人道："很好。"

绿袍老人道："好极了。"

朱衣老人道："是你出去，还是我出去？"

绿袍老人道："这次该轮到我了。"

厉青锋大笑，道："很好，实在好极了，三十年前的那笔旧账，你我正好就此结清。"

这三个人虽然都已有一大把年纪，竟是姜桂之性，老而弥坚。

三十年前的一点点仇恨，他们竟到现在还没有忘记。

厉青锋已霍然长身而起，绿袍老人也转过了身。

沈璧君一直静静地在旁边看着，忽然轻轻叹了口气，柔声道："前辈们若想在这里杀人，就该将这里的主人先杀了才是。"

她的声音还是和昔日同样温柔优雅，可是她说的话里却已藏着锋锐。

这两年多来的流浪生活，毕竟已使她学会了很多事。

绿袍老人看了厉青锋一眼，冷冷道："你我既然都还没有死，又何必急在一时？"

厉青锋冷笑着，终于也慢慢地坐了下去。

风四娘又笑了。

她走出来，拉住了沈璧君的手，嫣然道："我想不到你会来，你一定也想不到我会在这里的。"

沈璧君微笑着，点了点头。

风四娘笑道："幸好我们之间，并没有什么旧债要算。"

沈璧君嫣然道："你还是没有变。"

风四娘道："但你却似已有些变了。"

沈璧君眸子里的忧郁更加浓了，凄然垂首，默默无语。

风四娘又笑道："但我却还是个吓死人的新娘子，我每次见到你的时候，好像都是新娘子。"

沈璧君也觉得很惊奇，但并没有问她怎么会又做了新娘子。

这个出身世家，教养良好的典型淑女，还是和以前一样，从不喜欢过问别人的私事。

风四娘眨着眼，看着她，道："你一定走了很久的路，才到这里的。"

沈璧君道："嗯。"

风四娘道："那么你一定已经……"

她忽然附在沈璧君耳旁，低低说了两句话。

沈璧君的脸红了，红着脸点了点头。

风四娘却笑道："这又不是什么丢人的事，我带你去。"

她真的拉起沈璧君的手，走向旁边的小门。

沈璧君的脸更红，却也只有垂着头，跟着她走。

老人对望了一眼，眼睛里却不禁露出笑意，他们当然知道风四娘是带沈璧君干什么去的。

他们都觉得风四娘实在是个很妙的女人，都觉得这实在是件很妙的事。

别人请来的客人刚进了门，她居然就拉着人家方便去。

这种事除了风四娘外，还有谁能做得出呢？

也只有风四娘做出这种事的时候，别人才会觉得有趣，不觉得诧异。

第五章

会走路的屋子

门外果然有间小木屋。

木屋外有个小小的梯子，风四娘拉着沈璧君走上梯子，走进了一扇很窄的门。

屋子很小，却很干净。

风四娘又拉上门，才长长吐出口气，她忽然发觉这实在是个女人们说悄悄话的好地方，就算胆子再大，脸皮再厚的男人，也绝不敢闯进来的。

她闩起了门，忍不住笑道："现在我们随便在这里说什么，都不怕被别人听见了。"

沈璧君道："你……你有话跟我说？"

风四娘笑道："是有点悄悄话要跟你说，可是你若真的急了，我可以先等你……"

房子里有个小小的木架，上面还盖着漆着金漆花边的盖子。

沈璧君的脸更红，头垂得更低，只是看着这个很好看的盖子发怔。

风四娘道："快点呀，这地方虽然不臭，总有点闷气。"

沈璧君终于鼓起勇气，嗫嚅着道："可是你……你……"

风四娘又笑了，她终于明白："你是不是要我出去？"

沈璧君红着脸，点了点头。

风四娘笑道："我也是个女人，你怕什么？难道我转过脸去还不行？"

沈璧君咬着嘴唇，又鼓足勇气道："不行。"

她连做梦都没有想到过，居然要她当着别人的面做这种事。

风四娘看着她脸上的表情，几乎忍不住就要大笑出来。

幸好她总算忍住，只是轻轻叹了口气，道："好，我就出去一下子，可是你最好也快一点，我还有要紧的话要告诉你。"

她拔开门闩，伸手推门。

她怔住。

这扇门竟已推不开了。

难道有人在外面锁上了门，要把她们关在这里？

这玩笑也未免开得太不像话了。

风四娘正觉得又好气又好笑，忽然发现这屋子竟在动。

往前面动，而且动得很快。

这屋子竟好像自己会走路。

门还是推不开，无论用多大力气都推不开。

风四娘的手心里也冒出了冷汗，她已发现这件事并不像是开玩笑了。

除了这扇门外，屋子里连个窗户都没有。

女人方便的地方，本就应该很严密的。

风四娘咬了咬牙，用力去撞门，木头做的门，被她用力一撞，本该立刻被撞得四分五裂。

谁知这扇门竟不是完全用木头做的，木头之间还夹着层钢板。

她用力一撞，门没有被撞开，她自己反而几乎被撞倒。

沈璧君的脸色已经开始发白，忍不住问道："这是怎么回事？"

风四娘终于长长叹了口气，道："看来我上了别人的当了。"

沈璧君道："上了谁的当？"

风四娘恨恨道："当然是上了个女人的当，能要我上当的男人，现在只怕还没有生出来。"

沈璧君道："这女人是谁？"

风四娘道："花如玉。"

沈璧君道："花如玉又是什么人？"

风四娘道："是我老公。"

沈璧君怔住。

她一向很少在别人面前露出吃惊的表情来，但现在她看着风四娘时，脸上的表情却好像在看着一个不折不扣的疯子一样。

风四娘道："我上了我老公的当，我老公却是个女人……"她又叹了口气，苦笑道，"我看你一定以为我疯了。"

沈璧君并没有否认。

风四娘道："她要我把你约到这里来，要我告诉你那两个老头子不是好人。"

沈璧君道："他们不是好人？"

风四娘道："因为他们要用你做鱼饵，去钓萧十一郎那条大鱼。"

她苦笑着又道："我现在才知道，我才是条比猪还笨的大鲢鱼，居然上了她的钩。"

沈璧君轻轻叹了口气，道："那两位前辈绝不是坏人，这两年来，若不是他们照顾我，我……我也活不到现在了。"

风四娘道："可是他们对萧十一郎……"

沈璧君道："他们对萧十一郎也没有恶意，在那玩偶山庄的时候，他们就一直在暗中帮着他，因为他们也同样是被逍遥侯伤害的人。"

她虽然在尽力控制着自己，但说到“萧十一郎”这名字的时候，她美丽的眼睛里还是情不自禁露出种无法描述的悲伤之意。

那些又辛酸又甜蜜的往事，她怎么能忘记？

这两年来，她又有哪一天能不想他？又有哪一刻能不想他？

她想得心都碎了，一片片地碎了，碎成了千千万万片……

他的血、他的汗，他的侠胆和柔情，他那双又大又亮的眼睛。

“萧十一郎，你现在究竟在哪里？”

她闭起眼睛，晶莹的泪珠已珍珠般滚了下来。

风四娘痴痴地看着她，她知道她心里在想什么，因为她心里也正在想着同一个人。

“难道你也没看见过他？也没有他的消息？”

这句话她想问，却没有问出来。

她实在不想问了，实在不忍再伤沈璧君的心。

“那天我虽然跟着他走了，却一直没有找到他。”

这句话沈璧君也没有说出来。

她的声音已嘶哑，喉头已哽咽。

——萧十一郎，你知不知道这里有两个痴情的女人，想你想得心都碎成千万片了？

——萧十一郎，你为什么还不回来？

屋子还在动，动得更快。

风四娘忽然笑了，道：“别人是到这里来方便的，我们却到这里来流眼泪，你说滑稽不滑稽？”

她笑的声音很大，就好像一辈子从来也没有遇见过这么好笑的事。

可是又有谁知道她笑声里，藏着多少辛酸，多少眼泪？

一个人在真正悲伤时，本就该想个法子笑一笑的，只可惜世上能有这种勇气的人并不多。

沈璧君忍不住抬起头，凝视着她。

现在，她脸上的表情已不像是在看着个疯子，她已知道她现在看着的，是个多么可爱、多么可敬的女人。

风四娘也在看着她，忽然道："这么好笑的事，你为什么不陪我笑一笑？"

沈璧君垂下头，道："我……我也想笑的，可是我笑不出。"

她的可爱，正因为她笑不出。

风四娘的可爱，也正因为风四娘能笑得出。

她们本是两个完全不同的女人，可是她们的情感却同样真挚，同样伟大。

一个女人若能为了爱情而不惜牺牲一切，她就已是个伟大的女人。

风四娘心里在叹息。

她若是萧十一郎，她也会为这个美丽而痴情的女人死的。

她忍不住伸出手，轻摸着沈璧君的柔发，柔声道："你用不着难受，我们一定很快就会看见他的。"

沈璧君又不禁抬起头："真的？"

风四娘道："花如玉一定是想利用我们去挟持萧十一郎，所以她一定会让萧十一郎知道我们已在她的手里。"

沈璧君道："你想他会不会来找我们？"

风四娘道："他一定会来的。"

沈璧君道："可是那个花如玉……"

风四娘笑了笑，道："你用不着担心她，她又能对我们怎么样？不管怎么样，她毕竟也是一个女人……"

她脸上在笑，心却在往下沉。

因为她知道女人对女人，有时比男人更可怕。

她实在想不出花如玉会用什么法子来对付她们，她甚至连想都不敢想。

就在这时，这个会走路的屋子忽然停了下来。

屋子终于不动了。

但外面却还是没有声音。

屋子里更闷，本来嵌在墙壁上的一盏灯，也突然熄灭。

四下忽然变得一片黑暗，连对面的人都看不见。

风四娘只觉得自己好像忽然到了一个不通风的坟墓里，闷得几乎已连气都透不过来。

她反而希望这屋子能再动一动了。

可是这要命的屋子，不该动的时候偏偏要动，该动的时候反而一动也不动。

风四娘忽然又笑了，别人连哭都哭不出的时候，她居然还能笑得出。

她笑着道："现在我已看不见你了，你总可以松口气了吧！"

沈璧君不出声。

风四娘道："你若是再这么样憋下去，说不定会憋出病来的。"

沈璧君还是不出声。

风四娘叹了口气，突听一个人吃吃地笑道："这真叫皇帝不急，急死太监，人家不急，你急什么？"

声音是从上面传下来的，声音传进来的时候，风也吹了进来。

屋顶上居然开了个小窗子，窗子外有一双发亮的眼睛。

"心心！"

心心还在吃吃地笑个不停。

风四娘简直恨不得跳起来，挖出她这双眼珠子。

心心笑道："这上面的风好大，你们在下面一定暖和得很。"

风四娘咬了咬牙，道："你是不是也想下来暖和暖和？"

心心叹了口气道："只可惜我下不去。"

风四娘道："你不会开门么？"

心心道："钥匙在公子那里，除了他之外，谁也开不了门。"

风四娘忍住气，道："他的人呢？"

心心道："人还没有回来。"

风四娘道："为什么还不回来？"

心心道："因为他还要陪着别人找你们，他总不能让别人知道，是他要你们走的。"

风四娘道："他究竟想对我们怎么样？"

心心道："他要我先送你们回家去。"

风四娘道："回家？回谁的家？"

心心道："当然是我们的家。"

风四娘道："我们的家？"

心心轻笑道："公子的家，岂非也就是夫人你的家？"

风四娘笑道："我们怎么去？"

心心道："坐车去。"

风四娘道："你不放我们出去，我们怎么坐得上车呢？"

心心道："现在我们就已经在车上了。"

风四娘道："你们已将这屋子抬上了车？"

心心道："一辆八匹马拉的大车，又快又稳，不出三天，我们就可以到家了。"

风四娘道："要三天才能到得了？"

心心道："最多三天。"

沈璧君突然呻吟了一声，整个人都软了下去。

没有人能够憋三天的，但若要她在别人面前方便，也简直等于要她的命。

风四娘终于忍不住叫了起来："你难道要我们在这铁笼子里耽三天？"

心心悠然道："其实这铁笼子里也没什么不好，你们若是饿了，我还可以送点好吃的东西进去，若是渴了，车上不但有水，还有酒。"

风四娘忽然又笑了，道："有多少酒？"

心心道："你要多少？"

风四娘道："有些什么酒？"

心心道："你要喝什么酒？"

风四娘道："好，你先给我们送二十斤陈年花雕来。"

一醉解千愁。

有时醉了的确要比清醒着好。

二十斤陈年花雕，用五六个竹筒装着，从上面的小窗里送了下来，还有七八样下酒的菜。

竹筒很大，一筒最少有三斤。

风四娘给了沈璧君一筒，道："一醉解千愁，若是不醉，这三天的日子只怕很不好过。"

沈璧君还迟疑着，终于接了下来。

风四娘道："喝完这筒酒，你会不会醉？"

沈璧君道："不知道。"

风四娘笑道："原来你也能喝几杯的，我倒还真看不出。"

沈璧君勉强笑了笑，道："我很小的时候，老太君就要我陪着她喝酒了。"

风四娘道："你醉过没有？"

沈璧君点点头。

风四娘笑道："你当然醉过的，常跟那个酒鬼在一起，想不醉都不行。"

沈璧君垂下头，心里又仿佛有根针在刺着。

她醉过两次，两次都是为了萧十一郎。

她仿佛又听见了他那凄凉而悲怆的歌声，仿佛又看见他用筷子敲着酒杯，在放声高歌：

暮春三月，羊欢草长，天寒地冻，问谁饲狼？
人皆怜羊，狼独悲怆，天心难测，世情如霜……

"萧十一郎，你不在我的身旁时，这世上还有谁能了解你的痛苦和寂寞？"

沈璧君忽然举起了竹筒，将一筒酒全都灌了下去。

一个像她这么样的淑女，本不该这样子喝酒的，可是现在……

管他的！管他什么淑女？

她这一生，岂非就是被"淑女"这两个字害的？害得她既不敢爱，也不敢恨，害得她吃尽了苦，受尽了委屈，也不敢在人前说一个字。

她看着风四娘，忽然吃吃地笑了起来："你不是淑女。"

风四娘承认："我不是，我根本从来也不想做淑女。"

沈璧君道："所以你活得比我开心。"

风四娘笑道："我活得比很多人都开心。"她嘴里这么说，心里却在问自己："我活得真比别人开心么？"

她也将一筒酒灌了下去。

酒是酸的。

一个人是不是能活得开心，也许并不在于她是不是淑女。

风四娘道："一个人只要能时常想开些，他活得就会比别人开心了。"

沈璧君道："你若是我，你也能想得开？"

风四娘道："我……"

她忽然怔住，她实在不知道该怎么样答复。

沈璧君又吃吃地笑了，笑得比酒还酸，比泪还苦。

可是她却在一直不停地笑。

风四娘忽然又问："这次你若是找到了萧十一郎，你会不会抛开一切嫁给他？"

这句话她平时本来绝不会问的，但是现在她忽然觉得问问也无妨。

沈璧君还在吃吃地笑："我当然要嫁给他，我为什么不能嫁给他？他喜欢我，我也喜欢他，我们为什么不能永远厮守在一起？"

她不停地笑，笑忽然变成了哭，到后来，已分不清是笑还是哭。

这次若是找到了萧十一郎，她真的能嫁给他？

若是不能嫁，又何必去找？

找到了又如何？岂非更痛苦？

沈璧君长长叹息了一声，人生中本就有很多无可奈何的事，你若一定要去想它，只有增加苦恼。

但你若不去想，也是同样苦恼。

相见不如不见，见了又如何？不见又如何？

风四娘道："你醉了。"

沈璧君道："我醉了。"

真的醉了，醉得真快。一个人若是真的想醉，醉得一定很快，因为他不醉也可以装醉。

最妙的是，一个人若一心想装醉，那么到后来，往往连他自己也分不清究竟是在装醉，还是真醉。

风四娘坐了下去，坐在地上："我不喜欢杨开泰，因为他太老实，太呆板。"

沈璧君道："我知道。"

风四娘道："但花如玉却一点也不老实，一点也不呆板。"

沈璧君道："他若真是个男人，你会嫁给他？"

风四娘道："我不会。"

她忽然发现，你若是真的爱上了一个男人，那么就算有别的男人比他强十倍，你还是会死心塌地爱着他的。

爱，的确是件很奇妙的事，既不能勉强，也不能假装。

沈璧君忽然又问："你是不是也想嫁给萧十一郎？"

风四娘笑道："你错了，就算天下的男人都死光了，我也不会嫁给他。"

沈璧君道："为什么？"

风四娘道："因为他喜欢的是你，不是我。"她虽然还在笑，笑得却很凄凉，"所以你本来是我的情敌，我本该杀了你的。"

沈璧君也笑了。

两个人笑成了一团，两筒酒又喝了下去，然后她们就再也不知道自己做了些什么事，说了些什么话。

迷迷糊糊中，她们仿佛看见了萧十一郎，萧十一郎忽然又变成了连城璧，忽然又变成了杨开泰。

几千几百个萧十一郎，变成了几千几百个连城璧、杨开泰。

到后来所有的人都变成了一个——花如玉。

花如玉微笑着，站在她们面前，笑得又温柔又动人。

风四娘挣扎着，想跳起来，但头却疼得像是要裂开一样，嘴里又干又苦。

花如玉微笑道："这次你们真的醉了，醉了三天三夜。"

风四娘实在不知道这三天三夜是怎么过去的，但不知道岂非比知道好？

花如玉道："幸好你们现在总算已平安到家了。"

风四娘又忍不住问："谁的家？"

花如玉道："当然是我们的家。"他笑得更温柔，"莫忘记你已在很多人面前承认，你是我的老婆，现在你想赖，是更赖不掉的了。"

风四娘道："我只想问问你，你为什么要我将沈璧君骗来？"

花如玉笑道："因为那两个老头子很不好对付，我只有用这法子，才能请得到她。"

风四娘道："你想对她怎么样？"

花如玉道："你猜呢？"

风四娘道："难道你也想要她做老婆？"

花如玉笑道："对了，老婆跟银子一样，是愈多愈好的。"

风四娘忽然也笑了："你自己也是个女人，要这么多老婆干什么？"

花如玉仿佛吃了一惊："我是女人？谁说我是女人？"

风四娘当然更吃惊："你不是？"

花如玉笑道："我当然不是，若有人说我是女人，他一定疯了。"

风四娘真的又快疯了，忍不住大叫："你究竟是男是女？"

花如玉微笑着，忽然解开了衣襟："你应该看得出的。"

花如玉竟真的是个男人，无论谁都看得出他是个男人。

风四娘的心沉了下去。

花如玉微笑道：“上次我故意在那重要关头退缩，为的就是要你相信我是个女人。你认为我若不是女人，到了那种时候，绝不会放过你的。”

风四娘恨恨地道：“你非但不是女人，你简直不是人。”

花如玉笑得却更愉快，道：“就因为你相信我是个女人，所以才会帮我去找沈璧君。”

沈璧君一点反应也没有，她整个人都似已麻木。

花如玉笑说道：“但是这次我是绝不会再放过你的了。”

风四娘咬着牙，道：“我已经可以做你的娘了，你还想对我怎么样？”

花如玉悠然道：“你年纪虽然大了些，但有些地方却比小姑娘还有趣。”

他的眼睛就盯在风四娘身上那些地方，那眼色就好像已将风四娘当作完全赤裸的。

风四娘简直恨不得将他这双眼珠子挖出来。

花如玉大笑道：“我不但有了你这么样一个如花似玉的老婆，还有这位武林第一美人做老二，我的艳福实在不浅。”

他的眼睛已转移到沈璧君身上。

沈璧君脸上还是连一点表情都没有，冷冷道：“你休想！”

花如玉道：“我休想？”

沈璧君道：“你只要敢动一动我，我就死。”

花如玉笑道：“你死不了的。”

沈璧君道：“那么我就要你死。”

她突然挥手，一蓬金针暴雨般射出。

沈家的金针名动天下，号称武林中最厉害的八种暗器之一。这种金针不但出手巧妙，而且非常狠毒，只要一打在人身上，立刻钻入血管，不出半个时辰，就已毒发攻心，连神仙都难救活。

只可惜沈璧君是个淑女，淑女是不能太狠毒的，沈家家传的金针手法，她最多只学会了巧妙两字，既不狠毒，也不够快。

你发暗器时若是不够狠，不够快，那么再厉害的暗器到了你手里，也变得没用了。

花如玉微笑着，轻轻一转身，漫天光雨就已无影无踪。他显然也是发暗器高手，比沈璧君高明得多。

风四娘忽然叹了口气，道："他不是个人，我们对付不了他的。"

花如玉笑道："我喜欢你，就因为你不但聪明，而且很有自知之明，能有自知之明的女人并不多。"

风四娘嫣然一笑，道："你真的很喜欢我？"

花如玉道："当然是真的。"

风四娘道："那么你为什么还要找别的女人呢？你不怕我吃醋？"

花如玉道："会吃醋的女人，我就不喜欢了。"

风四娘道："只可惜你现在就算不喜欢我，也已太迟。"

花如玉道："哦？"

风四娘道："我已经是你的老婆，对不对？"

花如玉道："对。"

风四娘道："现在我们刚成亲，你就想找别的女人，将来怎么得了？"

花如玉道："你要我放了她？"

风四娘点点头，道："只要你不碰别的女人，我就做你的老婆，否则……"

花如玉道："否则怎么样？"

风四娘道："否则我也会送顶绿帽子给你戴的，你怕不怕？"

花如玉道："不怕。"

风四娘怔了怔，道："你不怕戴绿帽子？"

花如玉道："我已戴了顶绿帽子了，再加一顶又何妨？"

他脸上的表情忽然变得很奇怪，竟像是很愤怒、很痛苦。

风四娘看着他，忍不住问道："这顶绿帽子是谁送给你戴的？"

花如玉握紧了双拳，一字字道："萧十一郎。"

第六章

萧十一郎在哪里

萧十一郎，又是萧十一郎。

天下所有的坏事，好像全都给他一个人做尽了。

花如玉恨恨道："就因为他抢了我的女人，所以我也要抢他的女人。"

风四娘道："他抢去了你的什么人？"

花如玉道："他抢去了我的冰冰。"

风四娘道："冰冰是谁？"

花如玉道："冰冰就是我的表妹，也是我的未婚妻子。"他显得更愤怒，更痛苦，接着道，"但那萧十一郎却仗着他的武功比我高，仗着他比我更有钱，竟将我的冰冰抢走了，连看都不许别人多看一眼。"

风四娘道："谢天石就因为多看了她两眼，所以眼睛才会瞎的？"

花如玉点点头，冷笑道："你们若以为他对你们好，你们就错了，他对冰冰才是真的好。为了冰冰，他什么事都肯做，冰冰若要他挖出你们的眼珠子来，他也不会拒绝的。"

沈璧君忽然叫了起来："我不信，你说的话我连一个字也不信。"

花如玉冷笑道："你是真的不信，还是不敢相信，不忍相信？"

沈璧君道："我死也不相信。"

花如玉叹了口气，说道："看来你真是个痴心的女人。"

沈璧君道："我以前也冤枉过他的，但现在我已知道，他绝不会是这种人，绝不会做这种事的。"

花如玉道："他以前也许不是这种人，但每个人都会变的。"

沈璧君道："不管你怎么说，我还是不信。"

花如玉目光闪动，说道："我若能证明，你又怎么样？"

沈璧君道："只要你能证明他真的做了这种事，你随便对我怎么样都没关系。"

花如玉道："我若能证明，你就肯嫁给我？"

沈璧君咬着牙，道："我说过，随你对我怎样都没关系。"

花如玉道："你说过的话，算不算数？"

沈璧君道："我虽然是个女人，却从来也没有做过言而无信的事。"

花如玉道："好，我信任你。"

风四娘道："你准备怎么样证明给她看？"

花如玉道："我准备让她自己去看看萧十一郎和冰冰。"

风四娘道："到哪里去看？"

花如玉道："大亨楼。"

风四娘道："大亨楼是什么地方？"

花如玉道："是个花钱的地方。"

风四娘道："萧十一郎在那里？"

花如玉道："这几天他一定在姑苏附近，只要他在附近，就一定会去。"

风四娘道："为什么？"

花如玉冷笑道："因为他现在是个大亨，若是不带着他那个如花似玉的美人儿到大亨楼去亮亮相，岂非白到了苏州一趟？"

风四娘道："你也想带我们去亮亮相？"

花如玉道：“只要你们肯答应我一件事。”

风四娘道：“你说。”

花如玉道：“你们可以睁大了眼睛去看，却不能张嘴。”

风四娘道：“为什么？”

花如玉道：“因为你们若是一出声，就什么也看不见了。”

风四娘道：“好，我答应你。”

花如玉道：“你真的能一直闭着嘴不出声？”

风四娘瞪眼道：“你以为我是个什么样的女人？是个多嘴婆？”

花如玉笑了笑，道：“你当然不是多嘴婆，但我却还是不相信你会真的那么老实。”

风四娘好像要跳了起来：“你连自己的老婆都不信任，你还能相信谁？”

花如玉道：“一个男人若是太信任自己的老婆，他一定是个笨蛋。”他微笑着，接着又道，“杨开泰就是个笨蛋，否则又怎么会让你溜走？”

风四娘叹了口气，道：“他并不是个笨蛋，只不过是个君子而已。”

花如玉道：“但我却既不是笨蛋，也不是君子。”

风四娘道：“所以你已决定不信任我？”

花如玉对沈璧君笑了笑，道：“我可以信任她，我知道她是很老实的女人。”

风四娘道：“我不老实？”

花如玉道：“这屋子里老实人好像只有她一个。”

风四娘说道：“那么你准备怎么样？把我的嘴缝起来？”

花如玉笑道：“只缝你的嘴也没有用，你说不定会翻跟斗的。”

风四娘道：“你……你……准备用什么法子来对付我？”

花如玉微笑着，悠然说道："我会想出个好法子来的。"

你若要像风四娘这样的女人，老老实实地坐在那里不动，那实在需要个非常特别的好法子。

风四娘老老实实地坐在那里，动也不动。

因为她根本不能动。

她身上所有关节附近的穴道，全被制住了，脸上蒙上了层黑纱，嘴里还塞了个核桃。

这法子并不能算很巧妙，但却很有效。

沈璧君脸上也蒙着层黑纱。

姑苏并不是个很开通的地方，大家闺秀出来走动时，蒙上层黑纱掩住脸，也并不能算很特别。

所以附近倒也没有什么人特别注意她们。

她们打扮得都很华丽，锦衣华服，满头珠翠，因为这里本是只有大亨们才能来的地方。

所以牡丹楼就变成了大亨楼。

大亨的意思，就是很了不起的大人物，北方人也许听不懂。

可是江浙一带人，说起"大亨"这两个字的时候，都立刻会肃然起敬的——这种表情无论什么地方的人都看得懂了。

现在正是黄昏。

黄昏，通常也正是人们最容易花钱、最想花钱的时候。

要花钱到这里来真是再好也没有了，在这里喝一壶茶，就要花你好几两银子。

除了每样东西都比别的地方贵七八倍之外，这里好像也并没有别的特别之处。

牡丹早已经谢了，楼外的栏杆里，都摆着几十盆菊花。

菊花开得正艳，蟹也肥了。

持蟹赏菊，对花饮酒，不但风雅，而且实惠，正是种雅俗共赏的享受。

楼上几十张桌子，空着的已不多。

到这里来的男人一个个都是满面红光，都是穿着鲜衣、乘着骏马来的，有的佩剑，有的摇着折扇，剑上都镶着宝石明珠，扇面上都是名家的书画。女人们当然更都打扮得千娇百媚，好像到这里并不是为了吃饭，而是为了炫耀自己的珠宝。

却不知道她们本身也正是被男人们带到这里来炫耀的。

一个男人身旁，若是有个满身珠光宝气的美女，岂非也正是种最好的装饰?

风四娘和沈璧君坐在角落里靠着栏杆的位子上，花如玉青衣小帽，规规矩矩地站在她们身后，竟扮成了侍候夫人小姐出来亮相的小厮。

她们虽然没有男人在旁边陪着，但也并不特别引人注意。

到这里的女人，并不一定都有男人陪着的，江湖中的女大亨也不少。何况，还有些是想到这里来钓鱼的——大亨楼上的男人，一个个全都是大鱼。

最大的一条鱼就坐在她们前面几张桌子外，是个留着两撇小胡子的中年男人，圆圆的脸，白白净净的皮肤，一双手保养得比少女还嫩，手上戴着个比铜铃还大的汉玉扳指。

他身旁的女人当然也是最美的，不但美，而且非常年轻，看来绝不会比他的女儿大，一双美丽的大眼睛，还带着几分孩子的天真，一张小嘴好像总是噘着的，笑起来的时候，鼻子总是会先皱一皱，显得说不出的俏媚，说不出的爱娇。

这正是中年男人们最喜欢的一种女人。

所以附近的男人都忍不住要偷偷地多看她两眼，女人们的眼睛也忍不住要去看看她耳朵上戴着的那对比春水还绿的翠玉耳环。

那是真正的祖母绿，绿得晶莹，绿得清澈，绿得令每个女人的心都动了。

这种又羡慕又嫉妒的眼色，总是能令她觉得很愉快。

能做柳苏州的老婆，实在是件很愉快的事，无论做第几房老婆都同样愉快。

就只这一副耳环，姑苏就很难找得出第二对来。

他们身后除了一个丫环和一个俊俏的书童外，还有个腰悬着长剑，铁青着脸的黑衣大汉，持剑而立。

柳苏州无论到什么地方，都带着个保镖的。

柳苏州的四个保镖，没有一个不是好手。

这佩剑大汉姓高，叫高刚，人称“追风剑”。

江湖中外号叫追风剑的人虽不少，但能有这外号的人，出手想必总是快的。

可是他看见坐在对面桌上的两个人时，脸上却露出尊敬之色。

高刚不但剑法快，而且也是个老江湖了，他认得这两个人。

在江湖上走动的，就算不认得这两个人，至少也听过他们的名字。

“伯仲双侠”不但是名门子弟，而且在江湖中做了几件轰动一时、大快人心的事。

尤其是二侠欧阳文仲，掌中一对“子母离魂圈”，更是久已失传的外门兵器。

欧阳世家本是武林中以豪富著称的三大世家之一，这兄弟两人，当然也是大亨。

萧十一郎呢？

看不见萧十一郎。

她们已经在这里等了两天，萧十一郎还是一直都没有出现。

“只要他到了姑苏附近，就一定会来的。”

“你怎么知道他会到姑苏附近来？”

风四娘几乎已经不想再等下去，这种事她实在受不了。

但就在这时，萧十一郎终于来了！

等人往往就是这样子的，你愈着急，愈等不到，你不想等了，他却偏偏来了。

一辆崭新的、用八匹骏马拉着的黑漆马车，已在门外停下。

连风四娘都从未见过如此华丽的马车。

萧十一郎就是坐着这辆马车来的，他并不是一个人来的。

除了两个书童、四个丫头和那穿着缎子衣服的马车夫外，还有个头发漆黑、白衣如雪的绝色丽人陪伴着他。

“这就是冰冰。”

从楼上看下去，也看不见冰冰的脸，只能看见她一头比缎子还光滑、比丝还柔软的漆黑头发，和头发上那颗比龙眼还大的明珠。

萧十一郎走在前面，她落后半步，用一只柔白纤美的手，轻挽着萧十一郎的臂。

他们已走下车，走进门，从楼上看，也看不见他的脸。

这个人真的是萧十一郎？风四娘和沈璧君都不禁睁大眼睛看着楼梯口，也觉得心跳忽然加快了三倍，呼吸好像随时都可能停止。她们一心希望能见到萧十一郎，却又希望这个人不是萧十一郎。

楼梯上有脚步声传上来，她们的心跳愈来愈快，忽然间，她们的呼吸停止，她们已经看见了一双眼睛，一双发亮的眼睛，亮得就像是秋夜里最灿烂的一颗星。

这个人真的就是萧十一郎!

萧十一郎来了。

萧十一郎本是个很不讲究衣着的人，有时甚至连袜子都不穿，但现在他身上穿的，却是质料最高贵的衣服，剪裁得精致而合身，衣服是纯黑色的，黑得就像是他的眸子一样。

柔软贴身的衣服，使得他整个人看来就像是一杆刚炼成的枪——光亮、修长、笔挺。

他的肩并不太宽，腰却很细，系着条黑皮腰带，腰带上斜插着一柄刀。

一柄形式奇特的短刀，刀鞘竟仿佛是黄金打成的，却镶着三粒人间少见的黑珍珠。

这么样的一柄刀，衬着那一身黑衣服，更显得说不出的夺目。

除了这柄刀之外，他身上并没有什么别的装饰，却使得他这个人看来更高贵突出。

他现在已非常懂得穿衣服。

萧十一郎本是个很不讲究修饰的人，胡子从来不刮，有时甚至会几天不洗澡。但现在，他的脸却刮得很干净，连指甲都修剪得很整齐，他的头发显然也是经过精心梳理的，每一根都梳得很整齐，他的衣服也是笔挺的，从上到下，连一条皱纹都找不出。

风四娘吃惊地看着他，若不是嘴被塞住，现在一定已忍不住要叫了出来，她实在不相信这个人就是她以前认得的那个萧十一郎！萧十一郎竟似老了。

除了那柄刀外，冰冰就是他唯一的装饰。她实在是个男人们引以为荣的女人，她很年轻，非常年轻。

她的皮肤稍微显得太苍白了些，却使得她看来更娇弱；她的眼睛也像是孩子般纯真明亮，却又带着种说不出的忧郁。

柳苏州座上那个女孩子，本已是很少见的美人，但现在跟她一比，就好像忽然变俗了。

风四娘忽然发觉她的美竟然是和沈璧君属于同一类的，只不过她比沈璧君更年轻，更娇弱。

她也不像沈璧君那么温柔，那么娴静。

无论谁都看得出，她是个很骄傲的女人，除了萧十一郎外，这世上好像已经没有一个人是值得她多看一眼的，就算别人死在她面前，她也不会多看一眼。

“这就是冰冰。”

沈璧君的心在往下沉。

“为了冰冰，他什么事都肯做，冰冰若要他挖出你的眼珠子来，他也不会拒绝的。”

沈璧君的手足已冰冷，连她都不能不承认，冰冰实在是个值得男人牺牲一切的女人。

“只有冰冰才配得上萧十一郎，因为她还年轻，她既没有嫁过人，也不会为萧十一郎带来烦恼。”

沈璧君连心都已冷透，她忽然发觉她本不该来的。

她已决心不让萧十一郎再看见她，也不愿再为萧十一郎带来任何困扰。

“没有我这么样一个人，他活得岂非更幸福愉快得多？”

沈璧君用力咬着嘴唇，眼泪已流下面颊。

萧十一郎知道别人在看他，每个人都在看他，看他的衣服，看他的刀，看他身旁的美人。

他不在乎，他本来一向不喜欢别人注意他的，但现在却已变了，非但变得完全不在乎，甚至还好像很得意，萧十一郎竟已变成了个像柳苏州一样喜欢炫耀的人。

冰冰的手，还是挽在萧十一郎臂上，这样走在大庭广众间，无疑是太亲密了些。

可是她也不在乎，她虽然在微笑，却是对着萧十一郎一个人笑的，她笑得很甜，也很骄傲。

她知道这牡丹楼上的光彩，已完全被他们抢尽了。

他们走上楼，带着人群，就像是一个帝王陪着他的皇后走入宫廷。

掌柜的在前面带路，满脸都是巴结的笑容："那边还有张靠窗的桌子，大爷先在那里坐下来，小人去泡壶好茶。"

萧十一郎微微点了点头，他并没有注意听这个人的话，也没有注意酒楼上的这些人。

看来他的人就好像还在另一个世界里，一个完全不关心别人的世界。

他们走过柳苏州面前时，冰冰忽然站住，眼睛盯住了那双翠玉耳环。

戴着耳环的少女笑了，她总算有样东西是这个骄傲的女人比不上的。

冰冰挽住了萧十一郎，忽然道："你看这副耳环怎么样？"

萧十一郎并没有去看，只点了点头，说道："还不错。"

冰冰道："我喜欢它的颜色。"

萧十一郎道："你喜欢？"

冰冰道："我很喜欢，却不知这位姑娘肯不肯让给我？"

萧十一郎道："她一定肯。"

柳苏州的脸色已变了，忍不住道："我知道她一定不肯。"

萧十一郎笑了笑，笑得居然还像以前一样，懒懒散散的，带着种说不出的讥诮之意，道："她的事你知道？"

柳苏州说道："我当然知道，因为这副耳环本是我的。"

萧十一郎道："可是你已送给了她。"

柳苏州道："她的人也是我的。"

萧十一郎叹了口气道："你这么说话，也不怕伤了她的心？"

柳苏州沉着脸，冷冷道："我说过，她的人也是我的。"

那少女垂下了头，眼睛里不禁露出了幽怨之色。

萧十一郎看了她一眼，淡淡地笑道："你是他的妻子？"

少女摇了摇头。

萧十一郎道："是他的女儿？"

少女又摇了摇头。

萧十一郎道："那么你怎么会是他的？"

柳苏州好像已快要跳起来，大声道："因为我已买下了她。"

萧十一郎道："用多少银子买的？"

柳苏州道："你管不着。"

萧十一郎道："我若一定要管呢？"

柳苏州终于忍不住跳了起来："你是什么东西？敢在我面前如此无礼？"

萧十一郎道："我不是东西，我是个人。"

柳苏州脸色气得发青，突然大喝："高刚！"

高刚的手早已握住了剑柄，突然一横身，站在萧十一郎面前。

柳苏州道："我不想再看见这个人，请他下去。"

高刚冷冷地看着萧十一郎，道："他说他不愿再看见你，你听见了没有？”

萧十一郎道：“听得很清楚。”

高刚道：“你还不走远些？”

萧十一郎道：“我喜欢这里。”

高刚冷笑道：“你难道想躺在这里？”

萧十一郎道：“你想要我躺下去？”

高刚道：“对了。”

他突然拔剑，一剑削向萧十一郎的胸膛。

剑光如电，“追风剑”果然是快的。

有的人已不禁发出了惊呼，这一剑看着已将刺入萧十一郎的胸膛。萧十一郎却连动也没有动，只不过伸出手，在剑脊上轻轻一弹。

只听“叮”的一响，剑锋忽然断了，断下了七八寸长的一截。

又是“叮”的一响，折断了的剑锋落在地上。

高刚的脸色已经变了，失声道：“你……你是什么人？”

萧十一郎道：“我姓萧。”

高刚道：“萧？萧什么？”

萧十一郎道：“萧十一郎。”

第七章

伯仲双侠

萧十一郎！

这名字就像是一把大铁锤，“砰”的一下子敲在高刚头上。

高刚也觉得耳朵“嗡嗡”地响，吃惊地看着面前的这个人，从他的脸，看到他的刀。“你就是萧十一郎？”

“我就是。”

高刚脸上的汗珠已开始一颗颗地往外冒，忽然转身：“他说他喜欢留在这里。”

柳苏州脸上也已看不见血色，勉强点了点头：“我听见了。”

高刚道：“他就是萧十一郎。”

柳苏州道：“我知道。”

萧十一郎的名字，他也听见过的。

高刚道：“萧十一郎若说他喜欢留在这里，就没有人能要他走。”

柳苏州握紧了双拳，铁青着脸说道：“他不走，你走。”

高刚道：“好，我走。”

他居然真的说走就走，头也不回地走下了楼。

柳苏州付给他的价钱虽然好，但总是没有自己的脑袋好。

何况，被萧十一郎赶走，也并不是什么丢人的事。

柳苏州看着他走下楼，忽然叹了口气，勉强笑道：“我实在不知道你就是萧十一郎。”

萧十一郎淡淡道：“现在你已知道了。”

柳苏州道：“你真的喜欢这副耳环？”

萧十一郎道：“不是我喜欢，是她喜欢。”

柳苏州道：“她喜欢的东西，你都给她？”

萧十一郎慢慢地点了点头，将他的话又一字一字重复了一遍：“她喜欢的东西，我都给她。”

柳苏州咬了咬牙，道：“好，那么我就送给你，我们交个朋友。”

萧十一郎说道：“我不要你送，也不想交你这种朋友。”

柳苏州的脸色又变了变，忍住气说道：“你想怎么样？”

萧十一郎道：“这副耳环也是你买下来的？”

柳苏州道：“是。”

萧十一郎道：“用多少银子买的？”

柳苏州道：“八千两。”

萧十一郎道：“我给你一万六千两。”

他挥了挥手，立刻就有个聪明伶俐的书童，捡了两张银票送过来。

“这是杨家的‘源记’票号开出来的银票，十足兑现。”

柳苏州咬着牙收了下来，忽然大声道：“给他。”

少女的眼圈已红了，委委屈屈地摘下耳环，放在桌上。

柳苏州道：“现在耳环已是你的了，若没有什么别的事，阁下不妨请便。”

萧十一郎忽然又笑了笑，道：“我还有样别的事。”

柳苏州变色道：“还有什么事？”

萧十一郎道：“我说过，我喜欢这里。”

柳苏州道：“你……你……你难道要我把这位子让给你？”

萧十一郎道："不错。"

柳苏州全身都已气得发抖，道："我……我若不肯让呢？"

萧十一郎淡淡道："你一定会让的。"

柳苏州当然会让的，遇见了萧十一郎，他还能有什么别的法子？

萧十一郎坐下来，拿起那副耳环，微笑道："这耳环的颜色果然很好。"

冰冰笑了笑，道："可是我现在已不喜欢它了。"

萧十一郎也不禁怔了怔，道："现在你已不喜欢它了？"

冰冰柔声道："它让你惹了这么多麻烦，我怎么还会喜欢它？"

萧十一郎笑了，他的笑忽然变得很温柔，很愉快："你既然已不喜欢它，我看着它也讨厌了。"

他微笑着，突然挥手，竟将这副刚用一万六千两银子买来的耳环，远远地抛出了窗外。

冰冰也笑了，笑得更温柔，更愉快。

风四娘却几乎气破了肚子。

她实在想不到萧十一郎竟会变成了这么样一个强横霸道的人。

若不是她一动也不能动，只怕早已跳了起来，一个耳光掴了过去。

她实在想去问问他，是不是已忘了以前连吃碗牛肉面都要欠账的时候。

她更想去问问他，是不是已忘了沈璧君，忘了这个曾经为他牺牲了一切的女人。

只可惜她连一个字都说不出来，只有眼睁睁地坐在这里看着生气。

以前她总是在埋怨萧十一郎，为什么不洗澡，不刮脸？为什么喜欢穿着双鞋底已经被磨出了大洞来的破靴子?

现在萧十一郎已干净得就像是个刚剥了壳的鸡蛋。

但她却又觉得，以前那个萧十一郎，远比现在这样子可爱几百倍、几千倍。

沈璧君也一动不动地坐在那里。

现在她心里是什么滋味?

风四娘连想都不敢想，也不忍去想。

她若是沈璧君，现在说不定已气得要一头撞死。

萧十一郎，你本是个有情有义的人，为什么会变成现在这样子?

柳苏州已走了，本来刚坐下来开始喝酒的“伯仲双侠”，此刻竟似乎连酒都喝不下去，两人对望了一眼，悄悄地站了起来。

冰冰用眼角瞟他们一眼，忽然道：“两位已准备走了么？”

欧阳兄弟又对看了一眼，年纪较轻的一个终于回过头，勉强笑道：“这位姑娘是在跟我们说话？”

冰冰道：“是。”

欧阳文仲道：“我们和姑娘素不相识，姑娘有什么指教？”

冰冰道：“你们不认得我，我却认得你们。”

欧阳文仲道：“哦……”

冰冰道：“你叫欧阳文仲，他叫欧阳文伯，兄弟两个人都不是好东西。”

欧阳文仲的脸色也变了。

欧阳文伯厉声道：“我兄弟难道还有什么地方得罪了姑娘？”

冰冰道：“你们自己不知道？”

欧阳文仲道：“不知道。”

冰冰忽然不理他们了，转过头问萧十一郎：“你也不认得他们？”

萧十一郎道："不认得。"

冰冰道："但他们却老是用眼睛瞪着我。"

萧十一郎道："哦。"

冰冰道："我不喜欢别人用眼睛瞪着我。"

萧十一郎道："我知道。"

冰冰道："我也不喜欢他们的眼睛。"

萧十一郎道："你不喜欢？"

冰冰道："我简直讨厌极了。"

萧十一郎叹了口气，说道："两位听见她说的话没有？"

欧阳文仲脸色也已铁青，勉强忍住气，道："她说什么？"

萧十一郎道："她说她不喜欢你们的眼睛。"

欧阳文仲道："眼睛长在我们自己身上，本就用不着别人喜欢。"

萧十一郎淡淡道："别人既然讨厌你们的眼睛，你们还要这双眼睛干什么？"

欧阳文伯变色道："你这是什么意思？"

萧十一郎道："我的意思你应明白的。"

欧阳文仲也铁青着脸，道："你难道要我们挖出这双眼睛来？"

萧十一郎道："的确有这意思。"

欧阳文仲突然冷笑道："既然如此，你为什么不过来动手？"

萧十一郎笑了笑，道："眼睛是你们自己的，为什么要我去动手？"

欧阳文仲仰面大笑，道："这个人居然要我们自己挖出自己的眼睛来。"

萧十一郎道："自己挖出眼睛，至少总比被人砍下脑袋好。"

欧阳文仲的笑声突然停顿。

偌大的牡丹楼上，突然变得连一点声音都没有了，每个人的手心都沁出了冷汗。

别人只不过看了她两眼，他们居然就要人家挖出自己的眼睛来。

世上竟有这么残酷的人。

这个人竟是萧十一郎！

风四娘实在不能相信，不敢相信，但这件事竟偏偏是真的。

以前她死也不相信的那些话，现在看来竟然全都不假。

风四娘闭上眼睛，她已不想再看，也不忍再看下去，她的眼泪也已流了下来。

欧阳兄弟手里本来提着个包袱，现在忽又放了下去，放在桌上。

包袱仿佛很沉重。

萧十一郎看着他们，看着桌上的包袱，忽然又笑了笑，道："镔铁鸳鸯拐和子母离魂圈？"

欧阳文仲道："不错。"

萧十一郎道："自从昔年十二连环坞的要命金老七去世后，江湖中好像就没有人再用'子母离魂圈'这种兵刃了。"

欧阳文仲道："不错。"

萧十一郎道："据说这种兵刃的招式变化最奇特，和所有的软硬兵刃都完全不同。"

欧阳文仲道："不错。"

萧十一郎说道："因为这种兵刃既不长，也不短，既不软，也不硬，若没有十五年以上的火候，就很难施展。"

欧阳文仲道："不错。"

萧十一郎道："所以江湖中用这种兵刃的人一向不多，能用这种兵刃的，就一定是高手。"

欧阳文仲冷笑道："看来你的见识果然不差。"

萧十一郎道："镔铁鸳鸯拐，一长一短，也是种很难练的外门兵器，而且其中还可以夹带着暗器。据说昔年的太湖三杰，就是死在这双兵器下的。”

欧阳文仲冷笑道：“死在这双铁拐下的人，又何止太湖三杰而已！”

萧十一郎道：“两位出身名门，用的也是这种极少见的外门兵器，武功想必是不错的。”

欧阳文仲道：“倒还过得去。”

萧十一郎又笑了笑，道：“很好。”

他慢慢地站了起来，施施然走过去，微笑着说道：“现在你们不妨一齐出手，只要你们能接得住我三招，我就……”

欧阳文仲立刻抢着问道：“你就怎么样？”

萧十一郎淡淡道：“我就自己挖出自己这双眼珠子来，送给你们。”

欧阳文仲又忍不住仰面大笑，道：“好，好气概，好一个萧十一郎。”

萧十一郎道：“萧十一郎无论是好是坏，说出来的话，倒从来没有不算数的。”

欧阳文伯道：“我兄弟若连你三招都接不住，以后也无颜见人了，倒不如索性挖出这双眼睛来，倒落得个干净。”

萧十一郎道：“既然如此，你们还等什么？”

欧阳文仲道：“你只要我们接你三招？”

萧十一郎道：“不错，三招……”

没有人能在三招之内就将“伯仲双侠”击倒的，欧阳兄弟绝不是容易对付的人。

风四娘忽然发觉萧十一郎不但变了，而且竟像是已变成个自大的疯子。

人已散开，退到了栏杆边。

并没有人推他们，是一种看不见的杀气，将他们逼开的。

没有人愿意靠近萧十一郎和欧阳兄弟，却又没有人舍得走。

萧十一郎真的能在三招内将名震天下的“伯仲双侠”击倒?

这一战当然是只要有眼睛的人，都不愿错过的。

欧阳兄弟已慢慢地转过身，慢慢地解开了他们的包袱。

他们每一个动作都很慢，显然是想利用这最后的片刻时光，尽量使自己镇定下来，考虑自己应该用什么招式应敌。

他们都知道现在自己一定要冷静。

高手相争，一个慌张的人，就无异于死人，这兄弟两人果然不愧是身经百战的武林高手。

风从窗外吹进来，风突然变得很冷。

只听“丁零零”一声响，欧阳文仲威慑江湖的子母离魂圈已在手。

子母离魂圈在灯下闪着光，看起来那只不过是两个精光四射的连环钢环，只有真正的行家，才知道这种奇门兵刃的威力是多么可怕。

镔铁鸳鸯拐却是黝黑的，黝黑而沉重，右手的拐长，左手的拐短，两根拐共重六十三斤，若没有惊人的臂力，连提都很难提起来。

萧十一郎一直在微笑着，看着他们，忽然大声赞道：“好！好兵器。”

欧阳文仲手腕一抖，子母离魂圈又是“丁零零”一声响，响声已足以震人魂魄。

这就是他的答复。

萧十一郎道：“用这种兵刃杀人，看来实在容易得很。”

欧阳文伯冷冷道：“的确不难。”

萧十一郎微笑道：“你们今日若能挡得住我三招，不但立刻名扬天下，而且名利双收，看来好像也并不困难。”

欧阳文仲冷笑。

萧十一郎悠然道：“只可惜天下绝没有这种便宜的事，我既然敢答应你们，就当然有把握。”

欧阳文伯也冷笑道：“你若是想用这种话来扰乱我们的情绪，你就打错主意了。”

欧阳文仲道：“我兄弟身经大小数百战，还没有一个人单凭几句话就将我们吓倒。”

萧十一郎又笑了笑，道：“我只不过想提醒你们一件事。”

欧阳文伯道：“什么事？”

萧十一郎道：“我只希望你们莫要忘了我用的是什么刀。”

欧阳兄弟都不禁悚然动容：“割鹿刀？”

萧十一郎道：“不错，割鹿刀。”

欧阳兄弟盯着他腰带上的刀，刚才的气势似已弱了三分。

萧十一郎淡淡道：“你们总该知道，这是柄削铁如泥的宝刀，连六十三斤重的镔铁鸳鸯拐，也一样能削得断的。”

欧阳文伯握着铁拐的一双手，手背上已有青筋一根根凸起，眼角也在不停地跳动着。

他本已冷静下来的情绪，此刻忽又变得有些不安。

萧十一郎仿佛并没有注意他们的神情，又道：“所以我劝你们，最好莫要用兵器来架我的刀。”

他的手已握住了刀柄。

他的刀是不是已将出鞘？

风更冷，已有人悄悄地拉紧了衣襟。

欧阳兄弟脚步突然移动，身形交错而过，就在这一瞬间，他们已说了两句话：

“只守不攻！”

“以退为进！”

兄弟两人心意相通，身法的配合，更如水乳交融，他们联手应战，这当然已不是第一次了。

——反正只要避开三招，就算胜了。

——你的刀就算削铁如泥，我们最多不架你的刀，难道连三招都闪避不开？

两人身法展动，竟一直距离在萧十一郎七尺之外。

他的手臂加上刀，最多也只不过六尺，若想将他们击倒，就势必要动。

只要他的刀一动，就算攻出了一招。

萧十一郎看着他们，忽然又笑了。

欧阳兄弟却没有看见他的笑容，只在看着他的手，握刀的手。

萧十一郎终于慢慢地拔出了他的刀。

他的动作也很慢，刀是淡青色的，它并没有夺目的光芒。

可是刀一出鞘，就仿佛有股无法形容的杀气，逼人眉睫。

欧阳兄弟交换了个眼色，身形仍然游走不停。

萧十一郎慢慢地扬起了他的刀，很慢，很慢……

欧阳兄弟的眼睛不由自主，随着他手里的刀移动，自己的身法也慢了。

可是他的刀已动，只要一动，就算一招。

剩下的已只有两招。

萧十一郎自己竟似也在欣赏自己的刀，悠然道：“这是第一招。”

这一招当然是无法伤人的，一共只有三招，他已平白浪费了一招。

这个人莫非真的变成了个自大的疯子？

突然间，淡青色的刀光如青虹般飞起，闪电般向欧阳文伯痛击而下。

这一刀势如雷霆，威不可当，已和刚才那一招不可同日而语。

欧阳文伯的脸色已在刀光下扭曲。

他手里的铁拐虽沉重，却还是不敢去硬接硬架这一刀，他只有闪避。

欧阳文仲关心兄弟，只怕他闪避不开，看见萧十一郎背后空门大露，子母离魂圈一震，向萧十一郎的后背砸了下去。

谁知萧十一郎这一刀竟也是虚招，却算准了他有这一招攻来，突然一扭腰，闪电般出手，抓住了他的子母离魂圈，往前一带。

这一带力量之猛，竟令人无法思议。

欧阳文仲只觉得虎口崩裂，子母离魂圈已脱手，身子跟着向前冲出，竟恰巧撞在萧十一郎的左肘上，如被铁锤所击，眼睛突然发黑，一口鲜血喷了出来。

萧十一郎手里刚夺来的子母离魂圈，余力未衰，向后甩了出去。

欧阳文伯的身形正向这边闪避，只顾着闪避他右手的刀，做梦也想不到他左手又多了个子母离魂圈。只听“丁零零”一声响，寒光一闪，接着，又有一片血花迎脸喷了过来，正好喷上他的脸。

就在这同一刹那间，子母离魂圈也已打在他的胸膛上。

他的眼睛已被鲜血所掩，虽然已看不见这件致命的兵器，却可以清清楚楚听见自己肋骨碎裂的声音。

掩住他眼睛的血，是他兄弟喷出来的，打在他胸膛上的兵器，也是他兄弟的兵器。

萧十一郎一共只用了三招。

不多不少，只有三招。

每个人都睁开了眼睛，屏住了呼吸，吃惊地看着欧阳兄弟倒下去。

等到他们再去看萧十一郎时，萧十一郎已坐下，刀已入鞘。

冰冰看着他，美丽的眼睛，充满了光荣和骄傲，嫣然道：“你好像只用一招，就已将他们击倒了。”

萧十一郎道：“我用了三招。”

冰冰道：“你那第一招也有用？”

萧十一郎道：“当然有用，每一招都有用。”他微笑着，接着道，“第一招是为了要吸引他们的注意力，让他们全副精神都集中在这柄刀上，他们的身法也自然会慢了下来。”

冰冰道：“第二招呢？”

萧十一郎道：“第二招是为了要将他们两个人逼在一起，也为的是要他不来防备我的左手。”

冰冰叹了口气，道：“第三招就是真正致命的一招了。”

萧十一郎淡淡道：“他们现在还活着，只因为我并不想要他们的命。”

冰冰眨了眨眼，又笑道：“看来不但你这三招都有用，连你说的那些话，也都有用的。”

萧十一郎微笑道：“但说话是吓不倒人的，也不能算伤人的招式。”

冰冰道：“所以你还是只用了三招？”

萧十一郎点点头，道：“我只用了三招。”

冰冰道：“所以他们已输了。”

欧阳兄弟俩挣扎着站起来，文伯脸上的血迹未干，文仲更已面如死灰。

冰冰忽然转过头，看着他们，道：“‘我兄弟若连你三招都接不住，以后也无颜见人了，倒不如索性挖出这双眼睛来，也落得个干净。’”

这句话本是欧阳文伯说的，现在她居然又一字不漏地说了出来，连神情口气，都学得惟妙惟肖。

“你还记得这句话是谁说的？”

欧阳文伯咬着牙，点了点头。

冰冰道：“现在你们是不是已输了？”

欧阳文伯不能否认。

冰冰冷笑道：“既然输了，你们现在还等什么？”

欧阳文伯突然仰面惨笑，厉声道：“我兄弟虽然学艺不精，却也不是言而无信的人。”

冰冰道：“很好，我也希望你们不是言而无信的人，因为你们赖也赖不掉的。”

欧阳文伯又咬了咬牙，突然伸出两根手指，屈如鹰爪，向自己的眼睛挖了下去。

但无论谁若要挖自己的眼睛，手总是会软的。

欧阳文仲突然道：“你挖我的，我挖你的。”

欧阳文伯道：“好！”

这兄弟两人竟要互相将眼珠子挖出来，有的人已转过头去，不忍再看，有的人弯下腰，已几乎忍不住要呕吐。

萧十一郎居然还是不动声色，这个人的心肠难道真是铁打的？

突听一个人大声道：“你若要他们挖出眼睛来，就得先挖出我的眼睛来。”

第八章

爱是给予

声音虽然在颤抖着，虽然充满了悲伤和愤怒，但却还是带种春风般的温柔，春水般的妩媚。

萧十一郎的脸色变了，心跳似已突然停止，血液似已突然凝结。

他听得出这声音。

他死也不会忘记这声音的。

沈璧君！这当然是沈璧君的声音。

萧十一郎死也不会忘记沈璧君，就算死一千次，一万次，也绝不会忘记的。

他没有看见沈璧君。

角落里有个面蒙黑纱的妇人，身子一直在不停地发抖。

难道她就是沈璧君？就是他刻骨铭心，魂牵梦绕，永生也无法忘怀的人？

他全身的血突又沸腾，连心都似已燃烧起来。

可是他不敢走过去。

他怕失望，他已失望过太多次。

冰冰一双发亮的眼睛，也在盯着这个面蒙黑纱的女人，冷冷道：“你难道要替他们将眼睛挖出来？你是他们的什么人？”

沈璧君道：“我不是他们的什么人，可是我宁愿死，也不愿看见这种事。”

冰冰道：“你既然跟他们没有关系，为什么蒙着脸不敢见人？”

沈璧君道：“我当然有我的原因。”

——萧十一郎居然还坐在那里，连动也没有动。

——他难道已连我的声音都听不出？

——他难道已忘了我？

沈璧君的心已碎了，整个人都似已碎成了千千万万片。

但她却还是在勉强控制着自己，她永远都是个有教养的女人。

冰冰道：“你不想把你的原因告诉我？”

沈璧君道：“不想。”

冰冰忽然笑了笑，道：“可是我却想看看你。”

她居然站起来，走过去，微笑着道：“我想你一定是个很好看的女人，因为你的声音也很好听。”

——她笑得真甜，真美，实在是一个倾国倾城的美人。

——她的确已能配得上萧十一郎。

——可是她的心肠为什么会如此恶毒？萧十一郎为什么偏偏要听她的话呢？

——现在她过来了，萧十一郎反而不过来，难道除了她之外，他眼里也已没有别的女人？

沈璧君心里就仿佛在被针刺着，每一片破碎的心上，都有一根针。

冰冰已到了她面前，笑得还是那么甜，柔声道：“你能不能把你脸上的黑纱掀起来，让我看看你？”

沈璧君用力咬着牙，摇了摇头。

——既然他已听不出我的声音，我为什么还要让他看见我？

——既然他心里已没有我，我们又何必再相见？

冰冰道："难道你连让我看一眼都不行？"

沈璧君道："不行。"

冰冰道："为什么？"

沈璧君道："不行就是不行。"

她几乎已无法再控制自己，她整个人都已将崩溃。

冰冰叹了口气，道："你既然不愿自己掀起这层面纱来，只好让我替你掀了。"

她居然真的伸出了手。

她的手也美，美得毫无瑕疵。

沈璧君看着这只手伸过来，几乎也已忍不住要出手了。

——我绝不能出手，绝不能伤了他心爱的女人。

——无论如何，他毕竟已为我牺牲了很多，毕竟对我有过真情，我怎么能伤他的心？

沈璧君用力握紧了自己的手，指甲都已刺入掌心。

冰冰兰花般的手指，已拈起了她的面纱，忽然又放了下来，道："其实我用不着看，也知道你长的是什么样子了。"

沈璧君道："你知道？"

冰冰道："有个人也不知在我面前将你的模样说过多少次。"

沈璧君道："是谁说的？"

冰冰笑了笑，道："你应该知道是谁说的。"

沈璧君道："你……你也知道我是谁了？"

冰冰笑得仿佛有点酸酸的，道："你当然就是武林中的第一美人沈璧君。"

沈璧君的心又在刺痛着。

——他为什么要在她面前提起我？

——难道他是在向她炫耀，让她知道以前有个女人是多么爱他？

沈璧君手握得更紧，却还是忍不住问道：“你怎么知道我是谁的？”

冰冰轻轻叹息，道：“你若不是沈璧君，他又怎么会变成这样子？”

她的手忽然向后一指，指着萧十一郎。

萧十一郎已慢慢地走过来，眼睛眨也不眨地盯在沈璧君脸上那层黑纱上。

他的眼睛发直，人似也痴了。

——若不是她说出来，他也许还不知道我是谁。

——他既已连我的声音都听不出，既已忘了我，现在又何须故意做出这样子？

——难道他是想要她知道，他并不是个无情无义的人？

——现在他准备来干什么呢？是不是想来告诉我，以前的事都已过去，叫我最好也忘了他，最好莫要伤心？

沈璧君突然大声道：“你错了，我既不姓沈，也不是沈璧君。”

冰冰道：“你不是？”

沈璧君冷笑道：“谁认得沈璧君？谁认得那种又蠢又笨的女人？”

冰冰眨了眨眼，又笑了笑，道：“你难道一定要我掀起你的面纱来，你才肯承认？”

她又伸出了手，拈起了沈璧君的面纱。

现在每个人都希望她真的将这层面纱掀起来，每个人都想看看武林中第一美人的风采。

谁知冰冰却又放下了手，回头向萧十一郎一笑，道：“我想还是让你来掀的好，你一定早就想看看她了。”

萧十一郎痴痴地点了点头。

他当然想看看她，就连在做梦的时候，都希望能在梦中看见她。

他不由自主伸出了手。

——他真听她的话。

——她要别人的耳环，他就去买，她要挖出人家的眼睛来，他就去动手。

——现在她要他来掀起我的面纱来，他竟也不问问我是不是愿意。

——现在他明明已知道我是谁了，还这么样对我。

——看来她就算要他挖出我的眼睛来，他也不会拒绝的。

沈璧君突然大叫：“拿开你的手！”

在这一瞬间，她已忘记了从小的教养，忘记了淑女是不该这么样大叫的。

她叫的声音实在真大。

萧十一郎也吃了一惊，讷讷道：“你……你……”

沈璧君大声道：“你只要敢碰一碰我，我就死在你面前。”

萧十一郎更吃惊道：“你……你……你难道已不认得我？”

沈璧君的心更碎了。

——我不认得你?

——为了你，我抛弃了一切，牺牲了一切，荣誉、财富、丈夫、家庭，为了你，我都全不要了。

——为了你，我吃尽了千辛万苦，也不知受了多少委屈折磨。

——你现在居然说我不认得你?

她用力咬着嘴唇，已尝到了自己鲜血的滋味，她用尽所有的力量大叫：“我不认得你，我根本就不认得你！”

萧十一郎踉跄后退，就像突然被人一脚践踏在胸膛上，连站都已站不稳——沈璧君难道变了？花如玉一直在静静地看着，沈璧君忽然挽起了他的臂，道：“我们走。”

——原来就是这个男人让她变的。

——这个男人的确很年轻很好看，而且看来很听话，竟一直像蠢材般站在她身后。

——难怪这两年来我一直都找不到她，原来她已不愿见我。

萧十一郎的心也碎了。

因为他们两个人心里都有条毒蛇，将他们的心都咬碎了。

他们心里的这条毒蛇，就是怀疑和嫉妒。

萧十一郎握紧了双拳，瞪着花如玉。

沈璧君冷笑道："你瞪着他干什么？难道你也想杀了他？"

萧十一郎没有说话，他发现自己已无话可说。

沈璧君连看都不看他，拉着花如玉，道："我们为什么还不走？"

花如玉慢慢地点了点头，后面立刻有人过来扶起了风四娘。

风四娘在流着泪。

她流着泪的眼睛，一直都在看着萧十一郎。

她希望萧十一郎也能认出她，能向她解释这所有的一切事都是误会。

她希望萧十一郎能救出她，就像以前那样，带她去吃碗牛肉面。

可是萧十一郎却连看都没有看她一眼，因为他做梦也想不到，这个动也不能动的女人，就是像风一样的风四娘。

风四娘只有走。

两个人架着她的胳臂，搀着她慢慢地走过萧十一郎面前。

萧十一郎眼睛直勾勾地看着窗外的夜色，他看不见星光，也看不见灯火，只看得见一片黑暗。

他当然也看不见风四娘。

风四娘的心也碎了，眼泪泉涌般流了出来。

现在她只希望能放声大哭一场，怎奈她连哭都哭不出声音来。

她的眼泪已沾湿了面纱。

冰冰忽然发觉了她面纱上的泪痕：“你在流泪？你为什么要流泪？”

风四娘没有回答，她不能回答。

冰冰道：“你是谁？为什么要为别人的事流泪？”

——为了萧十一郎，我难道没有牺牲过？难道没有痛苦过？

——我为他痛苦流泪过，你只怕还在母亲的怀里哭着要糖吃。

——现在你却说我是在为了别人的事流泪。

风四娘几乎忍不住要大叫起来，怎奈她偏偏连一点声音都叫不出。

扶着她的两个人，已加快了脚步。

冰冰仿佛想过去拦住他们，想了想，却又忍住。

她了解萧十一郎现在的痛苦，她已不愿再多事了。

所以风四娘就这样从萧十一郎面前走了过去，沈璧君也走了过去。

她们慢慢地走下了楼，坐上了车。马车前行，连车轮带起的黄尘都已消失。

萧十一郎突然大声道：“送二十斤酒来，要最好的酒。”

当然是最好的酒。

最好的酒，通常也最容易令人醉。

萧十一郎还没有醉——愈想喝醉的时候，为什么反而愈不容易醉？

冰冰看着他，柔声道：“也许那个人真的不是沈姑娘。”

萧十一郎又喝了杯酒，忽然笑了笑，道：“你用不着安慰我，我并不难受。”

冰冰道：“真的？”

萧十一郎点点头道：“我只不过想痛痛快快地喝顿酒而已，我已有很久未醉过了。”

冰冰道：“可是，欧阳兄弟刚才已悄悄溜了。”

萧十一郎道：“我知道。”

冰冰道：“他们也许还会再来的。”

萧十一郎道：“你怕他们又约了帮手来找我？”

冰冰嫣然一笑，道：“我当然不怕，半个喝醉了的萧十一郎，也已足够对付两百个清醒的欧阳文仲兄弟了。”

萧十一郎大笑，道：“说得好，当浮三大白。”

他果然立刻又喝了三大杯。

冰冰也浅浅地啜了口酒，忽然道：“我只不过在奇怪，另外一个蒙着黑纱的女人是谁呢？她为什么要流泪？”

萧十一郎道：“你怎么看得见她在流泪？”

冰冰道：“我看得见，她脸上的那层面纱都已被眼泪湿透。”

萧十一郎淡淡道：“也许她病了，一个人在病得很厉害时，往往会流泪的，尤其是女人。”

冰冰道：“可是我知道她并没有病。”

萧十一郎笑道：“她已病得连路都不能走，你还说她没有病？”

冰冰道：“那不是病。”

萧十一郎道：“不是病？”

冰冰道：“病重的人，一定四肢发软，才走不动路，可是她四肢上的关节，却好像很难弯曲，全身都好像是僵硬的。”

萧十一郎叹道：“你实在比我细心。”

冰冰嫣然道：“莫忘记，我本来就是个女神童。”

她笑得很开心，萧十一郎看着她的时候，眼睛里却仿佛有种很奇怪的怜悯悲伤之意，竟像是在为她的命运惋惜。

幸好冰冰并没有注意到他的表情，接着又道："所以我看她不是真的病了。"

萧十一郎道："莫非她是被人制住了穴道？"

冰冰道："很可能。"

萧十一郎道："你看她是为了什么而流泪的？"

冰冰说道："很可能是为了你们的事，为了沈璧君。"

萧十一郎冷笑道："谁会为了我们的事而流泪？别人连开心都来不及，我就算死在路上，也绝没有人会掉一滴眼泪的。"

冰冰道："至少我……"

她本来仿佛是想说："我会掉泪的。"但也不知为了什么，突然改变了话题，一双美丽的眼睛里，似也露出种奇怪的悲伤之意。

难道她也在为自己的命运悲伤惋惜？

"可是她却掉了眼泪，所以我认为她不但认得你们，而且一定对沈姑娘很关心。"

萧十一郎道："也许她是为了别的事。"

冰冰道："刚才这里并没别的事能令人流泪的。"

萧十一郎道："所以你认为她是沈璧君的朋友？"

冰冰道："一定是。"

萧十一郎的眼睛已亮了起来，道："她既然被人制住了穴道，沈璧君当然也很可能受了那个人的威胁的。"

冰冰道："所以她刚才才会对你那样子。"

萧十一郎的脸也已因兴奋而发红，喃喃道："也许她并不是真的想对我那么无情的，我刚才为什么偏偏没有想到？"

冰冰道："因为你心里有条毒蛇。"

萧十一郎道："毒蛇？"

冰冰道："怀疑和嫉妒，就是你心里的毒蛇。"她幽幽地叹息了一声，轻轻道，"由此可见，你心里还是忘不了她的，否则你也不会怀疑她，不会嫉妒那个男人了。"

萧十一郎没有否认，也不能否认。

冰冰道："你既然忘不了她，为什么不去找她呢？现在就去找，一定还来得及。"

萧十一郎霍然站起，又慢慢地坐下，苦笑道："我怎么找？"

他的心显然已乱了，已完全没有主意。

冰冰道："她们是坐马车走的。"

萧十一郎道："是辆什么样的马车？"

冰冰道："是辆很新的黑漆马车，拉车的马也是全身漆黑，看不见杂色，马车的主人，一定是很有身份的人，这么样的马车并不难找。"

萧十一郎又站了起来。

冰冰道："可是我们最好还是先去问问我们的车夫小宋。"

萧十一郎道："为什么？"

冰冰道："车夫和车夫总是比较容易交朋友的，他们在外面等主人的时候，闲着没事做，话也总是特别多，所以小宋知道的也可能比我们多。"

她的确细心，不但细心，而且聪明。

像这么样一个女孩子，别人本该为她骄傲才是。

可是萧十一郎看着她的时候，为什么总是显得很惋惜，很悲伤呢？

小宋道："那个车夫是个很古怪的人，我们在聊天的时候，他总是板着脸，连听都不愿听，别人要跟他搭讪，他也总是不理不睬，就好像有人欠他三百吊钱没还他一样。”

这就是小宋对花如玉那车夫的描述。

他知道的并不比冰冰多。

萧十一郎刚觉得有些失望，小宋忽然又道：“这三天来，他们总是很早就来了，很晚才回去，就好像在等人一样。”

冰冰立刻问：“他们已接连来了三天？”

“是。”

冰冰道：“他们已很引人注意，若是一连来了三天，这地方的掌柜就很可能知道他们的来历了。”

第九章

牡丹楼风波

牡丹楼的掌柜姓吕。

吕掌柜道："那两位蒙着黑纱的姑娘，这三天的确每夜都来，叫了一桌子菜，却又不吃不喝，每天都要等到打烊时才走，可是他们给的小账很多，所以每个伙计都很欢迎他们。"

冰冰道："账是谁付的？"

吕掌柜道："是跟他们来的那位年轻后生。"

冰冰又问："你知不知道这三天来，她们晚上都住在哪里？"

吕掌柜道："听说他们在连云栈包下了个大跨院，而且先付了十天的房钱。"

冰冰还不放心："你这消息是不是可靠？"

吕掌柜笑了："当然可靠，连云栈的掌柜，是我的大舅子。"

连云栈的掌柜姓牛。

牛掌柜道："那两位脸上蒙着黑纱的姑娘，可真是奇怪，白天她们连房门都不出，连饭都是送到屋里去吃的，一到天快黑的时候，就上牡丹楼，来了这三天，这里还没有人听她们说过一句话。"

冰冰道："她们住在哪间屋子？"

牛掌柜道："就在东跨院，整个院子她们都包了下来。"

冰冰又问：“今天晚上她们回来了没有？”

牛掌柜道：“刚回来！”他搔着头，又道，“她们既然是从牡丹楼回来的，本该已吃得很饱才对，可是她们回来了，偏偏又叫了一整桌酒菜。”

冰冰笑道：“那桌菜也许是叫给我们来吃的。”

牛掌柜道：“她们知道两位会来？”

冰冰道：“不知道。”

牛掌柜吃惊地看着她，他忽然发觉这地方的怪人愈来愈多了。

屋子里灯火辉煌，铺着大红桌布的圆桌上，果然摆满了酒菜。

刚才像奴才般站在身后的那个很年轻很好看的少年，现在已换了身鲜明而华贵的衣裳，正坐在那里斟酒。

他倒了三杯酒，忽然抬起头，对着窗外笑了笑，道：“两位既然已来了，为什么不进来喝杯酒？”

萧十一郎的确就在窗外。

他也笑了笑，道：“有人请我喝酒，我是从来不会拒绝的。”

门没有闩。

桌旁也摆着三张椅子。

花如玉含笑揖客：“请坐。”

萧十一郎就坐下：“你知道我们会来？”

花如玉笑道：“我本来就在恭候两位的大驾。”

萧十一郎目光如炬般盯着他：“这两个位子就是为了我们准备的？”

花如玉道：“正是。”

冰冰忽然笑了笑，道：“沈姑娘她们跟着公子，难道公子从来也不让她们坐下来吃饭的？”

花如玉叹息了一声道：“我没有替她们准备位子，只因为她们已不在这里。”

萧十一郎脸色变了。

他本不是时常会变色的人，但现在脸色却变得很可怕：“难道她们已走了？”

花如玉点点头，道：“刚走的。”

萧十一郎道：“你就让她们走了？”

花如玉苦笑道：“在下既不是土匪，也不是官差，她们要走，在下怎么留得住她们？”

萧十一郎冷笑。

花如玉道：“萧大侠莫非不相信我的话？”

萧十一郎道：“你看来的确不像土匪，只不过人不可貌相，这句话你想必也知道。”

花如玉道：“在下有什么理由要对萧大侠说谎？”

萧十一郎道：“因为你不愿让我看到她们。”

花如玉道：“在下若不愿让萧大侠见着她们，为什么要回到这里来？为什么要在这里恭候萧大侠的大驾？”

萧十一郎说不出话了。

花如玉叹了口气，道：“在下在此相候，为的就是要向萧大侠解释刚才的误会。”

萧十一郎冷冷道：“刚才有什么误会？”

花如玉道：“在下与沈姑娘相识，只不过三五天而已。”

萧十一郎道：“哦？”

花如玉道：“沈姑娘本来一直都在跟着樱、柳两位老前辈。”

萧十一郎动容道：“红樱绿柳？”

花如玉点点头，道：“萧大侠若是不信，随时都可以去问他们，这两位前辈总是不会说谎的。”

萧十一郎道："她怎么又跟你到这里来了？"

花如玉迟疑着，仿佛觉得很难出口。

萧十一郎道："你不说？"

花如玉苦笑道："不是在下不肯说，只不过……"

萧十一郎道："不过怎么样？"

花如玉道："只不过在下唯恐萧大侠听了，会不高兴。"

萧十一郎道："你若不说，我才会生气，我生气的时候，总是很不讲理的。"

花如玉又迟疑了很久，叹道："江湖传闻，都说连城璧连公子已到了这地方，沈姑娘听见了这消息，就一定要随在下到这里来。"

萧十一郎的脸色又变了。

花如玉的话，就像是一把刀，一把比割鹿刀更可怕的刀。

他忽然觉得全身都已冰冷。

沈璧君若是为了别人而变的，他还有话说，可是连城璧……

花如玉叹息了一声，似也对他很同情，勉强笑道："她的人虽已不在，酒却还在，萧大侠不如先开怀畅饮几杯，遣此长夜。"

萧十一郎道："好！我敬你三杯。"

花如玉立刻举杯笑道："恭敬不如从命，请。"

萧十一郎道："这酒杯不行。"

花如玉怔了怔："为什么不行？"

萧十一郎道："这酒杯太小。"

他忽然将桌上的一海碗鱼翅、一海碗丸子、一海碗燕窝鸭丝，全都泼在地上，在三个碗里倒了满满三海碗酒。

"我敬你的，你先喝。"

花如玉苦着脸，看着桌上的三碗酒，终于长长叹了口气，道："好，我喝。"

他苦着脸，就像喝药一样，总算将三大碗酒全都喝了下去。

萧十一郎也喝了三碗，又倒了三碗，道："这次该你敬我了，主人当然也得先喝。"

花如玉好像吃了一惊："再喝这三碗，在下只怕就不胜酒力了。"

萧十一郎瞪眼道："我敬了你，你难道不敬我？你看不起我？"

花如玉只有苦笑，道："好，我就回敬萧大侠三碗。"

他硬起头皮，捧起了一大碗酒，就像是喝毒药一样喝了下去。

可是等到喝第二碗时，他喝得忽然痛快起来了，毒药像是已变成了糖水。

一个人若是已有了七八分酒意时，喝酒本就会变得像喝水一样。

等萧十一郎喝了三碗，花如玉居然又笑道："来，我们再来三碗，萧大侠请。"

萧十一郎瞪着他，忽然道："我还有两件事要告诉你。"

花如玉道："好，我听。"

萧十一郎道："第一，我既不是大侠，也从来不做大侠；第二，我若发现你对我说了一个字谎话，我就把你这根大舌头割下来。你明白了么？"

花如玉的舌头果然已大了，拼命地点头，道："我明白了，可是我还有点不明白。"

萧十一郎道："什么事不明白？"

花如玉吃吃地道："她既然是为连城璧来的，现在想必也是为了连城璧走的……你为什么不去找他们，反而找我来出气？"

一句话没说完，他的人已倒了下去。

萧十一郎铁青着脸，忽然将桌上的十来碗菜全都用那大红桌布包起来，道："你既然有心要请我，吃不完的我就带走了。"

花如玉没有反对，他的人已倒在地上，烂醉如泥。

萧十一郎仰面大笑了三声，居然真的提起包袱，拉着冰冰扬长而去。

等他们去远了，晚风中忽然有一阵苍凉的悲歌远远传来。

后面的门帘里一个人却在轻轻叹息："这样的恶客，倒还真少见得很。"

门帘掀起，心心走了出来，忽然向地上的花如玉笑了笑，道："现在恶客已走了，你还不醒？"

花如玉居然真的立刻就醒了，从地上一跃而起，摇着头笑道："这个人好厉害，居然真要灌醉我。"

心心嫣然道："只可惜你的酒量远比他想象中要好得多。"

花如玉大笑道："我这个人却比他想象中要坏得多。"

心心道："江湖中若再要选十大恶人，你一定是其中之一。"

花如玉道："你呢？"

心心道："我当然也跑不了的。"

花如玉道："沈璧君是不是已走了？"

心心点头，道："我已叫白老三带着她走了，也已将你的吩咐告诉了白老三。"

花如玉道："那个女疯子呢？"

心心道："我怕男疯子到后面去找她，所以只好先请她到床底下去休息休息。"

花如玉道："现在你已可请她出来了。"

心心道："然后再请她干什么？"

花如玉道："然后再请她洗个澡，好好地替她打扮打扮。"

心心又笑了，道："我也听说一个人要进棺材的时候，总是要先打扮打扮的。"

花如玉道："我还不想她进棺材。"

心心板起了脸，道："为什么？"

花如玉道："因为她还很值钱。"

心心道："你难道想卖了她？"

花如玉道："嗯。"

心心的眼睛亮了起来："卖给谁？"

花如玉道："据我所知，有个老色鬼想她已想了很多年。"

心心道："是什么样的老色鬼？"

花如玉微笑道："当然是个有钱的老色鬼，而且也舍得花钱的。"

心心看着他，吃吃地笑道："你真是个大恶人。"

花如玉淡淡道："我本来就是的。"

心心笑道："你在打什么算盘，萧十一郎只怕连做梦都想不到。"

萧十一郎什么都没有想。

他只觉得脑袋里空空荡荡的，整个人都空空荡荡的，走在路上，就好像走在云堆里一样。

他坚持不肯坐车，他说这条路就像是刚被水洗过的，仲秋的夜空也像是刚被水洗过的，能在这样的秋空下，这样的石板路上走走，比坐八人抬的大轿还惬意。

所以他们坐来的马车，就只有先回去，所以冰冰也在旁边陪着他走。

走了一段路，他忽然问："你饿不饿？"

冰冰摇了摇头。

萧十一郎摇着手里的包袱，道："我只不过想提醒你，这里面有炖鸡、烧肉、水晶肘子、糖醋鱼，还有一整只八宝鸭子，你若是饿了，随便想吃什么，这里面都有。"

冰冰看着他手里这个汤汁淋漓的包袱，想笑，却笑不出。

她了解他现在的心情，她知道他现在也许连哭都哭不出。

萧十一郎忽然在路边坐了下来，看着星光灿烂的秋空，痴痴地出了半天神，喃喃道：“我刚才应该弄他一坛酒出来的，在这里喝酒真不错。”

冰冰在听着。

萧十一郎笑了笑，又道：“其实无论在什么地方，只要有酒喝都不错。”

他笑得也不像是在笑，这种笑令别人看了只想哭。

——她既然是为了连城璧而来，现在当然是找连城璧去了。

——他本来就是温良如玉的君子，他们本就是恩爱的夫妻，她虽然一时糊涂，现在总算已想通了。

——她终于已发现他才是值得自己倚靠的人。

萧十一郎从包袱里抓出只炖鸡，看了看，用力摔了过去。

冰冰也坐了下来，在旁边静静地看着他，忍不住问道：“那个人说的话，你真相信？”

萧十一郎道：“我连一个字都不信。”

冰冰道：“既然不信，为什么要走？”

萧十一郎说道：“你难道要我陪着他躺在地上睡觉？”

冰冰道：“你为什么不到后面去找？”

萧十一郎道：“找也找不到的。”

冰冰道：“你还没有找，怎么知道找不到？”

萧十一郎道：“像他那种人，若是不愿让我见到她们，我怎么找得到？”

冰冰道：“你看得出他是个很狡猾的人？”

萧十一郎点点头，道：“我第一眼看到他时，就想到了一个人。”

冰冰道：“谁？”

萧十一郎道："小公子，那个比毒蛇还毒一百倍的小公子。"

只要一提小公子，他好像就忍不住要打冷战。

冰冰道："那个人当然不是小公子。"

萧十一郎摇摇头，道："他是个男人。"

小公子却是个女人，是个看来就像是只小鸽子，其实却是食尸鹰的女人。

直到现在，沈璧君做噩梦的时候，还常常会梦见她，虽然她已经死了，死在连城璧的袖中剑下。

萧十一郎道："那个男人长得虽然娘娘腔，却是个货真价实的男人。"

冰冰道："你能确定？"

萧十一郎道："无论他是女扮男装也好，是男扮女装也好，我有个法子，一试就能试出他究竟是男是女来。"

冰冰道："哦？"

萧十一郎笑道："我这个法子也是独门秘方，次次见效，从来也没有失灵过一次。"

冰冰忍不住问道："是什么法子？"

萧十一郎道："摸他一下。"

冰冰的脸红了。

萧十一郎道："我刚才已乘你不注意的时候，摸了他一下。"

冰冰红着脸道："我看你一定也醉了。"

萧十一郎瞪眼道："谁说我醉了，我现在简直清醒得像猫头鹰一样。"

冰冰道："你不醉的时候，没有这么坏的。"

萧十一郎瞪着她，忽然露出牙齿笑一笑，道："你真的以为我是个好人？"

冰冰轻轻地叹了口气，柔声道："不管别人怎么样看你，只有我知道，你是个……"

她的话还没有说完，忽然听见一阵车轮马蹄声。

一辆黑漆大车，从他们面前的道路上，急驰而过。

冰冰失声道："这就是刚才那个人的马车。"

萧十一郎道："哦？"

冰冰道："三更半夜的，他们如此急着赶车，是去干什么呢？"

萧十一郎道："也许车上没有人。"

冰冰道："有人。"

萧十一郎道："你看见了？"

冰冰道："我只要一看车轮后带起的沙尘，就知道车上是不是有人了。"

萧十一郎苦笑道："看来你的眼睛比大盗萧十一郎还厉害。"

冰冰终于笑了笑，道："至少比一个喝醉了的大盗萧十一郎厉害些。"

萧十一郎道："我们追上去看看好不好？看那小子究竟在玩什么花样？"

但这时马车早已消失在黑暗中，连声音都已渐渐听不见了。

萧十一郎跳起来，又坐下。

——追上了又怎么样？看见了又怎么样？

——刚才在牡丹楼上，她岂非已明明拒绝了我？

萧十一郎又从包袱里捞出个八宝鸭子，拼命般地吃了起来。

吃，有时的确可以稳定一个人的情绪。

冰冰却在沉思着，缓缓道："他一定没有看见我们，一定认为我们早已坐车走了。"

萧十一郎的嘴里塞满了八宝鸭子。

他本来很喜欢吃八宝鸭子，但现在却觉得嘴里塞着的，好像全是木头一样。

冰冰道："刚才赶车的那个车夫，已经不是原来那个了。"

这种事她为什么也要注意？

冰冰又道："车上虽然有人，但却好像只有一个人。"

萧十一郎开始觉得有点奇怪了："怎么会只有一个人？"

冰冰也在奇怪，忽然道："我们再回连云栈去看看好不好？"

当然好。

她说出来的话，萧十一郎是从不会拒绝的。

灯光还未熄，人却已走了。

屋子是空的，厅里没有人，房里也没有人。

非但没有人，连行李都没有。

萧十一郎道："他们已全都走了。"

冰冰道："但车上却只有一个人。"

萧十一郎道："也许他们不是一路走的。"

冰冰道："既然是一路来的，为什么不一路走？"

萧十一郎眼珠子转了转，忽然笑道："难道他们知道我们又回来了，都藏到床底下去了？"

他忽然跳过去，用一只手就将那张紫檀木的木床掀了起来。

床下面当然是空的，除了灰尘外，哪里还有什么别的东西？

萧十一郎本来就不是真的想从床下找出什么东西，他只不过觉得力气没地方发泄而已。

但冰冰却看见了样东西，一样跟灰尘颜色差不多的东西。

她过去捡了起来，才看出那只不过是根女人用的，已经很陈旧的乌木簪。

无论谁也不会对这样一根乌木簪有兴趣的。

她正想再丢到床底下，萧十一郎却忽然一把抢了过去，只看了一眼，脸色已变了。

——萧十一郎并不是个时常都会变色的人。

冰冰忍不住道：“你看见过这个乌木簪？”

萧十一郎道：“嗯。”

冰冰道：“在什么地方看见过？”

萧十一郎道：“在一个人的头发上。”

冰冰道：“在谁的头发上？沈姑娘？”

萧十一郎摇摇头，叹息着道：“你永远猜不出这个人是谁的。”

冰冰眼珠子一转，道：“莫非是风四娘？”

萧十一郎又叹了口气，道：“你猜出来了。”

冰冰动容道：“那个连走路都要人扶的妇人，莫非就是风四娘？”

萧十一郎好像直到现在才想到这一点，立刻跳了起来，道：“一定就是她，她刚才一定还在这里。”

这根乌木簪虽然已很陈旧，但却一直是风四娘最珍惜的东西。

因为这是萧十一郎送给她的。

“她的珠宝首饰，虽然也不知有多少，却一直都在用这根乌木簪，若不是她已被人制住，连动都不能动，绝不会让它掉在这里。”

“这根乌木簪既然在床底下，她的人刚才莫非也在床底下？”

“一定是刚才我们到来的时候，被人藏在床底下的。”

“但床底下却只能藏一个人。”

“车上也只有一个人。”

“她们人到哪里去了？”

萧十一郎恨恨道：“不管怎么样，我们只要找到那小子，总能问得出来的。”

冰冰道："我们只要找到那辆马车，就能找到那个人了。"

萧十一郎道："我们现在就去找。"

他终于摔下了手里的包袱，忽然发现一个人在门口看得怔住。

牛掌柜刚走进来，正看着满地的鱼肉发怔，看得眼睛都直了。

萧十一郎只好朝他笑了笑，道："我们都是很节俭的人，吃不完的菜，我们总是带着走的。"

牛掌柜也勉强笑了笑。

他本是带着伙计来收拾屋子，捡点东西的，却想不到莫名其妙走了几个，又回来了两个。

萧十一郎也实在不愿再看见他脸上的表情，拉着冰冰就走。

牛掌柜忽然道："两位是不是要把地上这些菜再包起来，送到对面去？"

萧十一郎的脚步立刻停下，冰冰也回过了头："对面？对面是什么地方？"

"两位难道不知道，两位姑娘已搬到对面的跨院去了？"

萧十一郎的眼睛亮了起来，忽然拍了拍牛掌柜的肩，笑道："你是个好人，我喜欢你，这些菜我都送给你带回去消夜了，你千万别客气。"

牛掌柜看着地上一大堆烂泥般的菜，发了半天怔，满脸哭笑不得的表情，等他再抬起头的时候，人已不见了。

一个伙计刚进来，准备收拾屋子，牛掌柜忽然也拍了拍他的肩道："这些菜都送给你带回去消夜，你千万别客气。"

第十章

割鹿刀

西面的跨院里却没有点灯。

没有灯，有人。

一株梧桐，孤零零地伫立在月光下，窗纸上零零落落地有几片梧桐的影子。

窗子是关着的，门也关着。

冰冰拉住了萧十一郎的手，悄悄道：“屋里这么黑，可能有埋伏。”

萧十一郎点点头。

冰冰道：“我们绝不能就这样冲进去。”

这次萧十一郎却没有听她的话，突然甩脱了她的手，冲过去，一拳打开了门。

黑暗中突然有个人冷冷道：“站在那里莫要动，否则我就宰了她。”

萧十一郎居然笑了笑，道：“你敢杀了她？难道你也想死？”

愈危险的时候，他反而往往会笑，因为，他知道笑不但能使自己情绪稳定，也能使对方摸不清他的虚实。

黑暗中的人果然沉默了下来，他的笑果然给了这人一种说不出的压力。

可是他也没有再往前走，他并不想看着这人出手。

忽然间，灯光亮了。

一个人手里掌着灯，灯光就照在她脸上。

一张甜笑而俏皮的脸，漆黑的头发，梳着根乌油油的辫子，笑起来就像是春天的花朵。

风四娘就坐在她身边，打扮得就像是个新娘子一样，但却木头人般坐在那里，动也不动。

心心本来是想带她走的，只可惜既不能解开她的穴道，也没法子背起她。

纵然能抱着她，也一定会被追上。

所以风四娘终于看见了萧十一郎，萧十一郎也终于看见了风四娘。

风四娘并没有老，看来甚至比两年前还年轻了些。

她的眼睛还是那么亮，此刻正在看着萧十一郎，眼睛带着种谁也说不出有多么复杂的表情，也不知是欢喜还是悲伤，是感动还是埋怨。

萧十一郎还在微笑着，看着她，喃喃道："这个人为什么愈来愈年轻了？难道她真是女妖怪？"

就在这一瞬间，他忽然又变成了以前的那个萧十一郎了。

他身上这套干净笔挺，最少值八十两银子一套的衣服，现在又好像刚在泥里打过滚出来，脸上又露出了那种懒洋洋的，好像天塌下来也不在乎的微笑。

风四娘全身的血似已忽然沸腾了起来，恨不得立刻冲过去，扑在他怀里，又恨不得用力咬他一口，再给他个大耳光。

她每次看见他的时候，心里都有这种感觉，这究竟是爱，还是恨？她自已永远也分不清。

心心的一双大眼睛，也盯在萧十一郎脸上，忽然叹了口气，道："萧十一郎真不愧是萧十一郎，难怪有这么多人爱他，又有这么多人恨他。"

萧十一郎刚才看了她一眼，只一眼就似已将她这个人从头到脚都看清楚了。

心心又叹道："他的这双眼睛果然真要命，要看人的时候，就好像人家身上没穿衣服一样。"

萧十一郎也叹了口气，道："只可惜你还是个孩子，否则……"

心心故意挺起了胸，用眼角瞟着他，道："否则你想怎么样？"

萧十一郎忽然沉下了脸，冷冷道："否则你现在早已死了三次。"

心心脸色变了变，又笑道："只可惜你还没有走过来，风四娘也死了三次。"

萧十一郎冷笑道："你也敢杀人？"

心心道："我不敢。"她又笑了笑，接着道，"我也不敢吃肉，我怕胖，可是我每天都吃肉。"

萧十一郎道："你杀过人？"

心心道："杀得不多，到现在为止，一共还不到八十个。"

萧十一郎居然也笑了笑，道："我喜欢杀过人的人。"

心心觉得奇怪了："你喜欢？"

萧十一郎道："只有杀过人的人，才知道被人杀是件很苦的事。"

心心承认："的确很苦，有些人临死的时候，连裤裆都会湿的。"

萧十一郎道："所以你当然不想要我杀你。"

心心笑道："无论谁想杀我，我都会难受的，你也不例外。"

萧十一郎道："所以我们不妨谈个交易。"

心心道："什么交易？"

萧十一郎道："你现在若要走，我绝不拦你，你说不定就可以太太平平地活到八十岁。”

心心道：“这交易好像很公道。”

萧十一郎道：“公道极了。”

心心道：“可是我也想跟你谈个交易。”

萧十一郎道：“哦！”

心心道：“你现在若要走，我也绝不拦你，风四娘说不定就可以太太平平地活到八十岁了。”

萧十一郎大笑，道：“这交易好像也很公道。”

心心道：“公道极了。”

萧十一郎大笑着，好像还想再说什么，可是他的笑声却又突然停顿。

就在他笑声停顿的这一瞬间，窗外已有个人缓缓道：“无论你们谈什么交易，我都抽三成。”

说话的声音并不大。

因为他知道自己说话的声音无论多轻，别人都一定会注意听的。

只有那些对自己的力量毫无自信的人，说话才会大声穷吼，生怕别人听不见。

萧十一郎叹了口气，他知道自己又遇见了个很难对付的人。

这个人看起来却并不像很难对付的样子。

他看来并不太老，也并不太年轻，身上穿的衣服并不太华丽，也并不太寒酸，身材并不太胖，也并不太瘦，说话很温柔，态度也很和气。

他正是那种你无论在任何城市中，都随时可能看见的一个普通人。

一个很普通的生意人，有了一点点地位，也有了一点点钱，有个很贤惠的妻子，有三四个孩子，也许还有一两个婢妾，很可能是家小店铺的老板，也很可能是家大商号的掌柜。

他看来甚至比牡丹楼的吕掌柜，和这客栈的牛掌柜更像是个掌柜的。

他唯一不像生意人的地方，就是他走进了这屋子。

开始说话的时候，他还在后面的一扇窗户外，但是这句话刚完，他的人已从前面的门外走了进来。

他走得并不快，却也不慢，恰好走到萧十一郎身旁时，就停了下来。

微笑着抱了抱拳，道："我姓王，王万成。"

王万成，这也正是那种你随时都会听到，也随时都会忘记的普通名字。

萧十一郎并没有说"久仰"，因为他根本就不知道江湖中有这么样一个人。

王万成微笑着，又道："各位想必都没有听说过江湖中有我这么样一个人。"

萧十一郎承认。

王万成道："但我却已久仰各位了。"

萧十一郎道："哦？"

王万成道："各位都是江湖中鼎鼎大名的人物，尤其是风四娘和萧十一郎。"

心心忽然道："你既然知道他就是萧十一郎，他跟我谈交易，你还敢抽三成？"

王万成微笑道："就算是天王老子，在这里谈交易，我也抽三成。"

他的声音还是很温柔，态度还是很和气，但这句话却已不像是生意人说的了。

心心眨着眼，道："这是你的地盘？"

王万成道："不是。"

心心道："既然不是你的地盘，我们谈交易，你为什么要抽三成？"

王万成道："不为什么，我就是要抽三成。"

心心笑了，道："我本来以为你是个很讲理的人，谁知道你简直比强盗还横。"

王万成道："我不是强盗，强盗十成全要，我只抽三成。"

心心道："你知道我们谈的交易是什么？"

王万成点点头，道："是风四娘。"

心心道："这种交易你也能抽三成？"

王万成道："我只要她一条大腿，半边胸脯，一双眼睛。"

心心笑道："你把她当作什么了，一只鸡？"

王万成道："若是一只鸡，我就要脖子，不要眼睛，鸡眼睛吃不得。"

心心眼珠子转了转，忽然道："好，我让你抽好了。"

王万成道："我抽得本不多。"

心心道："却不知你要她左腿，还是右腿？"

王万成道："左右都行。"

心心道："左腿的肉松些，你若要左腿，我还可以奉送一双耳朵给你。"

王万成道："多谢。"

心心道："你有没有刀？"

王万成道："没有。"

心心道："萧十一郎有，你为什么不借他的刀一用？"

王万成居然真的向萧十一郎笑了笑，道："我用过就还你。"

萧十一郎一直静静地听着，脸上一点表情也没有，这时才淡淡道："无论谁要借我这把刀，都得要有抵押的。"

王万成道："你要什么抵押？"

萧十一郎道："我只要你一双手，半个脑袋。"

王万成声色不动，微笑道："那也得用刀才割得下来。"

萧十一郎道："我有刀。"

王万成道："你为什么不来割？"

萧十一郎道："好。"

他的手已握着刀柄。

就在这时，那牛掌柜忽然冲了进来，大声道："这里是客栈，大爷们若要割人的脑袋，千万要换个地方，若是在这里杀了人，这地方还有谁敢来住？"

他冲过来，挡在萧十一郎面前，打躬作揖，差点就跪了下去："求求大爷，你千万做做好事，千万不要在这里动刀。"

这句话还没有说完，他脖子后的衣领里已射出了三支"低头紧背花装弩"，左右双手的衣袖里，也各射出了三根袖箭，手腕接着一翻，左手三支金钱镖，右手三块飞蝗石。

三五一十五件暗器，突然间已同时发出，击向萧十一郎上下十五处要穴。

两人距离远不到三尺，暗器的出手又狠又快，无论谁想避开这十五件暗器都难如登天。

所以，萧十一郎根本没有闪避——也根本用不着闪避。

刀光一闪，三根花装弩、三枚金钱镖、三块飞蝗石、六根袖箭，竟都被他一刀削成了两半，雨点般落下。

刀光再一闪，已到了牛掌柜的咽喉。

牛掌柜的脸色已发绿。

只听一个人冷冷道："我这把刀虽比不上割鹿刀，但要割掉一个人的脑袋，倒也很容易。"

这是吕掌柜的声音，牡丹楼的吕掌柜。

他手里也有柄刀，刀已架在冰冰的咽喉上。

冰冰的人似已结成了冰，动也不动地站在那里。

再看王万成，已经到了风四娘身后，微笑着道："有些人不用刀也一样能够杀人的，我杀人就一向不用刀。"

萧十一郎的人也似结成了冰。

心心看着他，轻轻地叹了口气，道："看来这次你已输定了。"

萧十一郎道："你呢？"

心心叹道："我也输了，而且输得很服气。"

萧十一郎道："哦？"

心心道："我已来了四五天，竟一直都没有看出这两位掌柜的全是高手，所以我输得口服心服，根本无话可说。"

王万成道："现在的赢家是我们，只有赢家才有资格说话。"

萧十一郎道："我在听。"

王万成道："你想不想她们活着？"

萧十一郎道："想。"

王万成道："那么你先放了牛掌柜。"

萧十一郎道："行。"

一个字说出，他的刀已入鞘。

王万成道："还有你的刀。"

萧十一郎道："刀在。"

王万成道："交给他带过来。"

萧十一郎道："行。"

他连考虑都没有考虑，就解下了他的刀。

割鹿刀。

牛掌柜接过了刀，眼睛立刻亮了。

就是这柄刀，曾经令天下英雄共逐，刀上也不知染了多少英雄的血。

就是这柄刀，在江湖中也不知造成了多少惊天动地的大事。

现在这柄刀竟已到了他手里。

他紧紧握着刀，全身都已因兴奋而发抖，他几乎不能相信这是真的。

心心眼睛里也不禁露出羡慕之色，轻轻叹息，道："若有人肯为我而舍弃割鹿刀，我就算要为他死，也是心甘情愿的了。"

王万成微笑着道："想不到萧十一郎竟是个如此多情多义的人。"

他的眼睛也盯在刀上。

牛掌柜迟疑着，终于捧着刀，走了过去。

萧十一郎突然道："等一等。"

牛掌柜没有等，他的身子已蹿起，但就在这时，一只手突然伸过来，在他肘上轻轻一托。

他的人竟不由自主，凌空翻了个身，落下来时，手里的刀已不见了。

刀又到了萧十一郎手里。

他随随便便地就将这柄刀送了出去，随随便便地又将这柄刀要了回来，竟好像将这种事当作了儿戏一样。

王万成皱眉道："你舍不得了？"

萧十一郎笑了笑，道："刀本不是我的，我为何舍不得？"

王万成道："既然舍得，为何又夺回去？"

萧十一郎淡淡道："我能送出去，就能夺回来，能夺回来，也能再送出去。”

王万成道：“很好。”

萧十一郎道：“只不过我想先问清楚一件事。”

王万成道：“你问。”

萧十一郎道：“据说近年来江湖中出了个很可怕的人，叫轩辕三成。”

王万成也在听着。

萧十一郎道：“无论黑白两道的交易，只要被他知道，他都要抽三成，若有人不肯答应，不出三日，就尸骨无存。”

王万成叹道：“好厉害的人。”

萧十一郎道：“据说这人不但武功高绝，而且行踪诡秘，能见到他真面目的人并不多。”

王万成道：“难道你想见见他？”

萧十一郎道：“据说他很喜欢姑苏这地方，每当春秋佳日，他总会到这里来住一阵子。”

王万成道：“所以你也来了。”

萧十一郎道：“我想来跟他谈个交易。”

王万成道：“什么交易？”

萧十一郎道：“江湖中每天也不知有多少交易，若是每笔交易都能抽三成，只抽一天，就已可终生吃喝不尽，何况他已抽了两年。”

王万成道：“所以你也想来抽他三成？”

萧十一郎道：“抽他七成。”

王万成道：“七成？”

萧十一郎道：“他既然只要三成，我就让他留三成。”

王万成道：“他肯答应？”

萧十一郎道：“他若不肯答应，不出三日，我也叫他尸骨无存。”

王万成笑了，道："幸好我不是轩辕三成，我是王万成。"

萧十一郎道："但你却一定是他手下的人。"

王万成道："哦？"

萧十一郎道："你岂非也只抽三成？"

王万成终于叹了口气，道："看来无论什么事都很难瞒得过你。"

萧十一郎道："的确很难。"

王万成道："你想要我带你去找他？"

萧十一郎点点头。

王万成道："你想我会答应？"

萧十一郎道："你若不答应，现在我就要你尸骨无存。"

王万成又笑了，道："你不怕我先杀了她们？"

萧十一郎道："不怕。"

王万成沉下了脸，道："先割下这位冰冰姑娘一只耳朵来，让他看看。"

吕掌柜微笑道："这柄刀虽然不如割鹿刀，要割人耳朵，倒也方便得很。"

他的刀锋一转，竟真的向冰冰左耳削了下去。

冰冰一直都安安静静地站在那里，就好像是只能听人宰割的小鸽子。

但就在这时，她脚步忽然轻轻一滑，左手在吕掌柜肘上轻轻一托。

吕掌柜竟也不由自主，凌空翻了个身，手里的刀竟已到了冰冰手里。

只见刀光一闪，左耳忽然一片冰冷。

等他落下来时，冰冰竟又将刀塞回他手里，刀尖上赫然挑着只血淋淋的耳朵。

不是冰冰的耳朵，是他自己的耳朵。

冰冰又安安静静地站在那里，就好像是只只能听人宰割的小鸽子。

但吕掌柜已知道她不是只鸽子了。

无论谁的耳朵被人割了下来，都绝不会再将那个人当作鸽子的。

他看着刀尖上的耳朵，再看了看从耳朵上滴落下来的血——滴在他衣服上的血。

稍后他才觉得一阵剧痛，就像是一根尖针般，从他左耳直刺入脑里。

他突然晕了过去。

牛掌柜的脸色又开始发绿。

一个人在真正恐惧的时候，脸色并不是发青，而是发绿。

一种很奇怪的惨绿色，若没有亲眼看见过的人，很难想象那是种什么样的颜色。

心心的脸色也有点变了，叹息着道："看不出这位弱不禁风的姑娘，居然也是位身怀绝技的高手，看来我这双眼睛简直该挖出来才对。"

冰冰看着她，柔声道："你真的想挖出来？"

心心立刻摇头："假的。"

冰冰道："我不喜欢听人说假话。"

心心一句话都不再说，忽然扭过头，像只中了箭的兔子般，蹿了出去。

萧十一郎叹了口气，他忽然发现要女人对付女人，通常都比男人有效得多。

王万成也叹了口气，道："我一向以为风四娘已是江湖中最凶的女人，想不到还有你。"

冰冰道："你还想不想要人割我的耳朵？"

王万成道："不想。"

冰冰道："你肯带我们去找轩辕三成？"

王万成道："我不肯。"

冰冰道："你想怎么样？"

王万成道："我还有最后一注，想跟你们再赌一赌。"

冰冰道："你的赌注是什么？"

王万成道："风四娘。"他笑了笑，又道，"我杀了风四娘，你当然不会伤心，可是萧十一郎……你总该知道萧十一郎是个多情的人。"

冰冰不能否认。

萧十一郎道："你若杀了风四娘，你也得死。"

王万成道："所以我并不想杀她，只想用她来跟你赌一赌。"

萧十一郎道："赌什么？"

王万成道："赌你的刀。"

萧十一郎道："怎么赌？"

王万成道："你既然能在三招中击败伯仲双侠，当然也能在三招中击败我的，我只不过是个无名小卒而已。"

自己说自己是个无名小卒的人，想必就一定有两下子。

萧十一郎明白这道理，可是他现在似已没有选择的余地。

王万成道："我若胜了，我就带着风四娘同你的割鹿刀一起走。"

萧十一郎道："你若败了呢？"

王万成道："我就先放风四娘，再带你去见轩辕三成。"

萧十一郎道："你说的话算数？"

王万成道："我若已被你击倒，说的话又怎么能不算数？"他微笑着，又道，"我当然也相信你是个说话算数的人。"

萧十一郎道："三招？"

王万成道："刀还在你手里，你还可以用刀。"

萧十一郎道："你用什么？"

王万成叹道："世上还有什么兵器能比得上割鹿刀？我又何必再用兵器？"

萧十一郎道："好，一言为定。"

王万成道："一言为定。"

突听一个人叹息着道："萧十一郎，这次你才是真的输定了。"

说话的人是花如玉。

他背负着双手，叹息着走了进来，也不知是真的在为萧十一郎惋惜，还是在幸灾乐祸。

不管是哪种原因，看他的神色，竟似真的算准萧十一郎已输定了。

冰冰忍不住问道："你凭什么说他已输定了？"

花如玉道："只凭一点。"

冰冰道："哪一点？"

花如玉道："近年来江湖中又出了四五个很难对付的人，轩辕三成就是其中之一。"

冰冰道："我知道。"

花如玉道："你知不知道这个人就是轩辕三成？"

这个人就是王万成，王万成就是轩辕三成。

冰冰叹了口气，道："其实我早该想到的。"

花如玉道："只可惜他看来并不像是个那么可怕的人。"

冰冰道："就因为他看来一点也不像，所以他才一定是轩辕三成。"

花如玉拊掌笑道："有道理。"他忽又问道，"你知不知道我刚才到什么地方去了？”

冰冰不知道。

花如玉道：“我刚才就是找他去了。”

冰冰道：“找轩辕三成？”

花如玉点点头，道：“他约我去的，因为他要跟我谈个交易。”

冰冰道：“什么交易？”

花如玉道：“他要我将风四娘卖给他。”

冰冰道：“他约你去谈这交易，他自己却到这里来了，等你回来时，风四娘已到了他手里，说不定连你那位姑娘都已到了他手里，你反而要出钱向他买了。”

花如玉叹道：“所以我现在已明白，这世上最狡猾的人也是他。”

冰冰也叹了口气，道：“这种外貌忠厚、内藏奸诈的人，实在比什么人都可怕。”

花如玉忽又问道：“你知不知道昔年江湖中有十个人，号称‘十大恶人’？”

冰冰知道，没有人不知道。

花如玉道：“你知不知道这十大恶人中，有个‘恶赌鬼’轩辕三光？”

冰冰也知道。

她不但知道“恶赌鬼”轩辕三光，还知道“不吃人头”李大嘴、“笑里藏刀”哈哈儿、“半人半鬼”阴九幽、“不男不女”屠娇娇。

她当然也知道“损人不利己”白开心、“迷死人”萧咪咪、“血手”杜杀，和那两个从不做亏本生意的欧阳丁当兄弟。

这十个人的名字，只要是有耳朵的人，就都听见过的。

冰冰道：“幸好他们都已死了，我已不必担心再遇见他们。”

花如玉道：“但你却遇见了轩辕三成。”

冰冰道："轩辕三成和轩辕三光有什么关系？"

花如玉道："没有关系，只不过轩辕三成比轩辕三光赌得更恶而已。"

冰冰道："哦！"

花如玉道："轩辕三光虽然是'恶赌鬼'，但每次只要一赌，就非赌到天光、人光、钱光不行，所以他自己每次也总是输光为止。"

冰冰道："我也听说他虽然好赌，其实却是个很豪爽的人。"

花如玉道："但轩辕三成却一点也不豪爽，若没有十成把握，他就绝不会赌。"

冰冰道："他有十成把握？"

花如玉道："据我所知，他武功至少要比那伯仲双侠高明十倍。"

冰冰也知道这并不是夸张。

轩辕三成若没有十分惊人的武功，别人又怎肯白白地让他抽三成？

花如玉道："若是两人凭功夫单打独斗，他也许还比不上萧十一郎，但萧十一郎若想在三招之内击倒他，那简直……"

冰冰道："简直比登天还难？"

花如玉道："简直比登天还难十倍。"

萧十一郎忽然道："很好。"

花如玉道："很好？"

萧十一郎淡淡道："我平生最喜欢做的，就是这种比登天还难十倍的事。"

第十一章

久别重逢

秋夜，夜深。

风吹着梧桐，梧桐似也在叹息。

萧十一郎就站在梧桐下等着，轩辕三成终于慢慢地走了出来。

这个非常平凡的人，在别人眼中看来，忽然间似已变成了个非常不平凡的人。

因为他就是轩辕三成。

他先搬了张椅子出来，牛掌柜就扶着风四娘坐在椅子上。

风四娘眼睛里又充满了忧虑和关心。

她也曾恨过萧十一郎，她恨萧十一郎为什么变成这样子，恨他为什么会对冰冰如此温顺？为什么会对沈璧君如此无情？

但只要萧十一郎有了危险，她立刻就会变得比谁都忧虑、关心。

花如玉看了看她，又看了看萧十一郎，大声叹息着，道："萧十一郎，萧十一郎。你这一战若是输了，风四娘一定会恨你一辈子，所以你是千万输不得的，只可惜你又偏偏输定了。"

星光照在轩辕三成脸上。

这张庸俗而平凡的脸，也仿佛忽然变得很不平凡了。

尤其是他的眼睛，他的眼睛镇定得就像是远山上的岩石。

萧十一郎看着他，道："是你先出手，还是我？"

轩辕三成道："你。"

萧十一郎道："我若不出手，你就等着？"

轩辕三成道："我不想再重蹈欧阳兄弟的覆辙。"

萧十一郎道："你的确比他们沉得住气。"

轩辕三成道："我本来还想用你对付他们的法子，说些话让你心乱的。"

萧十一郎道："你为什么不说？"

轩辕三成笑了笑，道："因为我要说的，花如玉都已替我说了。"他微笑着又道，"你当然也明白，他并不是真的关心你，他希望你的心乱，希望我赢。"

花如玉大笑，道："我为什么希望你赢？"

轩辕三成道："因为对付我比对付萧十一郎容易，我若赢了，你还有机会将风四娘和割鹿刀夺走，只可惜……"

花如玉道："只可惜什么？"

轩辕三成道："只可惜萧十一郎现在看来并不像心已乱了的样子，所以你最好快走。"

花如玉道："为什么？"

轩辕三成道："因为他若赢了，你只怕休想活着走出这院子。"

花如玉道："他赢不了的。"

轩辕三成道："那倒未必。"

花如玉道："你没有把握？"

轩辕三成道："有，只有三成。"

花如玉吃惊地看着他，忽然大声道："我明白了，我明白了，你……"

他没有说完这句，因为就在这时，本要等着萧十一郎先出手的轩辕三成，竟已突然出手。

花如玉明白了什么？

明明知道以静制动，才能避开萧十一郎三招的轩辕三成，为什么忽然又抢先出手？

轩辕三成本是个很温和平凡的人，但他这出手一击，却势如雷霆，猛不可当，而且招式奇诡，变化莫测，一出手就已攻出了四招。

但他却忘记了一件事。

攻势凌厉的招式，防守就难免疏忽。招式的变化愈奇诡繁复，就愈难免露出空门破绽。

何况他用的只是一双空手，萧十一郎手里却有柄吹毛断发、无坚不摧的割鹿刀。

他这一出手，冰冰就知道他已输定了。

看来他竟似要以一双空手，去夺萧十一郎的刀。

但刀出鞘。

淡青色的刀光一闪，已有一串晶莹鲜红如玛瑙的血珠溅出。

轩辕三成一声惊呼，凌空倒掠，掠出八尺。

鲜血也跟着飞出八尺。

血是从肩头溅出来的，他左肩至肘上，已被一刀划出了道血口。

只有一刀，只有一招。

轩辕三成手抚着肩，肩倚着墙，喘息着道："好，好快的刀。"

刀已入鞘。

萧十一郎静静地站在那里，看着他，眼睛里也带着种惊讶之色。

轩辕三成苦笑道："这一战我已输了，风四娘你带走吧！"

花如玉的脸色看来竟比这刚战败负伤的人更苍白，突又大声道："你是故意输给他，我早已明白了，你骗不过我。"

轩辕三成道："我为什么要故意输给他？难道我有毛病？"

花如玉道："因为你想要萧十一郎来对付我，因为你怕我对付你。"

轩辕三成道："哦？"

花如玉道："刚才你故意说那些话，去长萧十一郎的威风，故意抢先出手，为的就是要故意输给他，因为你知道他若输了，你反而会有麻烦上身。"

轩辕三成道："难道我不想要风四娘，不想要割鹿刀？"

花如玉道："你当然想要，但是你也知道，要了这两样东西之后，我们绝不会轻易放过你，何况，风四娘本就不是你的，你这一战虽然输了，却连一点损失也没有。"

轩辕三成忽然笑了笑，道："不管怎么样，我现在反正已输了。"

这一点实在没有人能否认。

轩辕三成道："我已将风四娘交了出来，也已让你们见着了轩辕三成。"他看着萧十一郎，微笑着接道，"我说过的话都一定算数的。"

萧十一郎也只有承认。

轩辕三成道："现在我既已认输了，又受了伤，你当然绝不会再难为我，就算你还有什么事要找我，也只好等我伤愈之后再说，我相信你绝不是个言而无信、会乘人之危的人。"

他长长地吐出口气，微笑着道："所以现在你们已可扶我回去养伤了。"

"你们"就是牛掌柜和吕掌柜。

吕掌柜当然已醒了过来，所以他们就扶着轩辕三成回去养伤了。

花如玉只有看着他扬长而去。

他没有追，因为他知道萧十一郎绝不会让他走的。

萧十一郎一双发亮的眼睛正在盯着他。

花如玉忍不住叹了口气，苦笑道："好厉害的轩辕三成，今日你放走了他，总有一天要后悔的。"

一个人战败之后，居然能令战胜他的人觉得后悔，这种人世上的确不多。

花如玉道："我也看过他对付别人的手段。"

萧十一郎道："哦。"

花如玉道："他喜欢精美的瓷器，有一次宝庆的胡三爷在无意中找到了一只'雨过天晴'胆瓶，是柴窑的精品，他要胡三爷让给他，胡三爷不肯，死也不肯。"

萧十一郎道："所以胡三爷就死了。"

花如玉点点头，叹道："胡三爷本是他的朋友，可是他为这只胆瓶，竟将胡三爷的满门大小五十七口，全都杀得干干净净，而且是烧成为灰，他杀人不但一向斩草除根，而且连一根骨头都不留下来。"

萧十一郎道："我也听人说过，轩辕杀人，尸骨无存。"

花如玉道："除了精美的瓷器外，他还喜欢有风韵的女人。"

萧十一郎道："哦。"

花如玉道："据我所知，风四娘就是他最喜欢的那种女人。"

萧十一郎道："看来他的鉴赏力倒不差。"

花如玉道："他想要的东西，不择手段都要得到的。"

萧十一郎道："哦。"

花如玉道："他想要风四娘。"

萧十一郎道："哦。"

花如玉道："所以他迟早还是会来找你，你今日放过了他，等到那一天，他却绝不会放过你。"

萧十一郎道："哦。"

花如玉道："我若是你，我就一定会杀了他。"

萧十一郎突然冷冷道："你若是我，是不是也一定会杀了花如玉？"

花如玉居然能不动声色，微笑道："你不该杀花如玉。"

萧十一郎道："为什么？"

花如玉道："因为风四娘是你的好朋友，你总不该让你的好朋友做寡妇的。"

萧十一郎道："我若杀了你，她就会做寡妇？"

他不懂。

花如玉又笑了笑，悠然道："难道你真的不知道她已嫁给了我？"

萧十一郎冷笑，道："世上的男人还没有死光，她为什么要嫁给个不男不女的人？"

他不信。

花如玉还是面不改色地微笑道："我知道你不信，但这件事却半点不假。"

萧十一郎道："哦？"

花如玉道："江湖中已有很多人知道这门亲事，你不信可以问她自己，她绝不会否认的。"

萧十一郎已开始相信。

像花如玉这样聪明的人，当然不会说这种随时都会被揭穿的谎话。

但他却还是要问清楚。

所以他解开了风四娘的穴道，现在当然已没有人阻止他："你真的已嫁给了这个人？"

风四娘还是没有动，只是盯着他，眼睛里的忧郁和关切，已变成了幽怨和愤怒。

——我为你也不知受了多少罪，吃了多少苦，被人像粽子般塞在床下，又被人折磨成这样子，你却连问都不问，连一句关怀的话都没有。

——沈璧君为了你，更受尽折磨，现在连下落都不知道，你也问都不问，也连一句关怀的话都没有。

——我们两年不见，你第一句问我的，竟是这种废话。

——你难道不知道我的心？你难道相信我会嫁给他？

风四娘咬着牙，勉强控制着自己，否则眼泪早已流下。

萧十一郎却又在问：“你难道真的已嫁给了这个人，你为什么要嫁给他？”

风四娘瞪着他，还是没有开口。

——你若相信我，像我相信你一样，那么你就该想得到，我就算嫁给了他，也一定是情不得已。

——你本该同情我的遭遇，本该先替我出这口气。

——可是你什么都不说，却还是要问这种废话。

风四娘忽然伸出手，重重地给了他一耳光。

萧十一郎怔住。

他实在想不到两年不见，风四娘第一件对他做的事，就是给他一耳光。

风四娘已跳起来，大声叫道：“我为什么不能嫁给他？我高兴嫁给谁，就嫁给谁，跟你一点关系也没有，你根本管不着。”

萧十一郎又怔住。

风四娘道：“我嫁给他，你难道不服气？你难道真的认为我一辈子也嫁不出去？”

萧十一郎只有苦笑。

风四娘道：“花如玉，你告诉他，我们……”

她的声音突然停顿，这时她才发现花如玉早已乘机溜了。

花如玉本就是个绝不会错过任何机会的人。

风四娘又跳起来，一把揪住萧十一郎衣襟，道："你……你……你怎么让他走了？"

萧十一郎道："我没有让他走，是他自己走的。"

风四娘道："你为什么不抓住他？为什么不杀了他？"

萧十一郎道："杀了他？他是你的丈夫，你要我杀了他？"

风四娘怒道："谁说他是我的丈夫？"

萧十一郎道："你自己说的。"

风四娘叫了起来，道："我几时说的？"

萧十一郎道："刚才说的。"

风四娘道："我只不过说，我高兴嫁给谁，就嫁给谁，只不过问你，我为什么不能嫁给他？并没有说他是我的丈夫。"

萧十一郎道："这两种说法难道还有什么分别？"

风四娘道："当然有分别，而且分别很大！"

萧十一郎说不出话来了，他实在分不出这其中的分别在哪里。

幸好他早就明白了一件事。

风四娘若说这其中有分别，就是有分别，风四娘若说太阳是方的，太阳就是方的。

你若要跟她抬杠，简直就等于把自己的脑袋往杠子上撞。

风四娘瞪住他，道："你为什么不说话了？"

萧十一郎叹了口气，苦笑道："我只不过闭住了嘴而已，并没有不说话。"

风四娘说道："闭着嘴和不说话难道也有什么分别？"

萧十一郎道："当然有分别，而且分别很大。"

风四娘狠狠地瞪着他，自己却也忍不住扑哧一声笑了。

除了真正生气的时候外，她并不是个完全不讲理的人。

她生气的时候也并不太多，只不过萧十一郎常常会碰上而已。

萧十一郎也在看着她，忽又笑道："我刚才说了句话，不知道你听见了没有？"

风四娘道："你说什么？"

萧十一郎道："我说你非但一点也没有老，而且愈来愈年轻，愈来愈漂亮了。"

风四娘忍住笑道："我没有听见，我只听见你说我是个女妖怪。"

萧十一郎道："我们两年不见，一见面你就给了我个大耳光，另外还加上一脚，我说了你五句好话，你一句也听不见，只骂了你一句，你就听得清清楚楚。"他又叹了口气，苦笑道，"风四娘，风四娘，看来你真是一点也没有变。"

风四娘忽然沉下了脸，道："可是你却变了。"

萧十一郎道："哦？"

风四娘道："你本来虽然已是个混蛋，却还是个不太混蛋的混蛋。"

萧十一郎道："现在呢？"

风四娘道："现在你简直是混蛋加八级。"

她的火气又来了，大声道："我问你，你为什么要逼着谢天石挖出眼珠子来？为什么又要逼着欧阳兄弟挖出眼珠子来？"

萧十一郎叹道："我就知道你一定会替他们抱不平的。"

风四娘道："我当然要替他们不平，你自己也说过，男人长眼睛，本就是为了看漂亮女人，女人长得漂亮，本就是应该给人看的。"

萧十一郎承认，他的确说过这句话。

风四娘用眼角横了冰冰一眼，冷笑道："为什么她就偏偏看不得？为什么别人多看她两眼，就得挖出自己的眼珠子来呢？"

萧十一郎道："那只不过是个借口而已。"

风四娘道："借口？"

萧十一郎道："就算他们不看她，我还是要逼他们挖出自己的眼珠子来。"

风四娘道："哦？"

萧十一郎的表情忽然也变得很严肃，道："我要他们挖出眼珠子来，已经是客气的了，其实我本该杀了他们的。"

风四娘道："为什么？"

萧十一郎道："当然有原因。"

风四娘道："什么原因？"

萧十一郎道："这原因说来话长，你若要听，最好先消消气。"

风四娘又转着眼睛，瞪了冰冰一眼，道："我的气消不了。"

萧十一郎叹道："其实你若知道这其中有什么原因，你根本就不会生气的。"

风四娘冷笑。

萧十一郎道："你非但不会生气，而且还一定会帮着我去挖他们的眼珠子。"

风四娘道："真的？"

萧十一郎道："我几时骗过你？"

风四娘瞪着他，终于叹了口气道："你说的话我本来连一句都不会相信的，可是也不知为了什么，我一见到你，就句句都相信了。"

萧十一郎道："所以你就该先消消气，再慢慢地听我说。"

风四娘道："我的气还是消不了。"

萧十一郎道："为什么？"

风四娘道："因为我饿得要命。"

萧十一郎笑了："你想吃什么？"

风四娘目光渐渐温柔，轻轻叹息着道："牛肉面，当然是牛肉面，除了牛肉面，我会想吃什么呢？”

无论大大小小的城镇里，多多少少总会有一两个卖面的摊子，是通宵都不休息的。

因为无论大小的城镇里，多多少少总会有些晚上睡不着觉的夜猫子。

这些面摊子的老板，大多数都是些有点古怪、有点孤僻的老人。

他们的青春已逝去，壮志已消磨，也许还有些足以令他们晚上睡不着觉的痛苦往事，所以他们不管刮风下雨，都会在深夜中守着一盏昏灯，卖他们的面，因为他们就算回去也是一样睡不着的。

他们做出来的面，既不会太好吃，也不会太难吃。

他们对客人绝不会太客气，但你就算吃完了面没钱付账，他们也不会太难为你。

因为他们卖面并不完全是为了赚钱，也为了消磨这孤独的长夜。

这面摊子也不例外，卖面的是个独眼的跛足老人，他卖的卤菜也跟他的人一样，又冷又干又硬。

但面却是热的，摆到桌上来时，还在热腾腾地冒着气。

风四娘看着桌上的这碗面，看着正在替她斟酒的萧十一郎，心里就不由自主生出种温暖之意，就好像从面碗里冒出来的热气一样。

可是萧十一郎身旁还有个人，冰冰，她看来是那么温柔，那么美丽，又那么高贵。

可是风四娘一看见她，脸色就沉了下去，冷冷道：“这种地方的东西，这位姑娘想必是吃不惯的。”

萧十一郎笑道：“她吃得惯。”

风四娘冷冷道：“你怎么知道她吃得惯？你是她肚子里的蛔虫？”

萧十一郎不敢开口了。

冰冰也垂着头，不敢出声，她当然也看得出这位风四娘对她并没什么好感。

幸好她还会笑，所以风四娘也没法子再说下去了。

三个人坐一起，连一句话都不说，这是件很令人受不了的事。

幸好酒已斟满。

两杯酒。

风四娘举杯一饮而尽，冷笑道："这种酒，这位姑娘当然是喝不惯的。"

萧十一郎赔笑道："她不是喝不惯，她一向不喝酒。"

风四娘道："当然不喝，像这么样高贵的大小姐，怎么能像我这种野女人一样喝酒？"

冰冰什么话也没有说，自己倒了杯酒，嫣然道："我本来是不喝的，可是今天破例。"

风四娘道："为什么破例？"

冰冰道："因为我早已听见过四姐你的大名了，我总是在心里想，假如有一天，我能跟四姐这样的女中英雄坐在一起喝酒，那有多么开心。"

她也将一杯酒喝了下去，而且喝得很快。

风四娘看着她，忽然间觉得她没有刚才那么可恨了——千穿万穿，马屁不穿，这句话实在是千古不变的真理。

但萧十一郎脸上却又露出种很奇怪的表情，仿佛是怜悯，又仿佛是悲伤。

三杯冷酒，半碗面下了肚之后，风四娘的心情又好了些。

她慢慢地嚼着一片猪耳朵，道："现在我的气已消了，你为什么还不说？"

萧十一郎却叹了口气，道："千头万绪，你要我从哪里说起？"

风四娘眼珠子转了转，道："当然是从那一战说起。"

萧十一郎道："哪一战？"

风四娘道："当然是你跟逍遥侯的那一战。"

那一战早已轰动武林，但却偏偏没有一个人能亲眼看见，也没有人知道战局的结果。

古往今来，武林高手的决战，实在没有比这一战更奇怪、更神秘的。

萧十一郎又干了两杯，才长长叹息了一声，道："那天我本来是准备死的，我知道天下绝没有任何人能是逍遥侯的对手。"

风四娘道："可是你现在还活着。"

萧十一郎道："这实在连我自己都想不到。"

风四娘道："逍遥侯呢？"

萧十一郎道："他已死了！"

风四娘的眼睛里发出了光，用力一拍桌子，大声道："我就知道你一定可以战胜他的，你的武功也许不如他，可是你有一股别人比不上的劲。"

萧十一郎苦笑道："只可惜我就算有一百股劲，也不是他的对手。"

风四娘怔了怔，道："你不是他的对手？"

萧十一郎道："不是。"他叹息着，又道，"我最多只能接得住他两百招，两百招后我已精疲力竭，若不是他存心想让我多受点罪，我早已死在他掌下。"

风四娘道："可是你现在还活着，他却已死了。"

萧十一郎道："那只因就在我快死的时候，忽然有个人救了我。"

风四娘道："谁救了你？"

萧十一郎道："她！"

"她"当然就是冰冰。

风四娘动容道："她怎么救了你的？"

萧十一郎道："那条路的尽头，是一片绝崖，我们就是在那绝崖上交手的。"

风四娘在听。

萧十一郎道："那片绝崖两面壁立如削，下面就是万丈深渊。"

风四娘叹道："那一定就是他早已替你准备好了的坟墓。"

萧十一郎道："他自己也这么说，他说那片绝崖，本就是杀人崖。"

杀人崖，好凶险的名字。

只听见这名字，风四娘就似已想象到那一片穷山恶谷，谷底还堆积着累累尸骨。

萧十一郎道："那本是他的杀人崖，他一向喜欢在那里杀人。"

风四娘叹道："因为在那里杀了人后，连埋都不必埋。"

萧十一郎道："他已不知在那里杀过多少人，那万丈深渊下，已不知有多少死在他手下的冤魂，所以他一听见绝崖下的呼唤，他的胆子虽大，也不禁吓呆了。"

风四娘道："呼唤？什么呼唤？"

萧十一郎道："他正准备杀我时，忽然听见绝崖下有人在呼唤他的名字。"

风四娘道："他也有名字？"

萧十一郎道："他并不姓天，他姓哥舒，叫哥舒天，本是安西哥舒部的后裔，并不是汉人。"

风四娘叹道："难怪江湖中从来也没有人知道他的真名实姓，想必他也不愿别人知道他是个化外的夷狄。"

萧十一郎道："就因为世上从来也没有人知道他的真名实姓，所以，他听见绝崖下有人在呼唤他的名字，才会更吃惊。"

风四娘道："他想必一定是以为那些被他打下绝崖的冤魂，在向他索命来了。"

萧十一郎道："所以这呼唤的声音一响起，他整个人都似已僵硬。"

风四娘道："你当然不会错过这机会的。"

萧十一郎道："那时我的力气将尽，就算有机会，我也无力杀他的。可是我一刀砍在他背上后，他自己忽然好像疯了一样，向绝崖下跳了下去。"

风四娘黯然叹道："一个人手上的血腥若是太多了，迟早总有这么样一天的。"

——老天要毁灭一个人时，岂非总是要先令他疯狂？

一个人的亏心事若是做得太多了，岂非总是会有疯狂的一天？

风四娘又忍不住问道："在绝崖下呼唤他的人，究竟是谁呢？"

冰冰道："是我。"

风四娘当然也已想到是她："可是你怎么会在那崖下的？又怎么会知道他的真名实姓？"

冰冰道："我知道，因为……"

她美丽苍白的脸上，忽然露出种奇特而悲伤的表情，慢慢地接着说："因为我是他的妹妹。"

第十二章

嫡亲兄妹

冰冰竟是逍遥侯的妹妹。

风四娘怔住："嫡亲的妹妹？"

冰冰道："嫡亲的妹妹。"

风四娘道："你怎么会在那绝崖下的？"

冰冰的表情更痛苦，黯然道："是我嫡亲的哥哥，把我推下去的。"

风四娘又怔住。

她已发现这其中必定又有个秘密，一个悲伤而可怕的秘密。

她不想再问，她不愿伤人的心。

可是冰冰却在问她："你一定在奇怪，他为什么要推我下去？"

风四娘承认，于是冰冰就说出了她那段悲惨而可怕的秘密。

"我是他最小的妹妹，我生下来时，他已成人，自从我一生下来，他就在恨我。

"因为我的哥哥姐姐们，都是畸形的侏儒，而且除了他之外，都已夭折。

"但我却是个正常的人，所以他恨我，嫉妒我，这种感情，你们想必也能了解的。

“幸好那时我母亲还没死，所以我总算活了下来。

“我母亲死时，也再三嘱咐他，要他好好地待我，我母亲还告诉他，他若敢伤害我，那么她老人家在九泉之下也不会放过他的。

“所以他心里虽然恨我，总算还没有亏待我，因为他什么都不怕，但却很怕鬼，他始终相信人死了之后，还有鬼魂的。

“这也是个秘密，除了我之外，只怕也没有别人知道。”

——常做亏心事的人，总是怕鬼的，这道理风四娘也明白。

冰冰喝了杯酒，情绪才稳定下来，接着又说了下去：“他供养我衣食无缺，但是却从不许我过问他的事，我是他的妹妹，当然也不敢去问。

“我只知道近年来，每到端午前后，总会有很多人来找他。

“这些人每个都是蒙着脸来的，行踪很神秘，他们看见我也并不在意，说不定以为我也是哥哥的姬妾之一。

“因为我哥哥从不愿别人知道，他有我这么一个妹妹。”

——所以风四娘也不知道。

冰冰接着道：“他当然不会告诉我这些人是谁，也不会告诉我他们是来干什么的。

“可是我见得多了，已隐约猜到，他们必定是在进行一个很大的阴谋，这些蒙着脸来找他的人，必定就是他已收买了的党羽。

“我知道他一向有一种野心，想控制江湖中所有的人。

“但我总认为那只不过是种可笑的幻想，世上绝没有任何人，能真的控制江湖的，以前的那些武林盟主，也只不过是徒拥虚名而已。

“可是他自己却很认真，而且还好像已有了个很特别的法子，所以那些蒙着脸来参加秘密集会的人，也一年比一年多。

“两年前的端午时，来的人更多，他的神情也显得特别兴奋，我在无意间听见他在喃喃自语，说是天下英雄，已有一半入了他的彀中。

“到了晚上，所有的人全都在后山的一个秘密洞穴中集会。

“这也是他们的惯例，每年他们进去之后，都要在那山洞里逗留两三天。

“他们也是人，当然也要饮食，所以每天都得有人送食物和酒进去，这差事一向是由几个又聋又瞎的人负责的。

“那年我实在忍不住好奇心，想进去看看，被他收买了的究竟是些什么人。

“于是我就趁他们送东西进去时，也穿上他们同样的衣服，混在他们中间。

“我也学过一点易容术，自以为扮得很像了。

“谁知他还是一眼就看了出来。

“可是我也总算看见了那些人的真面目，因为他们一进了山洞，就将蒙在脸上的黑巾取下，我虽然只匆匆看了一遍，却已将他们大多数人的面貌都记了下来，我从小就有这种本事。”

——逍遥侯自己，也是个过目不忘的绝顶聪明人。

冰冰又道：“我以为他发现了我之后，一定会大发脾气，谁知道他居然什么话都没有说，而且第二天居然还约我到后山去，说是带我去逛逛。

“我当然很高兴，因为我始终都希望他能像别人的哥哥一样对待我。

“所以我还特别打扮得漂亮些，跟着他一起到了后山，也就是那杀人崖。

“到了那里，他就变了脸，说我知道的秘密太多了，说我太多事。”

“我以为他最多只不过骂我一顿而已，因为他们的秘密，我还是一点也不知道，就算记下了一些人的容貌，也并不是什么大不了的事。

“然后他才告诉我，那些人全是武林极有身份的人，不是威震一方的大侠，就是名门大派的掌门，也绝不能让别人知道这些人已成了他的党羽，绝不能让任何人坏了他的大事。我答应他，绝不将这件事告诉别人，可是他……他却趁我不留意时，将我推了下去，下面就是万丈深渊，无论谁掉下去，都一定会粉身碎骨的，我做梦也想不到我嫡亲的哥哥，会对我下这种毒手。”

说到这里，冰冰的眼圈已红了，眼泪已慢慢地流下面颊。

风四娘也不禁叹息，说道：“可是你并没有死。”

冰冰道：“那只因为我的运气实在好。

“那天我特别打扮过，穿的是件刚做好的大裙子，是用一种刚上市的织锦缎做的，质料特别结实，裙子又做得特别大。

“我掉下来的时候，裙子居然兜住了风，所以我下坠时就慢了很多，所以我才有机会，抓住了峭壁上的一棵小树。

“那棵树虽然也承受不住我的下坠之力，虽然也断了，可是我总算有了喘口气的机会，而且经过这一挡，我落得当然更慢。

“峭壁上当然也不止那一棵树，所以我又抓住了另外一棵。

“这次我的下坠之力已小了很多，那棵树居然托住了我。

“但那时我已差不多落到谷底了，下面是一片荒地和沼泽，除了一些荆棘杂树，和被他推下去的死人白骨外，什么也没有，无论谁也休想在那种地方活下去。

“山谷四周，都是刀削般的峭壁，石缝中虽然也长着些树木葛藤，但就算是猿猴，想从下面爬上去，也难如登天。

“幸好那些被他击落的死人身上，还带着兵器，我就用他们的兵器，在峭壁上挖出一个洞来，作为我的落脚之处。

“可是，那地方的石壁比铁还硬，我每天最多也只不过能挖出二三十个洞来，而且到后来挖得愈来愈少。

“因为每天晚上，我还是要爬到谷底去歇夜，第二天早上再爬上去挖，愈到后来，上上下下花的时间就愈来愈多。

“何况谷底根本就没有什么可以吃的东西，我每天只能吃一点树皮草叶，喝一点沼泽里的泥水，所以到了后来，我的力气也愈来愈弱了。

“这样子挖了两个多月，我只不过才能到达山腰，眼见着再也没法子支持下去了，谁知就在这时，我听见了他在上面说话的声音。

“那时我正在山腰上，所以才能听见他的声音，我希望他还能顾念一点兄妹之情，把我救上去。

“我就用尽全身力气，喊他的名字……”

后来的事，不用她再说，风四娘也可以想到了。

逍遥侯当然做梦也想不到她还活着，所以听见她的呼声，才会认为是冤魂索命。

等他掉下去后，萧十一郎当然忍不住要看看究竟是谁在呼唤，看到峭壁上有个人后，当然就会想法将她救上来。

萧十一郎黯然道：“我救她上来的时候，她实在已被折磨得不成人形，我甚至连她究竟是男是女，是老是少都看不出。”

冰冰咬着嘴唇，还是忍不住激灵灵打了个寒噤。

那两个多月是怎么过的，现在她简直连想都不敢去想，

萧十一郎道：“那时我只知道一件事，我这条命，是被她救回来的，所以我无论如何，也得想法子让她活下去。”

那时她实在已是九死一生，奄奄一息，要让她活下去，当然不是件容易事。

萧十一郎道：“为了要救她的命，我一定要先找个大夫，所以我并没有从原路退回，就在山后抄小路下了山。”

风四娘叹道：“所以沈璧君沿着那条路去找你时，才没有找到

你。”

这难道就是命运？

命运的安排，为什么总是如此奇怪，又如此残酷？

冰冰忍住了泪，嫣然一笑，道：“无论如何，我现在总算活着，你也没有死。”

萧十一郎看着她，眼睛里又露出了那种怜悯悲伤的表情，勉强笑道：“好人才不长命，像我这种人，想死也死不了。”

冰冰柔声道：“好人若真的不长命，你只怕早已死了，我这一生中，从来也没有看见过一个比你更好的人。”

风四娘终于承认：“这么样看来，他的确还不能算太坏。”

冰冰道：“那位点苍的掌门谢天石，就是那天我在山洞里看见的那些人其中之一。”

风四娘皱眉道：“难道他早已被逍遥侯收买了？”

冰冰点点头，道：“我保证我绝不会认错的。”

风四娘道：“伯仲双侠欧阳兄弟，也都是逍遥侯的党羽？”

冰冰又点点头，道：“直到现在我才知道，那天我在那山洞里看见的人，竟真的全都是别人心目中了不起的大侠客、大好人。”

风四娘叹道：“知人知面不知心，要分辨一个人的善恶，看来的确不是件容易事。”

冰冰道：“现在我哥哥虽已死了，可是这个秘密的组织并没有瓦解。”

风四娘道：“哦？”

冰冰道：“因为后来我们在一个垂死的人嘴里，又听到了个消息。”

风四娘道：“什么消息？”

冰冰道：“我哥哥死了后，又有个人出来接替了他的地位。”

风四娘道："这个人是谁？"

冰冰道："不知道。"

风四娘道："问不出来？"

冰冰道："就连他们自己，好像也不太清楚这个人的身份来历。"

风四娘道："他们既然全都是极有地位的人，为什么会甘心服从这个人的命令？"

冰冰道："因为这个人非但武功深不可测，而且还抓住了他们的把柄。"

风四娘道："什么把柄？"

冰冰道："他们的把柄本来只有我哥哥一个人知道，谁也不知道怎么会落入这个人手里的。"

风四娘道："连他们自己也不知道？"

冰冰道："绝不知道。"

风四娘道："难道这个人也跟逍遥侯有极深的关系？难道逍遥侯生前就已将这秘密告诉了他？"

这些问题当然没有人能回答。

冰冰道："我只知道我哥哥要进行的那件阴谋，现在还是在继续进行，那个人显然也跟我哥哥一样，显然也想控制江湖，像神一样主宰别人的命运。"

风四娘道："所以你只要看见那天你在那山洞里看见过的人，你就要萧十一郎挖出他的眼睛来？"

冰冰点点头，道："因为我知道那些人全都该死，他们若是全都死了，别人才能过太平日子。"

风四娘看着萧十一郎，道："所以你说你本该杀了他们的。"

萧十一郎叹了口气，道："现在你总算明白了。"

风四娘道："但别人却不明白，所以别人都认为你已变成了个杀人不眨眼的恶贼。”

萧十一郎淡淡道：“大盗萧十一郎，本来就是个恶贼，这本是江湖中人人都知道的。”

风四娘道：“你为什么不当众揭穿他们的秘密，让大家都知道他们本就该死？”

萧十一郎道：“因为他们是大侠，我却是大盗，大盗说出来的话，又有谁会相信？”他又笑了笑，慢慢地接着道，“何况，我这一生中做的事，本就不要别人了解，更不要人同情，萧十一郎岂非本就是个我行我素、不顾一切的人？”

他虽然在笑，却笑得说不出的凄凉。

风四娘看着他，就好像又看见了一匹狼，一匹孤独、寂寞、寒冷、饥饿的狼，在冰天雪地里，为了自己的生命在独自挣扎。

但世上却没有一个人会伸出手扶他一把，每个人都只想踢他一脚，踢死他。

风四娘每次看见他这种表情，心里都好像有根针在刺着。

萧十一郎并没有变，萧十一郎还是萧十一郎。

狼和羊一样，一样是生命，一样有权生存，也一样有权为了自己的生存挣扎奋斗。

狼虽然没有羊温顺，但对自己的伴侣，却远比羊更忠实。

甚至比人更忠实。

可是天地虽大，为什么偏偏不能给它们一个容身之处？

风四娘喝下杯苦酒，仿佛又听见了萧十一郎那凄凉而悲怆的歌声。

她放下酒杯，忽然道：“你还记不记得，你以前总是喜欢哼的那首牧歌？”

萧十一郎当然记得。

风四娘道："直到我懂得它其中的意思后，才知道你为什么喜欢它。"

萧十一郎道："哦？"

风四娘说道："因为你自己觉得自己就好像一匹狼，因为你觉得世上没有人能比你更了解狼的寂寞和孤独。"

萧十一郎没有开口。

他正在喝酒，苦酒。

风四娘忽然笑了笑，道："你现在就算还是只狼，也不是只普通的狼了。"

萧十一郎也勉强笑了笑，道："我现在是只什么样的狼？"

风四娘道："百万富狼。"

萧十一郎大笑："百万富狼？"

他觉得这名字实在滑稽。

风四娘没有笑，道："百万富狼和别的狼也许有一点最大的不同。"

萧十一郎忍不住问："什么不同？"

风四娘冷冷道："百万富狼对自己的伴侣，并不忠实。"

萧十一郎也不笑了。

他当然已明白风四娘的意思。

冰冰忽然站起来，笑道："我很少喝酒，现在我的头已经在发晕。"她笑得仿佛有些勉强，"你们是好朋友，一定有很多话要聊的，我先回去好不好？"

风四娘道："好。"

她一向不是个虚伪的人，她的确希望能跟萧十一郎单独聊聊。

萧十一郎也只有点点头。

看着冰冰一个人走出去，走入黑暗中，他眼睛里又露出种说不出的关切怜悯之意。

风四娘冷冷道：“你用不着替她担心，逍遥侯的妹妹，一定能照顾自己的。”

冰冰当然能照顾自己。

一个人若是在杀人崖下的万丈绝谷中还能生存下来，无论在什么地方，她都一定能照顾自己的。

何况，他们在这城里也有座很豪华的宅邸。

可是，也不知为了什么，萧十一郎却还是显得有点不放心。

风四娘盯着他，板着脸道：“她救了你，你当然要报答，却也不必做得太过分。”

萧十一郎苦笑道：“我做得太过分？”

风四娘道：“至少你不必为了她的一句话，就硬要将别人耳环摘下来。”

萧十一郎叹道：“看来那实在好像做得有点太过分，可是我这么样对她，并不是没有原因的。”

风四娘道：“有甚原因？”

萧十一郎想说出来，又忍住，他好像并不是不愿说，而是不忍说。

风四娘道：“无论你是为了什么，至少也不该因为她而忘了沈璧君。”

一提起沈璧君这名字，萧十一郎的心又像是在被针刺着：“我……我并没有忘记她。”

风四娘说道：“可是你直到现在，还没有问起过她。”

萧十一郎紧握着空杯，脸色已痛苦而苍白，过了很久，才缓缓道：“有些话，我本不愿说的。”

风四娘道：“在我面前，你还有什么话不能说？”

萧十一郎道："没有，在你面前，我没有什么话不能说的，所以我才要再问你，我做了什么事对不起她，她……她为什么要那样子对我？"

风四娘道："她怎么样对你了？"

萧十一郎冷笑道："你难道还不知道，你难道没有看见？在那牡丹楼上，她是怎么样对我的？她简直就好像把我看成了条毒蛇一样。"

"啵"的一声，酒杯已被他捏碎了，酒杯的碎片，刺入他肉里，割得他满手都是血。

可是他却似一点也不觉得疼。

因为他心里的痛苦更强烈。

就算砍下他一只手来，也不会令他觉得如此痛苦。

风四娘看着他，却仿佛很惊讶，仿佛想不到他还会为沈璧君如此痛苦。

过了很久，萧十一郎才慢慢地接着道："她既已那么样对我，我还有什么话好说的？"

风四娘道："你难道一点也不知道她为什么会那样对你？"

萧十一郎说道："我只知道那绝不是别人强迫她的。"

风四娘说道："那的确不是别人强迫她的，可是，你若看见她和一个男人手挽着手走上去，若看见她为了那个男人，去做你为冰冰做的那些事，你会怎么样对她？"

萧十一郎道："可是我那么样对冰冰，只不过是为了……"

这句话又没有说完，他好像很怕将这句话说出口。

风四娘却不肯放松，立刻追问道："你究竟是为了什么？"

萧十一郎的脸色又变得很悲伤，终于道："我事事迁就她，只要她喜欢的，我总想法子去替她做，那只不过因为她已活不长了。"

风四娘怔住。

萧十一郎道："她在那绝谷中，受的折磨太可怕，而且还中了毒，我虽然想尽千方百计，还是解不了那种毒，只能勉强将毒性逼住，可是……"他将壶中的酒全都喝了下去，黯然地道，"她还是最多只能活三年，现在已过了两年多，她的寿命，也只不过剩下七八个月了，甚至可能是七八天……"

风四娘道："难道……难道她中的毒已随时随地都可能发作？"

萧十一郎点点头。

风四娘怔在那里，心里也觉得很难受。

她本就已渐渐开始喜欢那女孩子。

一个冰雪聪明、花样年华的美丽少女，却已随时随地都可能倒下去。

这实在是件令人悲伤惋惜的事。

萧十一郎缓缓道："无论你们怎么看，无论你们怎么想，我跟她之间，直到现在还是纯洁的，因为我不愿做一点伤害沈璧君的事，她也不愿我做。"

风四娘的心里也在刺痛着，她忽然觉得刚才本不该要冰冰走的。

她现在终于已完全了解萧十一郎的情感和痛苦。

她忽然觉得还是只有沈璧君，才是真正幸福的，因为，无论她的遭遇多么悲惨，这世上总算还有萧十一郎这么样一个人，这么样对她。

"我呢？"

风四娘又喝了杯酒，轻轻道："我若是你，我也会这么样做的，可是，你若不说出来，别人怎么会知道？沈璧君又怎么会知道？"

萧十一郎道："她若真的了解我对她的情感，就不该怀疑我，何况……"他又握紧双拳，接着道，"她本来就是为了要找连城璧才来的，只有连城璧，才是她……她真正关心的人，我又算什么？"

风四娘道："你怎么知道她是找连城璧来的？"

萧十一郎道：“我知道，有人告诉了我。”

风四娘道：“谁？谁告诉你的？”

萧十一郎道：“花如玉。”

风四娘突然冷笑，道：“你相信他的话？你若真的了解沈璧君对你的感情，为什么相信别人的话，反而怀疑她？”

萧十一郎也怔住。

风四娘道：“你们为什么总是只顾着想自己的痛苦，却忘了对方也有他的苦衷，你们为什么总是要往最坏的地方去想？”

萧十一郎不能回答。

难道这就是爱情？

难道爱情中，真的永远也无法避免猜疑和嫉妒？

风四娘叹道：“无论你怎么看，无论你怎么想，我现在告诉你，她并不是为了别人来的，是为了你，她真正关心的，也只有你。”

——她自己岂非也一样是为了他来的？她唯一关心的人，岂非也是萧十一郎？

——她为什么不将自己的心事说出来？却帮着替别人解释？

——萧十一郎若真的能与沈璧君结合，她岂非更痛苦终生？

风四娘自己也不明白自己为什么要这样做。

她知道自己并不是个伟大的人。

但她却不知道，她这种真挚无私的情感，却已不但伟大，甚至已接近神圣。

萧十一郎忽然拉住她的手，道：“你知不知道她到哪里去了？”

风四娘摇摇头，说道：“我只知道她是被人救走的。”

萧十一郎道：“被谁救走的？”

风四娘道：“那个人本来是花如玉的马车夫，好像叫白老三。”

萧十一郎道：“花如玉的车夫，为什么要冒险去救她？”

风四娘道："我也不知道，但我们只要能找到她，所有的事就全都可以明白了。"

萧十一郎跳起来："我们现在就去找她。"

风四娘笑了笑，笑得有点酸酸的："你至少也该等我吃完这碗面。"

第十三章

七杀阵

面已凉了。

可是风四娘并不在乎。

对她来说，人生也像是这碗面一样，冰冷而乏味。

但她却还是非吃完不可。

她挑起面，卷在筷子上，再送入嘴里，就像是个顽皮的孩子一样。

可是她眼角却已露出了疲倦的皱纹，甚至在这种暗淡的灯光下，也已能隐约看出来。

萧十一郎看着她，心里忽然又涌出一种说不出的感觉。

他难道真的不了解她对他的感情?

经过了这么多年，这么多事，这么多次昏灯下的苦酒深谈。

他难道真的连一点都看不出?

他难道是块木头?

萧十一郎正不知应该说什么，就在这时，他突然听到“笃”的一响。

接着，黑暗中就幽灵般出现了七个黑衣人。

七个长发披肩的黑衣人，眼睛也都只剩下两个黑黝黝的洞。

七个瞎子。

他们的左手，提着根白色的明杖，右手却拿着把扇子。

第一个人脸色铁青，颧骨高耸，正是昔日的点苍掌门谢天石。

风四娘还是继续在吃面。

看见这七个瞎子突然又在这里出现，她虽然也觉得很意外，可是她并不惊慌，更不害怕。

她见过这七个人出手，也见过他们的主人——人上人的功夫。

她知道萧十一郎可以对付他们。

萧十一郎的武功，这两年来仿佛又有很惊人的进步。

武功也正如学问一样，只要肯去锻炼，就会一天天进步的。

七个瞎子已经凛然地走了过来，每个人脸上都完全没有表情。

谢天石突然道："你就算不出声，我也知道你在这里。"

萧十一郎淡淡道："我本来就在这里。"

谢天石道："很好，好极了。"

七个人同时展开扇子。

扇子上六个鲜红的字："必杀萧十一郎！"

暗淡的灯光，照着他们铁青的脸，照着这六个鲜红的字。

卖面的跛足老人，忍不住激灵灵打了个寒噤，一步步向后退，退入了墙角。

谢天石冷冷道："你看见这六个字没有？"

萧十一郎没有开口，风四娘却冷笑道："他当然看见了，他又不是瞎子。"

谢天石脸色变了变，道："很好，你果然也在这里。"

他也听得出风四娘的声音。

风四娘忍不住问道："是谁告诉你，我们在这里的？"

谢天石没有回答。

风四娘道："是花如玉，还是轩辕三成？"

谢天石还是不开口。

风四娘道："无论是谁告诉你们的，我都知道他是为了什么。"

"你知道？"

风四娘道："他是想叫你们来送死。"她冷笑着，又道，"但现在我却不愿看杀人，所以你们最好还是快走。"

谢天石忽然也笑了笑，笑得狞恶而诡秘。

这种笑容中，竟似带着种奇异的自信，他竟似已有把握……

有把握"必杀萧十一郎"！

昏灯在风中摇晃。

谢天石突然扬起明杖一指，"嗤"的一声，灯已熄灭。

他虽然看不见，却能感觉到火光的存在。

他的明杖中，竟也藏着种极厉害的机簧暗器。

四下立刻一片黑暗。

萧十一郎忽然也笑了笑，道："有很多人在杀人前，都喜欢喝杯酒的，我可以请你们喝两杯。"

谢天石冷冷道："我们现在想喝的不是酒，是血，你的血！"

"血"字出口，黑暗中突然传来"琤琮"一声，接着就有一阵琴声响起。

琴声中带着种奇异的节奏。

七个瞎子脚步立刻随着节奏移动，围住了萧十一郎，手里的明杖，也跟着挥出。

七根白色的明杖，在黑暗中挥舞，并没有击向任何一个人，只是随着琴声中那种奇异的节奏，配合着他们的脚步，凌空而舞。

但萧十一郎和风四娘，却已感觉到一种说不出的压力。

尤其是风四娘，她已连面都吃不下去了。

节奏愈来愈快，脚步愈来愈快，明杖的舞动，也愈来愈急。

七个人包围的圈子，已渐渐缩小，压力却加大了。

这七根凌空飞舞的明杖，就像是已织成了一个网，正在渐渐收紧。

风四娘忽然觉得自己就像是已变成了一条困在网中的鱼。

她武功虽不甚高，见识却极广。

但现在她竟看不出这七个人用的是什么武功，什么招式。

她只知道这七人招式的配合，简直已接近无懈可击，连一丝破绽都没有。

那琴声的节奏中，更仿佛带着种无法形容的魔力，令人心神焦躁，全身不安。

风四娘只觉得自己竟似已变成了只热锅上的蚂蚁。

萧十一郎虽然还是安安静静地坐在那里，连动也不动，但她却已恨不得跳起来，冲出去，投入冷水里。

恰好萧十一郎已轻轻握住了她的手。

他的手干燥而温暖。

他的眼睛里，更带着种令人信赖、令人安定的力量。

风四娘总算沉住了气，没有去自投罗网。

可是这七根明杖织成的网，已更紧、更密，琴声的节奏也更快。

桌上的杯盘，突然间都已一个个碎裂，就像是被一只看不见的手捏碎的。

没有人能忍受这种压力，连桌椅都似已将压碎。

若不是萧十一郎握住了她的手，风四娘就算明知要自投罗网，也早已冲出去了。

但萧十一郎还是动也不动地坐在那里，就像是已变成了一块磐石。

就像是已和大地结成了一体。

世上根本就没有任何一种压力，是大地所不能承受的。

这七个瞎子冷酷自信的脸上，反而露出了种焦躁不安的表情。

他们忽然发觉自己也受到了一种无法形容的奇异压力。

因为他们的攻击，竟完全没有一点反应。

压力本是相对的。

你加在别人身上的压力愈大，自己的负担也愈重。

谢天石脸上已沁出了汗珠，突然反手一棍，直刺萧十一郎。

也就在这同一刹那间，萧十一郎突然长啸一声，刀已出手。

闪电般的刀光，如惊鸿般一卷，七根明杖突然全都断成了两截。

这种明杖本是百炼精钢打成的。

世上本没有真正能削铁如泥的兵刃。

可是，再加上萧十一郎本身的力量，这一刀之威，就已经不是任何人所能想象，更不是任何人所能抵挡得了。

刀光一闪，明杖齐断。

被削断了的明杖中，突然又有一股浓烟急射而出。

但这时萧十一郎已拉着风四娘，冲了过去。

闪电般的刀光，已在他们面前组成了一片无坚不摧、不可抗拒的光幕，替他们开了路。

萧十一郎反手挟住了风四娘的腰，跃上墙头。

墙头上有个人正在抚琴，赫然正是那卖面的独眼跛子。

萧十一郎身形骤然停顿："是你！"

独眼跛足老人五指一划，"铮"的一声，琴弦齐断，琴声骤绝，一只独眼中闪闪发光，凝视着萧十一郎："你知道我是谁？"

"轩辕三缺？"

独眼老人纵声大笑：“想不到你非但能破了我的‘天昏地暗，七杀大阵’，还能认得出我来。”

萧十一郎叹了口气，道：“若非刚才见过轩辕三成，我也想不到是你。”

轩辕三缺道：“好个萧十一郎，果然是个聪明人。就凭这一点，我今日且放过你，快去想法子救你的女人吧，若是再迟片刻，就来不及了。”

风四娘果然已昏迷不醒，紧紧咬住的牙关中，也已有白沫吐了出来。

轩辕三缺突又冷冷道：“只不过老夫平生出手，例不空回，今天就算让你走，你也该留下件东西。”

萧十一郎突然也纵声大笑，道：“大盗萧十一郎，生平只知道要人的东西，从来也没有留下过东西给别人。”

轩辕三缺道：“今日你只怕就要破例一次。”

萧十一郎道：“好，我就留下这一刀！”

“刀”字出口，他的刀直劈下去。

轩辕三缺双手捧琴，向上一迎。

只听“当”的一声，金铁交鸣，震人耳鼓。

这无坚不摧的一刀，竟未将他的琴劈断，刀锋反而被震起。

但萧十一郎的人，却也已趁着这刀锋一震之力向后弹出，凌空翻身，掠出了四丈。

只可惜他肋下还挟着一个人。

他身子凌空倒翻时，总难免要慢了慢，就在这时，他突然觉得腿股间一冷。

只听轩辕三缺大笑道：“萧十一郎，你今日还是留下了一滴血。”

萧十一郎人已在十丈外，道：“这滴血是要你用血来还的。”

血已凝结。

萧十一郎的左股下，也不知被什么割破了条七八寸长的伤口。

伤口并不疼，萧十一郎的心却已发冷。

不疼的伤，才是最可怕的伤。

他反手一刀，将自己左股上这块肉整片削下来，鲜血才涌出。

现在伤口才疼了，疼得很。

他却连看都不去看一眼，更不去包扎，就让血不停地往下流。

因为他必须先照顾风四娘。

刚才明杖中有浓烟喷出来时，他及时闭住了呼吸，但风四娘的反应当然没有他快。

他拉住她走时，已发觉她的身子发软，所以才反手挟住她。

现在她的身子却似已在渐渐发硬。

又冷又硬。

她的脸已变成了死灰色。

可是她绝对不能死。

萧十一郎无论如何，也不能让她死。

巨大的宅邸中，灯火辉煌，却听不见人声。

因为这里根本已没有人。

这地方本是他买下来的，就算他不在时，也有十几个童仆在这里照料。

何况，冰冰刚才已该回来了。

但现在这里，却连一个人也没有。

冰冰呢？

她绝不会不在这里等他，绝不会自己走的。

萧十一郎的心又沉了下去。

幸好这两年来，为了要解冰冰的毒，他已遍访过天下名医。

他虽然看不出风四娘中的是哪种毒，但这种毒烟的性质，相差都不会太多的。

冰冰住的屋子里，一直都有各式各样的解药。

他将风四娘抱进去，放在床上。

打开了冰冰妆台下的抽屉，他整个人突又发冷，就像是一下子跌入了冷水里。

所有的解药，竟已全都不见了。

好周密的计划，好恶毒的手段。

萧十一郎一向是个打不倒的人，无论遇着什么困难和危险，他都有信心去解决。

但现在他却只有像个呆子般，站在床头，看着风四娘。

现在是该先带她去求医，还是先去找轩辕三缺要解药？

若是去求医，谁有把握能解得了这种毒？应该去找谁？

找到时会不会已太迟？

若是去找轩辕三缺，他是不是还在那里，是不是肯给解药？

他若不肯，萧十一郎是不是能有把握，逼着他拿出来？

不知道！

萧十一郎完全不知道，他的心已乱了。他实在不敢以风四娘的性命做赌注，实在不敢冒这种险。难道就站在这里，看着她死？

萧十一郎忽然发现冷汗已湿透了衣裳。他知道现在已到了必须下决定的时候，他不但要快下判断，而且要判断准确。

但他却完全没有把握，连一分把握都没有，也许这只因为他太关心风四娘。现在若是有个冷静的旁观者，也许能帮他出个主意。

就在这时，外面竟真的有人在敲门。

冰冰？莫非是冰冰回来了。

萧十一郎冲过去，拉开了门，又怔住。一个看来老老实实的人，规规矩矩地站在外面，看着他微笑。

轩辕三成，这人竟赫然是轩辕三成！

轩辕三成微笑着，笑得又谦虚又诚恳，正像是个准备来跟大老板谈生意的生意人。

萧十一郎的脸色发青，冷笑道："想不到你居然还敢到这里来。"

他的手已握紧，已随时准备出手。

轩辕三成却后退了两步，赔笑道："我不是来找你打架的，我这次来，完全是一番好意。"

萧十一郎道："好意？你这个人还会有好意？"

轩辕三成道："对别人也许不会，可是对你们两位……"

他目光从萧十一郎肩上望过去，看着床上的风四娘，显得又同情又关心，叹息着道："我实在想不到我那位六亲不认的大哥，竟会对你们下这种毒手。"

萧十一郎的眼睛里突然发出了光，道："轩辕三缺真是你嫡亲的兄长？"

轩辕三成点点头，苦笑道："但我却不是他那种心狠手辣的人。"

萧十一郎瞪着这个人，他从来也没有见过这么可恶的伪君子。

他简直恨不得一拳打破这张满面假笑的脸。

但是他也已发现，要救风四娘，只怕就得全靠这个人了。

"你难道是想来救人的？"

轩辕三成居然真的点了点头。

萧十一郎立刻追问："你能救得了她？"

轩辕三成笑了笑，道："我们兄弟一向很少见面，纵然见了面也很少说话，就因为我们的脾气不同，嗜好也不同。"

萧十一郎道："有什么不同？"

轩辕三成道："他喜欢杀人，我喜欢救人，只要他能杀的人，我就能救得活。"

萧十一郎忽然也笑了笑，道："你的确比他聪明，杀人对自己一点好处也没有，救人才有好处的。"

轩辕三成抚掌笑道："阁下说的这句话，实在是深得我心。"

萧十一郎又沉下了脸，道："这次你想要什么好处？"

轩辕三成淡淡道："我什么好处也不想要，只不过……"

萧十一郎道："只不过怎样？"

轩辕三成道："你若种了棵树，树上若是长出橘子来，橘子应该归谁？"

萧十一郎道："应该归我。"

轩辕三成道："不错，当然应该归你，因为你若不种那棵树，就根本没有橘子。"

萧十一郎的脸色已变了，他忽然已听懂了轩辕三成的意思。

轩辕三成果然已接着道："现在她等于已是个死人，我若能救活了她，我就是她的重生父母，她这个人当然也该归我。"

萧十一郎怒道："放你的屁。"

轩辕三成道："生意不成仁义在，你就算不答应，也用不着发脾气的。"

他拱了拱手："在下就此告辞。"

他居然真的扭头就走。

萧十一郎当然不能让他走，纵身一跃，已拦住了他的去路。

轩辕三成淡淡道："阁下既然不愿我救她，我只好告辞，阁下为何要拦住我？"

萧十一郎厉声道："你非救她不可。"

轩辕三成叹了口气，道："阁下武功盖世，若是一定要逼我救她，我也不能反抗，只不过，救人和杀人也是完全不同的。"

萧十一郎道："有什么不同？"

轩辕三成道："杀人只要随随便便一出手，就可以杀一个，救人却得要花很多心血，费很多精神。若是心不甘情不愿，就难免会疏忽大意，到了那时，阁下却怪不得我。"

萧十一郎没话说了。

现在风四娘唯一的生路，就着落在轩辕三成身上，只要这个人一走，风四娘就必死无疑。

轩辕三成悠然道："常言说得好，死马不妨当作活马医，现在她反正已与死人无异，阁下又何妨将她交给我？"

萧十一郎只好跺了跺脚，道："好，我就把她交给你。"

轩辕三成道："这本是两厢情愿的事，谁也没有勉强谁。"

萧十一郎只有承认。

轩辕三成道："所以我将她带走时，阁下既不能反悔，也不能在后面跟踪，否则我也只有看着她香消玉殒，爱莫能助了。"

萧十一郎冷冷道："你最好赶快带她走，以后也最好莫要让我再看见你。"

轩辕三成笑道："我以后一定会特别小心，绝不会再让阁下看见的，相见不如不见，像阁下这种人，也还是不见的好。"

他微笑着，抱起了风四娘，扬长而去。

萧十一郎竟然只有眼睁睁地看着，连一点法子都没有。

他实在不甘心，他绝不能让风四娘就这样落入轩辕三成手里，可是轩辕三成却早已带着风四娘，走得连影子都不见了。

是谁劫去了冰冰？是谁偷去了那解药？当然也是轩辕三成，他伤势根本不重，受伤后也根本没有走远。

萧十一郎和风四娘他们在那种惊喜兴奋的情况中，也没有留意到外面的动静，何况他们根本就没有什么秘密怕人偷听的，他们只不过说，要去吃牛肉面。他们在附近转了很久，才找到那个卖面的摊子，在他们找的时候，轩辕三成已有足够的时间，架去卖面的人，让轩辕三缺去代替。

萧十一郎他们对这城市还很陌生，既没有看过本来在那里卖面的人，也没有见过轩辕三缺。

江湖中有个秘密的帮派，完全是以残废者组成的，谢天石他们瞎了后，也加入了这帮派，轩辕三缺就是这帮派的总瓢把子——人上人也很可能是其中的首脑之一。

他们想以他们独创的七杀阵，将萧十一郎杀死在那里，可是萧十一郎并不是个容易被击倒的人，他们的计划只成功了一半，风四娘还是中了毒。

冰冰离开的时候，轩辕三成便可能就在后面跟踪，她的武功虽诡秘，身子却太弱，所以她已被轩辕三成制住——轩辕三成的武功，显然比他外表看来高得多，他也是看准了风四娘中毒后，萧十一郎必定会带她回去治伤。

这些事萧十一郎总算已想通了，他绝不能让风四娘和冰冰落在轩辕三成手里，他一定要找到这个人，现在的问题是，他怎样去找呢？

轩辕三成是个很谨慎的人，穿着打扮，完全和平常人没什么两样。

他住的地方，也一定和平常人没什么两样。

这城市里有千千万万栋屋子，千千万万户人家，他很可能住在一家杂货铺，或者是一家米店的楼上。

他本身就很可能再开一家绸缎庄、一家针线店，甚至是一家妓院，他也很可能什么事都没有做，住在城郊的一个小茅屋里读书种花。

城里一定不会知道有轩辕三成或王万成这个人，更不会知道他住的地方，唯一可能知道的人，就是牛掌柜和吕掌柜。以轩辕三成的谨慎和机智，当然早已算到了这一招，甚至已说不定将他们杀了灭口。

萧十一郎完全猜不出他会将风四娘和冰冰带到哪里去了，连一点头绪、一点线索都找不到，他当然也不能一家家、一户户地去问。

他应该怎么办呢？

月明星稀，夜已更深，萧十一郎坐在石阶下，月下的石阶凉如冰。

他忽然跳起来，冲出去。

他总算已想到了个法子——一个并不好的法子，可是他一定要去试试。

第十四章

造化捉弄人

无论什么样的酒楼菜馆，晚上都一定有些伙计睡在店里的。

这些伙计中，一定有人知道掌柜的住处，因为晚上如果出了急事，他们就一定要去通知掌柜。

牡丹楼当然也不例外。

萧十一郎一脚踢破牡丹楼的门板，冲了进去，一把揪起个在三张拼起来的饭桌上打铺睡觉的老伙计。

“不想死就带我去找吕掌柜，否则我就杀你。”

谁都不会想死的。

愈老的人，反而愈怕死。

何况这老家伙认得萧十一郎，一个能逼着柳苏州卖耳环，能随时将上万两的银子抛上大街的人，要杀个把人当然不是吹牛的。

这老家伙的回答只有四个字：“我带你去。”

“吕掌柜就住在这巷子里，左边的第三家！”

老家伙说完了这句话，就突然不省人事。

——第二天他醒来时，发现自己身上穿着的是那位萧大侠的衣服，袋子里还有张五百两的银票。

萧十一郎换上了伙计的衣裳，冲过去敲门。

敲门的时候，他已开始喘气。

过了很久，里面才传出个愤怒的声音，是个女人的声音，道："外面是什么人在敲门？"

萧十一郎故意要喘气的声音让这女人听见，大声回答："是我，我是店里的老董。吕掌柜出了事，要我赶快回来报个信。"

他算准了两点。

吕掌柜一定不会在家。

他家里的人，绝不会完全认得牡丹楼的每个伙计。

这两点只要有一点算错，这计划就吹了。

两点都没有算错。

一个老妈子，这是个头发蓬乱的中年妇人，匆匆赶出来开了门。

"什么事？吕掌柜出了什么事？"

萧十一郎故意做出很紧张的样子："我也不知道是什么事，那时我们已睡了，吕掌柜突然从后门进来，要我们不要动，他自己却钻到桌子下去躲着。"

"就在那时候，后面又有两个凶神恶煞般的人冲过来，一下子就找到了吕掌柜。三个人打了几招，吕掌柜就被他们打倒，恰巧倒在我身上，偷偷地告诉我，要我回来告诉你，赶快找人去救他。"

那中年妇人当然就是吕掌柜的妻子，已听得脸都白了："他叫我找谁去救他？到哪里去救他？"

萧十一郎摇摇头："我也不知道，他刚说了这两句话，就被那两个人架走了，现在我还得赶快去报衙门。"

他又算准了第三点。

吕家的人情急之下，还不会到牡丹楼去查证的。

多年的夫妻，做丈夫的若是在外面有不法的勾当，就算瞒着家里，做妻子的多多少少想必知道一点，到了这个时候，绝不愿去惊动官府。

吕掌柜也是个很谨慎的人，平时很可能告诉他的妻子，自己若是万一出了什么意外，就应该去找什么人。

现在萧十一郎已发现，他至少这两点也没有算错。

他刚一说要去报官，那中年妇人竟然立刻阻止了他，故意做出镇静之色，沉着脸道："这件事我知道了，我会有法子处理的，你用不着再多事，赶快回店里去照顾要紧。"

"砰"的一声，她居然关起了门。

萧十一郎只有走——当然不是真的走，也并没有走远。

他走了几步，就飞身掠上了隔壁的屋脊。

只过了片刻，吕掌柜的妻子就又开门走了出来，匆匆地走出了巷子。

她果然是去找人了。

她去找的人，会不会是轩辕三成？

萧十一郎忽然发现自己的心也在跳，这是他唯一的线索，也是他唯一的希望。

吕太太奔出了巷子，又转入另一条巷子，萧十一郎跟过去时，她也正在敲门。

门后也有个女人的声音问："是谁呀，三更半夜的，撞见了鬼吗？"

"是我，你妹夫出了事，你快来开门。"

这家人原来是牛掌柜的，做丈夫的出了事，妻子当然要先来找大舅子。

又一个中年妇人匆匆出来开门："出了什么事，我那死鬼也不在，怎么办呢？"

牛掌柜当然也不会在家的，这点萧十一郎也没有算错。

两个女人嘀嘀咕咕地商量了一阵，就急着要人备马，登车。

她们显然已决定了，要去找一个不到万不得已时，不能去找的人。

马车急行，走的路竟是出城的路。

现在正是黎明前最黑暗的时候，四下无人，萧十一郎蝙蝠似的掠过去，挂在车厢后。

车厢里两个女人居然都没有说话。

丈夫出了事，最多话的女人也不会有心情说话的。

但萧十一郎却忽然听到一种声音，一种很奇怪的声音。

吃东西的声音。

苏州的女人都喜欢吃甜食，车窗是关着的。萧十一郎悄悄从车窗旁的空隙看进去，这两个女人竟在吃芝麻糖！

若连说话的心情都没有，怎么会有心情吃芝麻糖？

萧十一郎的手突又冰冷。

就在这一瞬间，他又想起了几件不合理的事。

三更半夜，外面有人忽然敲门，应门的怎么会是这家人的主妇？

以他们的身份，家里当然有童仆的，那些男用人都到哪里去了？

一个中年妇人，怎么会在自己的小姑子面前，叫自己的丈夫“死鬼”？

在这种情况下去找人，她们身上怎么还会带着芝麻糖？

萧十一郎忽然发现，自己刚才以为算准了的那五六点，每一点都算得大错特错，竟没有一点是真正算准了的。

她们现在的目的，显然是调虎离山之计，故意要将他引出城去。

也许她们早就知道他是什么人。

既然如此，轩辕三成想必一定还在城里，在一个萧十一郎从不会算到的地方。

轩辕三成显然很懂得人类心理的弱点。

萧十一郎凌空翻身，以最快的速度赶了回去，回到吕掌柜的屋子。

屋子里居然还有灯光，也还有人声。

“掌柜的也不知出了什么事，只盼菩萨保佑他平安回来。”

萧十一郎的心又沉了下去。

难道他又算错了？

这时屋子里又有个老太婆的声调：“大娘出城去找人，不知道找不找得到？”

难道她们真的是出城找人的？

萧十一郎正恨不得自己打自己几个耳光的时候，心里忽然又掠过了一道灵光。

吕大娘她们，是从隔壁一条巷子上车走的，临走时也没有说要到哪里去，这两个老妈子，怎能知道她要出城？

莫非这又是疑兵之计，准备万一又有人来时，说给他听的？

轩辕三成本就是个十分谨慎的人。

厨房里居然也有灯光亮着，这种时候，当然不会有人去做饭的。

这种人家，一定知道小心火烛，半夜里怎么还会在厨房里点着盏灯？

萧十一郎冲过去。

厨房里只有灯，没有人。

屋角里堆着一大堆新劈的木柴，可是从灶洞里掏出来的，却是煤炭。

既然烧的是煤，堆这么多木柴干什么？

萧十一郎长长吐了口气，他知道自己总算找到自己要找的地方了。

柴堆下果然是条地道的入口。

掀起块石板，走下石阶，地道中有两个门，一个是开着的。

右面的一扇桧木门，很厚，很坚实，从里面紧紧地关着。

萧十一郎抽刀，劈门，一脚踢开，就看见了轩辕三成。

世上绝没有任何人看见过轩辕三成如此吃惊。

他吃惊地看着萧十一郎，怔了很久，才长长吐出口气："你毕竟还是找来了。"

地室中的布置居然很华丽，还有张很大、很舒适、铺着绣花被的床。

风四娘就昏在被里，死灰色的脸上，已有了红晕。

萧十一郎也长长吐出口气道："你想不到？"

轩辕三成忽然间已镇定下来，微笑道："我实在想不到，因为你本不该来的。"

萧十一郎道："哦！"

轩辕三成道："你已答应过我，绝不反悔，也绝不跟踪。"

萧十一郎淡淡道："我既没有反悔，也没有跟踪，我是为了另一件事来的。"

轩辕三成道："什么事？"

萧十一郎道："我要来杀了你！"

他的回答很干脆。

他的手里还握着刀。

轩辕三成从他的眼睛，看到他的刀。

他忽然发现自己整个人都在这双眼睛和这柄刀的光芒笼罩下。

萧十一郎冷冷地道："这次你最好也不必再用风四娘来要挟我，因为只要你的手指动一动，我就要出手。”

轩辕三成笑道：“现在她已是我的人，我怎么会用她来要挟你？”

萧十一郎道：“你若死了后，她就不再是你的。”

轩辕三成点点头，这道理他当然明白：“既然如此，你为何还不杀了我？是不是还想要我将冰冰姑娘的下落告诉你？”

萧十一郎道：“不错。”

轩辕三成又笑了笑，道：“我既然反正已要死了，为什么还要将冰冰的下落告诉你？”

萧十一郎叹了口气：“我第一眼看见你，就知道你是个很难对付的人，我果然没有看错。”

轩辕三成道：“但我却是个生意人，只要跟我谈交易，就不难了。”

萧十一郎道：“你要我放了你，你才肯将冰冰的下落告诉我？”

轩辕三成道：“这交易你并不吃亏，你自己也说过，杀人对自己更没有好处。”

萧十一郎道：“我怎知你说的是真话？”

轩辕三成道：“生意人最大的本钱，就是‘信用’两个字，我若不守信，谁肯跟我谈交易？”这并不是谎话。

萧十一郎也本来就没有真的要杀他：“好，这交易做成了。”

轩辕三成笑道：“你看，跟我谈交易，是不是一点也不难？”

萧十一郎道：“冰冰在哪里？”

轩辕三成道：“我已将她卖给别人了。”

萧十一郎面色变了。

轩辕三成道：“我是个生意人，生意人当然要做生意，何况我早已看出她中毒极深，若是留着她，岂非还要替她收尸？”

萧十一郎厉声道：“你将她卖给了谁？”

轩辕三成道："你先走到这里来，让我站到门口去，我就告诉你。"

萧十一郎只好忍住怒气，他当然也没有什么别的选择余地。

轩辕三成走到门口，才缓缓道："我已将她卖给了花如玉。"

萧十一郎动容道："花如玉的人在哪里？"

轩辕三成道："不知道，但我却知道他也是个生意人，他绝不会将自己高价买回去的货色，拿来自己用的，所以只要你出的价钱对，说不定还可以将冰冰原封不动地买回来。"

萧十一郎沉住气："我连他的人在哪里都不知道，到哪里去找？"

轩辕三成道："你放心，我保证他一定会给你个机会的，因为他也知道你是个买主。"

他已走出门，突然回头笑了笑，道："还有件事，我也要告诉你。"

"什么事？"

轩辕三成笑得很神秘，忽然道："你现在虽然已将风四娘抢了回去，可是你也一定会后悔的。"

萧十一郎掀起了被，又立刻放下，用这丝绵被裹起了风四娘，以最快的速度冲出去。

他生怕轩辕三成将地道的出路封死。

但轩辕三成却好像根本没有这意思，因为他也知道这样做根本没有用的。

所以萧十一郎更不懂。

他实在想不到自己会有什么好后悔的。

棉被下的风四娘，就像是个刚生出来的婴儿般赤裸着。

直到现在，她还没有醒。

萧十一郎既不愿回到自己那地方去，也不愿回连云楼。

这些地方都不安全。

事实上，无论谁带着个用棉被裹着的赤裸女人，都很少有地方可以去。

现在东方已微现曙色，他当然也不可能带着风四娘满街走。

所以他只有选择这地方。

这里是个很偏僻的小客栈，窄小阴暗的屋子，小窗上糊着的纸也已发黄。

萧十一郎坐在床上，看着风四娘，只觉眼皮愈来愈重。

这一夜实在过得很长而艰苦，他几乎没有机会喘口气。

他的酒劲也在退。

这正是一个人最容易觉得疲倦的时候。

屋子里偏偏只有一张床，一张很小的板凳，他既不能站着睡，又不能将风四娘一个人留在屋里。

忽然觉得一阵不可抗拒的睡意涌上来，他这一生从来也没有这么样疲倦过。

就连他自己，也不知道自己为什么忽然变得如此虚弱。

是不是因为他腿上的伤口失血太多？还是因为自己伤口的毒并没有完全消除？

他已无法仔细去想。

他已倒了下来，倒在床上。

幸好风四娘是个很豪爽的女人，又是老朋友，就算醒了，也不会在意的。

何况她根本还没有醒。

萧十一郎一闭上眼睛，居然立刻就睡着了，迷迷糊糊中，他仿佛听见风四娘在呻吟。

一种很奇怪的呻吟。

只可惜他已听得不太清楚。

他本来已觉得风四娘的脸色红得很奇怪，只可惜他也没有看仔细。

一阵无比安详甜蜜的黑暗，就像是情人的怀抱般，拥抱住他。

然后他仿佛又觉很冷。

就在他开始觉得冷的时候，忽然又像是有团火焰扑入他怀里。

一团温暖，光滑，灼热，但是却绝不会烧伤人的火焰。

他勉强张开眼睛，就看见了风四娘的眼睛。

风四娘的眼睛里，仿佛也有火焰在燃烧着。

她整个人都在紧紧地拥抱着他，整个人都在紧张得发抖。

一种谁也无法形容的颤抖。

她光滑赤裸的胴体，热得就像是一团火。

他忽然发现自己的身子也已几乎赤裸。

风四娘梦呓般呻吟着，求他，要他，喃喃地叙说着她的心事。

这些话，都是她从来也没有说过，从来也不敢说的。

她莫非醉了？

那不是醉，却远比醉更可怕。

她竟像已完全失去理智，她的需要强烈得令人无法想象。

她的胴体仍然像少女般光滑坚实，可是她的动作却像是已变成个荡妇。

——轩辕三成给她的解药里，莫非另外还有解药，已挑起了她压制多年的欲望？

——轩辕三成当然绝没有想到萧十一郎居然能去救她。

——这一切，本是轩辕三成为自己安排的，可是造化却作弄了他一次。

——造化也作弄了风四娘和萧十一郎。

他们本来没有可能发生这种事的，但现在却偏偏发生了。

醉人的呻吟，醉人的倾诉，醉人的拥抱……

萧十一郎能不醉？

他没有推拒。

他不能推拒，不忍推拒，甚至也有些不愿拒绝。

这火一般的热情，也同样燃烧了他。

这莫非是梦？

就当它是梦又何妨！

阴暗的斗室，寂寞的心灵，就算偶尔做一次梦又何妨？

只可惜无论多甜蜜的梦，总有醒的时候。

萧十一郎醒了！彻底醒了。

斗室中却只有他一个人。

昨夜那难道真的是梦？但床上为什么还留着那醉人的甜香？

萧十一郎呼吸到枕上的甜香，心里忽然涌出种说不出的滋味。

直到现在，他仍不完全了解风四娘。

他竟是风四娘的第一个男人，难道风四娘一直都在等着他？

明明不可能发生的事，为什么会突然发生了？

"……你若带她走，你一定也会后悔的……"

轩辕三成的话，似乎又在他耳畔响起，他现在才真正明白了这句话的意思。

他是不是已在后悔？

一个像风四娘这样的女人，为了他，牺牲了幸福，辜负了青春，到最后，还是将所有的一切，全都交给了他。

他还有什么值得后悔的?

可是他又想起了沈璧君，想起了冰冰，她们岂非也一样为他牺牲了一切?

难道他能抛开她们，忘记她们，和风四娘厮守这一生?

难道他能就这样抛开风四娘?

萧十一郎的心在绞痛。

他又遇着了件他自己绝对无法解决的事。

现在风四娘的人到哪里去了?

难道她已无颜再见他，竟悄悄地走了?

就算她已真的走了，他还是一样不能这样抛弃她的。

这件事既然已经发生，就必将永远存在。

这问题既然存在，就必须解决。

萧十一郎已下了决心，这一次绝不能逃避。

就在这时，门忽然被推开，一样东西从外面飞了进来。

是一包衣服。

从里面的内衫，到外面的衣裤，甚至连袜子、靴子都有。

都是崭新的，质料也很好。

萧十一郎这时才发现，他穿来的那套从老伙计身上换来的衣服，已不见了——当然已被风四娘穿了出去。

一包衣服当然不会自己飞进来，门外面当然还有个人。

萧十一郎以最快的速度，穿上了这套衣服，风四娘就走了进来。

她身上也换了套崭新的衣服，颜色鲜艳，她的人也是容光焕发，春风满面，看来就像是个新娘子。

新娘子!

萧十一郎的心已开始在跳，只觉得坐着也不对，站起来也不对。

他本是个很洒脱的人，现在竟忽然变得手足无措，竟不知该用什么样的态度来对待她。

但风四娘根本还是老样子，将手里提着的七八个大包小包往床上一扔，微笑着道："难怪女人都喜欢买东西，我现在才发觉，买东西实在是件很有意思的事，不管你买的东西有没有用，但在买的时候，就已经是种享受了。"

萧十一郎点点头。

花钱本身就是享受，这种道理他当然明白。

风四娘道："你猜我买了些什么东西，猜得出便算你有本事。"

萧十一郎摇摇头，他猜不出。

风四娘笑道："我买了一面配着雕花木架的镜子，买了个沉香木的梳妆匣，又买了两个无锡泥娃娃、一个老太婆用的青铜暖炉、一根老头子用的翡翠烟袋，还买了三四幅湘绣、一顶貂皮帽子。"

她叹了口气，微笑道："其实我也知道这些东西连一点用都没有，可是我看见了，还是忍不住要买，我喜欢看那些伙计拍我马屁的样子。"

萧十一郎只有听着。

风四娘忽然抬起头，瞪着他，道："你几时变成个哑巴？"

萧十一郎道："我……我没有。"

风四娘"扑哧"一笑，道："原来你还没有变成哑巴，却有点像是已变成了个呆子。"

她对萧十一郎，完全还是以前的老样子，竟连一点都没有变。

昨天晚上的事，她竟连一个字都不提。

萧十一郎忍不住道："你……"

风四娘仿佛已猜出他想说什么，立刻打断了他的话，瞪眼道："我怎么样，你难道想说我也是呆子？你不怕脑袋被我打个洞？"

看她的样子，竟好像昨天晚上根本什么事都没有发生过一样。

她还是以前的风四娘。

她看萧十一郎，也还是以前的萧十一郎。

昨夜的温馨和缠绵，对她说来，只不过是个梦。

她似已决心永远不再提起这件事。

因为她太了解萧十一郎，也太了解自己，她不愿让彼此都增加烦恼和痛苦。

萧十一郎看着她，心里忽然涌起种说不出的感激。

就算他也能忘记这件事，这份感激却是永远也忘不了的。

风四娘已转过身，推开了窗子。

她仿佛不能让萧十一郎看见她此时脸上的表情，也不愿让任何人知道她此时的心情。

她宁愿将这种感情收藏起来，藏在她心里最深处，就像是个守财奴收藏他最珍贵的宝物一样，只有等到夜深人静时，她也许才会拿出来独自消受。

那无论是痛苦也好，是甜蜜也好，是悲伤也好，是欣慰也好，都只有她自己一个人知道。

等她转过身来时，她的眼睛里又发出了光，脸上又露出了她那种独特的微笑，瞪着萧十一郎道："你难道还想在这猪窝里待下去？"

萧十一郎也笑了："我不想，我就算是个呆子，至少总不是只猪。"

风四娘道："那么我们现在为什么还不走？"

萧十一郎看着床上的大包小包，道："这些东西你不要了？"

风四娘淡淡道："我说过，我买东西的时候，已经觉得很愉快，我付出的代价早已收了回来，还要这些东西干什么？"

外面夕阳灿烂，正是黄昏。

萧十一郎迎着初秋的晚风，深深吸了口气，道："现在我们到哪里去？"

风四娘道："先去吃饭，再去找人。"

萧十一郎道："找谁？"

风四娘道："当然是找沈璧君，你难道已忘了？"

萧十一郎当然没有忘，可是——

"你还想陪我去找？"

风四娘又瞪起了眼，大声道："我为什么不想陪你去找？我既然已答应过你，为什么要放弃主意？难道你以为我是个说话不算数的人？"

萧十一郎看着她，笑了。

一种真正从心底发出来的笑。

但却并不完全是愉快的笑，除了愉快外，还带着些感激，带着些了解，甚至是带着一点点辛酸。

他什么话都不再说。

你若是萧十一郎，你若遇见了个像风四娘这样的女人，你还能说什么？

大亨楼。

萧十一郎居然又上了大亨楼。

楼上楼下，大大小小、老老少少的伙计们，每个人都瞪大了眼睛，吃惊地看着他。

吃惊虽然吃惊，但马屁却拍得更周到。

尤其是那个刚泡了个热水澡，挣扎着爬起来的老伙计，简直就好像恨不得要将他当作自己的老祖宗一样。

风四娘的心里却有点七上八下的，一坐下来，就忍不住悄悄地问："你为什么还要到大亨楼来？"

萧十一郎笑了笑，道："因为我是个大亨，而且是大亨中的大亨。"

风四娘说话的声音更低："你知不知那些东西，我是用什么买的？"

萧十一郎回道："用我内衣上那几粒汉玉扣子。"

风四娘道："可是现在我身上竟连一两银子都没有了。"

萧十一郎道："我知道。"

风四娘道："你在这里能挂账？"

萧十一郎道："不能。"

风四娘苦笑道："我这人什么事都做过了，可是要我吃霸王饭，吃过了抹抹嘴就走，我还是有点不好意思的。"

萧十一郎道："我也一样不好意思。"

风四娘道："那么我们吃不吃？"

萧十一郎道："吃。"

风四娘道："吃过了呢？"

萧十一郎道："吃过了当然要付钱的。"

风四娘道："钱呢？"

萧十一郎道："钱自然有人会送来。"

风四娘道："谁会送来？"

萧十一郎道："不知道。"

风四娘几乎忍不住要叫了起来："你不知道？连自己也不知道？"

萧十一郎道："嗯。"

风四娘道："难道天上会突然掉下个大元宝来？"

萧十一郎笑道："天上掉下的元宝，我还要弯腰去捡，那岂非太麻烦了。"

风四娘也在吃惊地看着他："难道世上还有比这更容易到手的

钱？”

萧十一郎道：“有。”

风四娘叹了口气，说道：“我看你一定是没有睡醒……”

这句话还没有说完，已有个矮矮胖胖，圆脸上留着小胡子，穿着件紫缎长衫的中年人，规规矩矩地走过来，恭恭敬敬地向萧十一郎长身一揖，赔着笑道：“阁下就是萧十一郎萧大爷？”

萧十一郎淡淡道：“你明明知道是我，为什么还要多问？”

这人赔笑道：“因为账上的数目太大，所以在下不能不特别小心些。”

萧十一郎道：“你昨天是不是已来过了？”

这人点点头，道：“前几天就有人来通知小号，说萧大爷这两天可能要用银子，叫我来这里等着。”

萧十一郎道：“你是哪家字号的？”

这人道：“在下阎实，是利通号的，请萧大爷多关照。”

萧十一郎道：“我在你那边的账目怎么样？”

阎实道：“自从去年的二月底开始，萧大爷一共在敝号存进了六笔银子，连本带利，一共是六十六万三千六百两。”

他已从怀里取出个账单，双手捧过来：“详细的账目都在这上面，请萧大爷过目。”

萧十一郎道：“账目倒不必看了，只不过这两天我倒的确要用些银子。”

阎实道：“敝号早已替大爷准备好了，却不知萧大爷是要提现，还是要敝号开的银票？”

萧十一郎道：“银票就行，你们出的票子，信用一向很好。”

阎实赔笑道：“多承萧大爷照顾，敝号别的地方的分店，也都说萧大爷是敝号开业一百多年来，最好的一位主顾。”

他知道男人都喜欢在女人面前摆摆排场的，所以又向风四娘解释着道："萧大爷叫人存银子进来的时候连存折都不要，利息也算得最少，这样好的主顾在下做这行买卖做了三十年，还没有见过第二个。"

风四娘淡淡道："他本来就是个大亨，大亨中的大亨。"

阎实道："那倒真的一点也不错。"

他又问："却不知萧大爷这次要用多少？"

萧十一郎道："你给我开五百两一张的银票，开两百张。"

阎实道："那正好是十万两。"

萧十一郎道："另外我还要五万两一张的，要十张。"

阎实长长吸了口气，信口道："敝号的银票，就等于是现钱一样，到处都可以兑现的，萧大爷身上带这么多银子，会不会不方便？"

萧十一郎淡淡道："你用不着替我担心，反正我很快就会花光的。"

阎实倒抽了口凉气，世上竟有这种豪客，他非但没见过，连做梦都想不到。

谁知他做梦想不到的事还在后头。

萧十一郎又道："剩下那六万多两零头，也不必记在账上了，就全都送给你吧。"

六万多两银子，普通人家已是够舒舒服服地过一辈子了，他居然当作零头，随随便便地就是当小账一样送给了人。

阎实的手已在发抖，连心都快跳出腔子来，赶紧弯下腰，道："小人这就去替大爷开银票，立刻就送过来。"

他不但称呼已改变，腰也已快弯到地上，一步一步往后退，退到楼梯口，差点从楼上滚了下去。

萧十一郎笑道："你看，这些银子是不是比天上掉下来的还方便？"

风四娘瞪着他，忽然道：“有句话我一直没有问你，因为我不想让你把我看成个财迷，但现在我却要问问了。”

萧十一郎道：“你问吧？”

风四娘道：“你找到的那三处宝藏，究竟一共有多少？”

萧十一郎眨了眨眼，道：“什么宝藏？”

风四娘又忍不住要叫了起来：“你不知道是什么宝藏？”

萧十一郎笑道：“除了做梦的时候外，我连宝藏的影子都没有看见过。”

风四娘怔住：“你没有找到宝藏？”

萧十一郎道：“没有。”

除了神话和梦境外，这世上究竟是不是真的有宝藏，还是个很大的疑问。

风四娘道：“你那些银子是偷来的？”

萧十一郎道：“不是。”

风四娘道：“是抢来的？”

萧十一郎道：“不是。”

其实风四娘自己也知道，就算真的要去偷去抢，也抢不到那么多。

她忍不住又问：“那么你这些银子究竟是从哪里来的？”

萧十一郎道：“不知道。”

这次风四娘真的忍不住叫了起来：“你不知道？连你自己也不知道？”

萧十一郎叹道：“我非但不知道，这究竟是怎么回事，有时甚至连我自己都不相信这是真的。”

风四娘道：“到底是怎么回事，你……”她忽然闭上嘴，脸色已变了。

因为她突然看见了个人走上楼来，能够让风四娘脸色改变的人，这世上还没有几个。

事实上，能令风四娘一看见就脸色改变，连话都说不出的人，这世上根本就没有第二个，只有一个。无论天上地下，都只有一个，这个人现在非但已走上了楼，而且已向他们走了过来。

风四娘的脸上一阵红，一阵白，看来竟似恨不得钻到桌子底下去。甚至连萧十一郎的脸色都已有点变了，也变得一阵白，一阵红，他好像也很怕看见这个人，尤其是跟风四娘在一起的时候。

这个人究竟是谁?

第十五章

债主出现

这个人四四方方的脸，穿着件干干净净的青布衣服，整个人看来就像是块刚出炉的硬面饼。

杨开泰！这个人赫然竟是杨开泰。

杨开泰走起路来，还是规规矩矩的，目不斜视，好像并没有看见风四娘和萧十一郎。

但他却偏偏笔直地向他们走了过来，而且一直走到萧十一郎面前。

风四娘整个人都已僵住，已连话都说不出。

她一向独来独往，我行我素，别人对她是什么看法，她根本不在乎。

可是对这个人，她心里实在觉得有些惭愧和歉疚。

她看见这个人，就好像一个想赖账的人，忽然看见了债主一样。

因为她的确欠这个人的债，而且是笔永远也还不了的债。

但杨开泰却连看都没有看她一眼，好像根本已忘了这世上还有她这么样一个人存在。

萧十一郎已站起来，勉强笑了笑，道："请坐。"

杨开泰没有坐，萧十一郎也只好陪他站着。

他忽然发觉杨开泰这张四四方方、诚诚恳恳的脸，已变得很苍老，很憔悴。

——现在他就算还是张硬面饼，也已经不是刚出炉的了。

——这两年的日子，对他来说，一定很不好过。

萧十一郎的心里也很不好受，尤其是在经过昨夜晚上那件事之后。

他忽然觉得自己就像是个肮脏而卑鄙的小偷，也只有在面对着这个人时，他心里才会有这种感觉。

杨开泰也在看着他，那眼色也正像是在看着个小偷一样，忽然问："阁下就是萧十一郎萧大爷？"

他当然认得萧十一郎，而且永远也不会忘记的，但他却偏偏故意装作不认得。

萧十一郎只好点点头。

他了解杨开泰为什么要这样做，他了解杨开泰的心情。

杨开泰板着脸道："在下姓杨，是特地来送银票给萧大爷的。"

他居然从身上拿出了一叠崭新的银票，双手捧了过来："这里有两百张五百两的，十张五万两的，一共是六十万两，请萧大爷点一点。"

萧十一郎当然不会真的去点，甚至根本不好意思伸手接下来，只有在嘴里喃喃地说道："不必点了，不会错了。"

杨开泰却沉着脸道："这是笔大数目，萧大爷你一定要点一点，非点一点不可。"

他不但很坚持，而且似已下了决心。

萧十一郎只有苦笑着，接过来随便点了点，他实在不想跟这个人发生一点冲突。

杨开泰道："有没有错？"

萧十一郎立刻摇头："没有。"

杨开泰道："提出这一笔后，你在利源利通两家钱庄，存的银子还有一百七十二万两。”

他拿出个账簿，又拿出叠银票：“这是清单，这是银票，请你拿走。”

萧十一郎道：“我并不想全都提出来。”

杨开泰板着脸，道：“你不想，我想。”

萧十一郎道：“你？”

杨开泰冷冷道：“这两家钱庄都是我的，从今以后，我不想跟你这种人有任何来往。”

萧十一郎僵住。

他实在想不出还有什么话可说，杨开泰现在若是要走，他已不准备再挽留。

可是杨开泰并没有准备要走，他还是板着脸，瞪着他，忽然冷笑道：“自从你和逍遥侯那一战之后，有很多人都已认为你是当今天下的第一高手。”

萧十一郎勉强笑了笑，道：“我自己从来也没有这么样想过。”

杨开泰道：“我想过，我早就知道我不是你的对手了。”

他硬邦邦的脸上，忽然露出种很奇怪的表情，慢慢地接着道：“我早就知道，无论什么事，我都不是你的对手。”

这句话里仿佛有根针，不但刺伤了萧十一郎，刺伤了风四娘，也刺伤了他自己。

风四娘咬着嘴唇，忽然捧起了酒壶，对着嘴喝了下去。

杨开泰却还是连眼角都不看她，冷冷道：“据说你昨天在这里，出手三招，就击败了伯仲双侠，这样的威风，天下更没有人能比得上。我杨开泰若是要找你一较高下，别人一定会笑我自不量力。”

他的双拳紧握，一字字接着道：“只可惜我本就是个自不量力的人，所以我……”

——所以我才会爱上风四娘。

这句话他虽然没有说出来，但萧十一郎和风四娘却都已明白他的意思。

萧十一郎苦笑道："你……"

杨开泰不让他开口，抢着又道："所以我今天来，除了要跟你结清账目之外，就是要来领教你天下无双的武功。"

他说话虽然很慢，但每个字都说得清清楚楚。

他本来一着急就会变得口吃的。

今天他并不着急，他显然早已下了决心，决心要和萧十一郎结清所有的账。

萧十一郎了解这种心情，可是他心里却更难受。

杨开泰道："我们是出去，还是就在这里动手？"

萧十一郎叹了口气，道："我既不出去，也不在这里动手。"

杨开泰怒道："你这是什么意思？"

萧十一郎苦笑道："我的意思就是，我根本不能跟你动手。"

他实在不能跟这个人动手，因为他既不能胜，也不能败。

萧十一郎现在已绝不能败。

他知道杨开泰积怒之下，出手绝不会轻易，只要他伤在杨开泰手下，立刻就会有人来要他的命。

他现在绝不能死。

他还有很多事非去做不可。

杨开泰瞪着他，脸已涨红道："你不能跟我动手？因为我不配？"

萧十一郎道："我不是这意思。"

杨开泰道："不管你是什么意思，我现在就出手，你若不还手，我就杀了你。"

他本是很宽厚的人，本不会做出逼人太甚的事。

可是他现在却已将萧十一郎逼得无路可走。

风四娘的脸也已涨红了。

她本就已忍耐不住，刚才喝下去的酒，使得她更忍耐不住，突然一下子跳了起来，叫道："杨开泰，我问你，你这究竟算是什么意思？"

杨开泰根本不理她，脸却已发白。

风四娘道："你难道以为他是真的怕你？就算他怕了你，你也不能欺人太甚。"

杨开泰还是不理她。

风四娘道："你一定要杀他？好，那么你就先杀了我吧。"

杨开泰本已渐渐发白的脸，一下子又涨得通红。

他也实在忍不住，大声道："他……他……他是你的什么人？你要替他死？"

风四娘冷笑道："无论他是我的什么人，你都管不着。"

杨开泰道："我……我……我管不着？谁……谁管得着？"

一句话还没有说完，他额上已暴出了青筋。

他是真的气急了，急得又已连话都说不出。

风四娘更气，气得连眼泪都快流了出来。

这是为了什么？为了谁？

他们本该是一对令人羡慕的夫妻，就像是连城璧和沈璧君一样。

可是现在……

萧十一郎不忍再看下去，也不忍再听下去，他现在已只有一条路走。

"好，我们出去。"

夜已临，街道两旁的店铺都已亮起了辉煌的灯火。

萧十一郎慢慢地走下楼，慢慢地走上街心。

他的脚步沉重，心情更沉重，他不怪杨开泰。

这并不是杨开泰在逼他，杨开泰也同样是被逼着走上这条路的。

一种可怕的压力，将他们每个人都逼得非走上这条路不可。

这种可怕压力，却正是从他们自己心里生出来的。

这究竟是爱，还是恨？是悲哀，还是愤怒？

萧十一郎没有再想下去，他知道无论怎么想，都想不出个结果来的。

他已走到街心，停下。

他忽然发现所有的声音和动作，都似已随着他的脚步停顿。

杨开泰也已走出了牡丹楼的门。

街道上一片死寂。

所有的人全已远远避开，瞪大了眼睛，看着他们，一个个看来都像是呆子。

但萧十一郎却知道，真正的呆子并不是这些人，而是他们自己。

酒楼上突然传来一阵砸东西的声音，好像将所有的杯盘碗盏都已砸得稀烂。

东西砸完了之后，接着就是一阵痛哭声，哭得就像是个孩子。

风四娘本就一向是个要笑就笑，要哭就哭的人。

她没有下来。

她不忍看，却又偏偏没法子阻止他们。

杨开泰紧紧握着拳，一张方方正正的脸，似已因痛苦而扭曲。

萧十一郎忍不住长长叹息，道：“你……你这又是何苦？”

杨开泰瞪着他，突然吼道：“你为什么不问问你自己？”

这句话还没说完，他已冲过来，攻出了三招。

他的出手并不快，也不好看。

可是他每一招都是全心全意使出来，就像他走路一样，每一步都脚踏实地。

萧十一郎已下定决心，这一战既不能败，也不能胜。

他只想打到杨开泰不能再打时，就立刻停止。

可是杨开泰一出手，他就已发觉这并不是件容易的事。

杨开泰的心虽已乱了，招式却没有乱。

他的出手虽然不好看，但每一招都很有效，他的招式变化虽不快，但是招沉力猛，真力充沛，一种强劲的劲力，已足够弥补他招式变化间的空隙。

萧十一郎从来也没有见过武功练得如此扎实的人。

二十招过后，他的劲力更已完全发挥，只要一脚踏下，青石板的街道上立刻就被他踏出个脚印。

脚印并不多。

因为他的出手每一招都中规中矩，连每一步踏出的方位也都很少改变。

脚步虽不多，脚印却已愈来愈深。

街道两旁的招牌，也已被他的掌力，震得吱吱作响，不停地摇晃。

萧十一郎额上已沁出了冷汗。

他若要以奇诡的招式变化，击败这个人并不难，因为杨开泰的出手毕竟太呆板。

可是他不能胜。

杨开泰一拳接着一拳，着着实实地打过来，他只有招架、闪避。

他忽然觉得自己就像是个正在被铁锤不停敲打着的钉子。

钉子虽尖锐，但迟早总会被打下去的。

最可怕的是，他的腿突然又开始渐渐麻木，动作也已渐渐迟钝。

平时他与人交手，战无不胜，只因为他总有一股必胜的信心，总有一股别人没有的劲。

可是现在他没有这股劲，因为他根本就没有打算要战胜。

他也不愿败。

但是他却忘了，高手相争，不胜，就只有败。

胜与负之间，本没有选择的余地。

现在他就算再想战胜，也已来不及了。

杨开泰的武功、劲力、自信心，都已打到了巅峰，已将他所有的潜力全都打了出来。

他已打出了那股必胜的信心。

他已有了必胜的条件。

连他自己都从没有想到自己的武功能达到这种境界。

以他现在这种情况，世上能击败他的人已不多。

萧十一郎知道自己必败无疑。

他的确就像是根钉子，已被打入了土里，他的武功已发挥不出。

何况，他的伤势又已发作。

但真正致命的，却还是他自己这种想法。

他开始有了这种想法时，就已真的必败无疑。

失败是什么滋味？

萧十一郎从来也没有真正去想过。

因为他生平与人交手，大小数百战，从来也没有败过一次。

现在他却已经开始想了。

这种想法本身就是种致命的毒素，腐蚀了他所有的力量和自信。

突然杨开泰左足前踏，正踏在原来一个脚印上，击出的却是右拳，一着“黑虎掏心”直击萧十一郎胸膛。

这一招“黑虎掏心”，本是普普通通的招式，他规规矩矩地使出来，半点花招也没有，但是这一招劲力之强，威力之猛，放眼天下的武林高手，已没有第二个人能同样使得出来。

就算萧十一郎自己使出这一招来，也绝不可能有这种惊人的威力。

他想到这点，已几乎没有信心去招架闪避。

就在这时，半空中忽然有条长鞭卷来，卷住了杨开泰的左腿。

无论谁也没有看见过这么长的鞭子，更没有看见过这么灵活的鞭子。

一个头戴珠冠、面貌严肃的独臂人，双腿已齐膝而断，却站在一条赤膊大汉的头顶上，远在一丈外，就挥出了长鞭。

他的鞭梢一卷，反手一抖，厉叱道："倒下。"

杨开泰并没有倒下。

他拳上的力量，竟在这一刹那间，突然收回，深入了脚底。

本来只有半寸深的脚印，立刻陷落。

这坚硬的石板在他脚底，竟似已变得柔软如泥，他整只脚都已陷落下去，没及足踝。

人上人额上青筋忽然凸起，独臂上肌肉如栗，长鞭扯得笔直。

但杨开泰却还是动也不动地站着，就像是已变成了根撼不动的石柱。

人上人长鞭收回，鞭梢反卷。

谁知杨开泰已闪电般出手，抓住了他的鞭梢，突然大喝一声，用力一抖。

人上人的身子立刻被震飞了起来，眼看就要重重地摔在地上，突又凌空翻身，车轮般翻了三个跟斗，又平平稳稳地落在大汉头顶。

可是他的长鞭已撒了手。

杨开泰已将这条鞭子扯成了五截，随手抛在地上，板着脸道："我本该杀了你的。”

人上人冷笑道：“你为何不出手？”

杨开泰道：“我生平从未向残废出手。”

突然对面屋檐上有人在叹息：“这人果然不愧是个君子，只可惜皮太厚了些。”

杨开泰霍然抬头：“什么人？”

一个独眼跛足的老人，背负着双手，站在屋檐上，悠然道：“我这人既不是君子，又是个残废，只不过若有人故意手下留情放过了我，我就绝不会再有脸跟他死缠烂打的。”

杨开泰脸色已发青：“你说的是谁？”

“我说的就是你。”这老人当然就是轩辕三缺，“你刚才使到第十七招时，萧十一郎本来已可将你击倒三次，你难道真的一点也看不出？”

杨开泰铁青的脸又涨红。

一开始出手时，他的招式变化间，的确很生硬，的确露出这三次破绽。

他自己并不是不知道。

他既然知道，就绝不否认。

无论杨开泰是呆子也好，是君子也好，他至少不是个小人。

屋檐下的人丛里，却有个青衣人施施然走了出来，悠然道：“这种事你本不该怪杨老板的，这本是天经地义的事。”

轩辕三成也出现了。

他微笑着，又道：“杨老板是个生意人，生意人讲究的本是心黑皮厚，否则杨家又怎么能富甲关中？他那些钱是怎么来的？”

杨开泰瞪着他，脸涨得通红，想说话，却连一个字都说不出。

轩辕三成笑道：“我就绝不会怪你，我也是个生意人，莫说他只放过了你三次，就算放过你三十次你也一样可以打死他的。”

杨开泰突然跺了跺脚，扭头就走。

他就算有话也说不出，何况他已无话可说。

君子若是遇见了小人，还有什么话好说的?

轩辕三成已转过身，看着萧十一郎，微笑道：“你用不着感激我们，就算我们不来救你，他也未必真能打得死你。”

萧十一郎并不能算是君子，更不是呆子。

他当然明白轩辕三成的意思，只不过懒得说出来而已。

他忽然发现花如玉说的至少有一句不是谎话：“你放了轩辕三成，总有一天要后悔的。”

轩辕三成忽然大声道：“各位父老兄弟，都看清了么？这位就是天下闻名的大英雄，举世无双的大豪杰萧十一郎。”

没有人敢出声。

这世上真正的呆子毕竟不多，祸从口出，这句话更是每个人都知道的。

轩辕三成只好自己接下去：“我念在他是个英雄，又是远道来的客人，所以也放过了他三次，可是今天，我却要当着各位面杀了他。”

萧十一郎忽然笑了。

他觉得自己实在不笨，也很了解轩辕三成这个人。

他早已猜出，轩辕三成“救”了他，只不过为了要自己动手杀他。

能亲手摘下萧十一郎项上的人头，正是天下英雄全都梦寐以求的事。

萧十一郎的人头，本就是天下江湖豪杰心目中的无价之宝。

轩辕三成的话却还没有说够，又道：“因为这位大英雄皮虽不厚，心却太黑，非但好色如命，而且杀人如麻。”

轩辕三缺淡淡道：“好色如命，杀人如麻，岂非正是英雄本色？”

轩辕三成道：“但世上若没有这样的英雄，大家的日子岂非可以过得太平些？”

轩辕三缺道：“他一刀逼瞎了点苍掌门，三招击败了伯仲双侠，据说已可算是当世的第一高手，你能杀得了他？”

轩辕三成叹了口气，道：“大丈夫有所不为，有所必为，只要是道义所在，就算明知必死，我也得试一试的。”

轩辕三缺也叹了口气，道：“好，你死了，我替你收尸。”

轩辕三成道：“然后你难道也要来试一试？”

轩辕三缺道：“我虽已是个残废的老人，可是这‘义气’二字，我倒也没敢忘记。”

轩辕三成仰面大笑，道：“大丈夫生有何欢，死有何惧？我今日这一战，无论是胜是负，是生是死，听了你这一句话，死而无怨。”

这兄弟两人一搭一档，一吹一唱，说得竟好像真的一样。

萧十一郎又笑了笑道：“好，好个男子汉，好气概。”

轩辕三成道：“我有气概，你却有刀。”

萧十一郎道：“不错。”

轩辕三成道：“拔你的刀。”

萧十一郎道：“好。”

他的刀已出鞘。

轩辕三成道：“这就是割鹿刀？”

萧十一郎道：“不错。”

轩辕三成道：“据说这就是天下无双的宝刀。”

萧十一郎轻抚刀锋，微笑道：“这的确是把快刀，要斩人的头颅，绝不用第二刀。”

轩辕三成道：“你就凭这柄刀，三招击败了伯仲双侠？”

萧十一郎道："有时我一招也击败过人的。"

轩辕三成居然神色不变，冷冷道："好，今日我不但就凭这双空手，接你这柄天下无双的宝刀，而且还让你三招呢。"

萧十一郎道："你让我三招？"

轩辕三成道："我既然能放过你三次，为何不能让你三招？"

他的确很有把握。

强弩之末，势不能穿鲁缟。

萧十一郎已是强弩之末，他看得出。

他看得非常清楚，否则他怎么敢出手？

萧十一郎轻抚着刀锋，忽然长长叹息，道："可惜呀，可惜。"

轩辕三成忍不住问："可惜什么？"

萧十一郎道："可惜我这柄好刀，今日要斩的却是你这种头颅。"

轩辕三成冷笑道："你今日要斩我的头颅，只怕很不容易。"

萧十一郎看着他，缓缓道："刚才我的气已衰，力已竭，毒伤已发作，本已必败。"

轩辕三成冷笑道："现在你又如何？"

萧十一郎道："现在已经不同。"

轩辕三成道："哦？"

萧十一郎道："刚才我对付的是君子，现在对付的却是小人。"

轩辕三成冷笑。

萧十一郎道："我这柄刀不杀君子，只杀小人。"

他的刀锋一展，眸子里也突然露出种刀锋般逼人的杀气。

刀光与杀气，逼人眉睫，轩辕三成的心突然已冷，笑容突然僵硬。

他忽然发觉萧十一郎竟似又变了个人。

萧十一郎突然反手一刀，又削下了腿上的一块肉，鲜血飞溅而出。

他却连眉头也不皱一皱，淡淡道："我这条腿的确已不行，可是我杀人不用腿的。"

他额上已疼出了冷汗，可是他的眸子更亮，人更清醒。

轩辕三成额上竟已同样沁出了冷汗。

萧十一郎盯着他，缓缓道："你说过，你要让我三招。"

轩辕三成勉强挺起胸："我……我说过。"

萧十一郎冷笑道："可是我一刀若不能逼你出手，就算我输了，三刀若不能割下你的头颅，也算我输了，我就自己将这大好头颅割下来，双手捧到你面前，用不着你出手。"

轩辕三成脸色又发青，青中带绿。

萧十一郎突然大喝："你先接我这第一刀。"

夜渐深，灯光辉煌。

可是这一刀出手，所有的灯光都似已失却颜色。

刀光匹练般挥出，轩辕三成的人却已不见了。

刚才那耀武扬威、不可一世的大英雄、大豪杰，看见萧十一郎的刀光一闪，竟突然像是变成了只中了箭的狐狸，一溜烟地蹿入了人丛中。

人群一阵骚动，再找他这个人时，竟已连人影都看不见了。

屋檐上的轩辕三缺也早已不见踪影。

闪电般的刀光，照亮了人上人的脸，人上人的脸上已无人色。

萧十一郎扬刀向天，盯着他。

人上人没有动，他不能动，那赤膊大汉却已一步步向后退，愈退愈快，眨眼间也已转过了街角。

萧十一郎突然仰面大笑，大笑着道："大丈夫能屈能伸，这些人果然不愧是大丈夫！"

人丛中仿佛有人在叹息："好一个不要脸的大丈夫，好一个豪气干云的大盗萧十一郎。"

大亨楼上灯火依然辉煌，但大家看见萧十一郎时，眼色却已变了。

风四娘正倚着栏杆，看着他，脸上的泪痕已干，却带着种谁也无法了解、谁也描述不出的表情，也不知是在为这个豪气干云的男人觉得骄傲，还是在为自己的命运感伤？

萧十一郎慢慢地走过去，坐下。

他没有看她，只有他能了解她此刻的心情，也知道自己欠她的债又多了一笔。

这些债他这一生中，只怕是永远也还不清了。

风四娘也坐下来，默默地为他斟了杯酒。

他默默地喝了下去。

风四娘忽然笑了笑，道："这一战你连一招都未使出，就已胜了，而且古往今来，绝没有任何人能胜得比你更有光彩，我至少应该敬你三十杯才对。"

萧十一郎也笑了笑，笑得很勉强："其实你本不必敬我的。"

风四娘道："为什么？"

萧十一郎道："因为我本不该胜却胜了。"

风四娘道："也因为你本该败的，却没有败？"

萧十一郎笑得更勉强："你应该看得出。"

风四娘道："我看不出。"

萧十一郎道："可是我……"

风四娘打断了他的话，冷冷道："你是不是希望自己能败在杨开泰手下？希望他能杀了你？"她盯着他的脸，"你是不是认为杨开泰若是击败了你，我心里就会好受些？"

萧十一郎没有回答，也无法回答。

——我只知道我欠你们的，我只有用这法子来还。

——这样至少我自己心里会觉得好受些。

这些话他并没有说出来，也不敢说出来，风四娘却还是一样能明白。

她还在盯着他，冷冷道："你自己若不能回答，我可以告诉你，你若真的败了，我们都不会觉得好受的，甚至连杨开泰也不会。"

她说到"杨开泰"三个字时，声音居然已不再激动，就像是在说一个陌生人的姓名。

萧十一郎心里却在刺痛，因为他也了解杨开泰的感情，也一直永远无法忘怀，却又偏偏是无可奈何的感情。没人能比萧十一郎更了解这种感情的辛酸和痛苦。

无可奈何，这四个字本就是世上最大的悲剧。

风四娘忽又轻轻叹息："我知道你是想还债，可是你用的法子却错了，选的对象也错了。"

萧十一郎垂下头，道："我……我应该怎么做？"

风四娘的手在桌下握紧，一字字道："你应该先去还沈璧君的债。"

萧十一郎的手也已握紧。

风四娘道："我答应过你，我一定要陪你去找到她。"

萧十一郎道："可是现在……"

风四娘道："现在我还是一样要陪你去找到她。"

萧十一郎霍然抬起头，凝视着她，这次她却避开了他的目光。

过了很久，萧十一郎忽然也长长叹息，道："你……你永远都不会变？"

风四娘道："永远不会。"

她已转过脸，面对着窗外的夜色，因为她不愿让他发现，她的泪又流了下来。

厚厚的一叠银票还在桌上，没人动，没人敢动。

这已不仅是一叠纸而已，这已是一笔财富，一笔大多数人都只有在幻想中才能见到的财富，一笔足以令大多数人不惜出卖自己灵魂的财富。

但是萧十一郎看着这叠银票时，脸上却带着种很奇怪的讥诮之色，忽然道："你为什么不问我，这些银子是哪里来的？"

风四娘道："我若问了，你肯说？"

萧十一郎道："我若说了，你肯相信？"

风四娘道："我为什么不肯相信？"

萧十一郎道："因为这实在是件很荒谬的事，连我自己都很难相信。"

风四娘道："为什么？"

萧十一郎道："因为连我自己都不知道这些银子是怎么来的。"

风四娘吃惊地看着他，她的泪痕已干，她一向很能控制自己的眼泪，却一向控制不住自己的声音。

她叫了起来："连你自己也不知道？"

萧十一郎点点头，苦笑道："我就知道这种事你也绝不会相信的。"

风四娘道："这究竟是怎么回事？"

最荒谬的事，有时却偏偏很简单，甚至只要用一句话就可以说出来。

"这些银子都是别人送的。"

"是谁送的？"

“不知道。”

风四娘更奇怪：“有人送了这么多银子给你，你却连他是谁都不知道？”

萧十一郎苦笑道：“他送给我的银子，还不止这么多。”

风四娘道：“他一共送了多少？”

萧十一郎道：“确实的数目，我也不知道。”

风四娘道：“难道已多得连算都算不清了？”

萧十一郎道：“非但多得算不清，也快得我来不及算。”

风四娘道：“他送得又多又快？”

萧十一郎点点头，道：“我无论到什么地方去，都会发现他已先在当地的钱庄，替我存入了一笔数目很可观的银子，只要我一到了那地方，钱庄里的人立刻就会将银子替我送来。”

他看着风四娘，他在等着风四娘发笑。

听来这的确是很可笑的谎话。

风四娘却没有笑，沉吟着道：“你有没有问过钱庄里的人，银子是谁存进去的？”

萧十一郎当然问过。

“到钱庄去存银子的，各式各样的人都有，都是很平凡的生意人，有人存银子进去，钱庄里的人当然也不会仔细盘问他的来历。”

风四娘道：“他们都用你的名义将银子存进去，再要钱庄的人，将银子当面交给你？”

萧十一郎点点头。

风四娘道：“钱庄里的人，怎么知道你就是萧十一郎？”

萧十一郎道：“他们当然不知道，但只要我一到了那地方，他们立刻就会收到一封信，信也是用我的名义写的，叫他们将银子送来给我。”

风四娘道：“你难道不能不要？”

萧十一郎笑了笑，道：“我为什么不要？”

风四娘道：“因为他绝不会真的无缘无故将银子送给你。”

萧十一郎道：“他当然有目的。”

风四娘道：“你有没有想过，他为的是什么？”

萧十一郎道：“因为他知道别人也是绝不会相信世上会有这种事，他要别人都认为我真的已找到了宝藏。”他苦笑着，接着道，“一个找到了宝藏的人就好像是根肉骨头，那些大大小小、各式各样的饿狗、野狗、疯狗，只要一听见风声，立刻都会抢着来啃一口的。”

风四娘道：“他要江湖中的人，将目标全都集中在你身上。”

萧十一郎点点头道：“别人都在注意我时，他就可以一步步去实行他的计划和阴谋，就算花点银子，也是值得的。”

风四娘道：“只不过他给你的并不是一点银子。”

萧十一郎承认：“那的确不止一点。”

风四娘道：“江湖中有这么多银子的人已不太多，能随便将这么多银子送人的，我却连一个都想不出来。”

萧十一郎道：“我也只想出了一个。”

风四娘道：“谁？”

萧十一郎道：“逍遥侯虽已死了，但他那秘密的组织并没有瓦解，因为现在已另外有个人接替了他的地位……”

风四娘道：“你认为银子就是这个人送给你的？”

萧十一郎又点点头，道：“只有这个人，才可能有这么大的出手。”

逍遥侯本身已富可敌国，他组织中的人，也都是坐镇一方的武林大豪。

这些人的财产若是集中在一起，那数目之大，已令人难以想象。

就算传说中那三宗宝藏真的存在，也一定是比不上的。

萧十一郎道："看来这个人非但已接替了逍遥侯的地位，也已承继了他的财产。"

风四娘道："但你却完全不知他的身份和来历？"

萧十一郎当然不知道。

这秘密根本就没有人知道。

"我只知道他一定是个很可怕的人，也许比逍遥侯更可怕。"

"哦？"

萧十一郎苦笑道："因为他至少比逍遥侯更阴沉，心机也更深，他现在利用我来转移别人的目标，先把我养得肥肥的，等他的计划接近完成时，只怕就要拿我来开刀了。"

风四娘道："所以你一定要先查出他是谁？"

萧十一郎道："只可惜我连一点线索都没有。"

风四娘道："所以你只有带着冰冰，四处去找他那组织中的人？"

萧十一郎黯然道："只可惜冰冰现在也不见了。"

风四娘道："也只有冰冰认得出那些人？"

萧十一郎道："只有她认得出。"

风四娘道："也只有她才知道这秘密？"

萧十一郎叹道："除了她之外，根本就没有人会相信我的话。"

风四娘道："我也相信。"她的声音温柔而坚定，"你说的每个字我都相信，因为我知道你是什么样的人，我一向知道。"

萧十一郎只觉得一阵热血上涌，忍不住握住了她的手。

他心里的感激，已不是任何言语所能表达的。

风四娘却将手慢慢地缩了回去，悄悄地藏在桌下，冷冷道："只可惜这世上了解你的人并不多，因为你根本不要别人了解你。"

萧十一郎看着自己的手，痴痴地看了很久，也不知在想什么。

风四娘道："所以我们不但要去找沈璧君，还要去找冰冰。"

萧十一郎终于叹息了一声，苦笑道："只可惜我还是连一点线索都没有。"

风四娘道："你在这里是不是有个家？"

萧十一郎道："那不是家，只不过是栋房子。"他目中又露出了那种他特有的寂寞说，"我也从来没有过家。"

风四娘道："但现在你已有很多房子？"

萧十一郎道："几乎每个大城里都有。"

风四娘道："房子是你自己买的？"

萧十一郎苦笑道："我也从来都没有钱买房子，他送得快，我也花得快。"

风四娘淡淡道："据说你为了替一个妓女赎身，就不惜一掷万金？"

萧十一郎道："他既然要送，我就只好拼命地花，我花得多，他就只好再多送些，他送我送得多，自己也就只好少花些了，所以我多花他一两银子，就等于减少了他的一分力量。"他又勉强笑了笑，"幸好花钱我一向是专家。"

风四娘道："但你却不买房子？"

萧十一郎道："绝不买。"

风四娘道："那些房子又是怎么来的？"

萧十一郎道："也是他送的，有时他还会将房产地契一箱箱地送过来。"

风四娘道："这些房子冰冰全去过？"

萧十一郎道："大多数去过。"

风四娘道："你看她会不会忽然间想一个人找个地方去躲起来静几天？"

萧十一郎道："为什么？"

风四娘道："因为她要一个人去想想心事，因为她要看看你会不会急着去找她。"

萧十一郎道："我想不出她为什么要这样做？"

风四娘轻轻叹了口气，道："你当然想不出的，因为你不是女人。"她眼睛里又露出种说不出的幽怨和感伤，慢慢接着道，"我是女人，女人的心事，也只有女人知道……"

萧十一郎道："你若是她，你也会一个人去躲藏起来？"

风四娘道："我一定会。"

萧十一郎道："为什么？"

风四娘道："因为我不喜欢看着你陪你的老朋友聊天喝酒，聊些我听不懂的事，却将我冷落一边，因为我不喜欢看着你为别的女人伤心，因为我得知道你是不是真的在关心我，因为我的心事，你一点也不知道。"

萧十一郎道："可是她……她跟你不同，她只不过是我的妹妹。"

风四娘又转过脸，凝视着远方黑暗的夜色，淡淡道："我也只不过是你的姐姐。"

萧十一郎不说话了，直到此刻，他才发现自己还欠着一个人的债。

又是一笔永远也还不清的债。

他忽然想起了冰冰看着他时，那种欲语还休的神采，那种脉脉含情的眼波……

他忍不住又叹了口气，道："你若是她，你会躲到哪里去？"

风四娘没有回头："当然是那些你去过，我也去过的地方。"

萧十一郎道："那些房子她都去过，我也去过。"

风四娘道："所以我们就应该到那里去找。"她还没有回头，轻轻地接着道，"我只希望你找到她后，永远莫要再将她当作你的妹妹。"

第十六章

无垢山庄的变化

已经有两年，也许还不止两年，沈璧君从未睡得如此香甜过。

车子在颠簸摇荡，她睡得就像是个婴儿，摇篮中的婴儿。

这使得她在醒来时，几乎已忘记了所有的悲伤、痛苦和不幸。

安适的睡眠，对一个生活在困苦悲伤中的人说来，本就是一剂良药。

她醒来时，秋日辉煌的阳光，正照在车窗上。

赶车的人正在前面摇动着马鞭，轻轻地哼着一首轻松的小调，就连那单调尖锐的鞭声，都仿佛带着种令人愉快的节奏，对这个人，她心里实在觉得很感激。

她永远也想不到，这个冷酷呆板、面目可憎的人，竟会有那么样一颗善良伟大的心，竟会冒着那么大的危险，救出了她，而且绝没有任何目的，也不要任何代价。

“我是个没有用的人，但我却有三个孩子，我救你，就算为了他们，我活了一辈子，至少也得做一件能让他们为我觉得骄傲的事。”

沈璧君了解这种感情。

她自己虽然没有孩子，但她却能了解父母对子女的感情。

无论他的人是多么平凡卑贱，但这种感情却是崇高伟大的。

那些自命大贵不凡的英雄豪杰，却反而往往会忽略了这种感情的价值。

于是她立刻又想起了萧十一郎。

萧十一郎也曾救过她，而且也是没有目的，不求代价的。

那时的萧十一郎，是个多么纯真，多么可爱的年轻人。

但现在呢？

她的心又碎了。

一个人为什么会忽然变得那么可怕？难道金钱真有能改变一切的魔力？

马车骤然停下。

沈璧君刚坐起来，就听见了外面的敲门声。

白老三拉开了车门道："算来你也该醒了，我已赶了一天一夜的路。"

他看来果然显得很疲倦，这段路本就是艰苦而漫长的。

逃亡的路，永远是艰苦漫长的。

沈璧君心里更感激，道："谢谢你。"

除了这三个字外，她实在不知道还有什么别的话可说的。

白老三看了她两眼，又垂下头，显得有些迟疑，却终于还是抬起头来说："我还要赶回去照顾孩子，我只能送你到这里。"

沈璧君忍不住问："这里是什么地方？"

白老三平凡丑陋的脸上，忽然露出种很奇怪的表情，冷漠的眼睛里，却仿佛带着种温柔的笑意，道："我知道这地方你一定来过的，你为什么不自己下来看看？"

沈璧君拢了拢头发，走下去，站在阳光下。

阳光如此温暖，她整个人却似已突然冰冷僵硬。

山林中，阳光下，有一片辉煌雄伟的庄院，看来就像是神话中的宫殿一样。

这地方她当然来过。

这地方本就是她的家——这世上最令人羡慕的一个家。

无垢山庄。

无垢山庄中的无垢侠侣。

连城璧是武林中最受人尊敬的少年侠客，沈璧君是江湖中最美丽的女人。

他们本来已正是一对最令人羡慕的夫妻。

可是现在呢?

她不由自主又想起了以前那一连串辉煌的岁月，在那些日子里，她的生活有时虽然寂寞，却是从容、高贵、受人尊敬的。

连城璧虽然并不是个理想的丈夫，可是他的行为，他对她的体点和尊敬，也绝没有丝毫可以被人议论的地方。

她也许并不是他生命中最重要的，但他却从未忘记过她，从未想到要抛弃过她。

何况，他毕竟是她生命中第一个男人。

可是她却抛弃了他，抛弃了所有的一切，只因为一个人……

萧十一郎!

他对她的感情，就像是历史一样，将她的尊严和自私全都燃烧了起来，烧成了灰烬。

为了他，她已抛弃了一切，牺牲了一切。

这是不是真的值得?

美丽而强烈的感情，是不是真的永远都难以持久?

沈璧君的泪已流下。

她又抬起手，轻拢头发，慢慢用衣袖拭去了面上的泪痕："今天的风好大。"

风并不大，可是她心里却吹起了狂风，使得她的感情，忽然又像海浪般澎湃汹涌。

无论如何，往事都已过去，无论她做的是对是错，也都是她自己心甘情愿的。

她并不后悔，也无怨尤。

生命中最痛苦和最甜蜜的感情，她毕竟都已尝过。

白老三站在她身后，看不见她脸上的表情，正在叹息着，喃喃道："无垢山庄果然不愧是无垢山庄，我赶了几十年车，走过几千几万里路，却从来也没有到过这么好的地方。"

"这里的确是个好地方。"沈璧君忍住了泪。

——只不过这地方已不再是属于我的了，我已和这里完全没有关系。

——我已不再是这里的女主人，也没有脸再回到这里来。

这些话，她当然不会对白老三说。

她已不能再麻烦别人，更不能再成为别人的包袱。

她知道从今以后，已必须要一个人活下去，绝不能再依靠任何人。

她已下了决心。

泪痕已干了。

沈璧君回过头，脸上甚至已露出了微笑："谢谢你送我到这里来，谢谢你救了我……"

白老三脸上又露出了那种奇怪的表情："我说过，你用不着谢我。"

沈璧君道："可是你对我的恩情，我总有一天会报答的。"

白老三道："也用不着，我救你，本就不是为了要你报答的。"

看着他丑陋的脸，沈璧君心里忽然一阵激动，几乎忍不住想要跪下来，跪下来拥抱住他，让他知道她心里有多少感激。

可是她不能这么样做，她一直是个淑女，以前是的，以后一定还是。

除了对萧十一郎外，她从未对任何人做过一点逾越规矩的事。

所以她只能笑笑，柔声道：“回去替我问候你的三个孩子，我相信他们以后都一定是很了不起的人，因为他们有个好榜样。”

白老三看着她，骤然扭转过身，大步走回马车。

他似已不敢再接触她的目光。

他毕竟也是个人，也会有感觉到惭愧内疚的时候。

他跳上马车，提缰挥鞭，忽又大声道：“好好照顾你自己，提防着别人，这年头世上的坏人远比好人多得多……”

马车已远去。

滚滚的车轮，在阳光下扬起了满天灰尘。

沈璧君痴痴地看着灰尘扬起，落下，消失……

她心里忽然涌起种说不出的恐惧，一种连她自己都无法解释的恐惧。

那并不完全是因为寂寞，而是一种比寂寞更深邃强烈的孤独、无助和绝望。

她忽然发现自己这一生中，永远是在倚靠着别人的。

开始时她倚靠父母，出嫁后她倚靠丈夫，然后她又再倚靠萧十一郎。

这两年来，她虽然没有见过萧十一郎，可是她的心却还是一直在倚靠着他。

她心里的感情，至少还有个寄托。

她至少还有希望。

何况，这两年来，始终还是有人在照顾着她的，一个真正的淑女，本就不该太坚强，太独立，本就天生应该受人照顾的。

但现在她却已忽然变得完全无依无靠，就连她的感情，都已完全没有寄托。

——萧十一郎已死了。

——连城璧也已死了。

在她心里，这些人都已死了，因为她自己的心也已死了。

一个心已死了的人要怎样才能在这冷酷的人世间活下去？

她不知道，完全不知道。

她已完全孤独、无助、绝望。

没有人能了解她此刻的心情，甚至没有人能想象。

阳光如此辉煌，生命如此灿烂，但她却已开始想到死。

只不过，要死也不能死在这里，让连城璧出来收她的尸。

——他现在是不是还坐在这无垢山庄中，那间他最喜欢的书房里，一个人在沉思？

——他会在想什么？会不会想到他那个不贞的妻子？

——他现在是不是也已有了别的女人？就像萧十一郎一样，有了个年轻漂亮的女人？

——男人总是不甘寂寞的，男人绝不会为了任何一个女人，誓守终生。

沈璧君禁止自己再想下去。

连城璧的事，她本就已无权过问，他纵然有了几千几百个女人，也是应该的。

奇怪的是，这两年来，她竟然始终没有听见过他的消息。

名声和地位，本是他这一生中看得最重的事，甚至看得比妻子还重。

这两年来，江湖中为什么也忽然听不见他的消息了？难道他也会消沉下去?

沈璧君不愿再想，却不能不想。

——谁也无法控制自己的情感和思想，这本就是人类最大的悲哀之一。

她一定要赶快离开这里，这地方的一草一木，都会带给她太多回忆。

可是就在她想走的时候，她已看见两个青衣人，从那扇古老而宽阔的大门里走了出来。

她只有闪身到树后，她不愿让这里任何人知道她又回来了。

这里每个人都认得她，也许每个人都在奇怪，他们的女主人为什么一去就没有了消息?

脚步声愈来愈近，两个人已嘻嘻哈哈，又说又笑地走入了这片树林。

看他们的装束打扮，本该是无垢山庄里的家丁，只不过连庄主手下的家丁，绝没有一个敢在庄门前如此放肆。

他们的脸，也是完全陌生的。

这两年来的变化实在太大，每个人都似已变了，每件事也都已变了。

连城璧呢?

沈璧君本来认为他就像是山庄后那块古老的岩石一样，是永远也不会变的。

笑声更近，两个人勾肩搭背走过来，一个人黝黑的脸，年纪已不小，另一人却是个又白又嫩，长得像大姑娘般的小伙子。

他们也看见了沈璧君，因为她已不再躲避他们。

他们呆呆地看着她，眼珠子都像是已凸了出来。无论谁忽然看见沈璧君这样的美人，都难免会有这种表情的，但无垢山庄中的家丁，却应该是例外。

无垢山庄中本不该有这种放肆无理的人。

那年纪较大的黑脸汉子，忽然咧嘴一笑，道："你到这里来干什么？是不是来找人的？是不是想来找我们？"

沈璧君勉强抑制着自己的愤怒，以前她绝不会允许这种人留在无垢山庄的，可是现在她已无权再过问这里的事。

她垂下头，想走开。

他们却还不肯放过她道："我叫老黑，他叫小白，我们正想打酒去，你既然已来了，为什么不留下来陪我们喝两杯？"

沈璧君沉下了脸，冷冷道："你们的连庄主难道从来也没有告诉过你们这里的规矩？"

老黑道："什么连庄主，什么规矩？"

小白笑道："她说的想必是以前那个连庄主，连城璧。"

"以前的那个庄主？"沈璧君的心也在往下沉道，"难道他现在已不是这里的庄主？"

老黑道："他早就不是了。"

小白道："一年多以前，他就已将这地方卖给了别人。"

沈璧君的心似已沉到了脚底。

无垢山庄本是连家的祖业，就和连家的姓氏一样，本是连城璧一生中最珍惜，最自豪的。

为了保持连家悠久而光荣的历史，他已尽了他每一分力量。

他怎么会将家传的祖业卖给别人？

沈璧君握紧了双手："绝不会的，他绝不会做这种事。"

老黑笑道："我也听说过，这位连公子本不是个卖房子卖地的败家子，可是每个人都会变的。”

小白道：“听说他是为了个女人变的，变成了个酒鬼，外加赌鬼，几乎连裤子都输了，还欠下一屁股债，所以才不得不把这地方卖给别人。”

沈璧君的心已碎了，整个人都已崩溃，几乎已无法再支持下去。

她从未想到过自己会真的毁了连城璧。

她毁了别人，也毁了自己。

老黑笑了笑道：“现在我们的庄主姓萧，这位萧庄主才真是了不起的人，就算一万个女人，也休想毁了他。”

“姓萧，现在的庄主姓萧？”

沈璧君突然大声问：“他叫什么名字？”

老黑挺起了胸，傲然道：“萧十一郎，就是那个最有钱，最……”

沈璧君并没有听见他下面说的是什么，她忽然觉得眼前一片黑暗。

她的人已倒下。

这庄院也很大，很宏伟。

风四娘看着屋角的飞檐，忍不住叹了口气，道：“像这样的房子，你还有多少？”

萧十一郎淡淡道：“并不太多了，只不过比这地方更大的，却还有不少。”

风四娘咬着嘴唇，道：“我若是冰冰，我一定会找个最大的地方躲起来。”

萧十一郎道：“很可能。”

风四娘道：“你最大的一栋房子在哪里？”

萧十一郎道：“就在附近。”

风四娘眼珠子转了转，试探着道：“无垢山庄好像也在附近？”

萧十一郎目中又露出痛苦之色，缓缓道：“无垢山庄现在也已是我的。”

花厅里的布置，还是跟以前一样，几上的那个花瓶，还是开封张二爷送给他的贺礼。

门外的梧桐，屋角的斜柳，也还是和以前一样，安然无恙。

可是人呢？

沈璧君的泪又流满面颊。

她实在不愿再回到这里来，怎奈她醒来时，就发现自己又回到这地方。

斜阳正照在屋角一张很宽大的红木椅子上。

那本是连城璧在接待宾客时，最喜欢坐的一张椅子，现在这张椅子看来还是很新。

椅子永远不会老的，因为椅子没有情感，不会相思。

可是椅子上的人呢？

人已毁了，是她毁了的。

这个家也是她毁了的，为了萧十一郎，她几乎已毁了一切。

萧十一郎却没有毁。

“这位萧庄主，才是真了不起的人，就算一万个女人，也休想毁了他。”

这本是她的家，她和连城璧的家，但现在却已变成了萧十一郎的。

这是多么残酷，多么痛苦讽刺。

沈璧君也不愿相信这种事真的会发生，但现在却已偏偏不能不信。

虽未黄昏，已近黄昏。

风吹着院子里的梧桐，梧桐似也在叹息。

萧十一郎为什么要将这地方买下来？是为了要向他们示威？

她不愿再想起萧十一郎这个人。

她只想冲出去，赶快离开这里，愈快愈好。

这地方现在已是萧十一郎的，她就已连片刻都耽不下去。

就在这时，后面的院子里，突然传来一阵骚动，有人在呼喝：“有贼！快来捉贼！”

萧十一郎才是个真正的贼，他不但偷去了她所有的一切，还偷去了她的心。

现在若有贼来偷他，本就是天经地义的事。

沈璧君咬着牙，只希望这个贼能将他所有的一切，也偷得干干净净，因为这些东西本就不是他的。

她决心要将这个贼赶出去。

她站起来，从后面的小门转出后院——这地方的地势，她当然比谁都熟悉。

后院里已有十几条青衣大汉，有的拿刀，有的持棍，将一个人团团围住。

一个衣衫褴褛，须发蓬乱，长满了一脸胡茬子，看来年纪已不小的人。

老黑手里举着柄锐刀，正在厉声大喝：“快放下你偷的东西来，否则先打断你这双狗腿。”

这人用一双手紧紧抱着样东西，却死也不肯放松，只是喃喃地在分辩：“我不是贼……我拿走的这样东西，本来就是我的。”

声音沙哑而干涩，但听来却仿佛很熟。

沈璧君的整个人突又冰冷僵硬。

她忽然发现这个衣衫褴褛，被人喊为“贼”的赫然竟是连城璧。

这真的是连城璧?

就在两年前，他还是天下武林中，最有前途、最受人尊敬的少年英雄。

就在两年前，他还是个最注意仪表、最讲究衣着的人。

他的风度仪表，永远是无懈可击的；他的衣服，永远找不出一点污垢，一点皱纹；他的脸也永远是神采奕奕，容光焕发的。

他怎么会变成了现在这么样的一个人?

就在两年前，他还是武林中家世最显赫的贵公子，还是这里的主人。

现在他却变成了一个贼。

一个人的改变，怎么会如此巨大，如此可怕?

沈璧君死也不相信——既不愿相信，也不能，更不敢相信。

可是她现在偏偏已非相信不可。

这个人的确就是连城璧。

她还听得出他的声音，还认得他的眼睛。

他的眼睛虽已变得像是只负了伤的野兽，充满了悲伤、痛苦和绝望。

但一个人眼睛的形状和轮廓，却是永远也不会改变的。

她本已发誓，绝不让连城璧再见到她，因为她也不愿再见到他，不忍再见到他。

可是在这一瞬，她已忘了一切。

她忽然用尽了所有的力量冲进去，冲入了人丛，冲到连城璧面前。

连城璧抬起头，看见了她。

他的整个人也突然变得冰冷僵硬："是你……真的是你……"

沈璧君看着他，泪又流下。

连城璧突然转过身，想逃出去。

可是他的动作已远不及当年的灵活，竟已冲不出包围着他的人群。

何况，沈璧君也已拉住了他的手，用尽全身力气，拉住了他的手。

连城璧的整个人又软了下来。

她从未这么样用力拉过他的手。

他从未想到她还会这么样拉住他的手。

他看着她，泪也已流下。

这种情感，当然是老黑永远也想不到，永远也无法了解的。

他居然又挥刀扑过来道："先废了这小贼一条腿再说，看他下次还敢不敢再来？"

刀光一闪，果然砍向连城璧的腿。

连城璧本已不愿反抗，不能反抗，就像是只本已负伤的野兽，又跌入了猎人的陷阱。

但是沈璧君的这只手，却忽然为他带来了力量和勇气。

他的手一挥，已打落了老黑手里的刀，再一挥，老黑就被打得仰面跌倒。

每个人全都怔住。

谁也想不到这个本已不堪一击的人，是哪里来的力气？

连城璧却连看也不看他们一眼，只是痴痴地凝视着沈璧君，说："我……我本来是永远也不会再回来的。"

沈璧君点点头："我知道。"

连城璧道：“可是……可是有样东西，我还是抛不下。”

他手里紧紧抱着的，死也不肯放手的，是一卷画，只不过是一卷很普通的画。

这幅画为什么会对他如此重要?

沈璧君知道，只有她知道。

因为这幅画，本是她亲手画的……是她对着镜子画的一幅小像。

这画画得并不好，但她画的却是她自己。

连城璧已抛弃了一切，甚至连他祖传的产业，连他显赫的家世和名声都已抛弃了。

但他却抛不下这幅画。

这又是为了什么?

沈璧君垂下头，泪珠已打湿了衣裳。

青衣大汉们，吃惊地看着他们，也不知是谁突然大呼：“我知道这个小贼是谁了，他一定就是这里以前的庄主连城璧。”

又有人在冷笑着说：“据说连城璧是条顶天立地的好汉，怎么会来做小偷？”

“因为他已变了，是为了一个女人变的。”

“那个女人难道就是这个女人？”

“这个女人莫非就是沈璧君？”

这些话，就像是一把锥子，锥入了连城璧的心，也锥入了沈璧君的心。

她用力咬着牙，还是忍不住全身颤抖。

连城璧似已不敢再面对她，垂下头，黯然道：“我已该走了。”

沈璧君点点头。

连城璧道：“我……我从来没有想到会在这里再见到你。”

沈璧君道：“你不愿再见到我？”

这句话她本不该问的，可是她已问了出来。

这句话连城璧既不知道该怎么回答，也根本不必回答。

他忽然转过身："我真的该走了。"

沈璧君却又拉住了他，凝视着他："我也该走了，你还肯不肯带我走？"

连城璧霍然抬起头，看着她，眼睛里充满了惊讶，也充满了感激，说："我已变成这样子，你还肯跟我走？"

沈璧君点点头。

她知道他永远也不会明白的，就因为他已变成这样子，所以她才要跟着他走。

他若还是以前的连城璧，她绝对连看都不会再看他一眼。

可是现在……现在她怎么忍心再抛下他？怎么忍心再看着他继续堕落？

她用力拉着他的手："要走，我们一起走。"

就在这时，她忽然听见一个人冷冷道："这地方本是你们的，你们谁都不必走。"

这是萧十一郎的声音。

声音还是很冷漠，很镇定。

无论谁也想象不到，他用了多么大的力量，才能控制住自己心里的痛苦和激动。

人群已散开。

沈璧君看见了他，连城璧也看见了他。

他就像是个石头人一样，动也不动地站在一棵梧桐树下。

他的脸色苍白，甚至连目光都仿佛是苍白的。

他整个人似已麻木。

沈璧君只看了他一眼，就扭过头，竟似完全不认得他这个人。

连城璧更不能面对这个人。

这个人看来是那么坚强冷酷，他自己却已崩溃堕落。

他想挥开沈璧君的手："你让我走。"

沈璧君咬着牙，一字字道："我说过，要走，我们一起走。"

萧十一郎也在咬着牙，道："我也说过，你们谁都不必走，这地方本是你们的。"

沈璧君冷冷道："这地方本来的确是我们的，但现在却已不是了。"她还是没有回头去看萧十一郎，她也在拼命控制着自己，"我们虽然不是什么样的大人物，但我们却还是不要你这种人的施舍，就算我们一出去就死在路上，也不会再留在这里。"

——我们……我们……我们……

——只有"我们"才是永远分不开的，你只不过是另外一个人而已。

"我们"这两个字，就像是一把刀，割碎了萧十一郎的心，也割断了他的希望。

他忽然明白了很多事——至少他自己认为已明白。

他没有再说话，连一个字都没有再说。

可是他身旁的风四娘却已冲过去，冲到沈璧君面前，大声道："你若是真的要跟着他走，我也不能拦你，但我却一定要你明白一件事。"

沈璧君在听着。

风四娘道："他并不是你想象中的那种人，他对你还是……"

沈璧君突然冷笑，打断了她的话："我已经很明白他是哪种人，用不着你再来告诉我。"

风四娘道："但你却误会了他，每件事都误会了他。"

沈璧君冷冷道："不管我是不是误会了他，现在都已没关系了。"

风四娘道：“为什么？”

沈璧君道：“因为我跟他本来就连一点关系都没有。”

她拉着连城璧的手，大步走了出去。

她没有回头道：“但我们迟早还是要回到这里来的，凭我们的本事回来，用不着你施舍。”

连城璧跟着她出去，也挺起了胸。

他已知道他迟早总有一天会回来的。

他真正想要做的事，他迟早总会做到，从来也没有一次失败过。

现在他已得回了沈璧君，迟早总有一天，他还会看着萧十一郎在他面前倒下。

黄昏，正是黄昏；风更冷，冷入了人的骨髓里。

人已散尽，萧十一郎却还是动也不动地站在秋风中，梧桐下。

风四娘并没有走过来，只是远远地站在那里，看着他。

她没有走过来，因为她知道自己永远也没法子再安慰他了。

风吹着梧桐，梧桐叶落。

一片叶子落下来，正落在他脚下。

他弯下腰，想拾起，但落叶却又被风吹走。人生中有很多事，岂非也正如这片落叶一样？

萧十一郎忽然笑了，大笑。

风四娘吃惊地看着他，他若是伤心流泪，甚至号啕大哭，她都不会怎么样，可是他这种笑，却使她听得心都碎了，也像是梧桐的叶子一样，碎成了千千万万片。

这世上也许只有她才能真正了解萧十一郎此刻的悲伤和痛苦，但她也知道，无论谁都不能为他勉强留下沈璧君的，看见连城璧变成那么样一个人，无论谁心头都不会没有感触。

这时小白也悄悄地走了进来，也在吃惊地看着萧十一郎，他从来也没有听见过这样的笑声，他白生生的脸色已被吓得发青。风四娘悄悄地擦干了泪痕，已忍不住要走过去，想法子让萧十一郎不要再这么样笑下去，笑和哭虽然都是种发泄，但有时也同样能令人精神崩溃。谁知萧十一郎的笑声已突然停顿，就跟他开始笑的时候同样突然。

小白这才松了口气，躬身道："外面有人求见。"

有什么人知道萧十一郎已到了这里？怎么会知道的？来找他是为了什么？这本来也是件很费人疑猜的事，萧十一郎却连想都没有想，他整个人都似已变成空的，什么事都不愿再想，只挥了挥手，道："叫他进来！"

一个人在悲伤时，真正可怕的表现不是哭，不是笑，不是激动，而是麻木。

萧十一郎呆呆地站在那棵梧桐树下，仿佛又变成了个石头人。

风四娘远远地看着他，眼睛里充满了关心和忧虑，她绝不能就这么样看着萧十一郎消沉下去，但她又想不出任何法子去安慰他，也不知道要到什么时候他才能恢复正常，这种打击本就不是任何人所能承受的。

萧十一郎若是也承受不起，若是从此就这么样消沉下去，那后果风四娘连想都不敢想。

她已看见连城璧变成了怎样的一个人，她知道萧十一郎也许会变得更可怕。

小院外已有个人走了进来，看来只不过是个规规矩矩、老老实实的少年人，也许还只能算是个孩子。

他的身材并不高，四肢骨骼都还没有完全发育成长，脸上也还带着孩子般的稚气，但一双眼睛却尖锐而冷静，甚至还带着种说不出的残酷之意。

萧十一郎还是痴痴地站在那里，好像根本不知道有这么样一个人来了。

这少年已走到他面前，看见萧十一郎这种奇特的神情，他居然丝毫也没有露出惊讶之态，只是规规矩矩地躬身一礼，道："在下奉命特来拜见萧庄主……"

萧十一郎的脸突然扭曲，厉声道："我不是这里的庄主，也不是萧庄主，我是萧十一郎，杀人不眨眼的大盗！"

这少年居然还是神色不变，等他说完了，才躬身道："这里有请柬一封，是在下奉命特来交给萧大侠的，请萧大侠过目之后，赐个回信。"

请帖竟是白的，就好像丧宅中发出的讣文一样。

萧十一郎的神情终于渐渐平静，却还是那种接近麻木般的平静。

他慢慢地接过请帖，抽出来，用一双呆滞空洞的眼睛，痴痴地看着。

突然间，他那张已接近麻木的脸，竟起了种说不出的奇特变化，那双空洞呆滞的眼睛，也发出了光。

这张请帖就像是一根针，麻木了的人，本就需要一根尖针来重重刺他一下，才会清醒的。

风四娘的眼睛也亮了，忍不住问道："请帖上具名的是谁？"

萧十一郎道："是七个人。"

风四娘皱眉道："七个人？"

萧十一郎点点头，道："第一个人是鱼吃人。"

鱼吃人，世上怎么有这么古怪，这么可怕的名字。

风四娘却听过这名字，已不禁悚然动容，道："海上鲨王？"

萧十一郎又点点头："除了'海上鲨王'外，还有谁会叫鱼吃人？"

风四娘轻轻吐出口气，又问："还有另外六个人是谁？"

萧十一郎道："金菩萨，花如玉，'金弓银丸斩虎刀，追云捉月水上飘'厉青锋，轩辕三缺，轩辕三成，还有那个人上人。"

风四娘又不禁吐出口气，萧十一郎所有的对头，这次竟好像全都聚在一起了。

风四娘忍不住又问："这些人凑在一起，请你去干什么？"

萧十一郎道："特备酒一百八十坛，盼君前来痛饮。"这显然是请柬上的话，他接着又念下去，"美酒醉人，君来必醉，君若惧醉，不来也罢。"

风四娘叹道："你当然是不怕醉的。"

萧十一郎淡淡道："我也不怕死。"

风四娘明白他的意思，这请帖上也许本来是想写"君来必死，若是怕死，不来也罢"。她又叹了口气，道："所以你当然是非去不可的。"

萧十一郎道："非去不可。"

风四娘道："那一百八十坛美酒，很可能就是一百八十个杀人的陷阱。"

萧十一郎道："我知道。"

风四娘道："你还是要去？"

萧十一郎的回答还是同样的一句话："非去不可。"

风四娘道："他们请的是哪一天？"

萧十一郎道："明天晚上。"

风四娘道："请在什么地方？"

萧十一郎道："鲨王请客，当然是在船上。"

风四娘道："船在哪里？"

萧十一郎没有回答这句话，却转过头，盯着那少年，也问道："船在哪里？"

少年躬身道："萧大侠若是有意赴约，在下明日清晨，就备车来迎。"

萧十一郎道："你备车来吧。"

少年再次躬身，似已准备走了，忽然又道："在下并不是一个人来的。"

萧十一郎道："哦？"

少年道："还有两位，一路都跟在在下后面，却不是在下的伙伴。"

萧十一郎道："那两人是谁？"

少年道："在下既不知道，也没有看见。"

萧十一郎道："既然没有看见，又怎知后面有人？"

少年道："在下能感觉得到。"

萧十一郎道："感觉到什么？"

少年道："杀气！"他慢慢地接着道，"那两位前辈跟在在下身后，就宛如两柄出鞘利剑，点住了在下的背脊穴道一样。"

利器出鞘，必有杀气，可是能感觉到这种无形杀气的人，这世上并不太多。

这少年看来却只不过是个孩子。

萧十一郎凝视着他，忽然问道："你是谁的门下？"

少年道："家师姓鱼。"

萧十一郎道："鱼吃人？"

少年点点头，脸上并没有因为这个奇怪可怕的名字，而露出丝毫不安之色。

萧十一郎道："你叫什么名字？"

少年迟疑着，道："在下也姓萧。"

萧十一郎道："萧什么？"

少年面上竟似已露出了不安之色，他的名字难道比"鱼吃人"还要奇怪，还要可怕？

"萧什么？"萧十一郎却又在追问，他显然也已看出这少年的不安，也已对这问题发生了兴趣。

少年又迟疑了半晌，终于垂下头，道："萧十二郎。"

萧十二郎，这少年居然叫萧十二郎，萧十一郎又笑了，大笑。

少年忽然又道："这名字并不可笑。"

萧十一郎道："哦。"

少年道："据在下所知，当今江湖中，叫十二郎的人，至少已有四位。"

萧十一郎又不禁笑道："有没有叫十三郎的？"

少年道："有。"

居然真的有。

少年道："十三郎也有两位，一位叫无情十三郎，另一位叫多情十三郎。"他自己居然也在笑，因为这的确是件很有趣的事，甚至已接近滑稽，"除了十三郎外，江湖中还有萧四郎，萧七郎，萧九郎，萧十郎。"

第十七章

红樱绿柳

萧十一郎大笑道："我本来是个孤儿，想不到竟突然有了这么多兄弟，倒真是可贺可喜。"

少年道："一个人成了大名之后，总难免会遇见些这种烦恼的。"

萧十一郎道："所以你已不想成名？"

少年笑了笑，道："成名虽然烦恼，但至少总比默默无闻地过一辈子好。"

他微笑着再次躬身一礼，转过身，大步走了出去。

风四娘看着他走出去，轻轻叹息着，道："看来这小子将来也一定是个有名的人。"

萧十一郎目中却似又露出种说不出的寂寞之色，淡淡道："一定是的，只要他能活得那么长。"

风四娘忽又笑了笑，道："却不知江湖中现在有没有风五娘？"

萧十一郎也笑了："看来迟早会有的，就算没有风五娘，也一定会有风大娘，风三娘，风七娘。"

风四娘吃吃地笑道："我只希望这些风不要把别人都吹疯了。"

近来这是她第一次真的在笑，她心情的确好了些。

因为她已看出萧十一郎的心情似也好了些。

有些人愈是在危急险恶的情况中，反而愈能镇定冷静。

萧十一郎无疑就是这种人。

可是，想到了明日之会的凶险，风四娘又不禁开始为他担心。

就在这时，小白又进来躬身禀报："外面又有人求见。"

萧十一郎道："叫他进来！"

小白迟疑着，道："他们不肯进来。"

萧十一郎道："为什么？"

小白道："他们要庄主你亲自出去迎接。"

这两人的架子倒不小。

萧十一郎看了风四娘一眼。

风四娘道："看来贴在十二郎背脊上的那两把剑，果然也已来了。"

萧十一郎道："却不知那是两柄什么样的剑？"

这句话他本也不必问的，因为他自己也早就知道答案。

那当然是两柄杀人的利剑，否则又怎么会有杀气！

没有剑，只有人。

杀气就是从这两个人身上发出来的，这两个人就像是两柄剑。

——身怀绝技的武林高手，视人命如草芥，他们本身就会带着种凌厉逼人的杀气。

他们都很瘦，很高，身上穿着的长袍，都是华丽而鲜艳的。

长袍的颜色一红一绿，红的红如樱桃，绿的绿如芭蕉。

他们的神情看来都很疲倦，须发都已白了，腰杆却还是挺得笔直，眼睛里发出的光彩锋芒远比剑锋更逼人。

看见这两个人，风四娘立刻就想溜，却已来不及了。

她认得这两人，她曾经将沈璧君从这两个人身边骗走，骗入了一间会走路的房子。

这两个人当然也不会忘记她，却只看了她一眼，目光就盯在萧十一郎脸上。

萧十一郎微笑道："一别两年，想不到两位的风采依然如故。"

红袍老人道："嗯。"

绿袍老人道："哼！"

两个人的脸上都完全没有表情，声音也冷得像是结成冰。

看见了他们，萧十一郎不禁又想起了那神秘而可怕的玩偶山庄。

在那里发生的事，也都是神秘而可怕的，他永远也不会忘记。

他当然也忘不了在那棋亭中，和这绿袍老人的一战，不动的一战。

——锡铸的酒壶，壶上的压力，他们虽然都没有动，却几乎都已耗去了自己所有的精力。

直到现在，萧十一郎还不能忘记那一战的凶险。

他忍不住问："两位近来可曾下棋？"

红袍老人道："没有。"

绿袍老人冷冷道："因为这两年来，我们都在忙着找你。"

萧十一郎苦笑道："我知道。"

他知道这两年来，沈璧君一直是跟他们在一起。

红袍老人道："你既然知道，为什么不来与我们相见？"

绿袍老人冷笑道："是不是因为你自觉已是个了不起的大人物，不屑与我们相见？"

萧十一郎道："两位本该知道，我绝没有这意思的。"

红袍老人冷冷道："我只知道你近来的确已是个了不起的大人物。"

绿袍老人道："据说你不仅已是天下第一高手，而且也已富甲天下。"

红袍老人道："但我们都还是想不到，你居然将无垢山庄也买了下来。”

绿袍老人道：“这一家人就是毁在你手里的，你却买下了他们的庄院。”

红袍老人道：“沈璧君为了你颠沛流离，受尽了折磨，你却另有了新欢。”

绿袍老人道：“你想必也该知道，我们刚才已见到了她。”

红袍老人道：“她对你也佩服得很，佩服得永远也不想再见你。”

绿袍老人道：“像你这种了不起的人物，我们也是万万高攀不上的。”

红袍老人道：“今日我们前来，就是为了告诉你，你我从此恩断义绝。”

绿袍老人道：“从今日起，我们再也不认得你。”

他们愈说愈气，话也愈说愈快，根本不给别人插口的余地。

萧十一郎只有听着。

他不想分辩解释，也根本就无法分辩解释。

红袍老人道：“除此之外，我们此来还有一件别的事。”

绿袍老人道：“我们要带一个人走。”

两个人的目光，突然同时盯在风四娘脸上。

风四娘竟忍不住打了个寒噤，勉强笑道：“两位要带我走？”

红袍老人道：“嗯。”

绿袍老人道：“哼！”

萧十一郎忍不住问道：“两位为什么要带她走？”

红袍老人道：“我两人这一生中，从未受过别人的骗。”

绿袍老人道：“这女人却骗了我们。”

红袍老人冷冷道：“这件事你想必也已听过。”

绿袍老人道：“但有件事你却未必听过。”

萧十一郎又忍不住问："什么事？"

红袍老人道："你知道我们是谁？"

绿袍老人道："你想必早已猜出，现在我们却要你说出来。"

萧十一郎叹了口气，道："红樱绿柳，天外杀手，双剑合璧，天下无敌。"

红袍老人道："不错，我就是李红樱。"

绿袍老人道："我就是杨绿柳。"

红袍老人道："无论谁只要骗过红樱绿柳一次，都得死。"

绿袍老人道："这件事你本来也应该听说过的。"

萧十一郎道："我没有。"

李红樱道："现在你已听过了。"

杨绿柳道："现在你总该已知道，这女人已非死不可。"

萧十一郎道："我不知道。"

李红樱怒道："你还不知道？"

萧十一郎淡淡道："看她的样子，最近好像绝不会死的。"

李红樱道："所以你不信她会死？"

萧十一郎道："我不信。"

杨绿柳道："你要怎么样才会相信？"

萧十一郎道："随便怎么样我都不会相信，只要我活着，我就不信。"

杨绿柳道："你若死了呢？"

萧十一郎叹了口气，道："我若死了，什么事我都相信了，只可惜最近我好像也不会死的。"

李红樱的脸沉了下去，突然冷笑，道："很好，好极了。"

杨绿柳道："我们虽已有多年未曾杀人，杀人的手段，却还未忘记。"

萧十一郎叹道："这种事就算想忘记，只怕也很不容易。"

李红樱道："我刚才已说过，你我之间，已恩断义绝。"

杨绿柳道："我们这一生中，杀人已无算，并不在乎多杀一个人。"

萧十一郎道："我知道。"

李红樱道："你还知道什么？"

萧十一郎道："天外杀手，杀人如狗，双剑合璧，绝无活口。"

李红樱道："你既然知道，为何还不走？"

萧十一郎苦笑道："我这一生中，已不知被人杀过多少次，再多杀一次，我也不在乎。"

李红樱冷笑道："很好。"

杨绿柳道："好极了。"

一阵风吹过，天地间的杀气已更重。

风四娘一直在痴痴地看着萧十一郎，眼睛里充满了感激。

她从未想到萧十一郎也会为她拼命，也会为她死的。

萧十一郎已在问："两位的剑呢？"

李红樱道："绿柳红樱，剑中之精。"

杨绿柳道："剑中之精，其利穿心。"

两人突然同时翻身，手里已各自多了柄精光四射的利剑。

剑长只有七寸，但一剑在手，剑气已直逼眉睫而来。

这两柄剑，果然是剑中的精魂。

剑中精魂，其利在神。

这两柄剑的可怕之处，并不在剑锋上。

剑锋虽短，但那种凌厉的剑气，却已将方圆数十丈内所有的生物全都笼罩。

萧十一郎竟也似觉得心头有种逼人的寒意，那凌厉的剑气，竟似已穿入了他的胸膛，穿入了他的心。

李红樱用两根手指，捏住了两寸长的剑柄，冷冷道："拿你的刀。"

萧十一郎道："我不用刀。"

李红樱厉声道："为什么？"

萧十一郎道："我不想杀人。"

他不想杀人，他也不笨。

一寸短，一寸险——这两柄剑长只七寸，已可算是世上最短的剑。

最短的剑，想必也一定是最凶险的剑。

萧十一郎的刀也很短。

他知道自己绝不能以短制短，以险制险。他的刀绝没有把握能制住这两柄剑。

这两柄剑已杀人无算，剑的本身，就已带着种凶杀之气。

何况这两柄剑又是在这么样两个人手里。

李红樱凝视着他，冷冷道："你不用刀用什么？"

萧十一郎笑了笑，道："随便用什么都行，两位想必也不至于规定我一定要用刀的。"

他的身子突然凌空跃起，翻身而上，摘下了门帘上的一段横木。

一段长达一丈二尺的横木。

他早已看准了这根木头——以长制短，以强制险。

李红樱眼睛里忽然发出了光，冷冷道："我现在才知道，你为什么直到现在还能活着。"

杨绿柳冷笑道："这人果然不笨。"

李红樱道："不笨的人，我们也一样杀过无数的。"

萧十一郎不等杨绿柳开口，已抢着道："所以你们再多杀一个，也绝不在乎的。”

风四娘突然大声道：“我在乎。”

她冲过去，挡在萧十一郎面前：“我只要知道你对我有这种心意，就已足够了，我愿意跟他们走。”

萧十一郎道：“只可惜我却不愿意。”

他手里的木棍突然一挑，竟将风四娘的人挑了起来。

风四娘只觉得身子一麻，突然飞起，忽然间已平平稳稳地坐到门檐上，却连动都不能动了。

萧十一郎道：“那上面一定凉快得很，你不妨舒舒服服地坐在上面，等我死了，再下来替我收尸。”

风四娘咬着牙，她已连话都说不出。

萧十一郎再也不睬她，转身对着红樱绿柳，道：“伯仲双侠欧阳兄弟，名声虽不高，家世却显赫，两位想必是听过的。”

李红樱冷冷道：“是欧阳世家的子弟？”

萧十一郎点了点头，道：“他们也正如两位一样，与人交手时，不论对方有多少人，都是两人并肩迎敌。”

杨绿柳怒道：“难道你想以那两个不肖子与我们相比？”

萧十一郎居然没有否认，淡淡地道：“我与他们交手时，只用了三招，而且有声明在先，三招不能取胜，就算我败了。”

李红樱冷笑道：“你与我们交手，准备用几招？”

萧十一郎道：“三招！”

三招！

红樱绿柳剑昔年纵横天下，号称无敌，那时萧十一郎只怕还未出世。

现在他与这两人交手，居然也准备只用三招。

风四娘的身子若还能动，一定早已跳了起来。

纵然逍遥侯复生，也绝不敢说能在三招中击败他们的。

就连三百招都很难。

能不败已不容易。

风四娘看着萧十一郎，她实在想看看这人是不是真的疯了。

红樱绿柳也在看着萧十一郎，两个人非但没有发怒，反而突然冷静了下来。

李红樱冷冷道："我们的剑长只七寸，你的棍却有一丈二三。"

杨绿柳道："你以长击短，以强制险，以为我们根本就很难近你的身？"

李红樱道："你自以为纵然不胜，至少已先立于不败之地。"

杨绿柳道："所以你故意激怒我们？"

李红樱道："你既然只用三招，以我两人的身份，当然也不能多用一招。"

杨绿柳道："你认为我们绝对无法在三招内击败你？"

李红樱道："可是你错了。"

萧十一郎静静地听着，等着他们说下去。

杨绿柳忽又问道："你知不知道剑术练到最高峰时，就能以气驭剑，取人首级于百步之外。"

以气驭剑！

听见这四个字，萧十一郎的脸色也不禁变了。

这种剑术在武林中传说已久，但无论谁都认为那只不过是传说而已。

一种神话般的传说，因为古往今来，根本就没有人能练成这种剑术。

难道红樱绿柳的剑术，真的已能达到这种至高无上的境界？

李红樱道："江湖中人，一向都认为'以气驭剑'，只不过是神话而已。其实这种剑术，并不是绝对练不成的。"

杨绿柳道："只不过一个人若要练成这种剑术，至少要有一百五十年的苦功。"

李红樱道："无论谁也不能活到那么久的。"

杨绿柳道："我们也不能。"

李红樱道："就算真的有人能活到一百五十岁，也不可能将一百五十年光阴，全部一心一意地用来练剑。"

杨绿柳道："所以我们也并没有练成这种剑术。"

听了这句话，萧十一郎总算松了口气。

李红樱道："我们七岁练剑，至今已有七十四年。"

他们竟都是八十以上的老人。

杨绿柳道："这七十四年来，我们真正在练剑的时候，最多只不过有二十多年而已。"

李红樱道："所以我们直到现在，也只能练到以气驭线，以线驭剑的境地。"

萧十一郎动容道："以气驭线，以线驭剑？"

杨绿柳道："你不懂？"

萧十一郎的确不懂。

李红樱道："好，我不妨让你先看看。"

他手里的短剑突然飞出，如闪电一击，却远比闪电更灵活。

剑光在暮色中神龙般地夭矫飞舞，就像是神迹一般。

萧十一郎却已看出他手里飞起了一根光华闪闪的乌丝，带动着这柄短剑，居然操纵如意。

剑光一转，忽然间又飞回他手里。

李红樱道："这就叫以气驭线，以线驭剑，现在你明白了么？"

萧十一郎不由自主叹了口气，这样的剑法，他已是闻所未闻，见所未见。

李红樱道：“现在我们只能以丈二飞线，带动七寸短剑。”

杨绿柳道：“等到我们能以十丈飞线，带动三尺剑锋时，这第一步功夫才算完成，才能开始练以气驭剑。”

李红樱叹息了一声，道：“只不过那至少已是十年后的事了。”

杨绿柳道：“现在我们的第一步飞剑术虽然还未练成，对付你却已绰绰有余。”

李红樱道：“你若想以长击短，以强击弱，你就算输了。”

杨绿柳道：“现在我们的剑不但已比你长，也比你强，你也该看得出的。”

萧十一郎当然看得出的。所以他无法否认，这两人的剑术之高，实已远在他意料之外。

风四娘看见刚才那一剑飞出，冷汗已湿透了衣裳。

她绝不能就这样坐着，看着萧十一郎为她死在他们的飞剑下。

怎奈她却偏偏只有这么样坐着，看着，她不但已流出了汗，也已流出了泪。

萧十一郎仿佛也在叹息，却又忽然问道：“现在你们准备用几招胜我？”

李红樱道：“三招！”

《火并萧十一郎（上）》完

相关情节请看《火并萧十一郎（下）》

读客文化将出版以下古龙经典作品

《小李飞刀1：多情剑客无情剑》

《小李飞刀2：边城浪子》

《小李飞刀3：九月鹰飞》

《小李飞刀4：天涯·明月·刀》

《陆小凤传奇1：金鹏王朝》

《陆小凤传奇2：绣花大盗》

《陆小凤传奇3：决战前后》

《陆小凤传奇4：银钩赌坊》

《陆小凤传奇5：幽灵山庄》

《陆小凤传奇6：凤舞九天》

《陆小凤传奇7：剑神一笑》

《楚留香新传1：借尸还魂》

《楚留香新传2：蝙蝠传奇》

《楚留香新传3：桃花传奇》

《楚留香新传4：新月传奇·午夜兰花》

《七种武器1：长生剑 · 孔雀翎》

《七种武器2：碧玉刀 · 多情环》

《七种武器3：离别钩 · 霸王枪》

《七种武器4：愤怒的小马 · 七杀手》

《萧十一郎》

《火并萧十一郎》

《绝代双骄》

《欢乐英雄》

《三少爷的剑》

《流星 · 蝴蝶 · 剑》

《武林外史》

《白玉老虎》

《圆月弯刀》

《大人物》

《绝不低头》

《碧血洗银枪》

《彩环曲》

《苍穹神剑》

《大地飞鹰》

《风铃中的刀声》

《护花铃》

《剑毒梅香》

《剑客行》

《猎鹰·赌局》

《名剑风流》

《飘香剑雨》

《七星龙王》

《失魂引》

《血鹦鹉》

《英雄无泪》

《游侠录》

《月异星邪》

读客

激发个人成长

多年以来，千千万万有经验的读者，都会定期查看熊猫君家的最新书目，挑选满足自己成长需求的新书。

读客图书以“激发个人成长”为使命，在以下三个方面为您精选优质图书：

1. 精神成长

熊猫君家精彩绝伦的小说文库和人文类图书，帮助你成为永远充满梦想、勇气和爱的人！

2. 知识结构成长

熊猫君家的历史类、社科类图书，帮助你了解从宇宙诞生、文明演变直至今日世界之形成的方方面面。

3. 工作技能成长

熊猫君家的经管类、家教类图书，指引你更好地工作、更有效率地生活，减少人生中的烦恼。

每一本读客图书都轻松好读，精彩绝伦，充满无穷阅读乐趣！

图书在版编目（CIP）数据

火并萧十一郎 / 古龙著. -- 上海 : 文汇出版社,
2018.12

（古龙文集）

ISBN 978-7-5496-2627-4

Ⅰ. ①火… Ⅱ. ①古… Ⅲ. ①侠义小说－中国－当代
Ⅳ. ①I247.5

中国版本图书馆CIP数据核字（2018）第120817号

著作权合同登记号：09-2018-374

火并萧十一郎

作　　者 / 古　龙

责任编辑 / 若　晨
特邀编辑 / 王心怡　周奥扬
排版设计 / 黄巧玲
封面装帧 / 文　薇

出版发行 / 文匯出版社
上海市威海路 755 号
（邮政编码 200041）
经　　销 / 全国新华书店
印刷装订 / 北京中科印刷有限公司
版　　次 / 2018 年 12 月第 1 版
印　　次 / 2018 年 12 月第 1 次印刷
开　　本 / 890mm × 1270mm　1/32
字　　数 / 435 千字
印　　张 / 17.75

ISBN 978-7-5496-2627-4
定　　价 / 104.00 元（全二册）

读客文化

火并萧十一郎（下）

古 龙 著

文匯出版社

目　录

第十八章

大江东流

当然是三招！他们当然绝不会比萧十一郎多用一招的，这点无论谁都可以想得到。

甚至连萧十一郎自己都无法想象。满天夕阳忽然消失，黑暗的夜色，忽然已笼罩大地。星光还没有升起，月亮也没有升起，在夜色中看来，红樱绿柳就像是两个来自地狱，来拘人魂魄的幽灵。

他们的脸色冷漠如幽灵，他们的目光也诡异如幽灵，但他们手里的剑，却亮如月华，亮如厉电。

萧十一郎横持着一丈二尺长的木棍，左右双手，距离六尺，红樱绿柳两人之间的距离也有五六尺。

两人同时轻叱一声："走。"

叱声中，两人手里的短剑，已同时飞出，如神龙交剪，闪电交击，剑光一闪，飞击萧十一郎左右双耳后颞骨下的致命要穴。

这一击的速度，当然也绝不是任何人所能想象得到的。

萧十一郎没有退，没有闪避，身子反而突然向前冲了出去，长棍横扫对方两人的肋骨。

这是第一招，双方都已使出了第一招。

萧十一郎这一招以攻为守，连消带打，本已是死中求活的杀手。

只听"叮"的一声，双剑凌空拍击，突然在空中一转，就像是附骨之疽般，跟着萧十一郎飞回，飞到他的背后，敌人在自己面前，剑却从背后刺来。

这一招的凶险诡异，已是萧十一郎生平未遇。

现在他等于已是背腹受敌，自己的一招没能得手，也必将被利剑穿心而死。

就在这间不容发的一刹那间，他的人已凌空飞起，倒翻了出去。

这一翻一掠，竟远达四丈。他的人落下时，已到了墙脚下，又是退无可退的死地。

就在他脚步沾地的一瞬间，眼前光华闪动，双剑已追击而来。

萧十一郎手里的木棍举起，向剑光迎了过去，他看得极准，也算得极准。

只听“夺”的一声，两柄剑都已钉入了木棍，就钉在他的手边。

这已是红樱绿柳使出的第三招。

现在剑已钉在木棍上，萧十一郎却还活着，还没有败。

风四娘总算松了口气。

谁知双剑入木，竟穿木而过，而且余势不竭，“哧”的一声，又刺向萧十一郎左右双耳后颞骨下最大的那致命要穴。

这还是同样一招，还是第三招。

谁也想不到他们的飞剑一击，竟有如此可怕的力量，竟似已无坚不摧，不可抵御。

萧十一郎却已退无可退，手里的木棍既无法收回，也无法出击，而且木棍就在他面前，后面就是墙，他前后两面的退路已都被堵死，看来他必死无疑。

风四娘几乎已忍不住要闭上眼睛，她不能再看下去，也不忍再看下去。

谁知就在这一瞬间，又起了惊人的变化。

萧十一郎竟然低头一撞，撞上自己手里的木棍，又是“叮”的一击，双剑在他脑后擦过，凌空交击。他手里的木棍已被他的头顶撞成了两截，飞弹出去，分别向红樱绿柳弹了过去。

红樱绿柳的剑，已分别穿入了这两截横木，带动飞剑的乌丝，也已穿过了横木。

萧十一郎这头顶一撞之力太大，木棍就像是条绷紧的弓弦，突然割断，反弹而出，这一弹之力，当然也很快，很急。

红樱绿柳眼见已一击命中，忽然发现两截木棍已向他们弹了过来。

两人来不及考虑，同时翻身，虽然避开了这一击，剑上的乌丝却已脱手。

低沉的夜色中，只见两条人影就像是两朵飞云般飘起，飘过了围墙。

只听李红樱冷冷的声音远远传来：“好，好个萧十一郎。”

声音消失时，他们的人影也已消失。

夜色深沉，东方已有一粒闪亮的孤星升起。

夜却已更深了……

两柄光华夺目的短剑，交叉成十字，摆在桌上，摆在灯下。

剑光比灯光更耀眼。

冷凄凄的剑光，映着一张讣闻般的请柬：

“……特备美酒一百八十坛，盼君前来痛醉……”

“……美酒醉人，君来必醉，君若惧醉，不来也罢。”

萧十一郎一杯在手，凝视着杯中的酒，喃喃道：“他们应该知道我不怕醉的，每个人都知道。”

风四娘正看着他，道：“所以你现在已有点醉了？”

萧十一郎举杯一饮而尽，道："我不会醉的，我有自知之明，我知道我能喝多少酒。"

他又斟酒一杯，道："每个人都应该有自知之明，都不该自作多情。"

——自作多情？他真的认为他对沈璧君只不过是自作多情？

风四娘忽然笑了笑，道："我看李红樱、杨绿柳就很有自知之明，他们知道自己败了，所以他们立刻就走。"她显然想改变话题，说些能令萧十一郎愉快的事，"他们已使出三招，你却只用了两招，他们的剑已脱手，已到了你手里。"

萧十一郎也笑了笑，道："可是我的头几乎被撞出了个大洞，他们的头却还是好好的。"

风四娘道："不管怎么样，他们总算已败在你手下。"

萧十一郎道："我有自知之明，我本不是他们对手的，就正如我本不是逍遥侯的对手。"

风四娘道："但你却击败了他们。"

萧十一郎道："那只不过因为我的运气比较好。"他又举杯饮尽，凝视着桌上的请柬，"只可惜一个人的运气绝不可能永远都好的。"

请柬在森森的剑光下看来，更像是讣闻。

萧十一郎看着这张请柬，就像是在看着自己的讣闻一样。

有些人明知必死时，是会先准备好后事，发好讣闻的。

风四娘道："你在为明天的约会担心？"

萧十一郎淡淡道："我从来也没有为明天的事担心过。"他忽然大笑再次举杯道，"今朝有酒今朝醉，又何必管明天的事！"

风四娘道："你本来就不必担心的，这七个人根本不值得你担心。"

萧十一郎看着请柬上的七个名字，忽又问道："你认得他们？"

风四娘点点头，道：“厉青锋已死，看来虽然还很有威风，可是心却已死了。”

无论谁过了二三十年悠闲日子后，都绝不会再有昔日的锋芒锐气。

风四娘道：“他甚至已连人上人那样的残废都对付不了，他的刀虽然还没有锈，可是他心里却已生了锈。”

萧十一郎道：“你看过他出手？”

风四娘道：“我看过，我也看得出，他的出手至少已比昔年慢了五成。”

萧十一郎道：“你看得出？你知道他昔年的出手有多快？”

风四娘道：“我不知道，我只知道他昔年的出手，若是也和现在一样，他根本就活不到现在。”她接着又道，“人上人能活到现在，却是个奇迹。”

萧十一郎叹了口气，道：“他的确是个强人。”

一个人的四肢若已被砍断其三，却还有勇气活下去，这个人当然是个强人。

风四娘道：“只可惜他心里已有了毛病，他心里绝不如他外表看来那么强，他也许怕得要命。”

萧十一郎道：“你能看到他的心？”

风四娘道：“我却知道无论谁将自己称为人上人，都绝不会很正常的。”

萧十一郎叹道：“我只替那个被他像马一样鞭策的大汉感觉有些难受，我想那个人的日子一定很不好过。”

风四娘也叹了口气，道：“我就从来没有替那个人想过，但我却替你想过，你为别人想的时候，总比为自己想的时候多。”

萧十一郎冷冷道：“我这人根本就已没什么好想的。”

风四娘道：“因为你只不过是匹狼？”她又笑了笑，道，“那你就更不必担心花如玉了，他只不过是条狐狸，狐狸遇着了狼，就好像老鼠见了猫一样。”

萧十一郎道：“轩辕兄弟也是狐狸？”

风四娘道：“是两条又奸又刁的狐狸，只要一嗅到危险，他们一定溜得比谁都快。”

萧十一郎道：“金菩萨呢？”

风四娘道：“他不是狐狸，却是头猪，好吃懒做、好色贪财的猪。”

萧十一郎笑了。

风四娘道：“也许你根本不必对付他，他也会被那三条狐狸吃了的。”

萧十一郎道：“所以最危险的还是鲨王。”

风四娘没有否认：“据说他是条吃人的老虎鲨，吃了人后连骨头都不吐。”

萧十一郎道：“我并不担心他。”

风四娘道：“为什么？”

萧十一郎淡淡地道：“因为我根本就不是人，你随便去问谁，他们都一定会说，萧十一郎根本就不是人。”

看着他脸上的表情，风四娘心里又不禁觉得一阵刺痛。

一个人若是终生都在被人误解，那痛苦一定很难忍受。

萧十一郎又道：“其实我担心的并不是这七个人。”

风四娘道：“你在担心什么？”

萧十一郎凝视着那张请柬，缓缓道：“我担心的是，没有在这请帖上具名的人。”

风四娘道：“你认为明天要对付你的，还不止这七个人？还有更可怕的人在暗中埋伏着？”

萧十一郎笑了笑，道：“我是匹狼，所以我总能嗅得出一些别人嗅不出的危险来。”

他笑得很奇怪，连风四娘都从来也没有看见他这么样笑过。

看来那竟像是一个人临死前，回光返照时那种笑一样。

萧十一郎还在笑：“一匹狼在落入陷阱之前，总会感觉到一些凶兆的，可是它还是要往前走，就算明知一掉下去就要死，还是要往前走，因为它根本已没法子回头，它后面已没有路。”

风四娘的心沉了下去。她忽然明白了萧十一郎的意思。

一个人若已丧失了兴趣，丧失了斗志，若是连自己都已不愿再活下去，无论谁都可以要他死的。

萧十一郎现在显然就是这样子，他自己觉得自己根本已没有再活下去的理由，他受的打击已太重。

刚才那一战，他能击败红樱绿柳，只不过因为那一战并不是为了他自己，而是为了要救风四娘。

他觉得自己欠了风四娘的债，他就算要死，也得先还了这笔债再死。

现在他也许觉得债已还清了，他等于已为风四娘死过一次。

至于沈璧君的债，在沈璧君跟着连城璧走的那一瞬间，他也已还清了。

他觉得现在是沈璧君欠他，他已不再欠沈璧君。

他的人虽然还活着，心却已死——也正是在沈璧君跟着连城璧走的那一瞬间死了的。

风四娘忽然发现明天他一去之后，就永远再也不会见着他了。

因为他现在就已抱着必死之心，他根本就不想活着回来。

风四娘自己的心情又如何?

一个女人看着自己这一生中，唯一真心喜爱的男人，为了别的女人如此悲伤，她又会有什么样的心情?

她想哭，却连泪都不能流，因为她还怕萧十一郎看见会更颓丧悲痛。

她只有为自己满满地斟了杯酒。

萧十一郎却忽然握住了她的手，凝视着她:“你知道我心里在想什么? ”

风四娘默默地点了点头。

萧十一郎的手握得很紧，眼睛里满布着红丝:“我本不该这么样想的，我自己也知道，她本就是别人的妻子，她根本就不值得我为她……”

“为她死。”他并没有说出这个“死”字来，但风四娘却已知道他要说的是什么。

萧十一郎的手握得更紧:“我知道我本该忘了她，好好地活下去，我还并不太老，还有前途，我至少还有你。”

风四娘用力咬着牙，控制着自己。她看得出萧十一郎已醉了，他的眼睛已发直，若不是醉了，他绝不会在她面前说出这种话来的。

萧十一郎还在继续说:“什么事我都知道，什么道理我都懂，可是我偏偏没法子……偏偏没法子做我应该做的事。”

风四娘柔声道:“那么你就不该责备自己，更不该勉强自己。”

萧十一郎道:“可是我……”

风四娘打断了他的话:“你既然什么事都知道，就也该知道世上什么事都可以勉强，只有感情是谁也勉强不了的。”

萧十一郎却垂下头，道:“我……我只盼望你……你原谅我。”

风四娘道:“我当然原谅你，我根本就没有怪过你。”

萧十一郎没有再说话，也没有抬起头。

风四娘忽然发觉自己的手背上，已多了一滴晶莹的泪珠。

这是萧十一郎的眼泪，萧十一郎居然也有流泪的时候。

这滴眼泪就像是一根针，直刺入风四娘心里，又像是一粒珍珠，比世上所有的财富加起来都宝贵的珍珠。

风四娘只想用一只白玉黄金樽，将它收藏起来，永远藏在自己心里，但泪珠却已慢慢地渗开，慢慢地消失了，只是它也已渗入了风四娘的皮肤，与她的生命和灵魂结成了一体。

也不知过了多久，萧十一郎又在喃喃地说道："你自己常常说，你并不是个真正的女人……"

风四娘的确这么样说过，她总觉得自己并不是个完全女性化的女人。

萧十一郎道："可是你错了。"

风四娘道："我错了？"

萧十一郎道："你不但是个真正的女人，而且还是个伟大的女人，你已将女性所有最高贵、最伟大的灵性，全都发挥了出来，我敢保证，世上绝没有比你更伟大的女人，绝没有……"

他声音愈说愈低，头也渐渐垂下，落在风四娘手背上。

他竟枕在风四娘的手上睡着了。

风四娘没有动。

萧十一郎的头仿佛愈来愈重，已将她的手压得发了麻，可是她没有动。

每个人都知道风四娘是个风一样的女人，烈火一样的女人。

但却没有人知道，任何女人所不能忍受的，她却已全都默默地忍受了下来。

她知道萧十一郎说的是真心话，他说在嘴里，她听在心里，心里却不知是甜，是酸，是苦？

她知道萧十一郎了解她，就正如她了解萧十一郎一样。

可是他对她的情感，却和她对他的情感完全不同。

这就是人类最大的痛苦——一种无可奈何的痛苦。

她忍受这种痛苦，已忍受了十年，只要她活着，就得继续忍受下去。

活一天，就得忍受一天，活一年，就得忍受一年，直到死为止。

——春蚕到死丝方尽，蜡炬成灰泪始干。

这是两句名诗，几乎每个人都念过，但却又有几个人能真正了解其中的辛酸？

她不知道自己还要忍受多久，也不知道自己还能活多久。

她只知道现在绝不能死，她一定要活下去，因为她一定要想法子帮助萧十一郎活下去。

她活着，是为了萧十一郎。

她若要死，也得为萧十一郎死。

蜡炬未成灰，泪也未干。

风四娘的手臂几乎已完全麻木，可是她没有动。

她满心酸楚，满身酸楚，既悲伤，又疲倦。

她想痛醉一场，又想睡一下，可是她既不能睡，也不敢醉。

她一定要在这里守着萧十一郎，守到黑夜逝去，曙色降临，守到他走为止。

忽然间，蜡炬终已燃尽，火光熄灭，四下变得一片黑暗。

她已看不见萧十一郎，什么都已看不见。

在这死一般的寂静和黑暗中，在这既悲伤又疲倦的情况下，她反而忽然变得清醒了起来。

物极必反，世上本就有很多事都是这样子的——到了最黑暗时，光明一定就快来了。

她忽然想起了很多事，很多问题。

她自己将这些问题一条条说出来，自己再一条条解答。

她先问自己："花如玉是个什么样的人？"

花如玉当然是个既深沉、又狡猾，而且极厉害、极可怕的人。

"一个像他那么样厉害的人，费了那么多心血，才得到沈璧君，又怎么会让一个车夫轻轻易易就将她救走？"

那本是绝无可能的。

"难道这本就是花如玉自己安排的，故意让那车夫救走沈璧君？"

这解释不但比较合理，而且几乎已可算是唯一的解释。

"花如玉为什么要这样做？他苦心得到沈璧君，为什么又故意要人将她救走？"

"因为他要那车夫将沈璧君送到无垢山庄来。"

"这又是为了什么？"

"因为他知道连城璧也一定会到这里来，他故意要沈璧君和连城璧相见，要沈璧君看看，她的丈夫已变得多么潦倒憔悴。"

"为什么？"风四娘再问自己。

"因为他知道沈璧君是个软弱而善良的女人，若是看见连城璧为了她而毁了自己，她一定会心软的，为了让连城璧重新振作，她一定会不惜牺牲一切。"

"可是像花如玉这种人，绝不会做任何对自己没有好处的事，他这么样做，对自己又有什么好处？"

"没有好处。"

“唯一的解释就是，这一切计划，并不是花如玉自己安排的，在暗中一定还另外有个主使他的人。”

“这世上又有什么人能指挥花如玉，让花如玉接受他的命令？”

“那当然是个比花如玉更深沉，更厉害，更可怕的人。”

“这个人难道就是接替逍遥侯地位的那个人？难道就是故意将千万财富送给萧十一郎的那个人？”

“一定就是他！”

“就因为花如玉也是他的属下，所以花如玉从未真的关心过萧十一郎的‘宝藏’，他早已知道这‘宝藏’根本就不存在。”

“这个人为什么要这样做？”

“因为他要陷害萧十一郎，要别人对付萧十一郎，也要沈璧君怀恨萧十一郎。”

“花如玉也当然早已知道‘无垢山庄’是属于萧十一郎的。”

“他当然也知道沈璧君发现这件事后，会多么伤心，多么气愤。”

“可是他既然知道连城璧已出卖了无垢山庄，又怎能确定连城璧一定会在这里遇见沈璧君？”

“这难道是连城璧自己安排的？”

“这件事发展到现在这种情况，唯一得到好处的人，岂非就只有连城璧？”

“除了连城璧外，也没有人知道萧十一郎在这里，那请帖是怎么会送到这里来的？”

“难道这所有的计划，都是连城璧在暗中主使的？难道他就是接替逍遥侯地位的那个人？”

风四娘一连问了自己五个问题。

这五个问题都没有解答——并不是因为她不能解答，而是她不敢相信自己的解答。

她的确不敢。

——连城璧就是“那个人”。

只要想到这种可能，风四娘全身就不禁都已冒出了冷汗。

事实的真相若真是这样子的话，那就未免太可怕了。

风四娘甚至已连想都不敢去想，她简直无法想象世上竟真的有如此残酷、如此恶毒的人。

但是她也一直知道，连城璧本就是个非常冷静、非常深沉的人。

像他这种人，本不该为了一个女人而变得如此潦倒憔悴的。

他一向将自己的名声和家世，看得比世上任何事都重。

连家世代豪富，产业众多，一个人无论怎么样挥霍，也很难在短短两年中将这亿万家业败光的。

何况，连城璧自己也是个交游极广、极能干的人，他怎么会穷得连“无垢山庄”都卖给了别人？

这世上又有谁有那么大的本事，那么大的胆子，敢买下无垢山庄来？

就算真的有人买了下来，这无垢山庄又怎么会变成萧十一郎的？

想到这里，风四娘身上的冷汗，已湿透了衣裳。

但她还是不敢确定。

她还是想不通，连城璧怎么会知道逍遥侯的秘密，怎么能接替逍遥侯的地位？

现在她只知道，萧十一郎确实已变成了江湖中的众矢之的。

沈璧君确实已心甘情愿地重新投入了连城璧的怀抱。

这些本都是绝不可能发生的事，现在偏偏全都已发生了。

风四娘已下定决心，无论如何，都要将自己这想法告诉萧十一郎。

萧十一郎的预感也许并没有错。

明日之约，真正可怕的人，也许的确不是在请帖上具名的那七个人，而是连城璧。

连城璧的袖中剑，她是亲眼看见过的，连小公子那么厉害的人，都毫无抵抗之力，立刻就死在他的剑下。

这两年来，他很可能又练成了更可怕的武功。

以他的武功，再加上那七个人中随便任何两个，萧十一郎都必死无疑。

风四娘一定要叫萧十一郎分外小心提防。

可是她现在还不忍惊醒他，这些日子来，他实在太累，太疲倦，睡眠对他实在太重要。

现在距离天亮还有很久，她决心要让他先安安稳稳地睡一觉。

明天那一战，很可能就是决定他生死存亡的一战。

他一定要有充足的精神和体力去对付，因为他只有一个人，这世上几乎已没有任何别的人能帮助他。

就连风四娘都不能，因为她根本没有这种力量。

夜色更深，更黑暗。

风四娘的全身都已坐得发麻，却还是不敢动。

她只有专心去思索，她希望专心的思索，能使得她保持清醒。

她想到那七个人中，很可能只有花如玉一个人是连城璧的手下。

另外那六个人，也许只不过是受了他的骗，为了贪图那根本不存在的宝藏，才来对付萧十一郎的。

她若能当面揭穿这件阴谋，他们也许就会反戈相向，来对付花如玉了。

想到这里，风四娘心里的负担才总算减轻了。

接着她又想到很多事。

“现在他们想必已知道冰冰的来历了，冰冰想必也已落入他们手里。”

于是风四娘又不禁怪自己。

那天若不是她一定要萧十一郎陪她到面摊子上喝酒，若不是因为她对冰冰那么冷淡，冰冰也许就不会一个人回去了。

她想到冰冰，又想到沈璧君。

沈璧君的确是个可怜又可爱的女人，她实在太温柔，太痴情。

也许就因为如此，所以她才一直都不能主宰自己的命运，一直都在受人摆布。

所以她这一生，已注定了要遭受那么多折磨和不幸。

冰冰呢？

冰冰更可怜。

她正是花一样的年华，花一般的美丽，可是她的生命却已比鲜花更短促。

也许她们两个人都配不上萧十一郎。

萧十一郎需要的，是一个聪明而坚强，能鼓励他，安慰他，了解他的女人。

这世上又有谁能比她自己更了解萧十一郎？

风四娘又不敢想下去了。

萧十一郎的脸，还枕在她手上，她甚至可以听见他心跳的声音。

她不由自主，又想到了那天晚上。

那天晚上的迷醉和激情，甜蜜和痛苦，都是她终生永远也忘不了的。

可是她却已决心不再提起，她甚至希望萧十一郎能忘记这件事。

这是多么痛苦的抉择！又是多么伟大的牺牲！

风四娘叹了口气，现在她必须要喝点酒，否则就很可能无法支持下去。

刚才斟满的一杯酒，还在她面前。

她拿起酒杯，又放下，放下又举起，她终于将这杯酒喝下去。

这杯酒果然使她振作了些，再喝一杯，也许就能支持到天亮了。

酒壶也就在她面前。

她生怕倒酒的声音，惊醒了萧十一郎，所以她就拿起了酒壶，对着嘴喝。

壶中的酒似已不多了。

她不知不觉地，就全部喝了下去，酒的热力，果然使她全身的血液都畅通了些。

她轻轻地，慢慢地，靠到椅背上。

窗外还是一片黑暗，屋子里也是一片黑暗，风吹着窗外的梧桐，轻得就像是情人的呼吸。

萧十一郎的呼吸也很轻，很均匀，仿佛带着种奇妙的节奏。

她凝视着面前这一片无边无际的黑暗，倾听着窗外的风声，和萧十一郎的呼吸。

一种甜蜜而深沉的黑暗，比夜色更浓的黑暗，忽然拥住了她。

她忽然睡着了。

黑暗无论多么深沉，光明迟早还是要来的，睡眠无论多么甜蜜，也迟早总有清醒的时候。

风四娘忽然醒来，秋日的艳阳，正照在雪白的窗纸上。

她轻轻叹了口气，慢慢地抬起手，揉了揉眼睛。

她的心突然沉了下去，沉入了脚底，沉入了万丈深渊里。

她的手上已没有人。

枕在她手上沉睡的萧十一郎，已不见了。

“他绝不会就这么样走的。”

风四娘跳起来，想呼喊，想去找，却已发现那讣闻般的请帖背面，已多出了几行字，是用筷子蘸着辣椒酱写出来的字，很模糊，也很零乱：

我走了。

我一定压麻了你的手，但等你醒来时，手就一定不会再麻的。

他们要找的只是我一个人，你不必去，也不能去。

你以后就算不能看见我，也一定很快就会听到我的消息。

模糊的字迹更模糊，因为泪已滴在上面，就像是落花上的一层雨雾。

——我一定压麻了你的手，可是等你醒来时，手就一定不会再麻的。

她懂得他的意思。

——我一定伤了你的心，可是等你清醒时，就一定不会再难受了，因为我根本就不值得你伤心难受。

可是，她真的能忘了他，真的能清醒?

——你就算不再见到我，也一定很快就会听到我的消息。

那是什么消息？死?

他既已决心去死，除了他的死讯外，还能听到什么别的消息?

风四娘的心已被撕裂，整个人都已被撕裂。

——他为什么不叫醒我？为什么不让我告诉他，那些足以让他不想死的秘密？

——在这种生死关头，我为什么要睡着？

风四娘忍不住大叫嘶喊："我难道也是个猪？死猪？"

她一把抓起了桌上的酒杯和酒壶，用力摔了出去，摔得粉碎。

她希望能将自己也摔成粉碎。

一个人悄悄地伸头进来，吃惊地看着她。

风四娘突然冲过去，一把揪住他衣襟："你们的萧庄主呢？"

"走了。"

这个人正是无垢山庄的家丁老黑，一张黑脸已吓得发白。

"什么时候走的？"

"天一亮就走了，外面好像还有辆马车来接他。"

"是辆什么样的马车？"

"我……我没有看清楚。"

他这句话还没有说完，风四娘的巴掌已掴在他脸上："你为什么不看清楚……为什么不看清楚……"

她掴得很重，老黑却好像完全不觉得疼。

他已完全吓呆了。

幸好风四娘已放开他，冲出去，他脸上立刻露出种恶毒的笑意。

他知道她绝对找不到萧十一郎的。

一辆马车接他走的，接他到一条船上。

这就是风四娘唯一知道的线索。

是辆什么样的马车？

是条什么样的船？

船在哪里？

她完全不知道，她只知道不管怎么样，都一定要找到萧十一郎，非找到不可。

现在她若能将自己昨天晚上想的那些问题和解答告诉萧十一郎，就一定能激发他生存的勇气和斗志。

无论这阴谋的主使是不是连城璧，他都一定会想法子去找出真正的答案来，非找到不可。

他一定要活下去，才能去找。

这也许就是能让他活下去的唯一力量，否则他就非死不可，因为他自己根本就不想再活下去，他已没有活下去的希望和勇气。

他若死了，冰冰是不是还能活得下去？沈璧君是不是还能活得下去？

她自己是不是还能活得下去？

这答案几乎是绝对否定的。

死！萧十一郎若死了，大家都只有死。

她并不怕死，可是大家假如真的就这么样死了，她死也不甘心。

她并没有把死活放在心上，可是这口气，她却实在忍不下去。

风四娘就是这么样一个女人，为了争一口气，她甚至不惜去死一千次一万次。

天色还很早，秋意却已渐深。

满山黄叶，被秋风吹得簌簌地响，就仿佛有无数人在为她叹息。

她看不见马车的影子，也找不到车辙痕迹。

地上的泥土，干燥而坚实，就算有车痕留下，也早就被风吹走了。

风吹到她身上，她全身都是冷冰冰的，从心底一直冷到脚底。

她孤孤单单地面对着这满山秋叶，满林秋风，恨不得能大哭一场。

可是哭又有什么用？就算哭断了肝肠，又有谁来听？

——萧十一郎，你为什么要偷偷地溜走？为什么要坐车走？

他若是骑马行路，她也许能在镇上打听出他的行踪。

因为他一向是个很引人注目的人。

可是坐在马车里，就没有人会注意到他了，也没有人会去注意一辆马车。

何况她连那马车是什么样子都不知道。

现在她唯一的线索，只有“一条船”，船总是停泊在江岸边的。

江岸在东南方。

她咬了咬牙，收拾起满怀哀愁悲伤，打起了精神，直奔东南。

这已是她唯一可走的路，若是找不到萧十一郎，这条路就是条有去无回的死路。

风动秋林，一片枯叶被风吹了下来，在风中不停地翻滚旋舞。

风吹到哪里去，它就得跟着到哪里去，既无法选择方向，也无法停下来。

有些人的生命岂非也一样，也像这片枯叶一样，在受着命运的拨弄？

大江东流。

江上有多少船舶，谁知道萧十一郎在哪条船上？就算到了江岸又如何？

风四娘走得很快，只恨不得能飞起来，可是她的一颗心却在往下沉。

太阳已升起，光明而灿烂。

她的脸上也在发着光，可是心里却似已被乌云布满，再灿烂的阳光，也照不到她心里。

她几乎已没有勇气再走下去，因为她已完全没有信心。

路旁有个卖酒的摊子，牛肉、豆干、白酒。

喝杯酒是不是能振作些？

她还没有走过去，已发现摊子旁的七八双眼睛都在直勾勾地盯着她。

她也一向是个很引人注意的人，若是有人想打听她的行踪，一定很容易打听得到的。

这世上真正能引人注意的人并不太多，却也不止她和萧十一郎两个。

——至少还有两个。

沈璧君和连城璧岂非也一样是这种人，尤其是两个人走在一起——一个美得可以令人心跳的少妇，和个落拓褴褛的醉汉走在一起，无论谁都会忍不住要多看他们两眼的。

连城璧若真的就是“那个人”，今天晚上岂非也一定会到那条船上去？

若是能找到他，岂非就也能找到萧十一郎？

风四娘的眼睛亮了，她本来就有双足够动人的眼睛，亮起来的时候，更动人心弦。

大树下有两个佩剑的少年正在看着她，已看得发痴了，连碗里的酒溅出来都不知道。

风四娘眼珠子转了转，忽然走过去，带着笑招呼：“喂。”

两个年轻人都吃了一惊，又惊又喜，一个几乎把手里的半碗酒全都泼出来。

另外的一个看来比较沉着，也比较有经验，居然站起来微笑道：“我叫霍英，他叫杜吟，姑娘你贵姓大名？”

有经验的意思，当然就是对女人比较有经验，江湖中的年轻人，本来就有不少已是老江湖。

风四娘也笑了，却没有回答他的话，反问道："你们是走镖的？"

霍英道："我是，他不是。"

风四娘道："你们都已在江湖中走了很久？"

霍英道："我已走了很久，他没有。"

风四娘道："你们有没有听见过一个叫风四娘的人？"

霍英道："我当然听见过，她……"

杜吟忽然抢着道："我也听见过，听过她是个……是个……"

风四娘道："是个什么？"

杜吟的脸似已有些发红，讷讷道："是个女人，很好看的女人，而且……"

这次霍英替他说了下去："而且很凶，据说江湖中有很多成名的英雄，一看见她就头痛。"

风四娘笑了笑，道："现在你们的头痛不痛？"

两个人又吃了一惊，吃惊地看着她。

还是霍英的胆子比较大，终于鼓起勇气，道："你就是风四娘？"

风四娘道："我就是，就是那个又凶又不讲理的女妖怪。"

霍英怔住，怔了半天，才长长吐出口气，勉强笑道："可是你看来一点也不像。"

风四娘道："不像风四娘？"

霍英道："不像女妖怪。"

杜吟居然也跟着道："一点也不像。"

风四娘又笑了。

她本来就是个很好看的女人，笑起来的时候，更没有一点凶的样子。

霍英的勇气又恢复了，试探着道："听说你的酒量很好，这里的酒也不错，你……”

风四娘嫣然道：“我本来就想要你们请我喝杯酒。”

酒其实并不好，只不过酒总是酒。

风四娘一口气就喝了三碗，眼睛更亮了。

杜吟看着她的时候，脸也更红，好像已神魂颠倒，不知所措。

霍英的胆子却更大，忽然道：“我也能喝几杯，我们来拼酒好不好？”

风四娘瞟了他一眼，道：“你想灌醉我？”

霍英居然没有否认，道：“我听说你从来也不会醉的，所以……”

风四娘道：“所以你想试试。”

霍英笑道：“反正就算喝醉了也没什么关系，我若喝醉了，小杜会送我，你若喝醉了，我送你。”

这小子居然像是有些不怀好意。

风四娘又笑了。

树下有两匹马，她忽然问道：“这两匹马是你们骑来的？”

霍英点点头，眯起眼道：“你就算醉得连马都不能骑，我也可以在后面扶着你。”

风四娘道：“你知道我要到哪里去？”

霍英道：“随便你想到哪里去都行。”

风四娘道：“你们没有别的事？”

霍英道：“我没有，他……”

杜吟抢着道：“我也没事，一点事都没有。”

风四娘忽然跳起来，笑道：“好，我们走。”

霍英怔了怔，道：“走？走到哪里去？”

风四娘道：“去找两个人。”

霍英道："我们刚才岂非说好了要拼酒的？"

风四娘道："先去找人，再拼酒。"她笑得更迷人，"只要能找到那两个人，随便你要跟我怎么拼都行。"

霍英的眼睛亮了，他本来就有双色迷迷的眼睛，亮起来的时候，更显得不怀好意。

初出道的犊儿，连只老虎都不怕，何况母老虎？

更何况这条母老虎看来一点也不凶！

他也跳了起来，笑道："别的本事我没有，要找人，我倒是专家，随便你要找什么人，只要是说出他们的样子来，我就能找得到。"

风四娘道："真的？你真有这种本事？"

霍英道："不信你可以问小杜。"

杜吟点点头，心里虽然有点不愿意，却也不能不承认："他不但眼睛尖，而且记性好，不管什么样的人，只要被他看过一眼，他就不会忘记。"

风四娘笑道："我要找的这两个人，随便谁只要看过一眼，都绝不会忘记的。"

霍英道："这两个人很特别？"

风四娘道："的确很特别。"

霍英道："是男的，还是女的？"

风四娘道："一男一女，女的很好看……"

霍英抢着道："比你还好看？"

风四娘叹了口气，道："比我好看一百倍。"

霍英道："男的呢？"

风四娘道："男的本来也很好看，只不过现在看来很落魄，而且还长出了一脸乱七八糟的胡子来。"

霍英立刻摇头，道："我没看见这么样两个人，也找不到。"

他的脸色似已有点变了，笑得很不自然，事实上他简直已笑不出来。

他心里有什么鬼?

风四娘眼珠子转了转，笑道："你虽然没看见，可是我知道有个人一定看见了。"

霍英立刻问："谁？"

风四娘道："小杜。"

霍英更紧张，勉强笑道："我跟他是一路来的，我没有看见，他怎么会看见？"

风四娘道："因为他是个老实人，他不会说谎。"她忽然转过头，盯着杜吟，道，"小杜，你说对不对？"

杜吟的脸又红了，他的确不会说谎，却又不敢说实话，他好像有点怕霍英。

可是看他的表情，已经等于把什么话都写在脸上了。

霍英只有叹了口气，苦笑道："今天早上我们吃早点的时候，好像看见过这样两个人。"

风四娘道："那女的是不是很美？"

霍英只好点点头。

风四娘道："你是不是也想找她拼酒？"

霍英的脸也红了。他毕竟还是个年轻人，脸皮还不太厚。

杜吟低着头，嗫嚅着道："其实他也并没有什么恶意，他本来就是这么样一个人，只不过有点……有点……"

风四娘替他说了下去："有点风流自赏，也有点自作多情。"

霍英的脸更红，好像已准备开溜。

风四娘却拍了拍他的肩，笑道："其实这也没什么好难为情的，人不风流枉少年，年轻人看见漂亮的女人，若是不动心，那么他不是个伪君子，就是块木头。”

霍英看着她，目中已露出感激之色，他忽然发觉这个女妖怪非但一点也不可怕，而且非常可爱。

无论谁看见风四娘，都会有这种想法的。

她不但能了解别人，而且能同情别人的想法，原谅别人的过错。

只要你没有真的惹恼她，她永远都是你最可爱的朋友。

杜吟道：“其实他也没有怎么样，也不过多看了那位连夫人两眼，想去管管闲事而已。”

风四娘的眼睛里更发出了光，道：“你们已知道她就是连夫人沈璧君？”

杜吟点点头。

风四娘道：“你们怎么会知道的？”

霍英叹了口气，苦笑道：“我看见她那么样一个女人，居然跟一个又穷又臭的男人在一起，而且神情显得很悲伤，好像受了很多委屈。”

风四娘道：“所以你就认为她一定是受了那个男人的欺侮，就想去打抱不平。”

霍英苦笑着点了点头。

风四娘道：“你当然想不到那个又脏又臭的男人，就是江湖中的第一名公子连城璧。”

霍英叹道：“我的确连做梦也想不到。”

风四娘道：“所以你就碰了个大钉子，再也不好意思去见他们。”

霍英道：“给我钉子碰的，倒不是连公子。”

风四娘道：“不是他，是谁？”

霍英道：“也是个喜欢多管闲事的人，姓周，叫周至刚。”

风四娘道：“是不是那个‘白马公子’？”

霍英点点头，道：“他好像本来就是连公子的老朋友，所以才认得出他们，后来还把他们夫妻两个人都拉回去了。”

风四娘道：“你是不是受了他的气？”

霍英红着脸，垂下头。

风四娘眼珠子转了转，忽然又跳起来，道：“走，你跟我走，我替你出气。”

霍英道：“真的？”

风四娘笑道：“莫忘记我本就是个人人见了都头痛的女妖怪，你遇见我，算你运气，他遇见我就算他倒了大霉了。”

霍英精神一振，展颜道：“我早就说过，随便你要到哪里去，我都跟着。”

风四娘嫣然道：“那么你不妨就暂时做我的跟班，保险没有人敢再欺负你。”

杜吟道：“可是我们只有两匹马。”

霍英笑道：“没关系，两个跟班可以共骑一匹马。”

杜吟也笑了，道：“不错，你是跟班，我当然也是跟班，别的跟班都是跟在马后面跑的，我们能够两个人骑一匹马，已经算运气不错了。”

风四娘银铃般笑道：“能够做我的跟班，本来就是你们的福气。”

所以风四娘忽然就有了两个跟班，刚才她还是孤孤单单的一个人，身上连喝酒的钱都没有，可是现在她已骑在一匹鞍辔鲜明的大马上，后面还跟着两个又年轻又英俊的跟班。

这就是风四娘。

风四娘就是这么样一个人。

她这一生，永远是多姿多彩的，永远都充满了令人兴奋的波折和传奇。

无论遇着多么困难的事，她都有法子去解决，而且一下子就解决了。

无论遇着什么样的人，她都有法子去应付，而且能叫人高高兴兴地做她的跟班。

对付男人，她本来就有她独特的手段——也许只有一个男人是例外。

萧十一郎!

对付男人的手段，她至少有好几百种，可是一遇见萧十一郎，她就连一种都使不出来。

第十九章

金凤凰

“现在我们要到哪里去？”

“当然是周至刚的白马山庄。”

白马山庄当然有一匹白马。

一匹从头到尾，都找不出一根杂毛来的白马，就像是白玉雕成的。

白马通常都象征尊贵，这匹马不但高贵美丽，而且极矫健神骏，据说还是大宛的名种。

白马山庄中当然还有位白马公子。

白马公子也是个很英俊的人，武功是内家正宗的，文采也很风流。

所以只要一提起白马周家来，江南武林中绝没有一个人不知道的。

只不过，究竟是这匹马使人出名的？还是这个人使马出名的？现在渐渐已没有人能分得清了。

也许连周至刚自己都未必能分得清。

可是无论怎么样说，马的确是名马，人也的确是名人，这一点总是绝无疑问的。

所以无论谁要找白马山庄，都一定不会找不到。

正午。

山林在阳光下看来是金黄色的，一片片枯叶也变得灿烂而辉煌。

可是它的本质并没有变，枯叶就是枯叶，叶子枯了时，就一定会凋落。

无论什么事都改变不了它的命运，就连阳光也不能。

——世上岂非有很多事都是这样子的？

风四娘心里在叹息。

阳光正照在她脸上，使得她的脸看来也充满了青春的光辉。

可是她自己知道，逝去的青春，是永远也无法挽回的了。

她并不想留下青春，她想留下的，只不过是一点点怀念而已。

那也并不完全是对青春的怀念，对别人的怀念，更重要的是，让别人也同样怀念她。

等到她也如枯叶般凋落的时候，还能怀念她的又有几人？

风四娘不愿再想下去，回过头，霍英和杜吟正在痴痴地看着她。

至少这两个年轻人是永远也不会忘了她的。

只要还有人怀念，就已足够。

风四娘笑了，道："你们两个都是好孩子，我若年轻些，说不定会嫁给你们其中一个的，现在……"

"现在我们只不过是你的跟班。"

霍英也在笑，笑得却有点酸酸的。

风四娘笑道："是我的跟班，也是我的兄弟。"

杜吟忽然道："幸好你不准备嫁给我们。"

风四娘忍不住问道："为什么？"

杜吟道："现在我们是朋友，可是你若真的要在我们之间选一个，我们说不定就会打起来了。"

他的脸又红了起来。

他说的是实话。

风四娘嫣然道："我若要选，一定不会选你，你太老实。"

霍英又高兴了起来，笑道："我早就告诉过他，太老实的男人，女人反而不喜欢。"

杜吟红着脸，嗫嚅着道："其实我有时候也不太老实。"

风四娘大笑道："你想要我怎么样替你出气？"

霍英道："随便你。"

风四娘道："我们就这样闯进去，把他抓出来好不好？"

霍英道："好，好极了。"

山坡并不太陡斜。

风四娘吆喝了一声，反手打马，冲出树林。

白马山庄黑漆的大门开着，他们居然真的就这么样直闯了进去。

门房里的家丁全都大吃了一惊，纷纷冲出来，大喝道："你们是什么人？来干什么？"

风四娘笑道："我们是来找周至刚的，我是他的姑奶奶。"

她要马穿过院子，直闯上大厅。

不但人吃惊，马也吃惊，马嘶声中，已撞翻了两三张桌子，四五张茶几，七八张椅子。

十来个人冲出来，有的想勒马缰，有的想抓人，人还没有碰到，已挨了几马鞭。

风四娘大声道："快去叫周至刚出来，否则我们就一路打进去。"

霍英高兴得满脸通红，大笑道："对，我们就一路打进去。"

一个老家丁急得跳到桌子上，大叫道："你们这是干什么，莫非是强盗？"

话还没有说完，风四娘也已跳上桌子，一把揪住他衣襟，道："我早就说过，我是周至刚的姑奶奶，他的人呢？"

"他……他不在，真的不在。"

"为什么不在？"

当然是因为出去了，所以才不在，风四娘也觉得自己问得好笑，所以又问道："他几时出去的？"

"刚才。"

"一个人出去的？"

"不是一个人，还有一位连公子。"

"连公子？连城璧？"

"好像是的。"

"他们到哪里去了？"

"不知道，真的不知道。"

风四娘的心不住往下沉："连公子是不是跟他的夫人一起来的？"

"是。"

"连夫人呢？"

"在后面院子里，跟我们庄主夫人在吃饭。"

风四娘心里冷笑，道："原来他故意安排周至刚出现，只不过是为了要把他老婆留在这里，他好出去杀人。"

老家丁听不懂她在说什么，霍英也不懂："谁要去杀人？去杀谁？"

风四娘咬了咬牙，忽然问道："你们两个人的功夫怎么样？"

霍英笑道："虽然不太怎么样，可是对付这些饭桶，倒还绰绰有余。"

风四娘道："好，你们就待在这里，叫他们摆酒，开饭，若有人不听话，你们就打，就算把屋子拆了也没关系。"

霍英笑道："别的我不会，揍人拆房子，我却是专家。"

风四娘道："若是酒不够陈，菜不够好，你们也照打不误。"

霍英道："我们要不要等你回来再吃？"

风四娘道："用不着，我要到后面去找人。"

霍英道："找谁？"

风四娘道："找一个不知好歹的糊涂鬼。"

后面的院子里，清香满院，菊花盛开，梧桐的叶子翠绿。

一个翠衣碧衫、长裙齐地的美妇人，正从后面赶出来，碰上了风四娘。

她虽然已近中年，看起来却还很年轻，一双凤眼凛凛有威，无论谁都看得出她一定是个很不好惹的女人。

风四娘偏偏就喜欢惹不好惹的人，眼珠子转了转，忽然道："听说这里的庄主夫人娘家姓金。"

"不错。"

"听说她就是以前江湖中很有名的金凤凰。"

"不错。"

"你叫她出来，我想见见她。"

"她已经出来了。"

风四娘故意瞪大了眼睛，看着她，道："你就是金凤凰？"

金凤凰寒着脸，冷冷道："我就是。"

风四娘忽然笑了，眨着眼笑道："失敬失敬，抱歉抱歉，我本来还以为你是周至刚的妈。"

金凤凰脸上的血色一下子就褪得干干净净，一张脸已变得铁青，忽然冷笑道："听说以前江湖中有个叫风四娘的母老虎，总是喜欢缠住我老公，只可惜我老公一看见她就要吐。"

风四娘道："你老公是周至刚？"

金凤凰冷冷道："不错。"

风四娘道："那就不对了，我只迷得他一见到我就要流口水，有时甚至会开心得满地乱爬，却从来也没有吐过一次。"

金凤凰道："难道你就是风四娘？"

风四娘道："不错。"

金凤凰冷笑道："失敬失敬，抱歉抱歉，我本来还以为你是条见人就咬的疯狗。"

风四娘却又笑了，悠然道："我倒真想咬你一口，只可惜我从来不咬老太婆。"

金凤凰的脸色好像已发绿。

她年纪本来就比周至刚大两岁。

年纪比丈夫大的女人，最听不得的，就是老太婆这三个字。

她甚至情愿别人骂她疯狗，也不愿听到别人说她老。

风四娘就知道她怕听，所以才说。

自从发现连城璧很可能就是"那个人"之后，她就已准备找连城璧的麻烦了。

连城璧既然是跟周至刚一起走的，周至刚当然也不是好人。

她找不上他们，只好找上了金凤凰。风四娘找麻烦的本事，本来就是没有人能比得上的。

现在金凤凰居然还没有被她气死，她好像觉得还不太满意，微笑着道："其实我也知道你并不太老，最多也只不过比周至刚大二三十岁而已，脸上的粉若涂得厚一点，看起来也只不过像五十左右。"

金凤凰忽然尖叫着扑了过来。

有很多女人都很会叫的，而且很喜欢叫。

她们高兴的时候要叫，生气的时候也要叫，亲热的时候要叫，打架的时候也要叫。

金凤凰无疑就是这种女人。

她叫的声音很奇怪，很尖锐，有点像是一刀割断了鸡脖子，又有点像是一脚踩住了猫尾巴。

可是她的出手既不像鸡，也不像猫。

她的出手快而准，就像是毒蛇。

在风四娘还没有出道的时候，金凤凰就已经是江湖中有名难惹的女人。

她的武功实在比风四娘想象中还要高。

风四娘接了她五六招之后，已发觉了这一点。

只不过风四娘的武功，也比金凤凰想象中要高得多，十七八招过后，忽然闪电般握住了她的手腕。

金凤凰的手跟身子立刻麻了，连叫都叫不出。

风四娘已经把她的手反拧到背后，才喘了口气道："我要问你几句话，你最好老老实实地告诉我。"

金凤凰咬着牙，恨恨道："你杀了我吧。"

风四娘道："你明知我不会杀你的，我最多也只不过把你鼻子割下来而已。"她笑了笑，又道，"世上唯一比老太婆更可怕的女人，就是没有鼻子的老太婆。"

金凤凰咬着牙，眼泪已快掉下来。

她知道风四娘是说得出，就做得出，她了解风四娘这种女人，因为她自己也差不多。

风四娘道："我问你的话，你究竟肯不肯说？"

金凤凰道："你……你究竟要问什么？"

风四娘道："你老公陪连城璧到哪里去了？"

金凤凰道："不知道。"

风四娘冷笑道：“我若割下你鼻子来，你是不是就知道了？”

金凤凰又叫了起来：“我真的不知道，你杀了我，我也不知道。”

女人真的叫起来的时候，说的大多数都不会是谎话。

风四娘叹了口气，又问道：“沈璧君呢？你把她藏到哪里去了？”

金凤凰道：“我没有藏起她，是她自己不愿意见你。”

风四娘还没有到后面来的时候，她们已知道来的是风四娘。

敢骑着马闯上人家大厅的女人，这世上还没有几个。

风四娘道：“她不想见我，可是我想见她，你最好……”

她没有再说下去，因为她已看见了沈璧君。

沈璧君已走出了门，站在屋檐下，脸色苍白，带着怒意，一双美丽的眼睛却已发红。

是不是哭红了的？

是为什么而哭？

风四娘叹了口气，道：“我千辛万苦地来找你，你为什么不愿见我？”

沈璧君冷冷道：“谁叫你来的？你根本就不该来。”

风四娘又不禁冷笑道：“你若以为是他叫我来的，你就错了。”

他？他是谁？

沈璧君当然知道，一想到这个人，她心里就像被针在刺着，被刀割着，被一双看不见的手撕得粉碎，碎成了千千万万片。

她已连站都站不住，整个人都已倒在栏杆上，却寒着脸道：“不管你是为什么来的，你现在最好赶快走。”

风四娘道：“为什么？”

沈璧君道：“因为我已跟你们没有关系，我……我已不是你认得的那个沈璧君……”

她的话说得虽凶，可是眼泪却已流下，流在她苍白憔悴的脸上，就像是落在一朵已将凋零的花朵上的露珠。

看着她的悲伤和痛苦，风四娘就算想生气，也没法子生气了。

她的心里又何尝不是像被针在刺着，像被刀在割着?

她当然了解沈璧君的意思。

以前她认得的那个沈璧君，是一个为了爱情而不惜抛弃一切的女人，现在的沈璧君，却已是连城璧的妻子。

“不管怎么样，我还是有几句话要对你说。”她忽然冲过去，紧紧地握住了沈璧君的臂，“你一定要听我说，我说完了就走。”

沈璧君用力咬着嘴唇，终于点了点头：“好，我听，可是你说完了一定要走。”

风四娘道：“只要你听我说完了，就算你不让我走，我也非走不可。”

——该走的，迟早总是要走的。

这正是萧十一郎以前常说的一句话。

想起了这句话，想起了那个人，想起了他们的相聚和离别……

沈璧君的眼泪已湿透了衣袖。

萧十一郎，现在你究竟在哪里，究竟在做什么?

你为什么不来听听，这两个必将为你痛苦终生的女人在说些什么?

你知不知道她们的悲伤和痛苦?

他当然不能来，因为他现在又渐渐走进了一个更恶毒更可怕的陷阱中。

也许他自己并不是不知道，可是他不愿回头，也不能回头。

梧桐的浓荫，掩住了日色。

长廊里阴凉而幽静，一只美丽的金丝雀，正在檐下“吱吱喳喳”地叫，仿佛也想对人倾诉它的寂寞和痛苦。

它的爱侣已飞走了，飞到了天涯，飞到了海角，它却只有耽在这笼子里，忍受着永无穷尽的寂寞。

这里的女主人，虽然也常常抚摸它美丽的羽毛，可是无论多么轻柔的抚摸，也比不上它爱侣的轻轻一啄。

金凤凰已掩着脸冲出了院子，也没有回头。

风四娘还没有开口。

这件事实在太复杂，太诡秘，她实在不知道应该从哪里说起。

沈璧君已在催促：“你为什么还不说？”

风四娘终于抬起头，道：“我知道你恨他，因为你认为他已变了，变成了个杀人不眨眼的魔王，变成了个无情无义的人。”

沈璧君垂着头，一双手紧握，指甲已刺入掌心，嘴唇也已被咬破。

她在折磨自己。

她希望能以肉体的折磨，来忘却心里的痛苦。

风四娘道：“可是你完全错怪他了，你若知道这件事的真相，就算有人用鞭子赶你，你也绝不会离开他一步的。”

沈璧君恨恨道：“就算有人用刀逼我留下，我也要走，因为每件事都是我亲眼看见的，并且看得清清楚楚。”

风四娘道：“你看见了什么？”她也握紧了手，道，“你看见他为了冰冰伤人，你看见他已变成了一个骄傲自大的暴发户，你看见他已变成了无垢山庄的主人？”

沈璧君道：“不错，这些事我都看见了，我已不愿再看。”

风四娘道：“只可惜你看见的只不过是这些事的表面而已，你绝不能只看表面，就去断定一个橘子已发臭，你……”

沈璧君打断了她的话，冷冷道：“外面已腐烂的橘子，心里一定也坏了。”

风四娘道：“可是也有些橘子外面虽光滑，心里却烂得更厉害。”

沈璧君道：“你究竟想说什么？”

风四娘道：“我问你，你知不知道他为什么要为冰冰而伤人？你知不知道无垢山庄怎么会变成他的？你知不知道他为什么要杀那些人？”

沈璧君道：“我不知道，我也不想知道。”

风四娘道：“可是我知道。”

沈璧君道：“哦？”

风四娘道：“他那么样对冰冰，只因为冰冰是他的救命恩人，而且她已有了不治的绝症，随时随地都可能倒下去。”

沈璧君脸色变了变，显然也觉得很意外。

风四娘道：“他要杀那些人，只因为那些人都是逍遥侯的秘密党羽，都是些外表忠厚、内藏奸诈的伪君子。”她叹了口气，又道，“而且他也并没有真的找到宝藏，他的财富，都是一个人为了陷害他，才故意送给他的，无垢山庄也一样。”

沈璧君的脸又沉了下去，冷笑道：“我想不出世上居然有人会用这种法子去害人。”

风四娘道：“你当然想不通，因为有很多事你都不知道。”

沈璧君道：“什么事？”

风四娘道：“逍遥侯有个秘密组织，他收买了很多人，正在进行一件阴谋，他死了之后，这个组织就由另外一个人接替了。”

沈璧君在听着。

风四娘道：“只有冰冰知道这组织的秘密，也只有她才认得出这组织中的人，因为这些人都是些欺世盗名的伪君子。”

沈璧君道："萧十一郎要杀的就是这些人？"

风四娘点点头，道："可是他不愿意打草惊蛇，所以他出手时，都说他是为了冰冰，其实冰冰是个很善良的女孩子，他们之间，并没有你想象中的那些儿女私情。"

沈璧君又用力咬住了嘴唇。

风四娘道："接替逍遥侯的那个人，为了想要萧十一郎成为江湖中的众矢之的，就故意散布流言，说他找到了宝藏。其实他的财富，都是那个人用尽了千方百计，故意送到他手里的。"

沈璧君忍不住问道："你已知道这个人是什么人？"

风四娘道："我虽然还不能十分确定，至少也有了六七分把握。"

沈璧君道："他是谁？"

风四娘一字字道："连城璧。"

沈璧君脸色变了。

风四娘道："天下绝没有任何人比他更恨萧十一郎，他这么样做，不但是为了要陷害萧十一郎，也为了要让你重回他的怀抱。"

沈璧君突然道："你要告诉我的，就是这些话？"

风四娘点点头。

沈璧君冷冷道："现在你已经说出来了，为什么还不走？"

风四娘道："我说的这些事，你难道全都不信？"

沈璧君冷笑，反问道："你怎么会知道这些秘密？是不是萧十一郎告诉你的？"

风四娘道："当然是。"

沈璧君道："只要是他说出来的话，你难道全都相信？"

风四娘道："每个字我都相信，因为他从来也没有骗过我。"

沈璧君冷冷道："可是我却连一个字也不相信。"

风四娘道："为什么？是不是因为他骗过你？而且常常骗你？"她

盯着沈璧君，也不禁冷笑，道，“他什么事骗过你？只要你能说得出一件事来，我马上就走。”

沈璧君冷笑道：“他……”

她只说出了一个字。

她忽然发觉自己虽然总觉得萧十一郎欺骗了她，却连一件事都说不出来。

自从萧十一郎和她相逢的那一天开始，就在全心全意地照顾她，保护她。

他对她说出的每句话，每个字，都是绝对真实的。

可是她却一直在怀疑他，因为他是江湖中最可怕也最可恶的大盗萧十一郎。

就因为她的怀疑，他才会吃了那么多苦，几乎死在小公子的刀下。

她自己几乎一刀要了他的命。

但他却还是毫无怨言，还是在全心全意地对她，甚至不惜为了她去死。

前尘往事，就像是图画一样，忽然又一起出现在她眼前。

每一幅图画，都是用泪画出来的。

萧十一郎的血泪。

沈璧君不禁垂下头，泪又流下。

风四娘凝视着她，道：“你不相信他，也许只因为你不相信自己，因为你根本从来也没有下定决心，拿定过主意，因为你太软弱，太无能，就像是笼子里的金丝雀，始终没有勇气冲破这笼子飞出去。”她换上笑容，又道，“就算有人替你打开了这笼子，你也不敢，因为你怕外面的风雨会打湿你这一身美丽的羽毛。”

她自己也知道这些话说得太重，可是现在她已不能不说。

“你总认为你自己为他牺牲了一切，抛弃了一切，你从来也没有替他想想，他为你的牺牲有多大。”

沈璧君伏倒在栏杆上，已泣不成声。

这些话她只有听着。

她不能反驳。

因为这些话每个字都是真的，每个字都像是一把刀，在割裂着她的心。

看到她的悲哀，风四娘的心又软了，叹息着道：“何况，就算他会骗你，我也绝不会骗你的，你总该知道，我对他的感情。”她的泪也已流下，慢慢地接着道，“我若是个自私的女人，我就该想法子让你们分开，让你们彼此怀恨，可是现在……”

沈璧君忽然抬起头，流着泪道：“现在你为什么要这样做？”

风四娘笑了笑，笑得实在很凄凉：“因为我知道他真正爱的是你，只有你，没有别人。”

沈璧君心又碎了，本已碎成千千万万片的一颗心，一片又碎成了千千万万片。

看着风四娘凄凉的笑容，笑容上的眼泪，她忽然发觉自己的卑小。

她忽然发现风四娘才真正是个伟大的女人。

“她为萧十一郎的牺牲，岂非远比我更大？”

沈璧君在心里问自己：“她为什么宁可自己忍受痛苦，却一心想来成全我们？”

“她为什么要说谎？”沈璧君终于承认，“我也知道你说的是真话，可是我……”

风四娘道：“可是你不敢承认，因为你害怕，你不敢冲破这笼子，因为，你从小就已被人关在这笼子里，一个别人虽然看不见，你自己却一定可以感觉得到的笼子。”

沈璧君的确感觉得到。

风四娘道：“你不妨再想想，周至刚为什么会忽然出现的？”

“为什么？”

风四娘道：“因为连城璧要带你到这里来，要将你留在这里，他才好去杀人。”

“去杀谁？”

“萧十一郎！”

第二十章

寻寻觅觅

风四娘冷冷道："现在你又是连夫人了，所以萧十一郎已经可以死了。他死了之后，你们就可以回到你们的无垢山庄做一对人人羡慕的无垢侠侣，就算萧十一郎的尸骨已喂了野狗，也跟你完全没有关系。"她转过身，道，"但我却一定要去救他，所以我的话一说完，就非走不可。"

她真的在往外走。

沈璧君忽然冲上去，用力拉住了她："我跟你一起走。"

风四娘眼睛里发出了光："真的？"

"真的！"

"这次你真的下了决心？"

沈璧君咬着牙点了点头："不管怎么样，我要再见他一面。"

风四娘道："你知不知道连城璧他们到哪里去了？"

沈璧君抬起头，吃惊地看着她："难道你不知道？"

风四娘的心又沉了下去。

日色偏西。

秋日苦短，距离日落时已不远了。

她还是不知道该到哪里去找萧十一郎。

客厅里居然很热闹。

桌上摆满了酒菜，霍英和杜吟都在兴高采烈地喝着酒。

陪他们喝酒的，居然是金凤凰。

她的脸已红了，眼睛里已有了醉意，正在吃吃地笑着道：“来，再添二十杯，我们一个人干十杯。”

霍英正在为她倒酒，看见风四娘，立刻笑嘻嘻地站起来，红着脸道：“是她自己要找我拼酒的，我想不答应都不行。”

风四娘也忍不住要笑——这小子找来找去，总算找到个人跟他拼酒了。

她也知道金凤凰为什么会跟他拼酒。

一个人心情不好的时候，总想喝两杯的。

金凤凰的心情当然很不好。

无论谁被别人说成老太婆，又被人击败，心情都不会好的，何况她一向是个很骄傲的女人。

风四娘虽然想笑，却又忍不住叹了口气。

一个女人迟暮的悲哀，她比谁都了解得多，她忽然觉得自己实在对金凤凰太残忍了些。

金凤凰正乜斜着醉眼，在看着她，道：“你们的悄悄话说完了没有？”

风四娘点点头。

金凤凰道：“你敢不敢过来跟我拼拼酒？”

风四娘摇摇头。

金凤凰又笑了，吃吃地笑道：“我就知道你不敢的，你武功虽然不错，可是你敢跟我拼酒，我非叫你喝得躺在地上不可。”

风四娘道：“你自己现在已经快躺下去了，我劝你还是少喝两杯的好。”

金凤凰瞪起了眼睛，道：“你说我醉了？好，我们一个人干十杯，看看倒下去的是谁？”

风四娘已不想理她。

你若看见一个人喝醉了，最好的法子就是不理他。

金凤凰道：“好，你不理我也没关系，只可惜你永远也找不到他们了。”

她的话里好像还有话。

风四娘立刻问道：“你能找得到他们？”

金凤凰道：“周至刚是我的老公，我若找不到他，还有谁能找得到他？”

风四娘道：“你知道他在哪里？”

金凤凰道：“我当然知道，只可惜我偏偏不告诉你。”她瞪着眼，忽然又笑道，“除非你过来跟我赔个礼，再陪我喝十杯酒。”

风四娘眼珠子转了转，忽然也笑了，道：“我看你是在吹牛。”

金凤凰瞪眼道：“我吹什么牛？”

风四娘道：“你老公要到什么地方去，绝不会告诉你的，我知道。”

金凤凰道：“你知道个屁。”

风四娘悠然道：“我的老婆若是个像你这么样的老太婆，我出去的时候也绝不会告诉她的，因为我要出去找花枝招展的大姑娘。”

金凤凰跳了起来，大声道：“谁说他是去找女人了，他明明是要到枫林渡口去，他……”

她下面在说什么，风四娘已连听都没有听。

只听到了“枫林渡口”四个字，风四娘已拉着沈璧君冲出去：“我们走。”

霍英、杜吟也跟着冲出了大厅：“我们到哪里去？”

"当然是枫林渡口。"

大厅里已静了下来，只剩下金凤凰一个人痴痴地站在那里发怔。

外面传来马嘶蹄声，蹄声远去。

她一双充满了醉意的眼睛，忽然变得很清醒，嘴角忽然露出一丝恶毒的微笑。

她知道他们就算在枫林渡口找十年，也找不到连城璧和萧十一郎的。

"风四娘，风四娘，你总算也上了我一个当……"

金凤凰忽然大笑，大笑着将桌上的酒全都喝了下去。

酒是苦的。

她的眼泪又落在酒杯里。

因为她实在也不知道她的丈夫到哪里去了，以前他无论到哪里去，都一定会告诉她，可是现在……

一个女人到了迟暮时，非但已挽不回逝去的青春，也挽不回丈夫的心了。

"我不是老太婆……我不是……"

她流着泪，把所有的酒杯全都砸得粉碎，忽然伏在桌上，放声痛哭。

只可惜她的哭声风四娘已听不见。

笔直的大路，在这里分成两条。

"枫林渡口应该往哪条路走？"

"不知道。"

"我知道黄河上有个枫林渡口。"

"江南没有黄河，只有长江。"

“长江的枫林渡口，我就没听说过了。”

“你没听说过，一定有人听说过的。”

夕阳满天，前面的三岔路口上，有个小小的茶亭。

茶亭里通常也卖酒的，还有些简单的下酒菜，有时甚至还卖炒饭和汤面。

“我们不如就在前面停下来问问路，随便喝点酒，吃点东西。”

“对，吃饱了才有力气办事。”

年轻人对自己的肚子总不愿太亏待的，无论做什么事，都不会忘了吃。

风四娘实在不愿意停下来，现在天已快黑了，她一定要在月亮升起前找到萧十一郎，否则她就很可能永远也找不到。

可是她不认得路，而且她也很渴。

风中传来酒香，还有卤牛肉和油煎饼的香气。

霍英笑道：“这味道嗅起来好像还不错，一定也不会难吃。”

风四娘瞪了他一眼，恨恨地道：“我不该带你来的，你太好吃。”

她嘴里虽这么样说，心里却并没有这么样想。

她需要帮手。

霍英和杜吟的武功都不错，江湖中后起一代的少年，武功好像普遍都比上一代的人高些。

奇怪的是，他们居然也很乐意做她的跟班。

沈璧君不了解，她永远也不了解风四娘究竟是个什么样的人，更不了解风四娘的作风。

她们本就是完全不同的两个人，所以她们的命运也不同。

沈璧君垂着头，走进了酒亭。

她从来也没有像风四娘那样高视阔步地走过路，也从来没有像风四娘那么样地笑过。

事实上，她已有很久都没有真正地笑过，连她自己都不知道已有多久。

她的心一直都很乱，现在更乱。

——现在就算能找到萧十一郎又如何？难道要她又抛下连城璧，不顾一切地跟着萧十一郎？

假如风四娘没有猜错，这一切阴谋的主使真是连城璧，她更不知道该怎么办。

她这一生中，为什么总是有这么多无法解决的烦恼和痛苦？

风四娘正在大声吩咐："替我们切几斤牛肉，炒一大碗饭，再给外面的四匹马准备些上好的草料。"

现在他们当然已用不着两个人骑一匹马。

她已在白马山庄的马厩里选了四匹上好的蒙古骏马，还在账房里顺手提走了包银子。

在她看来，这本是天经地义的事，一点也没有犯罪的感觉。

可是沈璧君却不懂。

她永远不了解风四娘要跟一个人作对时，怎么还骑他的马，用他的银子。

她若怀恨一个人时，就算饿死，也绝不肯喝这个人一口水的。

风四娘好像总是能将最困难的事，用最简单的方法解决。

她却往往会将很简单的事，变得很复杂。

因为她本来就是这么样一个人，所以才会造成这种命运。

命运岂非本就是自己造成的？

牛肉已端上来，烧得果然不错。

风四娘一口气吃了几块，才开始问这酒亭里卖酒的老人：“这附近是不是也有个枫林渡口？”

“有的，就在枫林镇外面。”

风四娘松了口气，胃口也开了，又挟了最大的一块牛肉：“枫林镇要从哪条路走？”

“靠右手的这条。”

“远不远？”

“不太远。”

风四娘拿起碗酒，一饮而尽，笑道：“既然不太远，我们就可以吃饱了再赶路，反正天黑的时候能赶到就行了。”

卖酒的老人点点头，道：“若是骑马去，明天天黑之前一定能赶到。”

风四娘吃了一惊，连嘴里的酒都几乎要呛出来，一把揪住这老人的衣襟：“你说什么？”

老人也吃了一惊：“我……我什么也没有说。”

“你说我们要明天晚上才能到得了枫林镇？”

“最快也得明天晚上，这段路快马也得走一天一夜。”

“要走一天一夜的路，你还说不太远？”

老人赔着笑道：“一个人至少要活好几十年，只走一天路，又怎么能算多？”

风四娘怔住。

看看这老人满头的白发，满脸的皱纹，一两天的光阴，在他说来，实在没什么了不起。

可是对风四娘说来，只要迟半个时辰，就很可能要抱憾终生。

虽然是同样一件事，可是人们的看法却未必会相同的。

因为每个人都有自己的观念，都会从不同的角度去看这件事。

这就是人性。

对于人性，风四娘了解的显然并没有她自己想象中那么多。

她心里还抱着万一的希望，又问："从这里去有没有近路？"

"没有。"老人徐徐道，"就算有，我也不知道，我这一辈子，从来也没有走过近路，所以我才能活得比人长些。"他脸上露出得意的微笑，"我今年已七十九。"

风四娘又怔住。

现在她也不知道该怎么办了，这世上毕竟有很多困难，就连她也没法子解决的。

霍英和杜吟却还是"不解愁滋味"的少年，两个人还在嘀嘀咕咕，有说有笑。

霍英正带着笑悄悄道："看来这老头子跟八仙船的张果老倒是天生的一对儿。"

风四娘忽然跳来，一把揪着他："你说什么？"

霍英又吃了一惊，讷讷道："我……我没有说什么。"

"你刚才是不是在说八仙船？"

"好像是的。"

"这条船在哪里？"

霍英笑了："那不是条船，是个……是个妓院。"

风四娘松开手，坐下去，心也沉了下去。

霍英却还在解释："那妓院里有八位姑娘，外号叫八仙，最滑稽的一个就是张果老。她明明已是个老太婆了，却还是打扮得花枝招展的，在妓院里混，一喝醉了，就会说些半疯半癫，别人听不懂的话。"

杜吟也不禁笑道："奇怪的是，偏偏还有很多人特地跑去看她，她的客人反而比别人多。"

风四娘板着脸，冷冷道："你们也是去看她的？也是她的客人？"

杜吟红着脸，道：“是小霍拖我去的。”

霍英道：“我也是因为好奇，想去看看这个老妖怪，只可惜我们去得不巧，虽然见到她一面，但没有听到她那些妙论。”

风四娘道：“为什么？”

霍英笑道：“因为她的客人太多。”

看来这老妖怪一定也很懂得利用男人的心理。

霍英又道：“我们本来还想多等一天的，可惜那地方今天已被人包下了。”

风四娘随口问道：“被谁包下了？”

霍英道：“被一个姓鱼的客人，听说是个豪客。”

风四娘又跳了起来，眼睛里也发出了光：“这地方在哪里？”

霍英道：“就在春江城。”

杜吟道：“也就是我们遇见周至刚的地方。”

风四娘已拉起沈璧君冲出去：“我们走。”

霍英、杜吟也跟着冲出酒亭：“到哪里去？”

“当然是春江城的八仙船。”

夜。

灯火璀璨，夜已深了。

“八仙船在哪条街上？”

“在桃花巷里。”

桃花巷并不窄，墙却很高，高墙后不时有笙歌管弦声传出来。

风四娘一马当先，冲了进去，很容易就找到了八仙船。

大门的灯笼还亮着，灯笼上六个大字也在发光：

“八仙船。”

“胭脂海。”

两扇黑漆大门却是紧紧关着的，“鲨王”要吃人的时候，当然不准别人闯进来。

他是不是已将萧十一郎吃了下去？

风四娘一跃下马，道：“我们闯进去。”

沈璧君迟疑道：“就这样闯进去？若是找错了地方怎么办？”

风四娘道：“找错了就算他们倒霉。”

沈璧君又不懂了：“算他们倒霉？”

风四娘道：“我若找不到人，就拆了他们的房子。”

沈璧君道：“可是他们并没有错，他们并没有要你们到这里来。”

风四娘根本不理她，已冲过去，用力踢门。

门很结实，她踢不开，霍英和杜吟就帮着踢。

沈璧君只有苦笑。

这种事你就算杀了她，她也做不出的，可是风四娘踢开门后，她也会跟着进去。

她做事也有她的原则，只不过这种原则是对，是错，就连她自己也分不清。

门已撞开。

风四娘拉着沈璧君闯进去，一路上居然都没有人出来问，也没有人阻拦。

人呢？难道都醉了？

灯火辉煌的大厅里，忽然传出了一阵很有风情的歌声。

一个满头珠翠，打扮得花枝招展的女人，手里拿着个酒杯，嘴里哼着小调，摇摇晃晃地走出来，果然似已醉了。

她穿着曳地的长裙，虽然醉，风姿却还是很美——在灯光下远远地看来仿佛很美。

可是一走得近了些，风四娘立刻就发现她已是个老太婆，脸上虽然抹着很厚的脂粉，却还是掩不住满脸的皱纹。

“张果老，”霍英第一个冲过去，“你们的客人呢？”

张果老抬起头，上上下下地看了他几眼，咯咯地笑了起来：“我认得你，你昨天来过。”她忽然又叹了口气，“可惜你今天却来迟了。”

“难道人都已走了？”

“还没有走。”张果老摇着头，又咯咯地笑了起来，“他们不会走的，你就算用棍子赶他们，他们也不会走的。”

“为什么？”

“你为什么不自己进去看看？”

风四娘已冲了进去，立刻就明白了她的意思。

人果然还没有走，而且永远也不会走了。

客厅里灯火辉煌，桌子上摆满了山珍海味，成坛的美酒。

每个人都穿着鲜艳华丽的衣服，显得很威风，很神气。

只可惜他们都已是死人。

“鲨王”鱼吃人、金菩萨、“金弓银丸刺虎刀，追云捉月水上飘”厉青锋、人上人、轩辕三成、轩辕三缺。

他们在活着的时候，都是显赫一时的英雄好汉，富甲一方的武林大豪。

只可惜他们现在都已是死人，每个人头上都被砍了一刀。

一刀就已致命。

是谁有这么锋利的刀？

是谁有这么快的出手？

萧十一郎！

除了萧十一郎外还有什么人？

风四娘全身都已冰冷，沈璧君的心更冷。

死的并不止他们六个人，除了外面的张果老外，这里已连一个活人都没有，连女人也都已同样死在刀下。

致命的一刀。

萧十一郎，萧十一郎，你的心为什么如此狠？

死人已不再流血。

沈璧君已忍不住要流泪，她不仅为这些死人悲哀，也在为自己悲哀。

她全心全意爱着的人，竟是个冷血的刽子手。

风四娘却轻轻吐出口气。

这景象虽然悲惨可怕，但是萧十一郎总算并没有死在这里。

只要他还活着，别的事都可以等到以后再说。

沈璧君忽然转过头，用一双带泪的眼睛瞪着她：“你还说我错恨了他？”

风四娘叹了口气，道：“不管怎么样，他绝不是你想象中那样无情的人。”

沈璧君咬着嘴唇，冷冷道：“他的确不是，他根本不能算是人。”

风四娘道：“难道你已认定了这些人是死在他手里的？”

沈璧君道：“难道不是？”

风四娘道：“绝不是，他从来也没有杀死过一个无辜的人。”

沈璧君道：“那么这些人是谁杀的？”

风四娘道：“我可以问得出来，我一定要问出来，幸好这里还有一个活着的人。”

院子里凄凉而寒冷，连灯光都似已变得阴森森的，宛如鬼火。

张果老虽然还活着，可是在灯下看来，脸色也像是死人一样。

她已坐下来，坐在廊前的石阶上，不停地笑，不停地唱。

她唱的本是很有风情的小调，在此时此刻听来，却显得说不出的悲惨诡异。

风四娘走过去，也坐下来，坐在她身旁，轻轻地问："你刚才一直都在这里？"

张果老点点头。

风四娘道："刚才这里发生的事，你都亲眼看见了？"

张果老道："我虽然已老了，却还看得见，也还听得见，我还没有死。"她又忽然大笑，"那小子却以为我已经吓死了，我装死一定装得很像。"

"那小子"显然就是凶手。

她装死骗过了他，所以她还能活着。

一个在妓院里混了几十年的女人，就算不是老妖精，也已是条老狐狸。

一条真正的老狐狸，无论在什么情况下，都有法子活下去的。

风四娘松了口气，又问道："那小子杀人的时候，你也看见了？"

张果老道："嗯。"

风四娘道："这些人全都是他杀的？"

张果老又点点头，脸上忽然露出种说不出的恐惧之色，喃喃道："他杀人杀得真快……他有把好快好快的刀。"

风四娘道："你知道他是谁？"

张果老道："我当然知道，他是个死人。"

风四娘怔了怔，道："死人怎么会杀人？"

张果老道："现在他虽然还没有死，可是他是个死人。"

看来霍英的确没有说错，她说的话的确有点疯疯癫癫，教人听不懂。

风四娘只有忍耐着，问下去：“他明明还活着，为什么是个死人……”

张果老道：“因为他要杀人，别人一定也要杀他，他一定也活不长的，所以在我眼里看来，他根本就已是个死人。”

她说的话虽然有点疯癫，却也并不是完全没有道理。

风四娘勉强笑了笑，道：“不管他是死是活，你能不能告诉我，他姓什么？长的是什么样子？”

张果老道：“他长得很好看，是个男人……”她又咯咯地笑着道，“我喜欢男人，尤其喜欢好看的男人，可是……为什么愈好看的男人，心就愈狠呢……为什么愈好看的男人就愈无情……”

她虽然在笑，脸上却已有了泪痕，放声大哭了起来，哭得就像是个孩子。

她当然有很多伤心事。

无论谁在妓院里混了这么多年，都一定会有很多伤心事的。

风四娘的心里也在发苦。

她虽然知道萧十一郎的心并不狠，也并非真的无情。

但他却的确是个很好看的男人，而且的确有柄好快好快的刀。

——难道这些人真的是死在他刀下的？

——他为什么要下这种毒手？

——现在他的人呢？

风四娘也不禁用力咬住了嘴唇。

——为什么这个人总是在不该出现的时候出现？

——等到别人想找他的时候，他反而连人影子都看不见了。

沈璧君一直在盯着她，忽然道：“人上人他们今天请的就是他？”

风四娘道：“嗯。”

沈璧君道："你跟他分手的时候，他就是要到这里来的？"

风四娘道："嗯。"

沈璧君道："所以他一定来过。"

风四娘道："嗯。"

沈璧君道："现在他却已走了。"

风四娘又不禁叹息——该留下的时候，你不留下，不该走的时候，你偏偏要走，你为什么总要喜欢这样折磨人？

沈璧君道："他们活着的时候，绝不会放他走的，因为他们找他来，就是为了对付他。"

风四娘承认。

沈璧君道："所以他走的时候，他们一定已死了，杀人的若不是他，会是谁？"她脸上也充满了悲惨和痛苦，流着泪道，"我不该来的，你也不该来的，他不肯带你来，就因为不愿让你看见他杀人……你为什么要来？我又为什么要来？"

她反反复复地说着最后这两句话，说一次，流一次泪。

她的眼泪不停地在流，她的人已走了出去，走得虽慢，却没有回头。

风四娘也没有留她。

就算留，也留不住的——就算能留住又如何？

一个人的心若已伤透了，还有谁能让她回心转意？

就连风四娘也同样不能。

除非她能令死人复活，亲口说出谁是真凶。

她不能。

除非她能找到萧十一郎，叫他自己说明这件事。

她也不能。

死人是永远不会复活的，萧十一郎这一走，只怕也很难再找得到了。

院子里的风好冷，凋零的秋叶，一片片随风飘落，落在她身上，落在她头发上。

她没有动，就像是已完全没有感觉。

可是她的眼泪也已流下。

也不知道过了多久，她才忽然发现张果老的哭声已停止，身子仿佛也将随风而倒了。

她忍不住去拉她的手。

手冰冷，比风还冷，冷而干瘪，就像是风中的一片枯叶。

她的人也已枯叶般凋落了。

一个像她这么样的女人，在这种地方度过了这么样的一生，能这样平平静静地死，是不是已经算很幸运？

可是她死得实在太孤单，太寂寞。她若能早些死，死在她还年轻美丽的时候，也许还有人会为她流泪。

只可惜她死的时候，她的人已枯萎。

这岂非也是她的不幸？

究竟是幸运，还是不幸？也许连她自己都分不清。

唯一幸运的人，只有那凶手。

因为他罪行的唯一目击者，现在已不能说话了。

他是不是就可以永远逍遥法外？

第二十一章

神秘天宗

泪已干了。

风四娘忽然跳起来，冲出去："我们走。"

"去哪里？"

"去找金凤凰算账去。"

他们没有找到金凤凰，也没有找到沈璧君，却见到了周至刚和连城璧。

"内人病了，病得很重，两个月里，恐怕都不能出来见客。"

周至刚的态度傲慢而冷淡。

多年前他也曾是风四娘的裙下之臣，可是现在却似已根本忘记了她。

对霍英和杜吟，他显得更轻蔑憎恶。

他也并不想掩饰这点。

连城璧就比较温和得多了，他一向是个温良如玉的谦谦君子。

他显然已仔细修饰过。

沈璧君一回到他身边，他就已恢复了昔日的风采。

现在他看来虽然还有些苍白憔悴，可是眼睛已亮了，而且充满了自信。

新留起来的短髭，使得他看来更成熟稳重。

一个女人对男人的影响，真的有这么大？但风四娘却知道他本来并不是个会被女人改变的男人。

“沈璧君呢？”风四娘又问道，“她是不是已回来了？”

“是的。”

“难道她也病了？也不能出来见人？”

“她没有病，但却很疲倦。”

连城璧的态度还是那么温和，甚至还带着微笑。

“我现在也不能去见她？”

“不能。”

“要等到什么时候才能见到她？”

“你最好不要等。”

“为什么？”

连城璧的笑容中带着歉意：“因为她说过，她已不愿再见你。”

风四娘并没有失望，也没有生气，这答复本就在她意料之中。

她眼珠子转了转，忽然又问道：“你们是几时回来的？”

连城璧道：“回来得很早。”

风四娘道：“很早？有多早？”

连城璧道：“天黑之前，我们就回来了。”

风四娘道：“回来后你们就一直在这里等？”

连城璧点点头。

风四娘道：“你发觉她又走了，难道一点也不着急？”

连城璧笑了笑，淡淡道：“我知道她这次一定很快就会回来的。”

风四娘冷笑道：“你怎么会知道？是不是因为你又算准了，我们只能找到一屋子死人？”

连城璧显得很惊讶，道：“一屋子死人？在哪里？”

风四娘道：“你真的不知道？”

连城璧摇摇头。

风四娘道："他们不是死在你手里的？"

连城璧闭上了嘴。

他拒绝回答这问题，因为这种问题他根本不必回答。

风四娘却还不死心，又问道："你们白天到哪里去了？"

周至刚忽然冷笑，道："你几时变成了个问案的公差？"

风四娘冷冷道："不是公差也可以问这件案子。"

周至刚道："什么案子？"

风四娘道："杀人的案子。"

周至刚道："谁杀了人？杀了些什么人？"

风四娘道："被杀的是鱼吃人，厉青锋，人上人和轩辕兄弟。"

周至刚也不禁动容，道："能同时杀了这些人，倒也不容易。"

风四娘道："很不容易。"

周至刚道："你难道怀疑我们是凶手？"

风四娘道："难道不是？"

周至刚冷冷道："我们若真是凶手，你现在也已死在这里。"

风四娘忽然说不出话来了。

——他们若真是凶手，为什么不把她也一起杀了灭口？

——他们既然已杀了那么多无辜的人，又何妨再多杀一个？

连城璧忽然笑了笑，道："其实你若肯多想想，自己也会明白我们绝不是凶手的。"

风四娘忍不住问道："为什么？"

连城璧道："因为我根本没有要杀他们的理由。"

谁也不会无缘无故杀人的，杀人当然要有动机和理由。

连城璧道："我知道你一直认为我想对付萧十一郎，一直认为我跟他有仇恨。"

风四娘承认。

连城璧道："据说他们也都是萧十一郎的对头，我本该和他们同仇敌忾，联合起来对付萧十一郎的，为什么反而杀了他们？"

风四娘更无话可说。

他们若真是联合了起来，今夜死在八仙船的，就应该是萧十一郎。

她忽然发觉这件事远比她想象中还要诡秘，复杂离奇得多。

连城璧微笑道："看来你也累了，好好地去睡一觉，等明天清醒时，也许你就会想通究竟谁才是真的凶手了。"

鱼吃人他们都是萧十一郎的对头，他们活着，对萧十一郎是件很不利的事。

所以唯一有理由杀他们的人，就是萧十一郎。

这道理根本连想都不必想，无论谁都会明白的。

只有风四娘不明白，所以她要想。

她愈想愈不明白，所以她睡不着。

天早已亮了。

桌上堆满了装酒的锡筒，大多数都已是空的。

现在本不是喝酒的时候，更不是卖酒的时候，这酒铺肯开门让他们进来喝酒，只因风四娘一定要喝。

"你不肯开门让我们进去，我们就放火烧了你的房子。"

风四娘显然并没有给这酒铺掌柜很多选择。

她一向不会给别人有很多选择，尤其是在她心情不好的时候。

现在她非但心情很不好，而且很疲倦。

可是她睡不着，所以霍英和杜吟也只有坐在这里陪着她。

喝酒本是件很愉快的事，可惜他们现在却连一点愉快的感觉都没有。

霍英已经在不停地打呵欠。

风四娘板着脸，冷冷道：“你用不着打呵欠，你随时都可以走的，我并没有要你陪着我。”

霍英笑道：“我并没有说要走，我什么话都没有说。”

风四娘道：“你为什么不说话？”

霍英道：“你要我说什么？”

风四娘道：“干杯这两个字你会不会说？”

霍英道：“我会，我敬你一杯，干杯。”

他果然仰着脖子喝了杯酒。

风四娘也不禁笑了，心里也觉得有点不好意思，这两个年轻人对她实在不错。

她也干了一杯。

霍英道：“小杜，你为什么不说话，干杯这两个字你会不会说？”

杜吟迟疑着，终于也举杯道：“好，干杯就干杯。”

风四娘大笑，笑声如银铃道：“幸亏遇见了你们，否则我说不定已被人气得一头撞死。”

“你在生谁的气？”

“很多人。”风四娘又干了一杯，“除了你们，天下简直没有一个好人。”

她在笑，可是心里却很乱。

所以她拼命喝酒，只想把这些事全都忘记，哪怕只忘记片刻也好。

她的眼睛还很亮，可是她已醉了。

霍英也醉了，一直不停地在笑：“你自己会不会说干杯？”

风四娘笑道：“你给我倒酒，我就干。”

霍英道："行。"

他伸手去拿酒壶，竟拿不稳，壶里的酒倒翻在风四娘身上。

"我衣服又不想喝酒，你也想灌醉它？"

她吃吃地笑着，站起来，想抖落身上的酒。霍英也来帮忙，嘴里还在喃喃地说着抱歉，一双手却已闪电般点了她三处穴道。

他的出手快而准。

风四娘想大叫，已叫不出声音来，整个人都已麻木僵硬。

霍英抬起头，眼睛里已无酒意，刀锋般瞪着那吃惊的酒铺掌柜，冷冷地道："我们根本没有到这里来过，你懂不懂？"

掌柜点点头，脸上已无血色，颤声道："今天早上，根本没有人来过，我什么都没有看见。"

霍英道："所以你现在应该还在床上睡觉。"

掌柜的一句话都不再说，立刻就走，回到屋里躺上床，还用棉被蒙住了头。

霍英这才看了风四娘一眼，轻轻地叹了口气，道："你是个很好看的女人，只可惜你太喜欢多管闲事了。"

风四娘说不出话。

霍英显然不想再听她说话，将她控制声音的穴道也一起点住。

也许他生怕自己听了她的话后会改变主意。

酒铺的门还是关着的，这本是风四娘自己的主意，她喝酒时不愿别人来打扰。

霍英要杀人时，当然也没有人来打扰。

他已自靴筒里抽出柄短刀，刀身很狭，薄而锋利。

这正是刺客们杀人时最喜欢用的一种刀。

杜吟一直在旁边发怔，忽然道："我们现在就下手？"

霍英冷笑道："现在若不下手，以后恐怕就没有机会了。"

杜吟迟疑着，终于下定决心，道：“我没有杀过人，这次你让给我好不好？”

霍英看着他，道：“你能下得了手？”

杜吟咬着牙点点头，也从靴筒里抽出了同样的一柄短刀。

风四娘目中不禁露出悲伤失望之色。

她一直认为杜吟是个忠厚老实的年轻人，现在才知道自己看错了。

杜吟避开了她的目光，连看都不敢看她。

霍英道：“你杀人时，一定要看着你要杀的人，你出手才能准确，有些人你一定要一刀就杀死他，否则你很可能就会死在他手里。”

杜吟道：“下次我会记住。”

霍英道：“杀人也是种学问，你只要能记住我的话，以后一定也是把好手。”

想不到这热情的年轻人，居然是个杀人的专家。

他笑笑，又道：“这女人总算对我们不错，你最好给她个痛快，看准了她左面第四、第五根肋骨间刺下去，那里是一刀致命的要害，她绝不会有痛苦。”

杜吟道：“我知道。”

他慢慢地走过来，握刀的手背上青筋暴露，眼睛里却充满了红丝。

霍英微笑着，袖手旁观，在他看来，杀人竟仿佛是件很有趣的事。

杜吟咬了咬牙，突然一刀刺出。

他的出手也非常准，非常快，一刀就刺入了霍英左肋第四、第五根肋骨间。

他杀的竟不是风四娘，是霍英。

霍英脸上的笑容立刻凝结，双眼立刻凸出，吃惊地看着他。一双凸出的眼睛里，充满了惊讶、恐惧和怨毒。

杜吟竟被他看得激灵灵打了个寒噤，手已软了，松开了刀柄。

就在这时，刀光一闪，霍英手里的刀，也已闪电般刺入了他的肋骨。

霍英狞笑道："我教给你的本来是致命的一刀，只可惜你忘了把刀拔出来，你杀人的本事还没有学到家。"

杜吟咬着牙，突又闪电般出手，拔出了他肋骨间的刀："现在我已全学会了。"

鲜血箭一般蹿出来，霍英的脸一阵扭曲，像是还想说什么。

可是他连一个字都没有说出来，人已倒下。

这的确是致命的一刀。

杜吟看着他倒下去，突然弯下腰不停地咳嗽。

又冷又硬的刀锋，就在他肋骨间，他整个人却已冷得发抖。

可是他还没有倒下去。

因为刀锋还没有拔出来——霍英一刀出手，已无力再拔出刀锋。

——有些人你若不能一刀杀死他，就很可能死在他手里。

只要刀锋还留在身子里，人就不会死。

杀人，本就是种很高深的学问。

杜吟还在不停地咳嗽，咳得很厉害。

霍英那一刀力量虽不够，虽然没有刺到他的心，却已伤了他的肺。

风四娘看着他……他的确是个忠厚老实的年轻人。

她并没有看错。

她虽然没有流血，眼泪却已流了下来。

杜吟终于勉强忍住咳嗽，喘息着走过来，解开了她的穴道。

他自己却已倒在椅子上，他竟连最后的一分力气都已用尽。

黄豆般大的冷汗，一粒粒从他脸上流下来。

风四娘撕下了一片衣襟，用屋角水盆里的冷水打湿，敷在他额角上，柔声道：“幸好他这一刀既不够准，也不够重，只要你打起精神来，支持一下子，把这阵疼熬过去，我就带你去治伤。”她勉强笑了笑，道，“我认得个很好的大夫，他一定能治好你的伤。”

杜吟也勉强笑了笑。

他自己知道自己是熬不过去的了，可是他还有很多话要说。

只有酒，才能让他支持下去，只要能支持到他说完想说的话，就已足够。

“给我喝杯酒，我身上有瓶药……”

药是用很精致的木瓶装着的，显然很名贵，上面贴着个小小的标签：云南，点苍。

点苍门用云南白药制成的伤药，名驰天下，一向被武林所看重。

只可惜无论多珍贵有效的伤药，也治不好真正致命的刀伤。

霍英出手时虽已力竭，但他的确是个杀人的专家。

风四娘恨恨地跺了跺脚：“他为什么要做这种事？为什么要杀我？”

杜吟苦笑道：“我们本来就是要到无垢山庄去杀你的。”

风四娘怔住了。

她现在才明白，为什么他们一直跟着她，心甘情愿地做她的跟班。

“我实在没想到你会自己找上我们，当时我几乎不相信你真的是风四娘。”

“当时你们为什么没有出手？”

“霍英从不做没有把握的事。”

杜吟道：“所以他杀人从来没有失过手。”喝了杯酒，将整整一瓶药吞了下去，他死灰的脸上，已渐渐露出红晕，“他十九岁时，就已是很有名的刺客，‘天宗’里面就已很少有人能比得上他。”杜吟苦笑道，“这次他们叫我跟他出来，就是为了要我学学他的本事。”

“天宗。”风四娘从来也没有听说过这两个字，“叫你们来杀我的，就是天宗？”

“是的。”

风四娘道：“这两个字听起来，好像并不是一个人的名字。”

“天宗本来就不是一个人，而是很多人，是个很秘密，很可怕的组织。”杜吟目中露出恐惧之色道，“连我都不知道他们究竟有多少人。”

“难道这‘天宗’就是逍遥侯创立的？”

“天宗的祖师姓天。”

逍遥侯岂不总喜欢自称为天公子？

风四娘的眼睛亮了，现在她至少已能证明萧十一郎并没有说谎，逍遥侯的确有个极可怕的秘密组织，花如玉、欧阳兄弟，就全都是这组织里的人。

逍遥侯死了后，接替他地位的人是谁？

是不是连城璧？这才是最重要的一点，风四娘决心要问出来，但却又不能再给杜吟太大的压力。

她沉吟着，决定只能婉转地问：“你也是天宗的人？”

“我是的。”

“你入天宗已有多久？”

“不久，还不到十个月。”

“是不是每个人都能加入这组织？”

“不是。”杜吟道，“要入天宗，一定要有天宗里一位香主推介，还得经过宗主的准许。”

“推介你的香主是谁？”

“是我的师叔，也就是当年点苍派的掌门人谢天石。”

这件事又证明萧十一郎说的话不假，谢天石的确也是这组织中的人，所以才被萧十一郎刺瞎了眼睛。

由此可见，冰冰说的话也不假。

风四娘心里总算有了点安慰。

听了连城璧的那番话后，甚至连她自己都不禁在怀疑萧十一郎，所以她的心才会怀疑。

一个人若是被迫要去怀疑自己最心爱的人，实在是件很痛苦的事。

“除了谢天石外，天宗里还有多少位香主？”

“听说还有三十五位，一共是三十六天罡。”

“宗主却只有一个？”

“宗主是至高无上的，天宗里三十六位香主，七十二位副香主，都由他一个人直接指挥，所以彼此间往往见不到。”

风四娘勉强抑制着自己的激动，道：“你见过他没有？”

杜吟道：“见过两次。”

风四娘的心跳立刻加快，这秘密总算已到了将近揭穿的时候，她的脸已无故而发红。

杜吟道：“第一次是在我入门的时候，是谢师叔带我去见他的。”

风四娘道：“第二次呢？”

杜吟道：“谢师叔眼睛瞎了后，就由花香主接管了他的门下。”

风四娘道：“花如玉？”

杜吟点点头。

风四娘吐出口气，花如玉果然也是天宗里的人。

八仙船的尸体中，并没有花如玉。

杜吟道：“第二次就是花香主带我去见他的。”

风四娘道：“在什么地方？”

杜吟道：“八仙船。”

风四娘又不禁吐出口气。

这件事就像是幅已被扯得粉碎的图画，现在总算已一块块拼凑了起来。

杜吟道：“霍英故意带你到八仙船去，也许他本来是想在那里下手的。”

风四娘道：“你们也不知道那里发生的事？”

杜吟笑了笑，道：“我知道的事并不多，在天宗里，我只不过是个无足轻重的人，也许还比不上宗主养的那条狗。”

他笑得很凄凉，很辛酸。

他还年轻，年轻人最不能忍受的，就是别人的轻蔑和冷落，那甚至比死还不能忍受。

风四娘又问道：“你们的宗主养了一条狗？”

杜吟道：“我每次见到他的时候，都有条狗跟着他。”

风四娘道：“是条什么样的狗？”

杜吟道：“那条狗并不大，样子也不凶，可是宗主对它却很宠爱，每说两句话，就会停下来拍拍它的头。”

一个统率群豪，杀人如草的武林枭雄，怎会养一条小狗?

风四娘叹了口气——世上最难了解的，只怕就是人的心了。

然后她就问出了最重要的一句话：“他究竟是谁？”

“他究竟是谁？”问出了这句话，风四娘的心跳得更快。

可是杜吟的回答却是令人失望的三个字：“不知道。”

风四娘的心又沉了下去，却还没有完全绝望，又问道："你既然已见过他的面，难道连他长什么样子都没有看见？"

"我看不见。"

风四娘叹了口气，苦笑道："你既然已是天宗的人，他见你时难道也蒙着脸？"

杜吟道："不但蒙着脸，连手上都戴着双鱼皮手套。"

风四娘道："他为什么连手都不肯让人看见？是不是因为他的人也很特别？"

杜吟道："他的确是个很奇特的人，说话的姿态，走路的样子，好像都跟别人不同。"

风四娘道："有什么不同？"

杜吟道："我说不出来，可是我无论在什么地方看见他，都一定能认得出。"

风四娘眼睛里又有了光，立刻问道："你已见过连城璧？"

杜吟道："我见过。"

风四娘道："是不是连城璧？"

杜吟道："绝不是。"

风四娘冷笑道："你既然连他长的是什么样子都没有看见，怎么能肯定他绝不是连城璧？"

杜吟道："他是个很瘦小的人，连城璧虽然也不是条大汉，却比他高大得多，这一点绝不能作假。"

风四娘不说话，甚至有点生气，一个人认为无懈可击的理论，忽然完全被推翻，总难免有点生气的。

可是这当然不能怪杜吟。

杜吟的脸色更红润，呼吸也很正常，只不过偶尔咳嗽几声而已，若不是肋下还插着一把刀，实在很难看得出他已是个受了重伤的人，尤其是他的眼睛更不像。

他的眼睛里也在发着光，甚至比平时更清澈明亮，因为他在看着风四娘。

风四娘勉强笑了笑，柔声道：“不管怎么样，幸好你伤得并不重，一定很快就会好起来的。”

杜吟点点头，脸上也露出微笑，道：“我也希望如此。”

他还年轻，他并不想死，现在死亡距离他仿佛已很远，他心里又充满了对生命的信心。

他痴痴地看着风四娘，脸更红，忽然又道：“这次我若能活下去，等我的伤好了后，你还要不要我做你的跟班？”

风四娘道：“我当然要。”

杜吟嗫嚅着，鼓起勇气，道：“要不要我永远做你的跟班？”

风四娘点点头，心里却在刺痛着，她当然看得出这年轻人对她的感情。

他拼了命来救她，除了因为他不愿再忍受天宗对他的冷落轻蔑外，最重要的，也许还是因为他已为她倾倒。

他为什么会有这种情感？谁也不知道，人类的情感，本就没有人能解释的。

风四娘的眼泪还没有流下来，只因为她一直在勉强忍耐住。也许她并不是在为这多情的年轻人悲哀，她悲哀的是自己，她知道自己对他并不好，甚至根本就没有把他放在心上，可是他却已不惜为她死。

萧十一郎呢？

她已为萧十一郎付出了她所有的一切，得到的又是什么？

——爱情既不能勉强，也不能交换，爱情本就是绝无任何条件的。

这道理她当然也懂，看到了杜吟对她的情感后，她懂得的更多。

可是她却不懂，造化为什么总是要如此捉弄人？总是要人们去爱上一个他不该爱的人？

杜吟虽然是个被命运拨弄的可怜虫，她自己又何尝不是？

萧十一郎又何尝不是？他爱上的，岂非也正是个他本不该爱的人？

幸好杜吟并没有看出她的心事，微笑着闭上眼睛，显得愉快而满足："我们见面才一两天，我也知道你绝不会把我放在心上的，可是以后……"他微笑着道，"以后的日子还很长，很长……"

他的声音渐渐微弱，渐渐微弱得连他自己都听不见了。

他的脸色忽然已由红润变得惨白，但微笑却还留在他脸上。

——无论如何，他总是带着微笑而死的。

——这世上又有几人能含笑而死呢？

第二十二章

梦醒不了情

阳光灿烂。

风四娘走在阳光下，旧日的泪痕已干了。

她发誓绝不再流泪。

现在她所有的推测和结论，虽然已全都被推翻，可是她发誓一定要把“那个人”找出来。

她至少已知道“那个人”是个养着条小狗的人。

一条狗穿过横街，沿着屋檐下的阴影，懒洋洋地往前走。

风四娘也是莫名其妙地跟在后面走。

她当然知道，这条狗绝不是“那个人”养的狗，可是，她实在不知道应该往哪条路走，才能找到“那个人”，找到萧十一郎。

奇怪的是，阳光愈强烈，走在阳光下的人反而愈容易觉得疲倦。

风四娘的酒意已退了，经过了那么样的一天，现在正是她最疲倦的时候。

她想睡，又怕睡不着。眼睁睁地躺在床上，想睡又睡不着的那种滋味，她已尝过很多次。

孤独、寂寞、失眠、沮丧……这些本都是人世间最难忍受的痛苦，可是对一个流浪的人来说，这些痛苦却都是一定要忍受的。

——要忍受到什么时候？

——什么时候才能安定下来？

风四娘连想都不敢想。

体贴的丈夫，听话的孩子，温暖的家，安定舒适的生活……

这些本都是一个女人生命中不可缺少的，她以前也曾憧憬过。

可是现在她已久未去想，因为这些事都已距离她太遥远，太遥远……

街道渐宽，人却渐渐少了。

她已走出了闹区，走到城郊，冷落的街道上，有个小小的客栈，柴门低墙，院子里还种着几株菊花，一盆秋海棠，就像是户小小的人家。

若不是门口有个油漆已剥落的招牌，这地方实在不像是个客栈。

不像客栈的客栈，但是毕竟还是个客栈，并且对一个无家可归的浪子来说，也可以算是种无可奈何的安慰。

于是风四娘走进去，要了间安静的小屋，她实在太需要睡一觉。

窗外恰巧有一树浓荫，挡住了日光。

风四娘躺在床上，看着窗上树叶的影子，心里空空洞洞的，仿佛有很多事要想，却已连一件都想不起来。

风很轻，轻轻地吹着窗户。

这地方实在很静。

她眼皮渐渐沉重，终于朦朦胧胧地有了睡意，几乎已睡着。

怎奈就在她快要睡着的时候，她忽然听见隔墙有个人在哭。

哭声很悲哀，也很低，可是风四娘却听得很清楚。

这里墙太薄，又太安静。

风四娘翻了个身，想再继续睡，哭声却愈听愈清楚了。

是女人在哭。

她心里究竟有什么心事？为什么要一个人偷偷地躲在这里哭泣？

风四娘本不想去管别人的闲事的，她自己的烦恼已够多。

也许就因为她的烦恼已太多，所以发现了别人的悲伤，她自己仿佛同样会难受。

她终于忍不住跳起来，套上鞋子，悄悄地走出去。

浓荫满院，隔壁的门关着。

她又迟疑了半晌，哭声还没有停，她才走过去，轻轻敲门。

又过了半晌，门里才有人轻轻地问："什么人？"

这声音听来竟很熟。

风四娘的心跳忽然又加快了，用力撞开了门，立刻忍不住失声而呼："是你！"

这个偷偷地躲在屋里哭泣的女人，赫然竟是沈璧君。

桌上有酒。

沈璧君仿佛也醉了。

有些人醉了爱笑，不停地笑；有些人醉了爱哭，不停地哭。

看见了风四娘，沈璧君非但没有停下来，反而哭得更伤心。

风四娘就站在那里，看着她哭。

她也是个女人，她知道女人要哭时，是谁也劝不住的。

你若一定要劝她，她就一定会哭得更厉害。

"哭"有时就像喝酒。

一个人可以哭，一个人也可以喝酒。

可是你喝酒的时候，假如另外还有个人一直站在旁边冷冷地看着，你就会喝不下去了。

哭也一样。

沈璧君忽然跳起来，用一双已哭红了的眼睛瞪着风四娘道：“你来干什么？”

“我正想问你，你来干什么？”风四娘悠然坐下来，“你怎么会到这里来的？”

“我为什么不能来？”

沈璧君不但很悲伤，火气好像也很大。

平时她本不会说出这种顶撞别人的话。

风四娘却笑了笑：“你当然能来，可是你本来不是已回去了吗？”

“回到哪里去了？”

“白马山庄。”

“白马山庄不是我的家。”沈璧君的眼泪仿佛又将流下。

“昨天晚上我曾到白马山庄去过，那时候你在不在？”

“在。”

“那么你为什么又一个人跑出来？”

“我高兴！”沈璧君又在用力咬着嘴唇，“我高兴出来就出来。”

“可惜你看来一点也不高兴。”风四娘一点也不肯放松，道，“你究竟是为了什么才跑出来的？”

沈璧君不再回答。

桌上有酒，她忽然抓起酒壶，往嘴里倒。

她想醉，醉了就可以忘记一些她本不愿想起的事，也可以拒绝回答一些她不愿回答的话。

只可惜壶已快空了，只剩下几滴酒，就像是泪一样，一滴滴落下。

酒是苦的，又酸又苦，也像是泪一样，只不过酒总有滴干的时候。

泪呢？

“砰”的一声，酒壶落下，粉碎。

她的人却比酒壶更破碎，因为她不但心已碎了，梦也已碎了。

她这一生的生命，剩下来的已只不过是一个破碎的躯壳。

风四娘看着她。

——命运为什么要对她如此残酷？

——现在她已变成了这么样一个人，为什么还要折磨她？

风四娘忽然轻轻叹息了一声，道：“无论你是为什么，你都不该再跑出来的。”

沈璧君茫然凝视着地上的碎片，美丽的眼睛里也变得空无一物，道：“我不该？”

风四娘道：“嗯。”

沈璧君突又冷笑，道：“可是昨天晚上，你还逼着我，一定要我走。”

风四娘叹道：“昨天晚上，也许是我错了。”

沈璧君道：“你也有错的时候？”

风四娘点点头道：“我错了，只因为我从来没有替你想过。”

她想的只有一个人。

她所做的一切事，都是为了想要他快乐，想要他幸福。

为了他，她不惜牺牲一切。

可是别人呢？

别人为什么一定也要为他牺牲？

别人岂非也一样有权活下去？

风四娘黯然道：“你吃的苦已太多了，为他牺牲得也已够多。”

直到现在她才发现，她根本没有权利逼着别人为“他”受苦，把他的幸福，建筑在别人的不幸上。

“现在你已应该为你自己活几天，过一段幸福平静的日子，你跟我不同，若是再这么样流浪下去，你这一生就真的要毁了。”

这可是她的真心话。

对这个美丽如花、命薄如纸的女人，她的确已有了种出自真心的同情和怜惜。

但她却忘了，怜悯有时甚至比讥讽更尖锐，更容易伤人的心。

沈璧君本已勉强控住的眼泪，忽然间又已落下面颊。

她用力握紧双手，过了很久，才慢慢地问：“你要我怎么样？”

风四娘道：“我要你回去。”

沈璧君道：“回去？回到哪里去？你明明知道我已没有家。”

风四娘道：“家是人建的，只要你还有人，就可以重新建立一个家。”

沈璧君道：“人……我还有人？”

风四娘道：“你一直都有的。”

沈璧君道：“连城璧？”

风四娘点点头，苦笑道：“我一直看错他了，他并不是我猜想的那个人，只要你愿意回到他身边去，他一定会好好地对你，你们还是可以有一个很好的家。”

沈璧君在听着，似已听得出神，就像是个孩子在听人说一个美丽的神话。

风四娘道：“现在我已知道，那个秘密组织叫‘天宗’，宗主是一个很矮小，还养着条小狗的人，并不是连城璧。”她叹息着，又道，“所以我本不该要你离开他的，不管怎么样，他至少没有欺骗你，你回到他身边，总比这么样在外面流浪好得多。”

沈璧君还在听着，还是听得很出神。

世上绝没有任何一个女人喜欢这么样在外面流浪的。

她是不是已被打动？

风四娘道：“只要你愿意，我随时都可以陪你回去，我甚至可以去向他道歉。”

这也是她的真心话。

只要沈璧君真的能得到幸福，无论要她做什么，她都愿意。

沈璧君却笑了，突然疯狂般大笑。

风四娘怔住。

她从未想到沈璧君会有这种反应，更没有想到沈璧君会这么样笑。

她实在不知道应该怎么办才好。

就在这时，沈璧君的大笑突然又变成痛哭——不再是悄悄流泪，也不再是轻轻哭泣，而是放声痛哭。

除了萧十一郎外，她也从未在别人面前这么样哭过。

她哭得就像是个受了惊骇的孩子。

这种哭甚至比刚才的那种笑更不正常，像这么样哭下去，一个人说不定真的会哭疯了。

风四娘忍不住冲过去，用力握住她的肩。

沈璧君还在哭。

风四娘咬了咬牙，终于伸手，一掌掴在她脸上。

沈璧君突然停顿。

不但哭声停顿，呼吸、血脉、思想也全都停顿。

她整个人都已停顿，麻木、僵硬，就像是突然变成了个木偶。

风四娘的泪却已流了下来，黯然道：“你这是为了什么？是不是因为我说错了话？”

沈璧君没有动，一双空空洞洞的眼睛，仿佛在看着她，又仿佛凝视着远方。

风四娘道："我说错了什么，我……"

沈璧君突然道："你没有错，他的确不是天宗的宗主，但我却宁愿他是的。"

风四娘又怔住："为什么？"

沈璧君道："因为天宗的宗主，至少还是个人。"

风四娘道："难道他不是人？"

沈璧君的脸又因痛苦而扭曲，道："我一直认为他是个人，不管他是好是坏，总是个了不起的人，谁知道他只不过是个奴才。"

风四娘道："奴才？谁的奴才？"

沈璧君道："天孙的奴才。"

风四娘道："天孙？"

沈璧君冷笑道："逍遥侯是天之子，他的继承人当然是天孙。"

风四娘道："连城璧虽然不是天孙，却是天孙的奴才？"她更吃惊，更意外，忍不住问道，"这些事你怎么知道的？"

沈璧君道："因为……因为我还是他的妻子，昨天晚上，我还睡在他房里。"

这些话就像是鞭子。

她说出来时，就像是用鞭子在抽打着自己。

这种感觉已不仅是痛苦而已，也不仅是悲伤、失望……还有种无法形容的屈辱。

风四娘了解这种感觉。

她没有再问，沈璧君却又接着说了下去："他以为我睡着了，他以为我已喝光了他给我的那碗药。"

"你知道那是迷药？"

"我不知道，可是我连一口都没有喝。"

"为什么？"

“我也不知道究竟是为了什么，我就是不想吃药，什么药都不想吃。”

风四娘心里在叹息。

她知道那是为了什么——一个已对生命绝望，只想拼命折磨自己的人，是绝不会吃药的。

世界上本就有很多事，看来仿佛是巧合，其实你若仔细去想一想，就会发觉那其中一定早已种下了“前因”。

你种下的是什么“因”，就一定会收到什么“果”——你若明白这道理，以后播种时就该分外小心。

沈璧君道：“他想不到我已将那碗药偷偷地泼了出去。”

风四娘叹道：“他一定想不到的，因为你以前从来也没有骗过他。”

——这也是“因”。

沈璧君道：“他进来的时候，我其实是醒着的。”

风四娘道：“但你却装作睡着了的样子。”

沈璧君道：“因为我不想跟他说话。”

——这又是“因”。

风四娘道：“他没有惊动你？”

沈璧君摇摇头，道：“他只是站在床头看着我，看了很久，我虽然不敢张开眼看他，却可以感觉到他的样子很奇怪。”

风四娘道：“奇怪？”

沈璧君道：“他看着我的时候，我好像全身都在渐渐发冷。”

风四娘道：“然后呢？”

沈璧君道：“我看来虽然好像已睡着，其实心里却在想着很多事……”

那时她想的并不是萧十一郎。

这两年来，萧十一郎几乎已占据了她全部生命，全部思想。

但那时她在想的却是连城璧。

因为连城璧就在她床前，因为她和连城璧之间，也并不是完全没有值得回忆的往事。

他毕竟是她第一个男人。

她想起了他们新婚的那一天，她也曾躺在床上装睡，他也是这么样站在床头，看着她，一直都没有惊动她，还悄悄地替她盖上了被子。

那时她心里的紧张和羞涩，直到现在，她只要一想起来，还是会心跳。

在他们共同生活的那段日子里，他从来也没有惊扰过她。

他始终是个温柔和体贴的丈夫。

想到这里，她已几乎忍不住要睁开眼，陪他一起度过这漫漫的长夜。

可是，就在这时候，她忽然听见窗外响起了一阵很轻的弹指声。

连城璧立刻走过去，推开窗户，压低声音道："你来迟了，快进来。"

窗外的人带着笑道："久别胜新婚，你不怕我进去惊扰了你们？"

听见这个人的声音，沈璧君忽然全身冰冷。

这是花如玉的声音。

她听得出。

可是她却连做梦也想不到，花如玉居然会来找连城璧。

他们怎么会有来往的？

沈璧君勉强控制着自己，集中精神，听他们在说些什么。

连城璧道："我知道你会来，所以已经想法子让她睡了。"

花如玉道："她不会醒？"

连城璧道："绝不会，我给她的药，至少可以让她睡六个时辰。"

花如玉已穿窗而入，吃吃地笑着，道："你花了那么多心血，才把她找回来，现在却让她睡觉，岂非辜负了春宵？"

连城璧淡淡道："我并没有找她回来，是她自己要回来的。"

花如玉笑道："难怪别人都说你是个了不起的角色，你不但要她的人回来，还要她的心。"

连城璧也笑了笑，道："我若只想要她的人回来，就不必费那么多事了。"

听到了这些话，沈璧君不但全身都已冰冷，心也已沉了下去。

她忽然觉得自己就像是一团泥，别人要把她捏成什么样子，她就被人捏成什么样。

花如玉道："这件事你做得很好，所以天孙想当面跟你谈谈下一件事。"

连城璧道："什么时候？"

花如玉道："月圆的时候。"

连城璧道："什么地方？"

花如玉道："西湖，水月楼。"

连城璧道："我一定准时去。"

花如玉道："你最好明天一早就动身，跟我一起走，先到扫花草堂去等着。"

连城璧道："行。"

花如玉笑道："你舍得把她一个人留在这里？"

连城璧道："这次她既然已回来，就绝不会走的了。"

花如玉道："你有把握？"

连城璧淡淡道："因为我知道她根本已没有别的地方可去。"

花如玉吃吃地笑道："你实在有两下子……"

这就是沈璧君昨夜听见的秘密。

直到现在，她的眼睛里还是充满了痛苦和悲伤。

风四娘了解她的心情。

无论谁发现自己被人欺骗出卖了时，心里都不会好受的。

何况出卖她、欺骗她的，又是她本已决心要厮守终生的人。

沈璧君流着泪道："这次我本来的确已不想再离开他了，我……我实在也已无处可去。可是，听了那些话之后，就算叫我再多留一天，我也会发疯。"

风四娘道："所以他一走，你也跟着跑出来了？"

沈璧君点点头。

她不但无处可去，甚至连一个亲人、一个朋友都没有。

她只有悄悄地躲在这种凄凉的小客栈里，悄悄地流泪。

苦酒入愁肠，也化作了泪。

风四娘没有动，也没有开口。

她实在不知道该说些什么，更不知道应该怎么样劝解安慰。

世上本就有种痛苦是谁也没法安慰劝解的，也只有这种痛苦，才是真正的痛苦。

日影渐渐斜了，渐渐淡了。

淡淡的日色，从浓荫间照过来，就变成一种凄凉的淡青色。

沈璧君的泪看来也是淡青色的，正慢慢流过她苍白憔悴的脸。

风四娘看着她，忽然笑道："我现在想起了一件事。"

沈璧君忍不住问道："什么事？"

风四娘道："我们两个人自上次逃离花如玉的马车后，好像还没有在一起喝过酒？"

沈璧君点点头道："的确是没有。"

风四娘道："今天我们就在这里大醉一次好不好？"她不等沈璧君

同意，已跳起来，冲出去，高声吩咐，“快拿酒来，要二十斤最好的酒。”

最好的酒也是苦酒。

对沈璧君说来，生命的本身已是杯苦酒。

风四娘已喝了两杯，她杯中的苦酒却还是满的，仿佛已将溢出。

“你不喝？”

“我不想醉。”

风四娘皱眉道：“人生难得几回醉，你为什么不想醉？”

沈璧君道：“因为我已明白你的意思。”

风四娘道：“我有什么意思？”

沈璧君道：“你想灌醉我，然后一个人到西湖去。”

风四娘笑了，苦笑。

沈璧君道：“我知道你一定要去找连城璧，去找天孙，这次的机会你绝不会错过。”

风四娘苦笑道：“你本来好像并不是个多疑的人，现在怎么变了？”

沈璧君凄然道：“因为我已不能不变。”

风四娘道：“难道你也想去找他们？”

沈璧君道：“难道我不能去？”

风四娘道：“你不能。”

沈璧君道：“为什么？”

风四娘道：“因为我们这一去，若是被他们发现，就永远休想活着回来了。”

沈璧君道：“所以你不让我去？”

风四娘道：“因为你不能死。”

沈璧君道：“但你却可以去，可以死？”

风四娘沉默着，忽然问道：“你知不知道我是个什么样的人？”

沈璧君道：“你不但聪明美丽，而且很洒脱，你活得比很多人都快乐，至少比我快乐多了。”

风四娘又笑了，笑容中却带着种说不出的凄凉和悲伤。

过了很久，她才慢慢地说道：“我是个孤儿，从小就没有家，没有亲人，别的孩子还在母亲怀里撒娇的时候，我已经在外面流浪，家的温暖，我连一天都没有享受过。

“十几岁的时候，我已学会了骑最快的马，喝最辣的酒，玩最快的刀，穿最好的衣裳，交最有权力的朋友。

“因为我知道一个像我这样的女人，要想在江湖中混，就得学会应该怎么样保护自己，否则我只怕早已被人吃了下去，连骨头都不剩一根。

“别人都认为我活得很快乐，因为我也早已学会将眼泪往肚里流。

“今年我已经三十五了，却和二十年前一样，没有家，没有亲人，每到过年过节的时候，我只有一个人偷偷地躲起来。

“因为我不愿让别人看见我流泪。”她抬起头，凝视着沈璧君道，“你也是个女人，你应该知道一个女人想要的是什么。”

沈璧君垂下头。

温暖的家，听话的孩子，体贴的丈夫，平静的生活……

这些本是世上所有女人的梦想和希望，大多数女人都能得到。

因为这些并不能算是奢望。

“但我却一样都没有。”风四娘握住了沈璧君的手继续说，“你想想，像我这么样一个女人，还有什么理由一定要活下去？”

沈璧君也笑了笑，笑得也同样凄凉：“我呢，我又有什么理由一定要活下去？”

风四娘轻轻道："你至少还有一个理由。"

沈璧君道："萧十一郎？"

风四娘点点头，勉强笑道："你至少还有一个真心相爱的人。"

就凭这一点理由，的确已足够让一个女人活下去。

"所以你不能死，也不能去。"风四娘站起来，"我见到他时，一定会叫他到这里来找你。"

"你认为我会在这里等？"

"你一定要等。"

"你若是我，你也会等？"

"我若也有一个真心相爱的人，无论要我等多久，我都会等的。"

沈璧君看着她含泪的眼睛，忽然道："那么应该在这里等他的就不是我，是你！"

这句话也像是条鞭子。

风四娘的人已僵硬，这一鞭子正抽在她心里最软弱的地方。

沈璧君缓缓道："现在我已不是以前那个不懂事的女人了，所以有很多你认为我不会看出来的事，我都已看了出来。"

风四娘道："你……"

沈璧君打断了她的话道："所以我若有理由活下去，你也一样有，你若能去冒险，我也一样能去。"她说得很坚决，也很悲伤，"我们的出身虽不同，可是现在，我们的命运却已是完全一样的，你为什么一定要否认？"

她看着风四娘，眼睛里充满了了解和同情。

风四娘也在看着她。

两个人就这么样互相凝视着……两个绝不相同的女人，却已被一条看不见的绳索系在一起……

命运是什么?

命运岂非本就是条看不见的锁链。

情感是什么?

情感岂非也正是条看不见的锁链。

第二十三章

摇船母女

杭州。

她们出了涌金门，过南屏晚钟，摇向三潭印月，到了西泠桥时，已近黄昏了。

满湖秋水映着半天夕阳，一个头戴黑帽的渔翁，正在桥头垂下了他的钓竿。

远处画舫楼船上，隐约传来妙龄船娘的曼声清歌。

看画船尽入西泠，闲却半湖春色。

白沙堤上野柳已枯，芳草没径，静悄悄的三里长堤，很少人行走。

谁开湖寺西南路，草绿裙腰一道斜。

面对着名湖秋色，虽然无酒，人已醉了。

风四娘也不禁曼声而吟：“欲把西湖比西子，浓妆淡抹总相宜。”

沈璧君轻轻叹息，道：“这两句话虽然已俗，可是用来形容西湖，却是再好也没有。”

风四娘道：“你以前来过？”

沈璧君点点头，美丽的眼睛又流露出一抹感伤。

——以前她是不是和连城璧结伴来的？

风四娘道：“你知不知道水月楼在哪里？”

沈璧君摇摇头。

摇船的船家是母女两个人，女儿虽然蓬头粗服，却也不失妩媚。

她忽然伸出手向前一指：“那里岂非就是水月楼？”

她指着的地方，正是湖心秋色最深处，波光夕阳，画舫深歌。

风四娘道：“水月楼是条画舫？”

船娘道：“湖上最大的三条画舫，一条叫不系园，一条叫书画舫，还有一条就是水月楼。”

风四娘道：“这条画舫有多大？”

船娘道：“大得很，船楼上至少可以同时摆三四桌酒席。”她叹了口气，声音里带着无限羡慕，“几时我若也能有那么样一条画舫，我也用不着再吃这种苦了。”

她看着自己的手，本来很秀气的一双手，现在已结满了老茧。

湖上的儿女，日子过得虽自在，却都是清贫而辛苦的。

沈璧君看着她，忽然问道：“你们平常一天可以赚多少银子？”

船娘苦笑，道：“我们哪里能天天看得到银子，平常最多也只不过能赚个几十纹银而已，只有到了春天……”

一提到春天，她的眼睛里就发出了光。

这三十里晴波一到春天，六桥花柳，株株相连，飞红柔绿，铺岩霞锦，千百只游船，一式白纺遮阳，铜栏小桨，携着素心三五，在六桥里外，燕子般穿来穿去。

春天才是她们欢愉的日子。

现在却已深秋。

沈璧君忽然笑了笑，对船娘道："你想不想到城里去玩几天？除了花钱外，还可以赚五两银子？"

黄昏。

船上已只剩下两个人，一个母亲，一个女儿。

风四娘和沈璧君呢？

她们岂非就在这条船上？

沈璧君是母亲。

——母亲总是比较少有人注意的，我不愿让别人认出我。

所以风四娘就只好做了她的女儿。

用白粉将头发扑成花白，再用一块青帕包起来，脸上添点油彩，画几条皱纹，沈璧君眯着眼睛低垂下头："你还认不认得出我？"

风四娘笑了："我实在想不到你居然还会一点易容术。"

其实只要是会打扮的女人，就一定会一点易容术的。

易容本不是种神奇的事，造成的结果，也绝没有传说中那么神奇。

"现在我们最多只不过能在晚上暂时瞒过别人而已。"

"月圆的时候，岂非就是晚上？"

"所以白天我们最好少出来。"

风四娘笑道："你难道没有听人说过，我一向是只夜猫子？"

——今天是十三，后天晚上月亮就圆了。

一轮将圆未圆的明月，正冉冉升起，照亮了满湖秋水。

月下的西湖，更美得令人心碎。

"你想那个叫天孙的人，后天晚上究竟会不会来？"

"一定会来的，我只怕他来了，我们还是认不出他。"

"只要他来，我们就一定会认得出。"

"你有把握？"

"现在我们至少已有了三条线索。"

"哦？"

"第一，我们已知道他是个很瘦小的人，而且总是带着条小狗。

"第二，我们已知道他一定会到水月楼去。

"第三，我们也已知道连城璧一定会去找他。

"我们虽然不认得他，但我们却认得狗，认得水月楼，也认得连城璧。"

风四娘的确充满了信心，因为她忘记了一点。

——就是能找到他，又能怎么样呢？

秋月渐高，湖水渐寒。

风四娘坐在船舷畔，脱下了青布鞋，用一双如霜的白足，轻轻地踢着水。

沈璧君正在看着她，忽然道："听说你一脚踢死过祁连山的大盗半天云？"

风四娘道："嗯。"

沈璧君道："你就是用这双脚踢的？"

风四娘道："我只有这一双脚。"

沈璧君也笑了。

她已有很久很久未曾笑过，面对着这大好湖山，她的心情才总算开朗了些。

她微笑着道："你这双脚看来实在不像踢死过人的样子。"

风四娘嫣然道："我喜欢听别人说我的脚好看，你若是个男人，我一定让你摸摸。”

沈璧君道：“只可惜我不是……”

她的声音又低沉了下去——这是不是因为她又想起了萧十一郎？

——只可惜你不是萧十一郎。

——只可惜你也不是萧十一郎。

萧十一郎，你究竟到哪里去了？为什么至今还是没有消息？

月色更亮，她们的笑容都已黯淡。

湖上又传来了清歌：

第一湖山，
销魂南浦，
年年草绿裙腰。
湖寺西南，杏花村酒帘招。
东风醉，醉前朝。
岸渐移，柳映官桥。

歌声清妙，其中还带着银铃般的笑声，唱歌的人，想必是个爱笑又爱娇的少女。

笑声和歌声，又是从湖心堤畔，那水月楼船上传来的。

船上灯火辉煌，鬓影衣香，仿佛有人正在大开筵席，做长夜之饮。

这人的豪兴倒不浅。

风四娘忽然笑道：“可惜我们这两天有事，否则我一定要闯上船去，喝他几杯。”

沈璧君道：“你知道船上是什么人在请客？”

风四娘道：“不知道。”

沈璧君道："你连主人是谁都不知道，也敢闯去喝酒？"

风四娘笑道："不管他是谁，都一样会欢迎我的。"

沈璧君道："为什么？"

风四娘道："因为我是个女人，男人在喝酒的时候，看见有好看的女人来，总是欢迎得很的。"

沈璧君嫣然道："你好像很有经验？"

风四娘笑道："老实说，像这种事我实在已不知做过多少次。"

沈璧君看着她，看着她发亮的眼睛，看着她深深的酒窝，忽然轻轻叹了一口气，道："只可惜我不是男人，否则我一定要你嫁给我。"

风四娘笑道："你若是男人，我一定嫁给你。"

她们虽然又在笑，可是笑容中却还是带着种说不出的忧郁。

她们又想起了萧十一郎。

萧十一郎，萧十一郎，你为什么总是这么样叫人抛也抛不开，放也放不下？

忽然间，堤岸上有人在呼唤："船家，摇船过来。"

风四娘叹了口气，苦笑道："看来我们的运气倒不错，今天刚改行，就有了生意。"

沈璧君道："我们既然干了这一行，就不能把生意往外推。"

风四娘道："有理。"

她跳起来，举起长篙一点，船已荡了出去。

沈璧君道："你真的会摇船？"

风四娘道："我本就是十八般武艺件件精通，件件稀松。"

沈璧君忍不住笑道："你有没有不会的事？"

风四娘道："有一件。"

沈璧君道："什么事？"

风四娘道："我从来也不会难为情。"

要坐船的一共有三个人。

风四娘带着喜悦，道："若是把江湖人全都找来，排着队从我面前走过去，每三个人中，我至少认得一个。"

她并不是吹牛。

这三个人中，她就认得一个。

一个眼睛很小、气派却很大的人，穿着长袍，摇着折扇，看来又像是个书生。

他的外号的确叫书生。

要命书生。

他手里的折扇，却是件要命的武器。

江湖中能用折扇做武器的人并不多，这"要命书生"史秋山也许就是其中最要命的一个。

能跟他做朋友的人，当然也不是等闲人物。

萧十一郎常常喜欢说："江湖中的人风四娘至少认得一半，还有一半认得她。"

可是这三个人却全都不认得她，就连史秋山都不认得，因为夜色已深，她的样子又已变了，因为谁也想不到风四娘会在西湖中做船娘。

"客官们要到哪里去？"

"水月楼，"史秋山道，"你知不知道水月楼在哪里？"

风四娘松了口气，别的地方她不知道，水月楼她总是知道的。

史秋山已坐下来，坐在船头，上上下下地打量着她，然后就盯在她的脚上，三个人的三双眼睛都盯在她脚上。风四娘并不反对别人欣赏她的脚，但现在却恨不得把他们的眼睛全都缝起来，因为她也知道终年在湖上操劳的船娘们，本不该有这么样一双脚的。她一定要想法子转移他们的注意力，却偏偏想不出来，这三个人的眼睛就像是钉子一样，已钉在她脚上。

——-男人为什么总是喜欢看女人的脚?

幸好就在这时，灯火辉煌的水月楼船上，又有歌声传来。是苏轼的《水调歌头》。

明月几时有，
把酒问青天。
不知天上宫阙，今夕是何年?
我欲乘风归去，又恐琼楼玉宇。
高处不胜寒……

歌声苍凉悲壮，是男人的声音。

史秋山突然冷笑，道："看来他的豪兴倒还真不浅。"

一个面色蜡黄的中年人道："他是从初五开始请酒的，到今天已七天。"

另一个虬髯大汉道："所以我佩服他。"

史秋山道："你佩服他？"

虬髯大汉道："无论谁大醉七天后，还有精神高歌我都佩服。"

面色蜡黄的中年人冷冷道："你怎么知道他已大醉了七天？"

虬髯大汉道："因为我知道他这人一向是有酒必醉的。"

史秋山遥视着湖水中的光影，目中带着深思之色，缓缓道："却不知有多少女人肯来陪他醉？"

中年人道："这次他究竟请了多少人？"

史秋山道："江南一带的武林英雄，他好像已全都请遍了。"

中年人道："他为的是什么？"

史秋山道："不知道。"

主人请客，客人居然不知道他是为什么请客的，看来这主人倒是个怪人。

风四娘虽然低垂着头，眼睛里却已发出了光。

——主人是谁?

——是不是天孙?

——他为什么要将江南的武林豪杰全都请来？难道这又是个圈套?

——杀人的圈套?

想到死在"八仙船"里的那些人，风四娘几乎已忍不住想拉住史秋山，叫他莫要上船去。

可是她自己倒又想上去看看，看看这个人究竟是谁?

月在湖心，人也在湖心，月在水波上，人也在水波上，水波温柔得就像是月色，月色温柔得就像是情人的眼波，情人的眼波却已渺无踪迹。

风四娘轻轻地叹了口气，忽然发现说话的人都已闭上了嘴，虽然闭上了嘴，眼睛却张得很大，每个人都瞪着眼睛，在看着她，不是看她的脚，是在盯着她的脸，幸好她头上还有顶竹笠挡住了月光。

风四娘的头也垂得更低了些——男人的眼睛真该全都缝起来，也许连嘴都该缝起来。

史秋山忽然咧开嘴一笑，道："我姓史，叫史秋山，太史公的史，秋色满湖山的秋山。"

他的眼睛虽小，嘴巴很大，好像一口就能吞下个半斤重的大馒头。

风四娘忍住了气，低着头叫了声："史大爷。"

“不是史大爷，是史二爷。”

史秋山道：“大爷是这位，他姓霍，霍无病。”

面色蜡黄的中年人点了点头，风四娘只好又叫了声：“霍大爷。”

——看你明明是有病的样子，为什么偏偏要叫作无病？

这句话总算忍住了没说出来，她的脾气好像已改了些。

“我叫王猛。”

虬髯大汉抢着道：“王八蛋的王，我是老三。”

风四娘忍不住要笑，这位王三爷看来倒比较有趣些。

她没有笑，因为史秋山又在问：“姑娘你姓什么？叫什么名字？”

风四娘道：“我是个摇船的。”

史秋山道：“摇船的难道就没有名姓？”

风四娘道：“摇船的有没有名姓，大爷们都不必知道。”

史秋山道：“既然同船共渡，就是缘分，既然有缘分，又何妨问一问名姓？”

风四娘索性闭上嘴，她生怕一张嘴，就要指着史秋山的鼻子大骂出声。

——这个人实在是个“要命”书生，讨厌得要命。

霍无病道：“妇道人家，总是不好意思跟男人通名道姓的。”

史秋山道：“我看她并不像害羞的样子。”

王猛道：“不管怎么样，人家既然不愿说，你又何必一定要逼着人家说？”

史秋山道：“我既然已问了，她又何必一定不肯说？”他眼睛又在盯着风四娘，沉着脸道，“你是不是不敢说？”

风四娘忍不住道：“不敢？我为什么不敢？”

史秋山冷冷道：“因为你怕被我问出你的来历。”

风四娘笑了，笑得并不妩媚。

她是在冷笑："一个摇船的女人，难道还会有什么见不得人的来历？"

史秋山也在冷笑，盯着她问道："你真是个摇船的？"

风四娘道："当然是。"

史秋山道："我看你不像。"

风四娘道："我哪点不像？"

史秋山道："从头到脚都不像。"

风四娘咬了咬牙，冷笑道："我若不像摇船的，你说我像什么？"

史秋山霍然长身而起，"唰"的一声，展开了手里的折扇，摇了两摇。

风四娘的手也已握紧。

——男人的眼睛里，若是带着种不怀好意的微笑，她当然能看得出。

史秋山眼睛里就带着种不怀好意的微笑，他究竟想干什么？风四娘准备先发制人，不管他想干什么，先一脚把他踢下去再说。

幸好就在这时，后梢的沈璧君已在呼唤："水月楼到了。"

风四娘转过头，灯光辉煌的楼船果然已在眼前，只要一纵身就可以跳过去，就算是个三百八十斤的人跳过去，那边的船也绝不会翻的，甚至可能连摇都不会摇。

到了眼前，风四娘才看出这水月楼是条多么大的楼船。既然是楼船，船舱当然有楼，楼上楼下的灯火都亮如白昼，丝竹管弦声，是从楼上传下来的，楼下却听不见人声，人都聚在船头。

船头的甲板上，至少有三十个人，三五成群，聚在一起窃窃私议，却听不出在谈论些什么。

"这些人为什么不进船舱去？"

风四娘既不能问，也不便抬起头去张望，只不过心头更奇怪。

请客的人究竟是谁？为什么不请客人进去喝酒，却要他们站在船头喝风？

史秋山居然还在盯着她，注意着她脸上的表情，忽然问道："你能不能跳过去？"

风四娘摇摇头。

史秋山道："你不想过去看看？"

风四娘又摇摇头。

史秋山道："你不后悔？"

风四娘忍不住道："我为什么要后悔？"

史秋山笑了笑，道："因为这次请客的，是个大家都想看的人。"

风四娘道："是谁？"

史秋山道："萧十一郎！"

第二十四章

水月楼之宴

萧十一郎！

请客的人居然是萧十一郎。

天宗的主人约了连城璧在这里相见，他居然也在这里请客。

这是巧合，还是他故意安排的？

他明明知道江湖豪杰们，十个人中至少有九个是他的对头，为什么还要在这里大开盛宴，把他的对头们全都请来？

风四娘已怔住。

史秋山却再也不睬她了，轻摇着折扇，一下子就跳了过去。

霍无病和王猛也跳了过去。

船头上的人立刻有一半迎了上来，史秋山的交游本就很广阔。

萧十一郎，他的人在哪里？为什么没有出来迎客？

风四娘现在就已开始后悔了，她实在应该跟着上去看看的。

沈璧君已从后梢走过来，悄悄地问道："你认得那个姓史的？"

风四娘道："嗯。"

沈璧君道："他是不是也认出了你？"

风四娘道："好像是的。"

沈璧君迟疑着，又问道："你想他会不会是故意在开你的玩笑？"

风四娘板着脸道："他还不敢。"

沈璧君道："那么，在上面请客的人，难道真的是萧……"

风四娘眼珠子转了转，道："你在这里替我把风，我从后面爬到船篷上去看看。"

水月楼不但远比这条船大，也比这条船高。

风四娘伏在船篷上，还是看不见楼船上的动静，可是楼下的船舱，和甲板上的人，她总算看清楚了。

三十个人里面，她至少认得十四个。

一个枯瘦矮小的白发老者，正在和霍无病赔着笑寒暄。

风四娘认得他，正是南派形意门的掌门人，"苍猿"侯一元。

这个人虽不能算是顶尖高手，在江湖中的辈分却很高。

可是看他现在的表情，对霍无病反而显得很尊敬。

霍无病的来历，风四娘却没有想起来。

"霍先生的大名，老朽早已久仰得很。"侯一元正在赔着笑道，"只可惜老朽无缘，十余年来，竟始终未能见到霍先生一面。"

霍无病冷冷道："这十五年来，江湖中能见到我的人本就不多。"

侯一元道："难道霍先生的踪迹，已有十五年未入江湖？"

霍无病点点头，道："因为我被独臂鹰王一掌，打得在床上躺了十五年。"

风四娘几乎跳了起来。

她终于想起这个人的来历了。

昔年"先天无极派"的掌门人，中州大侠赵无极有个叫霍无刚的师弟，据说武功也很高，可是刚出道没多久，就忽然下落不明。

这霍无病，想必就是霍无刚。

赵无极是在争夺"割鹿刀"的一役中，死在萧十一郎手里的。

因为这位"大侠"只不过是个徒有侠名的伪君子而已。

霍无病忽然出现，是不是想为他师兄复仇来的？

独臂鹰王虽也是护送割鹿刀入关的四大高手之一，其实却只不过是被赵无极利用的工具，死得也很凄惨。

这其中的曲折，霍无病是不是知道？

——能真正明了江湖中恩怨的人，世上只怕还没有几个。

就连侯一元这样的老江湖，都在无意中踩了霍无病的痛脚。

风四娘虽然看不见他的脸，也可以想象到现在他的脸一定很红。

他当然没法子再跟霍无病聊下去，正想找个机会溜之大吉。

谁知王猛却拉住了他，道："船舱里有酒有肉，大伙儿为什么不进去吃喝，反而站在这里喝风？"

——这正是风四娘也想问的话。

侯一元却没有立刻回答这句话，对王猛，他显然没有对霍无病那么客气。

他毕竟也是一派宗主的身份，总不能随便被个人拉住，就乖乖地有问必答。

王猛虽猛，却不笨，居然也看出了他的冷淡，忽然瞪起了眼，道："你只认得霍大哥，难道就不认得我？"

侯一元翻了翻白眼，冷冷道："你是谁？"

王猛道："我姓王，叫王猛，我也知道这名字你一定没听说过，因为我本来是个和尚。"

侯一元道："哦？"

王猛道："我是被少林寺赶出来的。"

侯一元冷笑。

王猛忽然伸出手，指着自己的鼻子，道："我就是少林寺里面，那个几乎把罗汉堂拆了的莽和尚，也就是那个被他们打了一百八十棍，还没有打死的铁和尚。"

侯一元的脸色变了。

看来他又踩错了一脚，虽然没有踩到别人，却踢到一块石头，一块又臭又硬的石头。

无论谁一脚踢在这块石头上，就算脚还没有破，也得疼上半天。

一身横练，连少林家法都没有打断他半根骨头的铁和尚，他当然是听见过的，风四娘也听见过。

——这个蛮牛般的莽和尚，突然闯到这里来，也是为了对付萧十一郎？

这次侯一元不等王猛再问，已叹息着道："那船舱里并不是人人都能进去的。"

王猛道："难道你们不是萧十一郎请来的客人？"

侯一元道："我们都是的。"

王猛道："既然你们都是他的客人，为什么不能进去？"

侯一元迟疑着，苦笑道："客人也有很多种，因为每个人的来意都不同。"

王猛道："你是来干什么的？"

侯一元道："我是来做客的。"

王猛道："做客的反而不能进去，要什么人才能进去？"

侯一元道："来杀他的人。"

王猛怔了怔，道："只有来杀他的人，才能进去喝酒？"

侯一元道："不错。"

王猛道："这是谁说的？"

侯一元道："他自己说的。"

王猛突然大笑，道："好！好一个萧十一郎，果然是个好小子……"

他大笑着转过身，迈开大步，就往船舱里闯。

史秋山猛一把拉住了他。

王猛皱眉道："我们不是来杀他的？"

史秋山道："至少现在还不到时候。"

王猛道："所以我现在还不能进去喝酒？"

史秋山道："外面有这么多朋友，你一个人进去有什么意思？"

王猛虽然满脸不情愿的样子，却并没有再往里面闯。

史秋山说的话，他居然很服气。

只不过他嘴里还在嘀咕："来杀他的人才能进去喝酒，好，好小子……你若不是真的有种，就一定是混蛋加八级。"

萧十一郎，你究竟是个好小子，还是个混蛋呢？

风四娘也在问自己。

这句话她也不知道问过自己多少次了，每次她在问的时候，心里总是又甜又苦。

船楼下忽然传出一阵咳嗽声，原来船舱里并不是没有人。

一个人正坐在里面喝酒，也许是因为喝得太快，所以在咳嗽。

——只有来杀他的人，才能进去喝酒。

这个人无疑是来杀他的。

是谁有这么大的胆子，敢来杀萧十一郎，而且居然敢承认？

风四娘当然想看看这个人。

她看不见。

这人背对着窗户，始终没有回头。

风四娘只看见他身上穿着的，是件已洗得发白的蓝布衣服，上面好像还有个补丁。

可是他的背影却很悠闲，正剥了个螃蟹的钳子，蘸着醋下酒。

他究竟是谁？

无论谁穿着这样一身破衣服，等着要杀萧十一郎，居然还能有这种闲情逸致，这个人一定是个很了不起的人物。

船头上找不到萧十一郎，船舱里也看不到萧十一郎。

他的人呢？

风四娘从篷上溜下来，就看见了沈璧君一双充满了焦虑的眼睛。

“你有没有看见他？”

风四娘摇摇头，道：“可是我知道他一定在那条船上。”

沈璧君道：“为什么？”

风四娘叹了口气，道：“因为那种事只有他做得出。”

沈璧君又问：“什么事？”

风四娘苦笑道：“他请了三四十个人来，却只让来杀他的人进去喝酒。”

沈璧君道：“他为什么要这样做？”

风四娘道：“谁知道他为什么，这个人做的事，别人就算打破头，也猜不透。”

其实她并不是真的不知道。

萧十一郎这样做，只不过因为他知道来的人没有一个不想杀他。

他想看看有几个人敢承认。

萧十一郎做的事，只有风四娘了解，这世上没有人能比她更了解萧十一郎。

可是她不愿说出来。

尤其是在沈璧君面前，她更不能说出来。

她希望沈璧君能比她更了解萧十一郎。

船楼上又有丝竹声传下来，沈璧君抬起头，痴痴地看着那发亮的窗子，眼神又变得很奇怪。

风四娘知道她心里在想什么。

——他是不是在楼上？

——是不是有很多人在陪着他？

是谁在陪着他？

爱情为什么总是会使人变得猜疑妒忌？

风四娘在心里叹了口气，忽然道："我想到那条船上去看看。"

沈璧君道："可是……史秋山岂非已经认出了你？"

风四娘道："他既然已认出了我，我又何必再避着他？"

沈璧君没有再说话。

风四娘的做法，她总是不太同意的，却又偏偏没法子反驳。

她们本是两个绝不相同的女人。

她们的性格不同，对同一件事，往往会有两种绝不相同的看法。

在风四娘的生命里，从来也没有"逃避"这两个字，可是沈璧君……

沈璧君忽然道："我也去。"

风四娘道："你？"

沈璧君道："你既然能去，我也能去。"

风四娘吃惊地看着她，眼睛里却又带着欣慰的笑意。

沈璧君的确变了。

她好像已多了样以前她最缺少的东西——勇气。

这岂非正是每个人都需要的？

"我们去。"风四娘拉起了她的手，"我能去的地方，你当然也能去。"

风四娘跳上了船头。

沈璧君也并没有落后。

她的轻功居然很不错，家传的暗器手法更高妙，可是她跟别人交手，很少有不败的时候。

这是不是也因为她以前太缺少勇气？

一个人若是缺少了勇气，就好像菜里没有盐一样，无论是样什么菜，都不能摆上桌子。

两个船娘打扮的女人，忽然以很好的轻功身法跳到船上，大家当然都难免要吃一惊。

风四娘根本不理他们。

她最大的本事，就是她常常能将别人都当作死人。

她只向史秋山招了招手。

史秋山立刻摇着折扇走过来，他一走过来，别人的眼睛就转过去了。

史秋山认得的女人，还是少惹的好。

他这人本来就已够要命的了，何况他身旁还有个打不死的铁和尚。

史秋山道：“你果然来了。”

风四娘道：“嗯。”

史秋山笑了笑，道：“我就知道你会来的。”

风四娘道：“哦？”

史秋山道：“无论谁想要用易容来瞒过老朋友都不容易。”

风四娘道：“尤其是像你这样的老朋友。”

史秋山笑得更愉快。

风四娘道：“所以你早就认出了我？”

史秋山点点头，忽然又道：“可是我也有件事想不通。”

风四娘道：“你说。”

史秋山声音很低，道：“萧十一郎在这里，你怎么会不知道？”

风四娘沉下脸，冷冷道：“萧十一郎在什么地方，我为什么一定要知道，我又不是他的娘。”

史秋山又笑了。

风四娘道：“你是干什么来的，我也管不着。”

史秋山笑道：“你也不是我的娘。”

风四娘道：“我只不过要你替我做件事。”

史秋山道：“请吩咐。”

风四娘道：“我要你陪着我，我走到哪里，你就跟到哪里。”

史秋山看着她，好像觉得很意外，又好像觉得很愉快。

风四娘瞪了他一眼，悄悄道：“我只不过要你替我掩护一下而已，你少动歪脑筋。”

史秋山眼珠转了转，叹了口气道：“我就知道你找我不会有什么好事的。”他一双钉子般的小眼睛，忽然又盯住了风四娘身后的沈璧君，“她是谁？”

“你管不着。”风四娘道，“我只问你肯不肯帮我这个忙？”

史秋山道：“我不肯行不行？”

风四娘道：“不行。”

史秋山苦笑道：“既然不行，你又何必问我？”

风四娘也笑了，展颜笑道：“那么你就先陪我到那边去看看。”

史秋山道：“看什么？”

风四娘道：“看看坐在里面喝酒的那个人是谁？”

史秋山道：“你看不出的。”

风四娘道：“为什么？”

史秋山道：“因为他脸上还盖着个盖子。”

脸上盖着盖子，当然就是面具。

只不过他的面具实在不像是个面具，就像是个盖子。

因为这面具竟是平的，既没有脸的轮廓，也没有眼鼻五官，只有两个洞。

洞里有一双发亮的眼睛。

他的神情本来很悠闲潇洒，可是戴上个这样的面具，就变得说不出的诡秘。

风四娘道："你也看不出他是谁？"

史秋山摇摇头，苦笑道："他用的这法子，实在比易容术有效得多，就算他的老婆来了，一定也认不出他的。"

风四娘皱眉道："他既然有胆子敢来杀萧十一郎，为什么不敢见人？"

史秋山道："这句话你应该问他的，问出来再告诉我。"

风四娘道："萧十一郎呢？"

史秋山道："这句话你就该去问萧十一郎，我也……"

他的声音忽然停顿，眼睛忽然盯住了船舱里的楼梯。

一个人正从楼上施施然走下来。

一个豹子般精悍，骏马般神气，蜂鸟般灵活，却又像狼一般孤独的人。

他身上穿着件很宽大的黑丝软袍，用一根缎带系住，上面斜插着一柄刀。

割鹿刀！

萧十一郎终于出现了。

纵然是在人群里，他看来还是那么孤独寂寞，甚至还显得很疲倦。

可是他一双眼睛却像是天目山头的两潭寒水一样，又黑又深，又冷又亮。

没有人能找得出适当的话，来形容他这双眼睛。

没有看过他这双眼睛的人，甚至连想都无法想象。

只要一看到这双眼睛，风四娘心里就会有种说不出的滋味。

那是甜，是酸，是苦？

别人既不能了解，她自己也分辨不出。

沈璧君呢？

看见了萧十一郎，沈璧君心里又是什么滋味？

她们痴痴地站着，既没有呼唤，也没有冲进去。

因为她们两个人谁也不愿先叫出来，谁也不愿先表现得太激动。

因为她们是女人，是已跌入爱情中的女人。

女人的心，岂非本就是微妙的？

何况，旁边还有这么多双眼睛在看着。

萧十一郎却没有看她们，也许根本就没有注意到外面有这么样两个人。

他正看着那脸上戴着盖子的青衣人，忽然道："你是来杀我的？"

青衣人点点头。

萧十一郎道："你知道我在楼上？"

青衣人道："嗯。"

萧十一郎道："你为什么不上去动手？"

青衣人道："我不急。"

萧十一郎也点点头道："杀人的确是件不能着急的事。"

青衣人道："所以我杀人从不急。"

萧十一郎道："看来你好像很懂得杀人。"

青衣人冷冷道："我若不懂杀人，怎么能来杀你？"

萧十一郎笑了。

可是他的眼睛却更冷更亮，盯着这青衣人，道：“你这面具做得好像不高明。”

青衣人道：“虽然不高明，却很有用。”

萧十一郎道：“你既然有胆子敢来杀我，为什么不敢以真面目见人？”

青衣人道：“因为我是来杀人的，不是来见人的。”

萧十一郎大笑，道：“好，好极了。”

青衣人道：“有哪点好？”

萧十一郎道：“你是个有趣的人，我并不是常常都能遇见你这种人来杀我的。”他眼睛里光芒闪动，忽又叹了口气，道，“只可惜这世上无趣的人太多了，无胆的人更多。”

青衣人道：“无胆的人？”

萧十一郎道：“我至少准备了四十个人的酒菜，想不到只有你一个人敢进来。”

青衣人道：“也许别人并不想杀你。”

萧十一郎冷笑道：“也许别人想杀我，却不敢光明正大地进来，只想躲在暗中，鬼鬼祟祟地冷箭伤人。”

这句话刚说完，外面已有个人冲了进来，黑铁般的脸，钢针般的胡子。

“我叫王猛。”他平常说话就像大叫，“王八蛋的王，猛龙过江的猛。”

萧十一郎看着他，目中露出笑意，道：“你是来杀我的？”

王猛道：“就算我本来不想杀你，现在也非杀不可。”

萧十一郎道：“为什么？”

王猛道：“因为我受不了你这种鸟气。”

萧十一郎大笑，道：“好，好极了，想不到又来个有趣的人。”

只听外面有人在冷笑：“有趣的人虽多，无趣的人却只有我一个。”

“谁？”

“我。”

一个人慢慢地走进来，面色蜡黄，全无表情，当然就是霍无病。

萧十一郎道：“你这人很无趣？”

霍无病脸上还是连一点表情都没有。

萧十一郎叹道：“你这人看来的确不像有趣的样子。”

霍无病忽然道：“来杀你的人虽多，真正能杀了你的却必定只有一个。”

萧十一郎道：“有道理。”

霍无病道：“你若知道自己迟早会死在这个人手里，又怎会觉得他有趣？”

萧十一郎道：“这个人就是你？”

霍无病冷冷道：“这个人一定是我。”

萧十一郎又笑了。

霍无病道：“但是我出手杀你之前，却要先替你杀一个人。”

萧十一郎道：“为什么？”

霍无病道：“因为你已替我杀了一个人。”

萧十一郎道：“谁？”

霍无病道：“独臂鹰王！”

萧十一郎道：“我若说他并不是死在我手里的呢？”

霍无病道：“无论如何，他总是因你而死的。”

萧十一郎道：“所以你一定也要替我杀一个人？”

霍无病道：“不错。”

萧十一郎道：“杀谁？”

霍无病道：“随便你要杀谁都行。”

萧十一郎叹道：“看来你倒是个恩怨分明的人。”

霍无病冷笑。

萧十一郎道：“你准备什么时候杀我？”

霍无病道：“也随便你。”

萧十一郎道：“你也不急？”

霍无病道：“我已等了多年，又何妨再多等几日。”

萧十一郎道：“能不能等到月圆之后？”

霍无病道：“为什么一定要等到月圆之后？”

萧十一郎微笑道：“若连西湖的秋月都没有看过，就死在西湖，人生岂非太无趣？”

霍无病道：“今夜秋月将圆。”

萧十一郎道：“所以你用不着等多久。”

霍无病道：“我等。”

王猛道：“只要这里有酒，就算再多等几天也没关系。”

萧十一郎又大笑，道：“好，将酒来。”

酒来了。

王猛快饮三杯，忽然拍案道：“既然有酒，不可无肉。”

有肉。

青衣人忽然也一拍桌子，道：“既然有酒，不可无歌。”

船楼上立刻有丝竹声起，一个人曼声而歌：

日日金杯引满，
朝朝小圃花开，
自歌自舞自开怀，

莫教青春不再。

歌声清妙，充满了欢乐，又充满了悲伤。

有欢乐，就有悲伤。

人生本就如此。

萧十一郎仰面大笑："大丈夫生有何欢，死有何惧，对酒当歌，死便无憾。"

楼上管弦声急。

萧十一郎忽然抽刀而起，随拍而舞。

一时间只见刀光霍霍，如飞凤游龙，哪里还能看得见他的人。

船头上的人都已看得痴了，最痴的是谁？

沈璧君？

风四娘？

最痴的若不是她，她怎会热泪盈眶？

——他还没有看见我。

——史秋山能认出我来，他为什么不能？

——是不是因为他根本没有注意到这里有我们这样两个人？

——是不是因为他从不注意别的女人？

她心里又欣慰，又失望，竟已忘了问自己，为什么不去见他？

风四娘本不是这么样的女人。

风四娘也变了。

是不是从那天晚上之后才改变的？

是不是因为经过了那难忘的一夜后，她才变成个真正的女人？

闪动的刀光，使目光也变得黯淡了。

刀光照在她脸上。

她竟没有发现，沈璧君正在看着她，看着她的眼睛。

看着她的眼睛里的甜蜜和酸楚，欢慰与感伤。

——沈璧君心里又在想什么？

忽然间，一声龙吟，飞入九霄。

月色又恢复了明亮。

刀已入鞘。

萧十一郎举杯在手，神色忽然变得很平静，就好像什么事都没有发生过。

王猛却已满头大汗，汗透重衣。

他从来也没有看见过那样的刀，更没有看见过那样的刀法。

——那真的只不过是一把刀？

——那真的只不过是一个人在舞刀？

王猛一把抓起桌上的金樽，对着嘴喝下去，长长吐出口气，才发现对面已少了一个人。

霍无病蜡黄的脸上，虽然还是全无表情，却悄悄地擦了擦汗。

王猛看着他，指了指对面的空位。

霍无病摇摇头。

谁也没有看见这青衣人是什么时候走的，从什么地方走的。

船在湖心，他能走到哪里去？

也不知是谁忽然叫了起来："你们看那条船。"

那条船就是风四娘他们摇来的渡船，本来用绳子系在大船上。

——风四娘虽然粗心大意，沈璧君却是个很仔细的人，她来的时候，也将渡船的绳缆带了过来，系在水月楼的栏杆上。

现在绳子竟被割断了，渡船正慢慢地向湖岸边荡了过去。

"那小子一定在船上。"

“我去找他。”

“找他干什么？”

“我要看看这位虎头蛇尾的仁兄，究竟是个什么样的人，再问问他为什么要开溜？”

说话的人精壮剽悍，满脸水雾，正是太湖中的好汉“水豹”章横。

他正想纵身跳过去，忽然看见一个人背负着双手，施施然从船舫旁走过来，居然就是那个神秘的青衣人。

他居然并没有溜走。

章横怔住。

每个人全都怔住。

青衣人本已准备走入船舱，看了那条渡船一眼，忽然回过身，吸气作势，伸出双手，向湖心凌空抓了几抓。

那条船本已溜入湖心，被他这样凭空一抓，竟赫然又慢慢地溜了回来。

这青衣人的手上，竟像是在带动着一条看不见的绳索。

章横的脸色变了。

每个人的脸色都变了。

好久没有出声的形意掌门侯一元，忽然深深吸了口气，失声道：“莫非这就是传说中的重楼飞血、混元一气神功？”

这句话说出来，大家更吃惊。

青衣人却连看都没有看他们一眼，背负着双手，施施然走入了船舱，在原来的位置上坐下，向萧十一郎举了举杯，道：“好刀法。”

萧十一郎也举了举杯，道：“好气功。”

青衣人一饮而尽，道：“好酒。”

萧十一郎道：“刀法好，气功好，酒也好，有没有不好的？”

青衣人道："有。"

萧十一郎道："什么不好？"

青衣人道："刀已出鞘，却未见血，不吉。"

萧十一郎神色不变道："还有呢？"

青衣人道："气驭空船，徒损真力，不智。"

萧十一郎道："还有没有？"

青衣人道："杯中有酒，耳中无歌，不欢。"

萧十一郎大笑，道："好一个不吉，不智，不欢……今日如不尽欢，岂非辜负了这金樽的美酒？"

他挥了挥手，乐声又起。

楼船上歌声传下，如在云端。

这是风四娘第三次听见这黄莺般的少女的歌声了，她终于听出了这少女的声音。

冰冰！

一定是冰冰。

萧十一郎居然已找到了她。

风四娘心里又泛起奇怪的滋味，也不知是欢喜，还是难受。

就在这时，沈璧君忽然悄悄地拉了拉她衣角，她立刻把耳朵凑过去："什么事？"

沈璧君的声音更低："这个人不是刚才那个人。"

"什么人？"

"穿青衣的人。"

风四娘悚然动容。

沈璧君又道："他刚穿的衣服，戴的面具虽然一样，可是人已换了。"

风四娘道："你看得出？"

沈璧君道："嗯。"

风四娘道："两个人有什么地方不同？"

沈璧君道："这个人的手小些，指甲却比刚才那个人长一点。"

风四娘道："你有把握能确定？"

问出了这句话，她已知道是多余的，她本已很了解沈璧君这个人。

没有把握的事，沈璧君绝不会说出来。

——这青衣人为什么要半途换人？

——除了要杀萧十一郎外，难道他还有别的图谋？

风四娘忍不住又问道："你看不看得出他是什么人？"

沈璧君道："看不出。"

风四娘道："我也看不出，可是我应该能猜得出。"

沈璧君道："为什么？"

风四娘道："能练成这种气功的人，江湖中绝不多。"

沈璧君沉吟着，道："也许他这气功也是假的。"

风四娘道："假的？"

沈璧君道："他们既然有两个人，另外一个就可以在水里把船推回来。"

风四娘道："因为他们本就想故弄玄虚，掩人耳目。"

沈璧君道："嗯。"

风四娘道："但侯一元却是个老江湖，他怎么会连一点破绽都看不出？"

沈璧君道："可能他也是跟他们串通好了的。"

风四娘怔住。

她忽然发现沈璧君不但已变得更有勇气，也变得更聪明了。

——智慧岂非也像是刀一样，受的折磨愈多，就被磨得愈锋利。

突听“绷”的一声，琴声断绝，歌声也停止。

是琴弦断了，四下忽然变得连一点声音也没有。

也不知过了多久，青衣人才慢慢道：“弦断琴寂，不吉。”

萧十一郎霍然长身而起。

青衣人道：“断弦难续，定要续弦，不智。”

萧十一郎又慢慢地坐了下去。

青衣人道：“客已尽兴，当散不散，不欢。”

萧十一郎看着他，冷冷道：“多言贾祸，言多必失，不吉也不智。”

青衣人道：“是。”

他果然闭上了嘴，连眼睛都已闭了起来。

萧十一郎举杯，放下，意兴也变得十分萧索，忽又长身而起，道：“要走的不妨走，要留下的也不妨留下，我醉欲眠，我已醉了。”

突听一个人冷冷道：“我已来了，你不能醉。”

第二十五章

白衣客与悲歌

船舱里没有人说话。

船头上也没有人开口。

绝没有!

这声音是从什么地方来的?

声音是从湖上来的。

湖上水波粼粼,秋月高挂天畔,人在哪里?

在远处。

四十丈外,有一盏孤灯,一叶孤舟,一条朦朦胧胧的人影。

人虽在远处,可是他说话的声音,却好像就在你的耳边。

能以内力将声音远远地传过来,并不能算是件十分奇怪的事。

奇怪的是,萧十一郎在这里说话,他居然也能听见,而且听得很清楚。

这人是谁?

大家还没有看清楚。

这一叶孤舟就像是一片浮萍,来得很慢很慢……

萧十一郎也已看见了这湖上的孤舟,舟上的人影。

他忽然笑了笑,道:“你来了,我也不能醉?”

声音听来并不大,却一定也传送得很远。

回答只有两个字："不能。"

"为什么？"

"有客自远方来，主人怎能醉？"

"远方是何方？"

"虚无缥缈间，云深不知处。"

萧十一郎没有再问下去，因为孤舟已近了，灯光已近了。

他已看见了灯下的人。

一个白衣人，幽灵般的白衣人，手里还挑着条白幡。

是不是招魂的白幡？

他要来招的，是谁的魂魄？

那一叶孤舟居然也是白的，仿佛正在缓缓地往下沉。

站在最前面的章横一张脸忽然扭曲，忽然失声大叫了起来："鬼……来的不是人，是鬼！"

他一步步向后退，突然倒下。

这纵横太湖的水上豪杰，竟被吓得晕了过去。

没有人去扶他。

每个人都已僵在那里，每个人手里都捏着把冷汗，连指尖都已冰冷。

现在大家才看清楚，这白衣人坐来的船，竟赫然是条纸船。

在人死七七，用来焚化给死人的那种纸船。

风四娘脸色也变了。

"……来的不是人，是鬼！"

若是个有血有肉的活人，怎么会用这样一条纸船渡湖？

"虚无缥缈间，云深不知处。"

莫非他真的来自阴冥鬼域，九幽地府？

这世上真的有鬼吗？风四娘不信。

她从不相信这种虚妄荒诞的事，她一向是个很有理智的女人。

她只相信一件事。

——无论“他”是人是鬼，都一定很可怕。

——无论他来自什么地方，都很可能是来杀萧十一郎的。

秋夜的清风很轻。

一阵清风，轻轻地吹过水波，那条纸船终于完全沉了下去。

可是船上的人并没有沉下去。

人已到了水月楼。

水月楼头灯光辉煌，在辉煌明亮的灯光下，大家才看清了这个人。

他并不太高，也并不太矮，头发已白了，却没有胡子。

他的脸也是苍白的，就像是刚被人打过一拳，又像是刚得过某种奇怪的病症，眼睛、鼻子、嘴，都已有些歪斜，似已离开了原来的部位，又像是戴着个制作拙劣的面具。

这样一张脸，本该是张很滑稽的脸。

可是无论谁看见他，都绝不会觉得有一点点可笑的意思，只会觉得发冷。

从心里一直冷到脚底。

这是因为他的眼睛。

他有眼睛，可是没有眼珠子，也没有眼白，他的眼睛竟是黄的。

完完全全都是黄的，就好像有人挖出了他的眼睛，再用黄金填满。

——有谁看过这么样一双眼睛？

——若有人看过，我保证那人一定永生也不会忘记。

他手里拿着的，倒不是招魂的白幡，而是个卖卜的布招。

上面有八个字："上洞苍冥，下彻九幽"。

原来他竟是个卖卜瞎子。

每个人都松了口气，不管怎么样，他毕竟是人，不是鬼。

可是大家却忘了一件事。

——这世上有些人比鬼还可怕得多。

萧十一郎又坐下。

这瞎子无论是不是真的瞎子，至少绝不是个普通的瞎子。

一个瞎子若是坐着条死人用的纸船来找你，他找你当然绝不会有什么好事。

你当然用不着站在外面迎接他。

何况，只要能坐着的时候，萧十一郎总是很少站着的。

瞎子已慢慢地走过来，并没有用布招上的那根竹竿点地。

但他无疑是个真的瞎子。

瞎子总有些跟平常人不同的特征，萧十一郎能看得出。

——他既然是瞎子，怎么能自己走过来？

——是不是因为船舱里明亮的灯光，他能感觉得到？

——瞎子的感觉，岂非也总是要比平常人敏锐些？

船头上的人，都慢慢地避开，让出了一条路。

瞎子走得很慢，步子却很稳，既没有开口问别人路，更没有要人扶持。

他穿过人群时，就像是个不可一世的帝王，穿过伏拜在他脚下的臣属。

萧十一郎从来也没有看见过像他这么骄傲的瞎子，就算他还有眼睛，也一定不会将这些人看在眼里。

假如他还有眼睛能看，世上也许根本就没有能叫他看在眼里的人。

他这一生中，想必有很多能让他自己觉得骄傲的事。

那究竟是些什么事?

一个人的生命中，若是已有过很多足以自傲的事，别人非但能看得出，一定也听说过的。

一个行动像他这么怪异，武功像他这么高明的人，别人更不会不知道。

江湖中人的眼睛，就像是鹰，鼻子就像是猎犬。

船头上这些人，全都是老江湖了，却没有一个认得他。

连风四娘都没有见过他。

可是她心里却忽然有了种不祥的预兆。

不管这瞎子是什么人，不管他是为什么而来的。

他带来的却只有死亡和灾祸。

船舱的门外，悬着四盏宫灯。

瞎子已走到灯下。

萧十一郎忽然道：“站住。”

瞎子就站住，站得笔直。

纵然在这么明亮的灯光下，他全身上下还是看不出有一点灰尘污垢。

萧十一郎也从来都没有看见过这么干净的瞎子。

瞎子在等着他开口。

萧十一郎道：“你知道这是什么地方？”

瞎子摇摇头。

萧十一郎道：“你知道我是谁？”

瞎子又摇摇头。

萧十一郎道：“那么你就不该来的。”

瞎子道："我已来了。"

萧十一郎道："来干什么？"

瞎子道："我是个瞎子。"

萧十一郎道："我看得出。"

瞎子道："瞎子总能听见很多别人听不见的事。"

萧十一郎道："你听见了什么？"

瞎子道："歌声。"

萧十一郎道："你知不知道这里是西湖？"

瞎子点头。

萧十一郎道："这里到处都有歌声。"

瞎子道："但是我刚才听见的歌声却不同。"

萧十一郎道："不同？"

瞎子道："跟别的歌声不同。"

萧十一郎道："有什么不同？"

瞎子道："有的歌声悲伤，有的歌声欢乐，有的歌声象征幸福平静，也有的歌声充满激动愤怒。"他面对着萧十一郎，慢慢地接着道，"你若也像我一样是个瞎子，你就会从歌声中听出很多奇怪而有趣的事。"

萧十一郎道："刚才你听出了什么？"

瞎子道："灾祸。"

萧十一郎的拳已握紧。

瞎子道："暴风雨来临前的风声一定和平时的风声不同，野兽在临死前的呼叫也一定和平时两样。"他歪斜奇绝的脸上，带着种神秘的表情，慢慢地接着道，"一个人若是有灾祸要发生时，她的歌声中一定也会有种不祥的预兆，我听得出。"

萧十一郎脸色变了。

瞎子道："灾祸也有大有小，小的灾祸，带给人的最多只不过是死亡，大的灾祸，却往往会牵连到很多无辜的人。"

萧十一郎道："你不怕被牵连？"

瞎子道："现在我只不过想来看看。"

萧十一郎道："看什么？"

瞎子道："看看那位唱歌的姑娘。"

一个瞎子，坐着条殡葬用的纸船，来"看"一个素不相识的陌生人。

——你有没有听过这么荒谬的事？

萧十一郎听见了，却没有笑。

瞎子也没有笑。

无论谁都看得出，他绝不是在说笑。

萧十一郎盯着他，道："你是个瞎子？"

瞎子点头。

萧十一郎道："瞎子也能看得见？"

瞎子道："瞎子看不见。"他忽然笑了笑，笑得凄凉而神秘，"别人都能看见的，瞎子都看不见。"

他笑的时候，脸上的眼鼻五官，仿佛又回到原来的部位。

在这一瞬间，萧十一郎忽然有了种奇怪的感觉，觉得自己仿佛看过这个人，这张脸。

但他却偏偏想不起这个人是谁。

瞎子又道："可是瞎子却往往能看见一些别人看不见的事。"

萧十一郎道："譬如说，灾祸？"

瞎子点点头，道："所以我想来看看，那究竟会是什么样的灾祸。"

萧十一郎笑了。

瞎子道："你在笑？"

萧十一郎笑出了声音。

瞎子道："灾祸并不可笑。"

萧十一郎道："我在笑我自己。"

瞎子道："为什么？"

萧十一郎道："因为我从来也没有听见过这么荒唐的事，但我却偏偏被你打动了。"

萧十一郎居然也有被人打动的时候，居然是被这么样一个人，这么样一件事打动的。

假如在平时，风四娘一定已忍不住笑了出来。

现在她却不敢笑，也笑不出。

——她也已看出这不是件可笑的事，绝不是。

沈璧君又在她耳畔低语："唱歌的是冰冰？"

"嗯。"

"你说冰冰病得很重，而且是种治不好的绝症？"

"嗯。"

沈璧君轻轻吐出口气，道："难道这瞎子真能从她歌声中听出来？"

风四娘没有回答。

她不能回答。

这件事实在太荒谬，太不可思议，却又偏偏是真的。

过了很久，她也轻轻吐出口气："我只希望他莫要再看出别的事。"

现在他们的灾祸已够多了。

——除了灾祸外，一个瞎子还能看得出什么？

有人说风四娘很凶，有人说风四娘很野。

有人认为她说话像个男人，喝起酒来比得上两个男人。

但却没有人说她不美的。

她本来就是个美人。

一个像她这样的美人，本来绝不会承认别的女人比自己更美的。

风四娘却例外。

她一直认为沈璧君是真正的美人，没有任何人的美丽能比得上沈璧君。

可是现在她的想法不同了，因为她又看见了一个真正的美人——

冰冰。

她本来一直认为沈璧君是个女人中的女人，全身上下每分每寸都是女人。

现在她却发现，冰冰这个女人有些地方连沈璧君也比不上。

冰冰的美也许并不是人人都能欣赏，都能领略得到的。

她美得脆弱而神秘，美得令人心疼。

若说沈璧君艳丽如牡丹，清雅如幽兰，风四娘就是朵带刺的玫瑰。

冰冰却只不过是朵小花而已——一朵不知名的小花。

——风雨过后，夕阳满天，你漫步走过黄昏时的庭园。

——饱受风雨摧残的庭园，百花都已凋零，但你却忽然发现高墙下还有一朵不知名的小花迎风摇曳在夕阳下。

那时你心里会有什么感受？

你看见冰冰时，心里就会有那种感受。

尤其是现在——

她已从船楼上走下去，被人搀扶着走了下来，她的脸苍白而憔悴。

她并没有捧着心，也没有皱着眉。

根本用不着作出任何姿态，就这么样静静地站，她的美已足以令人心碎。

瞎子就站在她面前，“看”着她，一双蜡黄的眼睛，还是空空洞洞的。

他当然并不是用眼睛去看，他是不是真的能看出一些别人看不见的事？

萧十一郎忍不住问道：“你看出了什么？”

瞎子沉默着，又过了很久，才缓缓道：“我看见了一片沼泽，绝谷下的沼泽，没有野兽，没有树木，没有生命……”他脸上忽然发出了光，接着道，“可是这片沼泽里却有个人，是个女人。”

——他说的难道就是“杀人崖”绝谷下的那片沼泽？

——他看见的女人莫非就是被天公子推入绝谷下的冰冰？

——他怎么能“看”得见？

——他若看不见，又怎么会知道这件事？

萧十一郎深深吸了口气，道：“你还看见了什么？”

瞎子的声音仿佛梦呓：“我看见这个女人正在往上爬，我看得出她有病，病得很重……

“她好像已快跌下去，但却忽然有一只手伸出来，把她拉了上去。

“那是只男人的手。

“现在这只手上，却握着柄形状很奇特的刀，女人正在他身旁唱歌……

“可是琴弦忽然断了，她也倒了下去。”

萧十一郎立刻打断了他的话，道：“唱歌的女人，就是在沼泽中的女人？”

瞎子道：“是的。”

萧十一郎道：“你凭哪点看出来的？你能看见她的脸长的是什么样子？”

瞎子迟疑着，道：“我看不见她的脸，但我却看得出她左股上有一个青色的胎记，比巴掌还大些，看来就像是一片枫叶。”

他的话还没有说完，冰冰的脸色已变了，就仿佛忽然已被人推下了万丈绝谷，美丽的眼睛里充满了惊讶和恐惧。

她本不是那种很容易就会受到惊吓的女人，她的躯壳虽脆弱，却有比钢铁还坚强的意志。

所以她才能活到现在。

——现在她为什么会如此恐惧？

——难道她身上真的有那么样一块青记？

瞎子脸上又露出那种诡秘的微笑，喃喃道：“我果然没有看错，我知道我绝不会看错的……”

他慢慢地转过身，好像要往外走，可是他手里的竹杖，却突然毒蛇般向冰冰的咽喉刺了过去。

冰冰没有动，没有闪避。

她整个人都似已因恐惧而僵硬，连动都不能动了。

幸好她身旁还有个萧十一郎！

瞎子这一招出手，除了萧十一郎外，绝没有第二个人能救得了她。

船头上的人都是江湖中的一流高手，船舱里的人更是高手中的高手。

每个人都看得清清楚楚，瞎子手里的这根竹杖，已点在冰冰咽喉上，只要再用一分力气，冰冰的咽喉就要被洞穿。

可是冰冰的咽喉并没有被洞穿，瞎子这最后一分力气并没有使出来。

是什么力量阻止了他？

没有人看得出，只有瞎子自己能感觉得到。

他忽然感觉到一股无法形容的压力，已到了他肋下。

他的力量若不撤回，自己肋下的八根肋骨就要完全被压断。

大家看见他的竹杖点在冰冰咽喉上时，他的人已退出七尺。

大家看见他往后退时，萧十一郎已站在船舱门口，阻住了他的去路。

割鹿刀，犹在鞘。

可是杀气却已逼人眉睫。

瞎子也转过身，又面对着萧十一郎，歪斜的脸冷如秋霜。

他当然也能感觉到这种杀气。

只有一个已杀过无数人，而且正准备要杀人的人，身上才会带这种杀气。

他知道面前这个人绝不会让他再活着走出去。

萧十一郎忽然道："你杀错人了。"

瞎子道："哦？"

萧十一郎道："到这里来的人，本该杀我的。"

瞎子道："你要我杀你？"

萧十一郎道："非杀不可。"

瞎子道："为什么？"

萧十一郎道："因为你已在这里。"

瞎子道："也因为你想杀我？"

萧十一郎并没有否认。

瞎子又在笑，淡淡笑道："其实就算我不杀你，你还是一样可以杀我。"

看到他微笑的脸，萧十一郎心里忽然又有了那种奇怪的感觉。

——我一定见过这个人，一定见过。

但他却偏偏想不出这个人是谁。

这是为什么?

他决心一定要找出原因来。

他的手已握住刀柄。

杀气更强烈。

瞎子道："我说过，我虽然是个瞎子，却能看见一些别人看不见的事。"

萧十一郎道："现在你看见了什么？"

瞎子道："我又看见了那只手，手里又握住了那柄刀。"

萧十一郎并不意外。

他手里当然有刀，无论谁都能想得到。

瞎子道："我也看得出你一定要杀了我。"

萧十一郎冷笑。

瞎子道："若是在两年前，你会让我走的，可是现在你已变了。"

萧十一郎立刻追问："两年前你见过我？"

瞎子淡淡地道："不管我两年前有没有看见过你，现在我却能看得出，两年前你绝不是这么样的一个人。"

萧十一郎道："你还能看见什么？"

瞎子道："我看见了一摊血，血里有一只断手，手里有一柄刀。"

萧十一郎道："你看得出那是谁的血？"

瞎子道："是谁的？"他笑得更诡秘，慢慢地接着道，"是你的血，你的手，你的刀。"

萧十一郎大笑。

瞎子道："死并不可笑。"

萧十一郎道："这次我笑的是你。"

瞎子道："为什么？"

萧十一郎道："因为这次你看错了。"

割鹿刀，犹在鞘。

刀虽未出鞘，杀气却更强烈。

瞎子慢慢地放下了他右手的白布招，突然凌空翻身，右手竹杖刺出。

竹杖是直的，直而硬。

可是他这一招刺出，又直又硬的竹杖却像是在不停地扭曲颤动着。

这根竹竿竟像是已变成了一条蛇。

毒蛇！

活生生的毒蛇。

萧十一郎第一次看见毒蛇，是在他六岁的时候，他看见的是条活生生的响尾蛇。

那是他第一次被蛇咬，也是最后一次。

以后他只要用眼角一瞥，就能分辨得出三十种以上的毒蛇。

他对它们只有一种法子——一棒打在它的七寸要害上。

他从未失手过。

可是他看不出这条"毒蛇"的七寸要害在哪里。

这瞎子手里的毒蛇，远比他见过的任何一种毒蛇都危险。

除了“逍遥侯”天公子外，这瞎子竟是他生平未遇过的最可怕的对手。

他知道自己必须镇定。

竹杖毒蛇般刺来，他居然没有动。

不动远比动更困难，也比动更巧妙。

——他为什么不动?

——不动是什么意思?

不动就是动!

——这岂非也正是武功中最奥妙之处?

瞎子一招实招，忽然变成了虚招，一条竹杖，忽然变幻成十七八条。

没有人能分得出哪一条杖影是实，哪一条是虚。

动极就是不动。

竹杖的影子，就像是已凝结成一片幻影，一片虚无的光幕。

萧十一郎却动了。

他身子忽然移开了八尺。

就在这时“笃”的一响，竹杖已点在船舱的木板上。

只听“笃，笃，笃”，响声不绝，木板上已多了十七八个洞。

那十七八条虚无的影子，竟完全都是致命的杀手。

萧十一郎不由自主吐出口气，竹杖忽然凌空反打，横扫过来。

他占的本是最安全的部位，谁知道这瞎子的手臂，竟也像毒蛇般可以随意扭曲。

萧十一郎大仰身，铁板桥，足尖斜踢。

这一招看来完全没有什么巧妙，谁也想不到瞎子手里的竹杖竟被他踢得飞了出去。

瞎子也想不到。

他身子骤然回旋，将中下盘所有的空门一起封住，左掌急切萧十一郎的足踝。

可是萧十一郎的脚也在地上，站得四平八稳，右拳已击出，猛击瞎子的鼻梁。

这一招更平实普通。

无论谁都认为瞎子一定很容易就能闪避得开。

瞎子自己也认为如此。

谁知就在他自己认为已闪开了时，左颊突然一阵剧痛。

萧十一郎这平实普通的一拳，居然还是打在他脸上。

瞎子凌空翻身，衣袂猎猎飞舞，身子陀螺般在空中旋转不停。

普通情况之下，只有一个人能使得出这种身法。

萧十一郎知道这个人是谁。

冰冰也知道。

两个人脸色全都变了，就像是忽然看见个鬼魂在他们面前凌空飞舞。

就在这一刹那间，旋转不停的人影，已穿窗而出，飞了出去。

只听瞎子尖锐奇异的笑声远远传来："好功夫，看来你武功又比两年前精进了许多，只可惜……"

这句话没有说完，忽然"扑通"一响。

明月在天，湖面上涟漪回荡，瞎子的人却已看不见了。

冰冰脸色苍白，似已将晕倒。

萧十一郎握住了她的手，两个人的手同样冰冷。

舱里舱外，没有人开口，甚至连呼吸声都听不见。

也不知过了多久，王猛忽然长长叹了口气，道："果然是好身手。”

没有人能否认这句话。

每个人都看得出，瞎子那出手三招，无一不是奇诡莫测、变化无方的绝招。

江湖中能抵挡他一招的人已不多，萧十一郎却击败了他。

萧十一郎使出来的招式，看来虽平凡得很，但却极迅速，极准确，极有效。

每个人心里都在问自己。

——我能接得住他几招？

武功的真意，并不在奇幻瑰丽，而在“有效”。

这道理又有几人明白，几人能做到？

第二十六章

迷　情

月下的西湖，总是温柔而妩媚的，无论什么事，都永远不能改变她。

就好像也没有人能真的改变风四娘一样。

风四娘的心还在跳，跳得很快。

她的心并不是因为刚才那一战而跳的，看到萧十一郎扶着冰冰上楼，她的心才跳了起来。

她毕竟是个女人。

无论多伟大的女人，总是个女人。

她可以为别人牺牲自己，但她却无法控制自己的情感。

这世上又有谁能控制自己的情感？

沈璧君心里又是什么滋味？

风四娘勉强笑了笑，轻轻地道："你若认得冰冰，你就会知道她不但是个很可爱的女孩子，而且很可怜。"

沈璧君遥视着远方，心也似在远方，过了很久才垂下头："我知道。"

"我们现在就上去找她好不好？"

沈璧君迟疑着，没有回答。

风四娘也没有再问，因为她忽然发现王猛已走出船舱，正向她们走过来。

她希望他不是来找她们的，王猛却已走到她面前，眼睛还在东张西望。

风四娘忍不住问："你找什么？"

王猛道："我们的老二。"

风四娘回过头，才发现史秋山早已不在她身后。

刚才被青衣人招回的渡船，现在又已荡入了湖心，船头上的人，至少已有一半走了。

剩下来的人，有的倚着栏杆假寐，有的正在喝着酒。

酒菜却不知是主人为他们准备的，还是他们自己带来的。

"史老二呢？"王猛又在问。

"我怎么知道？"风四娘板着脸，冷冷道，"史秋山又不是个要人照顾的孩子，你们又没有把他交给我。"

王猛怔了怔，喃喃道："难道他会跟别人一起走了？"

风四娘道："你为什么不进去看看？"

王猛道："你呢？"

风四娘道："我有我的事，你管不着。"

她忽然拉起了沈璧君的手，冲入船舱。

现在她已很了解沈璧君，她知道沈璧君这个人自己总是拿不定主意的。

但她却有很多事却非得问个清楚不可，她早已憋不住了。

王猛吃惊地看着她们闯入船舱，忍不住大声问："难道你们也是来杀萧十一郎？"

风四娘没有回答这句话，他身后却有个人道："纵然天下的人都要杀萧十一郎，她们两个人却是例外的例外。"

王猛霍然回头，就看见了侯一元枯瘦干瘪的脸。

“为什么她们是例外？”王猛道，“你知道她们是谁？”

侯一元眼睛里带着狡猾的笑意，道：“若是我人不老眼不花，刚才跟你说话的那个女人，一定就是风四娘。”

王猛吓了一跳。

——有很多人听见风四娘这名字都会吓一跳的。

侯一元道：“你也听说过这个女人？”

王猛道：“你怎么认出她的？”

侯一元笑了笑，道：“她虽然是个有名难惹的女人，可是她的武功并不高，易容术更差劲。”

王猛道：“还有个女人是谁？”

侯一元道：“我看不出，也想不出有什么女人肯跟那女妖怪在一起。”

王猛道：“你看见史老二没有？”

侯一元点点头，道：“刚才还看见的。”

王猛道：“现在他的人呢？”

侯一元又笑了笑，道：“若连风四娘都不知道他在哪里，我怎么会知道？”

他笑得实在很像是条老狐狸。

王猛道：“他有没有在那条渡船上？”

侯一元摇摇头，道：“我没有看见他上去。”

王猛皱起了眉，道：“那么大的一个人，难道还会忽然失踪了不成？”

侯一元悠然道：“据我所知，跟风四娘有来往的人，有很多都是忽然失踪了的。”

王猛瞪着他，厉声道：“你究竟想说什么？”

侯一元微笑道：“船在水上，人在船上，船上若没有人，会到哪里去呢？”

王猛忽然冲过去，一个猛子扎入了湖水。

侯一元叹了口气，喃喃道：“看来这个人并不笨，这次总算找对地方了。”

船楼上的地方比较小。

小而精致。

烛台是纯银的，烛光混合了窗外的月光，也像是纯银一样。

萧十一郎木立在窗前，遥视着远方的夜色，夜色中的朦胧山影，也不知在想些什么。

——他是不是又想起了那可怕的杀人崖?

冰冰看不见他的脸色，却似已猜出了他的心事。

她一直都没有惊动他。

他在思索的时候，她从来也没有惊扰过他。

现在她自己心里也有很多事要想，一些她想忘记，都忘不了的事。

一些可怕的事。

她眼睛里的惊惧还没有消失，她的手里是冰冷的，只要一闭起眼睛，那瞎子歪斜诡异的脸，就立刻又出现在她眼前。

天地间一片静寂，也不知过了多久，楼下仿佛有人在大声问话。

她没有听清楚是在问什么话，却看见两个人冲了上楼。

两个船娘打扮的女人。

她几乎立刻就认出了其中有一个是风四娘。

风四娘也在盯着她道：“你身上真的有块青色的胎记？”

这就是风四娘问的第一句话。

每个人都听见了风四娘问的这句话，又有谁知道沈璧君想说的第一句话是什么？

——她心里也不知有几千几万句话要说。

可是她一句都没有说出来。

——她是不是想冲过去，冲到萧十一郎面前，投入他怀抱里？

但她却只是垂着头，站在风四娘身后，连动都没有动。

冰冰并没有回答风四娘那句话。

风四娘也没有再问。

因为萧十一郎已转过身，正面对着她们——

她们三个人！

又有谁能了解萧十一郎现在心里的感觉？

他当然一眼就认出了沈璧君和风四娘，但是现在他的眼睛却在看着自己的脚尖。

他实在不知道应该多看谁一眼，实在不知道该说些什么。

他面对着的正是他生命中三个最重要的女人。

这三个女人，一个是他刻骨铭心、永难忘怀的情人，他已为她受尽了一切痛苦和折磨，甚至不惜随时为她去死。

另外两个呢？

一个是他的救命恩人，一个已将女人生命中最美好的全部奉献给他。

这三个女人同样都已为他牺牲了一切，只有他才知道，她们为他的牺牲是那么地大。

现在这三个女人忽然同时出现在他面前了——你若是萧十一郎，你能说什么？

窗外波平如镜，可是窗内的人，心里的浪潮却已澎湃汹涌。

第一个开口的是风四娘。

当然是风四娘。

她忽然笑了。

她微笑着道："看来我们改扮得还不错，居然连萧十一郎都已认不出！"

萧十一郎也笑了："幸好我总算还是听出了你的声音。"

风四娘手叉住腰，道："你既然已认出了我们，为什么还不赶快替我们倒杯酒。"

萧十一郎立刻去倒酒。

他倒酒的时候，忍不住看了风四娘一眼。

——风四娘的手叉着腰，看来正像是传说中那个天不怕，地不怕，什么事都不在乎的女人。

其实她究竟是个什么样的女人，萧十一郎当然不会不知道。

杯中的酒满了。

他心里的感激，也正像是杯中的酒一样，已满得要溢出来。

他知道风四娘是从来也不愿让他觉得难堪的，她宁可自己受苦，也不愿看着他受折磨。

所以没有人笑的时候，她笑，没有人说话的时候，她说话。

只要能将大家心里的结解开，让大家觉得舒服些，无论什么事她都肯做。

风四娘已走过来，抢过刚倒满的酒杯，一口就喝了下去："好酒。"

这当然是好酒。

风四娘对酒的辨别，就好像伯乐对于马一样。

伯乐若说一匹马是好马，这匹马就一定是好马。

风四娘说一杯酒是好酒，这杯酒当然也一定是好酒。

“这是三十年陈年的女儿红。”

她笑着道：“喝这种酒应该配阳澄湖的大闸蟹。”

冰冰立刻站起来：“我去替你蒸螃蟹。”

“我也去。”风四娘道，“对螃蟹，我也比你内行。”

她们并没有给对方暗示，可是她们心里的想法却是一样。

——四个人若都留在这里，这地方就未免太挤了些。

她们情愿退出去。

她们知道萧十一郎和沈璧君一定有很多很多话要说。

但是沈璧君却站在楼梯口，而且居然抬起了头，一双美丽的眼睛里，带着种谁都无法了解的表情，轻轻道：“这桌上就有螃蟹。”

桌上的确有螃蟹。

冰冰知道，风四娘也看见了。

可是她们却不知道，沈璧君为什么要说出来？为什么不让她们走？

难道她已不愿再单独面对萧十一郎？

——她是不愿，还是不敢？

难道她已没有什么话要对萧十一郎诉说？

——是没有？还是太多？

萧十一郎眼睛里，已露出一抹痛苦之色，却微笑着道：“这螃蟹是刚蒸好的，还没有冷透，正好用来下酒。”

难道他们真的想喝酒？

——为什么酒与忧愁，总是分不开呢？

酒已入愁肠，却没有泪。

谁也不愿意在人前流泪，英雄儿女们的眼泪，本不是流给别人看的。

酒在愁肠，泪在心里。

脸上只有笑容。

风四娘笑得最多，说得也最多，喝了几杯酒后，她说的第一句话还是："你身上真的有那么一块青色的胎记？"

她本就是个打破砂锅问到底的人。

其实这句话本不该问，无论谁看见冰冰当时的表情，都能看得出那瞎子没有说错。

风四娘却偏偏还是要听冰冰自己亲口说出来。

冰冰只有说。

——遇见了风四娘这种人，她还能有什么别的法子？

她垂着头，说出了两个字："真的。"

风四娘却还要问："这块胎记真在……在他说的那地方？"

冰冰的脸红了，红着脸低下头。

这本是女人的秘密，有时甚至连自己的丈夫都不知道。

那瞎子怎么会知道的？

难道他真的有一双魔眼？

风四娘转过头，去看萧十一郎。

——你是不是也知道她身上有这么样一块胎记？

这句话她当然没有问出来，她毕竟不是那种十三点。

冰冰的脸却更红了，忽然道："这秘密除了我母亲外，只有一个人知道。"

风四娘立刻抢着问："谁？"

"我大哥。"

"逍遥侯？天公子？哥舒天？"

"嗯。"

风四娘怔住。

冰冰道："我母亲去世后，知道我这秘密只有他，绝没有第二个人。”

她说得很坚决。

她绝不是那种粗心大意、随随便便的女人。

风四娘相信她的话：“可是，你大哥岂非也死了？”

冰冰的脸色更苍白，眼睛里又露出那种恐惧之色，却没有开口。

风四娘道：“你大哥死了后，这秘密岂非已没有人知道？”

冰冰还是不开口，却不由自主，偷偷地瞟了萧十一郎一眼。

萧十一郎的脸色居然也发白，眼睛里居然也带着种说不出的恐惧。

——这世上又有什么事能够让萧十一郎觉得恐惧？

他和冰冰恐惧的，是不是同样一件事？

风四娘看了看他，又看了看冰冰，试探着道：“你们心里究竟在想什么？”

冰冰勉强笑了笑，道：“没有什么。”

风四娘笑道：“难道你们认为逍遥侯还没有死？”

冰冰闭上嘴，连笑都已笑不出。

萧十一郎也闭着嘴。

两个人居然像是默认了。

看着他们脸上的表情，风四娘心里忽然也升起股寒意。

她认得逍遥侯。

那个人的确有种奇异的魔力，他自己也常常说，天下绝没有他做不到的事。

若说这世上真的有个人能死而复活，那么这个人一定就是他。

何况，萧十一郎只不过看见他落入绝谷，并没有看见他的尸体。

风四娘又喝了杯酒，才勉强笑道：“不管怎么样，那瞎子总不会是他。”

萧十一郎忽然道：“为什么？”

风四娘道："因为逍遥侯是个侏儒，那瞎子的身材却跟普通人一样。"

萧十一郎道："你有没有想到过，也许他并不是天生的侏儒。"

风四娘从来也没有想到过，她问道："你为什么要这么样想？"

萧十一郎道："因为我现在才知道，一个侏儒，绝不会练成他那样的武功。"

风四娘道："但他却明明是个侏儒。"

萧十一郎沉吟着，忽又问道："你有没有听说过道家的元婴？"

风四娘听说过。

修道的人，都有元神，元神若是练成了形，就可以脱离躯壳。

元神总是比真人小些，所以又叫作元婴。

——那其中的奥秘，当然不是这么样简简单单几句话就能解释的。

"但那也只不过是神话而已。"

"那的确只不过是神话。"

萧十一郎道："但神话并不是完全没有根据的。"

"什么根据？"

"传说中有种武功，若是练到炉火纯青时，身子就会缩小如童子。"萧十一郎道，"这种武功据说叫作九转还童、脱胎换骨、无相神功。"

风四娘笑了："你看见过这种功夫？"

萧十一郎道："没有。"

风四娘道："所以这种功夫也只不过是传说而已。"

萧十一郎道："传说更不会没有根据。"

风四娘道："所以你认为逍遥侯已练成了这种功夫？"

萧十一郎道："假如这世上真有人能练成这种功夫，这个人一定就是他。”

风四娘渐渐笑不出了。

萧十一郎道：“一个人无论练成了多高深的功夫，若是受了重伤，就会散功。”

风四娘在听着。

萧十一郎道：“练成这种九转无相神功的人，散功之后，就会恢复原来的样子的。”他接着又道，“冰冰并不是侏儒，她懂事时，逍遥侯已是天下第一高手。”

风四娘道：“所以你认为逍遥侯本来也不是侏儒，就因为练成了这种功夫，才缩小了的？”

萧十一郎道：“嗯。”

风四娘道：“可是他跌入绝谷，受了重伤，功夫就散了，所以他的人又放大了？”

这种事听起来实在很荒谬，很可笑。

萧十一郎却没有笑，他看见过更荒谬的事，这世界本就是无奇不有的。

风四娘本来是想笑的，看到他脸上的表情，也笑不出了。

“难道你真的认为那瞎子就是逍遥侯？”

“很可能。”

“你凭哪点认为很可能？”

萧十一郎道：“除了逍遥侯外，那瞎子可算是我生平仅见的高手，他不但出手奇诡，而且手臂竟能随意扭曲。”

风四娘也看见了，那瞎子全身的骨头，都像是软的，连关节都没有。

萧十一郎道：“据说这种功夫叫‘瑜伽’。”

风四娘道：“瑜伽！”

萧十一郎道："这两个字是天竺语。"

风四娘道："那瞎子练的是天竺武功？"

萧十一郎道："至少瑜伽是天竺武功，那'九转还童、无相神功'听说也是从天竺传来，两种武功本就很接近。"

风四娘道："还有呢？"

萧十一郎道："那瞎子面目浮肿，眼珠眼白都变成黄色，很可能就因为在那杀人崖的沼泽中，饥不择食，误食了一种叫'金柯萝'的毒草。"

金柯萝是一种生长在悬崖上的灌木，枯黄了的金柯萝，是藏人最普通的黄色染料，黄教喇嘛的袈裟，就是用金柯萝染黄的。

金柯萝却有剧毒，是种罕见的毒草。

风四娘道："吃了金柯萝的人，就一定会变成那样子？"

萧十一郎道："不死就会变成那样子。"

风四娘叹了口气，道："你知道的事好像比以前多得多了。"

萧十一郎勉强笑了笑，道："这两年来我看了不少书。"

风四娘叹道："江湖中的人，一定想不到这两年来你还有工夫看书。"

萧十一郎道："这两年来，我的武功也确实进步了些。"

风四娘道："那瞎子好像也这么样说过。"

萧十一郎道："两年前他若没有跟我交过手，又怎知我的武功深浅？"他眼睛发着光，又道，"最重要的一点是，这世上绝没有任何人能看见别人看不见的事，无论他是不是瞎子都一样。"

风四娘道："除了逍遥侯外，也绝没有第二个人会知道冰冰的秘密。"

萧十一郎没有再说话，也不愿再说，这件事看来已像"一加一等于二"那么明显。

风四娘的手心已凉了，眼睛里也有了恐惧之色，喃喃道：“莫非那个养狗的人就是他？”

“养狗的人？”萧十一郎当然听不懂这句话，能听得懂这句话的人并不多。

风四娘也知道他不懂，道：“养狗的人，就是天宗的宗主。”

萧十一郎道：“你也知道天宗？”

风四娘笑了笑，道：“我看的书虽不多，知道的事却不少。”

她的笑又恢复了自然，眼睛又亮了，因为她刚喝了三大杯酒。

现在本不是喝酒的时候，但是她假如想忘记一件事，就总是会在最不该喝酒的时候喝酒，而且喝得又快又多。

“我不但知道天宗，还知道天宗的宗主养了条小狗。”

“你怎么知道的？”

“当然是有人告诉我的。”

“谁？”

“杜吟。”

“杜吟是什么人？”

“杜吟就是带我到八仙船去的人。”

“八仙船？”

萧十一郎居然好像没听见过这三个字。

风四娘看着他，道：“难道你不知道八仙船？”

萧十一郎道：“不知道。”

风四娘道：“你也没有到八仙船去过？”

萧十一郎道：“没有。”

风四娘怔住。

她知道萧十一郎若说不知道一件事，就一定是真的不知道，可是她想不通萧十一郎怎么会不知道?

“你还记不记得他们要在一条船上请你喝酒？”

萧十一郎当然记得。

风四娘道：“那条船就是八仙船。”

萧十一郎总算明白了：“可是我并没有到他们那条船上去。”

风四娘道：“为什么？”

萧十一郎道：“因为来带路的人，忽然又不肯带我去了。”

风四娘更不懂：“为什么？”

萧十一郎道：“因为他怕我被人暗算，他不想看着我死在他面前。”

风四娘道：“他是谁？”

萧十一郎道：“就是那个送信去的少年。”

风四娘道：“萧十二郎？”

萧十一郎点点头。

风四娘又笑了：“其实我早就应该想到他了，萧十二郎若是看着萧十一郎死在自己面前，心里总是不会好受的。”她微笑着又道，“何况，若连萧十二郎也不帮萧十一郎的忙，还有谁肯帮萧十一郎？”

萧十一郎苦笑道：“但我却连做梦也没有想到，我会跟一个叫萧十二郎的人交了朋友。”

风四娘道：“他不肯带你到八仙船去，却带你到哪里去了？”

萧十一郎道：“带我去找一个人。”

风四娘道：“冰冰？”

——当然是冰冰。

——若不是为了救冰冰，纵然明知一到了八仙船就必死无疑，萧十一郎也要去闯一闯的。

——萧十二郎就算已决心不肯带他去，他也会自己找去。

第二十七章

死亡游戏

——他绝不是那种可以让人牵着鼻子走的人，可是为了冰冰，情况就不同了。

冰冰低下了头，沈璧君也低下了头，风四娘举杯，萧十一郎也举起了酒杯。

酒杯却是空的。

两个人的酒杯都是空的，他们居然不知道。

在这片刻中，他们之间的情绪忽然又变得很微妙。

这次第一个开口的又是风四娘，她问冰冰："那天你怎么会忽然不见了的？"

"我本来不能喝酒，回去时好像就有点醉，想喝杯茶解酒……"

谁知道一杯茶喝了下去，她非但没有清醒，反而晕倒。

在茶里下药的是轩辕三成，带走冰冰的却是轩辕三缺。

他们将冰冰送给鲨王。

可是鱼吃人并不吃人，对冰冰居然很客气——他心里好像在打别的主意。

"他好像想利用我要挟萧……萧大哥做一件事。"冰冰低着头，"所以只不过把我软禁了起来，并没有对我无礼。

"他软禁我的地方，萧十二郎当然知道。

"可是我却没有想到，他居然会带萧大哥来找我。"

冰冰说话的声音很轻，但"萧大哥"这三个字却说得很响。

沈璧君偏偏好像没有听见。

风四娘叹了口气，道："我也想不到鲨王居然会有这么样一个徒弟。"她又叹了口气，慢慢接道，"他实在不能算是个好徒弟，却不知是不是个好朋友？"

萧十一郎苦笑。

明明应该是一句赞美的话，到了风四娘嘴里，就会变得又酸又辣。

明明是一句骂人的话，若从她嘴里骂出来，挨骂的人往往反而会觉得很舒服。

——像风四娘这么样一个女人，你能不能忘得了她？

那一夜的痛苦和甜蜜，现在却似已变成了梦境，甚至比梦境还虚幻遥远。

可是风四娘明明就坐在他面前。

萧十一郎又举杯，杯中已有酒。

风四娘的眼睛更亮，忽然又道："你虽然没有去过八仙船，我却去过。"

萧十一郎道："你见到了鲨王？"

风四娘道："我见到了他，他却没有看见我。"

萧十一郎道："为什么？"

风四娘道："因为死人是看不见别人的。"

萧十一郎动容道："鲨王已死了？"

风四娘道："不但鲨王死了，请帖上有名字的人，除了花如玉外，已全都死了。"

萧十一郎道："是谁杀了他们？"

风四娘道："本来应该是你。"

萧十一郎道："是我？"

风四娘道："至少别人都会认为是你。"

萧十一郎苦笑。

风四娘道："杀他们的，是把快刀，而且只用了一刀。"

萧十一郎苦笑道："除了萧十一郎外，还有谁能一刀杀了鲨王、鱼吃人？"

风四娘道："除了萧十一郎外，还有谁能一刀杀了轩辕三成？"

萧十一郎道："你想不出？"

风四娘摇摇头，道："你想得出？"

萧十一郎淡淡道："我何必去想？这种事我遇见的反正不是第一次了。"

风四娘看着他，眼睛里充满了同情和怜惜。

可是她只看了一眼，就举起酒杯，挡住了自己的眼睛。

她没有去看沈璧君。

——沈璧君是不是也在看着他？

——知道自己所爱的人受了冤屈，她心里又是什么滋味？

萧十一郎忽然问道："你们是怎么会来这里的？"

风四娘道："为了一个约会。"

萧十一郎道："谁的约会？"

风四娘道："别人的约会。"

萧十一郎道："别人是谁？"

风四娘道："养狗的人。"

萧十一郎道："约会总是两个人的。"

风四娘道："嗯。"

萧十一郎道："还有一个'别人'是谁？"

风四娘又喝了杯酒，才一个字一个字地说道："连城璧。"

萧十一郎连一个字都不说了。

无论连城璧是个什么样的人，萧十一郎对他心里总是有些愧疚。

一种无可奈何、无法弥补的愧疚。

这是谁的错?

看见他深藏在眼睛里的痛苦，风四娘立刻又问道："你猜他们约会的地方在哪里？"

萧十一郎摇摇头。

风四娘道："就在这里。"

萧十一郎道："就在这水月楼？"

风四娘道："月圆之夜，水月楼。"

月已圆了。

圆月就在窗外，萧十一郎抬起头，又垂下，仿佛不敢去看这一轮圆月。

他没有问风四娘怎么会知道这消息的，也没有问沈璧君怎么会离开了连城璧。

他并不是个愚蠢的人，这件事也并不难推测。

事实上，他早已猜出连城璧必定和这阴谋有很密切的关系。

他没有说出来。

因为他不忍说，也不敢说。

但现在连城璧就要来了，沈璧君就在这里，到了那时，会发生些什么事?

萧十一郎连想都不敢想下去。

沈璧君忽然站起来，肃然凝视着窗外的明月，道："时候已不早了，我……我已该走了。"

萧十一郎心里忽又一阵刺痛。

——我已该走了。

该走的总是要走的。

这句话她说过已不止一次，每次她要走的时候，他都没有阻拦过。

这次他当然更不会。

他从来也没有勉强过别人，更没有勉强过沈璧君。

——她本就不能在这里待下去，迟早总是要走的。

——可是她能走到哪里去？

萧十一郎看着手里的空杯，整个人都像是这酒杯一样空了。

沈璧君没有看他，连一眼都没有看。

——她心里又何尝不痛苦？可是她又怎能不走？

风四娘忽然瞪起了眼睛，瞪着她，道：“你真的要走？”

沈璧君勉强忍住了泪，道：“我们虽然一起来的，可是你不必陪我走。”

风四娘道：“你要一个人走？”

沈璧君道：“嗯。”

风四娘忽然一拍桌子，大声道：“不行。”

沈璧君吃了一惊：“为什么不行？”

风四娘道：“你连一杯酒都没有陪我喝，就想走了？打破头我也不会让你走的。”

沈璧君吃惊地看着她，又勉强地笑了笑，道：“你醉了。”

风四娘瞪着眼道：“不管我醉了没有，你都不能走。”

沈璧君用力握紧了双手，道：“你若一定要我喝，我就喝，可是喝完了我还是要走的。”

风四娘道：“你要走，也得跟我一起走，我们既然是一起来的就得一起走。”

突听楼梯下一个人厉声道：“你们两个谁都不许走。”

若说江湖中有一半人认得风四娘，这句话当然未免有点夸张。

可是江湖中有一半人都听说过她这么样的一个人，也知道她的脾气。

她说要来的时候，就一定会来，不管刮风也好，下雨也好，路上结了冰也好，门口摆着油锅也好，她说来就来，随便什么事都休想拦得住她。

她说要走的时候，就一定会走，就算有人把刀架在她脖子上，她也一样会走，不管什么人也休想拉得住她。

就连逍遥侯都从来没有留下过她，现在居然有人不许她走！

风四娘又笑了。

她带着笑，看着这个从楼下走上来的人，就像是在看着个小丑。

这个人居然是王猛。

王猛虽然全身都是湿的，一张脸却又干又硬，眼睛里更像是要冒出火来。

风四娘道：“刚才是你在下面鬼叫？”

王猛道：“哼。”

风四娘道：“你不许我走？”

王猛道：“哼。”

风四娘道：“你知不知道我现在为什么还坐在这里？”

王猛瞪着她。

风四娘道：“现在我还没有走，只因为我根本就不想走。”

王猛道：“你想走也走不了。”

风四娘眨了眨眼，道：“为什么走不了？难道你还想拉住我？”

王猛道：“哼。”

风四娘嫣然道：“只可惜腿是长在我自己身上的，我要走的时候，随便谁也拉不住。”

王猛冷冷道：“腿虽然长在你自己身上，可是你的左腿若要走，我就砍断你的左腿，右腿若要走我就砍断你的右腿。”

风四娘道：“若是我两条腿都要走，你就把我两条腿都砍下来？”

王猛道：“哼。”

风四娘叹了口气，道：“一个女人若是少了两条腿，岂非难看得很？”

王猛冷笑道：“那至少还比脸上多了个大洞的男人好看。”

风四娘道：“你脸上好像并没有大洞，连小洞都没有。”

王猛道：“那只因为我从来也没有跟你打过交道。”

风四娘道：“谁跟我打过交道？”

王猛道：“史老二。”

风四娘道：“史秋山？”

王猛道：“难道你已忘了他？”

风四娘道：“难道他脸上已多了个大洞？”

王猛冷笑道：“你为什么不自己下去看看？”

史秋山脸上果然有个洞，虽然不能算很大的洞，却也不能算小。

——无论多大的伤口，只要是致命的伤口，绝不能算小。

事实上，他脸上除了这个洞之外，已没有别的。

风四娘忽然变得很难受。

不管怎么样，史秋山总是她的熟人。

这个人活着时虽然并不好看，也不讨人欢喜，至少总比现在可爱些。

这个人不到半个时辰前，还在她面前摇着折扇，现在……

风四娘忍不住长长叹息，道：“你是哪里找到他的？”

王猛道："在水里。"

风四娘黯然道："我本来还以为他忽然溜了，想不到……"

王猛握紧双拳，恨声道："你也想不到他已被人像死鱼般抛在水里？"

风四娘叹道："我实在想不到。"

王猛道："你也不知道是谁杀了他？"

风四娘摇摇头。

王猛忽然跳起来，大吼道："你若不知道，还有谁知道？"

风四娘吃惊地看着他，道："为什么我应该知道？"

王猛道："因为你就是凶手。"

风四娘又笑了，只不过这次笑得并不太自然。

无论谁被人当作凶手，都不会笑得太自然。

霍无病一直在盯着她，忽然道："你是不是早已认得史秋山？"

风四娘道："我认得的人很多。"

霍无病道："他是不是也早已认出了你？"

风四娘道："嗯。"

霍无病道："他刚才是不是一直都在跟着你？"

风四娘道："嗯。"

霍无病道："他既然一直在你身旁，若有别人来杀了他，你会不知道？"

风四娘忽然也跳起来，大声道："我说不知道，就是不知道。"

她跳得比王猛还高，叫的声音比王猛还大。

她真的急了。

因为她自己也想不出，除了她之外，还有谁能在这条船上杀了史秋山，再抛下水里去？

史秋山并不是个容易对付的人。

萧十一郎忽然道："我知道。"

霍无病皱眉道："你知道什么？"

萧十一郎道："我至少知道一件事。"

霍无病道："你说。"

萧十一郎道："世上绝没有任何人会不声不响地站在那里，让别人把自己的脸打出个大洞来，除非他是个木头人。"他笑了笑，接着道，"史秋山当然不是木头人，是江湖中唯一得到铁扇门真传的高手，若有人再作兵器谱，他的铁扇子至少可以排名在前三十位之内。"

霍无病冷笑道："你知道的事倒还不少。"

萧十一郎道："我还知道，就算他是个木头人，若被人抛在水里，也会有'扑通'一声响的，这里的人都不聋，为什么没听见？"

霍无病道："你说为什么？"

萧十一郎道："因为他根本不是死在这条船上的。"

霍无病抢着道："若不是死在这条船上，死在哪里？"

萧十一郎道："水里。"

王猛道："水里？"

萧十一郎道："在水里杀人，就不会有声音发出来，所以船上的人才没有听见动静。"

王猛道："他刚才明明还在船上，怎么会忽然到水里去了？"

萧十一郎道："我刚才明明还在楼上，怎么会忽然下楼来了？"

王猛道："是你自己下来的。"

萧十一郎道："我可以自己下楼，他为什么不能自己下水？"

王猛怔了怔，道："他好好地在船上站着，为什么要自己下水？"

萧十一郎叹了口气，道："这一点我也想不通，我也正想去问问他。"

王猛冷笑道："只可惜他已没法子告诉你。"

萧十一郎道："这个人的确已没法子告诉我，可是史秋山……"

王猛道："你看不出这个人就是史秋山？"

萧十一郎道："你看得出？"

王猛道："当然。"

萧十一郎道："你是凭哪点看出来的？"

王猛又怔住。

这个死人的装束打扮虽然和史秋山完全一样，可是一张脸却已根本无法辨认。

你随便在什么人脸上打出这么样一个大洞来，样子看来都差不多的。

萧十一郎道："史秋山忽然不见，你却在水里捞出了这么样一个人，所以你认为这个人就是史秋山，其实……"

王猛道："其实怎么样？"

萧十一郎淡淡道："其实你自己现在一定也没有把握，能断定这个人就是史秋山。"

王猛不能否认。

他忽然发觉自己实在连一点把握都没有。

霍无病却冷笑道："你是说史老二自己溜下水去，杀了这个人，再把这个人扮成他的样子，让别人认为他已死了？"

萧十一郎道："这难道不可能？"

霍无病道："他为什么要做这种事？为什么要连我们兄弟也瞒住？"

萧十一郎叹道："这些你本该去问问他自己的，除了他自己之外，只怕谁也没法子答复。"

霍无病冷冷道："我还是有句话要问你。"

萧十一郎在听着。

霍无病厉声道："这个人若不是史秋山，史秋山的人在哪里？"

萧十一郎还没有开口，已有人抢着回答了这句话："他的人就在这里。"

一个有教养的淑女，在别人说话的时候，是绝不会插嘴的。

沈璧君一向是个淑女，但这次她却破了例。

"就在这里。"

她的脸色苍白，眼睛里却在发着光。

这双眼睛正瞪在一个人身上："这个人就是史秋山。"

第二十八章

揭开面具

若说江湖中有一半人都认得沈璧君，这句话当然更夸张。

可是江湖中知道她的人，绝不比知道风四娘的人少——不但知道她是武林中的第一美人，也知道她是个端庄的淑女。

像她这样的女人，既不会随便说话，更不会说谎话。

没有把握的事，她是绝不会随随便便就说出来的。

——难道这个人真的就是史秋山？

大家的眼睛，跟着她的眼睛看过去，就看到了一张奇怪的脸。

一张既没有眉毛，也没有鼻子，甚至连嘴都没有的脸。

一张木板脸。

——她说的竟是这脸上戴着盖子的青衣人。

大家只看了他一眼，就扭过头，谁也不愿再看他第二眼。

这张脸上虽然没有表情，却有两个洞，两个又黑又深的洞。

洞里的一双眼睛，就像是两把锥子。

甚至连霍无病都不愿再多看他一眼，转过头，打量着沈璧君："你说他就是史秋山？"

沈璧君用力握紧了双拳，点了点头。

霍无病冷笑道："可是我们上船的时候，他已经在船上了。"

沈璧君道："刚才那个人不是他。"

霍无病道："不是？"

风四娘抢着道："刚才萧十一郎舞刀的时候，这个人已换了一个。"

霍无病皱起了眉。

风四娘道："这个人刚才是不是忽然不见过一次？"

霍无病道："嗯。"

风四娘道："等他回来的时候，就已换过一个人了。"

霍无病道："换成了史秋山？"

风四娘道："我看不出，可是沈……我的朋友若说这个人就是史秋山，那么就一定是的。"

霍无病道："她……"

风四娘不让他开口，又道："你若不相信，为什么不打开这个人脸上的盖子来看看？"

霍无病终于又转过头，看了他第二眼。

这张木板脸上当然还是不会有一点表情，可是脸上的两个洞里，那种锥子般的眼睛，却已变得更黑，更深，更可怕。

风四娘道："你若不是史秋山，为什么不敢让别人看见你的脸？"

王猛忍不住道："你若真的是史老二，也不妨说出来，我们总是兄弟，绝不会帮着外人来对付你。"

青衣人忽然道："猪！"

王猛怔了怔，道："你说什么？"

青衣人冷冷道："我说你们都是猪。"

王猛瞪大了眼睛，好像还没有完全听懂这句话。

他并不是反应很快的那种人。

青衣人道："你们知不知道这个女人是谁？"

他指的是沈璧君。

风四娘刚才虽然已说漏一个沈字，可是大家并没有注意。

青衣人道：“她就是沈璧君，就是为萧十一郎连家都不要了的那个女人，为了萧十一郎，她连丈夫都可以出卖，她说的话你们居然也相信？”

沈璧君的脸色虽然更苍白，神情居然很镇定，风四娘几次要跳起来打断这人的话，却被她拉住。

灯光照在她脸上，这次她的头并没有垂下去，反而抬得很高。

这件事对她说来已不再是羞耻。

青衣人道：“你凭什么说我是史秋山？你有什么证据？”

沈璧君道：“你的脸就是证据。”

青衣人道：“你看见过我的脸？”

沈璧君道：“你敢掀开面具来，让别人看看你的脸？”

青衣人道：“我说过，我不是来让别人看的。”

沈璧君道：“你是来杀人的？”

青衣人道：“是。”

沈璧君道：“现在就已到了杀人的时候。”

青衣人道：“哦？”

沈璧君道：“你的面具一掀开，至少会有一个人倒下去。”

青衣人道：“谁？”

沈璧君道：“不是我，就是你。”

青衣人道：“我若不是史秋山，你情愿死？”

沈璧君道：“是。”

青衣人冷笑，道：“妄下判断，不智已极，你已死定了。”

沈璧君道：“我本就在等。”

青衣人道：“你为什么不自己过来掀开我这个面具？你不敢？”

沈璧君没有再说话。

她已走过去。

萧十一郎轻轻吐出口气，直到现在，他才发现沈璧君变了。

她本来从不愿说一句伤人的话，可是刚才她说的每句话都锋锐如刀。

她本是个温柔脆弱的女人，可是现在却已充满了决心和勇气。

——难道这才是她的本性？

——宝石岂非也要经过琢磨后，才能发出灿烂的光华？

萧十一郎看着她走过去，并没有拦阻，因为他心里充满了骄傲——

为她而骄傲。

他知道她现在毕竟已站起来了，已不再是倚着别人站起来的，而是用自己的力量，用自己的两条腿。

风四娘却忍不住道："小心他趁机出手。"

沈璧君头也不回，道："他不敢的。"

风四娘道："为什么？"

沈璧君道："因为我不但已看出了他的真面目，也已知道他的主子是谁。"

"是谁？"

沈璧君道："是……"

她只说出一个字，舱外突然有个人冲了进来，大声道："沈姑娘千金之体，何必冒这种险，我掀开他面具岂非也一样。"

说到第二句话，这人已冲到青衣人面前，枯瘦矮小，灵活如猿猴，竟是南派形意门的掌门人"苍猿"侯一元。

看见他冲过来，青衣人黑洞里的瞳孔突然收缩，竟似比别人更吃惊。

“你……”

他想说话，侯一元的出手却比他更快，已闪电般搭上了他的面具。

只听“波”的一声，火星四溅，厚木板做成的面具，突然碎裂。

船舱里立刻响起一声惨厉的惨号，侯一元身子已凌空跃起，反手撒出一掌丧门钉，隔断了退路，“飞鸟投林”，正准备穿窗而出。

他出手之狠、准、快，竟在所有人的意料之外。

尤其这一掌丧门钉，更阴狠毒辣，十三点寒光，竟全都是往沈璧君身上打过去的。

他算准了萧十一郎他们必定会先抢着救人，已无暇拦他。

可是他忘了身旁还有个毁在他手里的青衣人，他低估了仇恨的力量。

青衣人的脸，虽然已血肉模糊，全身虽然都已因痛苦而痉挛扭曲，两肩琵琶骨，也已被炸碎。

可是他死也要留下侯一元。

他虽然已抬不起手，可是他还有嘴，还有牙齿。

侯一元身子已穿窗而出，突然觉得脚踝上一阵剧痛。

青衣人竟一口咬在他小腿上，就像是条饥饿的野兽，咬住了他的猎物，一口咬住，就死也不肯放松。

船舱中又响起一声惨呼，这次惨呼声却是侯一元发出来的。

他的人已跌在窗框上，鲤鱼打挺，还想再翻身跃起。

青衣人的头却已撞了过去，撞在他两腿之间。

他的人也突然扭曲，从窗框上直滚下去，眼泪、鼻涕、口水，流满了一脸，脸色已惨白如纸。

接着，每个人都嗅到了一阵扑鼻的臭气，都看见他的裤子已湿。

每个人都活过。

每个人都难免一死。

可是有些人不但活得卑贱，死得也卑贱，这才是真正值得悲哀的。

青衣人也倒了下去，仰面倒在地上，不停地喘息。

他满脸是血，满嘴是血，有他自己的血，也有他仇人的血。

没有人开口说话，每个人都生怕自己一开口，就会忍不住吐了。

青衣人却突然发出了微弱的呼声："老三……老三……"

他在呼唤他的兄弟。

也许有人还想问他究竟是谁，听见这呼声，也不必再问了。

沈璧君竟真的没有看错。

霍无病脸色看来更憔悴，长长叹息，道："这究竟是怎么回事？"

史秋山的语声如呻吟，他们只有蹲下来，才能听得清："老大，我错了，你们不能再错，你真正的仇人并不是萧十一郎，他并不该死，该死的是……"

霍无病用力握住他的手："该死的是谁？"

史秋山挣扎着，终于从嘴里说出了三个字，只可惜他说的这三个字，也没有人听得见了。

该死的究竟是谁？

第一个青衣人又是谁？

人之将死，其言也善，史秋山临终前说出的那三个字，究竟是谁的名字？

尸体已搬出去，是同时搬出去的。

——他们岂非本就是从一条路上来的人？

"这件事原来是他们早就串通好了的。"

“嗯。”

“侯一元早已知道第一个青衣人已走了，已换成了史秋山，所以故意喊出了那一声‘混元一气功’来为他掩护。”

“不错。”

“可是史秋山也不能无缘无故地忽然失踪。”

所以他们早已安排了另外一个人的尸体，李代桃僵，使别人认为史秋山已死了，而且是死在风四娘手里的。

王猛握紧双拳，恨恨道：“那老猴子居然还故意要我去找到这个人的尸体。”

风四娘道：“因为他想要你来找我拼命。”

王猛铁青的脸也红了。

这次风四娘当然放过了他，轻轻叹息着，又道：“我若是你，我也会这么想的。这计划实在恶毒周密，他们一定连做梦也没有想到，居然有人能看破他们的秘密。”

——那第一个人青衣人是谁?

——他为什么要走?

——他走后为什么还要人代替他?

——史秋山为什么肯代替他?

——他们究竟有什么用意？是什么来历?

风四娘道：“现在我只知道一点。”

“哪一点？”

“我只知道他们一定都是天宗的人。”

“天宗是什么？”

王猛还想再问，霍无病已站起来，慢慢道：“这些事我们已不必知道。”

“为什么？”

“因为我们已该走了。”霍无病目光凝视着远方，并没有看萧十一郎，但是他的话都是对萧十一郎说的，又道，“也许我们本就不该来。”

他拉着王猛走出去，头也没有回。

然后外面传来“扑通，扑通”两声响，他们显然并没有等渡船来。

萧十一郎忽然道：“其实他们本不必这么急着走的。”

风四娘道：“为什么？”

萧十一郎道：“要走的人既然不止他们两个，渡船一定很快就会来的。”

他目光也凝注在远方，也没有去看沈璧君。

这句话他是对谁说的？风四娘心里很难受，却不知是为了他，是为了沈璧君，还是为了她自己。

她还没有开口，沈璧君却忽然道：“今天晚上，也许不会再有渡船来了。”

风四娘眼睛立刻亮了起来，又问道：“为什么？”

沈璧君道：“因为该走的都已走了，渡船又何必回来？”

风四娘道：“可是你……”

沈璧君忽然也笑了笑，道：“我先去看看楼上的酒喝完了没有，你若是不敢喝，最好赶快趁这机会逃走。”

看着她走上楼，风四娘也笑了，摇着头笑道：“我也是女人，可是女人的心事，我实在连一点也不明白。”

萧十一郎也在笑，苦笑。

风四娘看了他一眼，忽又轻轻叹了口气，道：“可是我现在总算明白了一件事。”

萧十一郎在听着。

风四娘目光也凝视在远方，不再看他："我现在总算明白，被人冤枉的滋味实在不好受。"

萧十一郎沉默着，终于慢慢地点了点头，道："实在很不好受……"

有些人很少会将酒留在杯里，也很少将泪留在脸上。

他们就是这种人。

他们的酒一倾满，杯就空了。

他们并不想真正享受喝酒的乐趣，对他们来说，酒只不过是种工具。

一种可以令人"忘记"的工具。

可是他们心里也知道，有些事是永远也忘不了的……

现在风四娘的眼睛更亮了，沈璧君眼睛里却仿佛有了层雾。

她们一杯又一杯地喝着，既没有要别人陪，也没有说话。

风四娘从未想到沈璧君也会这么样喝酒，更想不通她为什么要这样喝酒。

她知道她绝不是想借酒来忘记一些事，因为那些事是绝对忘不了的。

她为了什么？是不是因为她心里有些话要说，却没有勇气说出来？

酒岂非总是能给人勇气？

风四娘忽然放下酒杯，道："我不喝了。"

沈璧君皱眉道："为什么？"

风四娘道："因为我一喝醉，就听不见了。"

沈璧君道："听不见什么？"

风四娘道："听不见你说的话。"

沈璧君道："我没有说话，什么都没有说。"

风四娘道："可是我知道你一定有很多话要说，而且迟早总要说出来的。"

——这句话她本来也不该说，她说出来，只因为她已不停地喝了几杯酒。

沈璧君当然还能听得见，她也放下了酒杯，轻轻地，慢慢地……

她脸上仿佛也蒙上了一层雾，忽然道："你们知不知道走了的那个青衣人是谁？"

这时湖上也有了雾，缥缥缈缈，迷迷蒙蒙的，忽然间就变得浓了。一阵风吹过来，乳白色的浓雾柳絮般飘入了窗户。从窗子里看出去，一轮冰盘般的圆月，仿佛已很遥远。

他们的人却在雾里，雾飘进来的时候，沈璧君已走出去，楼上也有个窄窄的门，门外也有道低低的栏杆，她倚着栏杆，凝视着湖上的雾，雾中的湖，似已忘了刚才问别人的那句话。

风四娘却没有忘记提醒她："你已看出了那个青衣人是谁？"

雾在窗外飘，在窗外飘过了很久，沈璧君才慢慢地说道："假如你常常注意他，就会发现他有很多跟别人不同的地方。"

这并不能算是回答，风四娘却在听着，连一个字都不愿错过。

"每个人都一定会有很多跟别人不同的特征，有时往往是种很小的动作，别人虽然不会在意，可是假如你已跟他生活了很久，无论多么小的事，你都绝不会看不出来的。"

说到这里，她又停下来，这次风四娘居然没有插嘴。

"所以他就算脸上戴着面具，你还是一样能认得出他。"沈璧君慢慢地接着道，"我一到这里，就觉得那个青衣人一定是我认得的人，所以我一直都在注意着他。"

风四娘终于忍不住道："所以他们一换了人，你立刻就能看出来？"

沈璧君点点头，却没有回头。

风四娘道："你怎么看得出第二个人是史秋山？"

沈璧君道："因为他平时手里总是有把扇子，他总是不停地在转着那柄扇子，所以他手里没有扇子的时候，他的手也好像在转着扇子一样。"

风四娘也沉默了很久，忽然问道："连城璧呢？他有什么地方跟别人不同？"

现在她当然已知道第一个青衣人就是连城璧，除了连城璧外，还有谁跟沈璧君在一起生活了那么久？

沈璧君道："你也知道他一定会来赴约的。"

风四娘道："可是他没有想到萧十一郎也在水月楼，所以他先到这里来看看动静。"

沈璧君道："也许他们早已知道萧十一郎在水月楼，所以才把约会的地点定在这里。"

这是她第一次在别人面前说出萧十一郎的名字，她确实一直表现得很镇定，可是说到这四个字时，她声音还是带着种奇怪的感情。

风四娘轻轻叹了口气，道："不管怎么样，他总是来了。"

沈璧君道："他来了。"

风四娘道："他既然来了，为什么又要走？"

沈璧君道："也许他要趁这机会，去安排些别的事。"

风四娘道："他既然要走，为什么又要史秋山代替他？"

沈璧君道："因为他一定要有这么样一个人留在这里，探听这里的虚实动静。"

风四娘道："等到他要再来时，也可以避过别人的耳目？"

沈璧君道："他们随时都可以再换一次人。"

风四娘道："你想他是不是一定还会再来？"

沈璧君道："一定会的。"她的声音又变得很奇怪，"他一定会来，所以我一定要走。"

连城璧再来的时候，就是他要和萧十一郎分生死、决胜负的时候。

这两个一个是她的丈夫，一个是她生命中最重要的人。

无论他们谁胜谁负，她都绝不能在旁边看着。

她当然要走。

风四娘道："可是你没有走。"

沈璧君道："我没有走。"

风四娘道："你留下来，为的就是要说出这件事？"

沈璧君道："我还有句话要说。"

风四娘道："你说。"

沈璧君道："这几天来，你一定看得出我已变了很多。"

风四娘承认。

沈璧君道："你猜不出我为什么会变？"

风四娘道："我没有猜。"

沈璧君道："一个人若是真正下了决心，就会变的。"

风四娘道："你已下了决心？"

沈璧君道："嗯。"

风四娘道："什么决心？"

沈璧君道："我决心要告诉你一件事。"

风四娘在听着，心里忽然有了种说不出的恐惧。

她忽然感觉到沈璧君要告诉她的这件事，一定是件很可怕的事。

沈璧君道："我要告诉你，只有你才能做萧十一郎最好的伴侣，也只有你才真正了解他，信任他，他若再让你走，他就是个白痴。”

这句话还没有说完，她的人忽然飞起来，跃入了湖心，风四娘跳起来，冲过去，却已来不及了。

她冲到栏杆前时，沈璧君的人已没入那烟一般的浓雾里，雾里传来“扑通”一响，一个人从她身旁冲过去飞起，落下，萧十一郎也已跃入湖心。

风四娘跺了跺脚，回头道：“快叫人拿灯来，灯愈多愈好。”

这句话她是对冰冰说的。冰冰却只是痴痴地坐在船头，动也没有动，苍白美丽的脸上，带着种没有人能了解也没有人能解释的表情。

她已这样坐了很久，只不过谁也没有去注意她而已。风四娘又跺了跺脚，也跳了下去。

湖水冰冷，风四娘的心更冷，她看不见萧十一郎，也看不见沈璧君。

她想呼唤，可是刚张开嘴，就有一大口冰冷的湖水涌了过来，灌进她的嘴，湖水冷得就像是剑锋，从她嘴里，笔直地刺入她心里。她这才想起自己并不是个很精通水性的人，在水里，她永远救不了别人的，只有等着别人来救她，等她想起这一点时，她的人已在往下沉。

雾也是冷的，船上的灯火在冷雾中看来，仿佛比天上的残星还遥远。

死却已很近了，奇怪的是，在这一瞬间，她并没有感觉到对死亡的恐惧。有很多人都说，一个人在死前的那一瞬间，会想到许许多多奇怪的事。

第二十九章

春残梦断

可是现在她却只在想一件事——萧十一郎是不是能救得了沈璧君？

她拼命想跳起来，再找他们。

她没有跳起，她全身的筋都仿佛在被一只看不见的鬼手抽动着。

灯光更朦胧，然后就是一片黑暗。

又冷又黑暗。

黑暗中忽然又有了一双发亮的眼睛，一双眼睛忽然又变成了无数双。

无数双眼睛都是萧十一郎一个人的。

她并不想死。

可是就算在最后那一瞬间，她也没有在为自己的生命祈求。

她只祈求上苍，能让萧十一郎找到沈璧君，救回沈璧君。

因为她知道，沈璧君若死了，萧十一郎的痛苦会有多么强烈深远。

那种痛苦是她宁死也不愿让萧十一郎承担的。

萧十一郎，萧十一郎，你要等到什么时候，才能了解风四娘对你的感情？

你难道一定要等到她死？

天亮了。

——黑夜无论多么长，天总是会亮的。

阳光升起，湖面上闪烁着金光。

萧十一郎眼睛里却已没有光，现在你若看见他的眼睛，一定不会相信他就是萧十一郎。

只有在一个人的心已死了的时候，才会变成这样子。

他的眼睛几乎已变成死灰色的，甚至比他的脸色还可怕。

风四娘第一眼看见的就是这双眼睛。

风四娘并没有死。

她醒来时，身上是温暖而干燥的，可是她的心却比在湖水中更冷。

因为她看见了萧十一郎的眼睛。

因为她没有看见沈璧君。

船楼上没有第三个人——难道连冰冰都已悄悄地走了？

昨夜的残酒还留在桌上，一张翻倒的椅子还没有扶起来。

这华丽精雅的楼船，在白天的阳光下看来，显得说不出的空虚，凌乱。

——沈璧君呢？

——难道他没有找到她？

——难道她已消失在那冰冷的雾中，冰冷的湖水里？

风四娘不敢问。

看见萧十一郎眼睛里那种绝望的悲伤，她也不必问。

——我还活着，沈璧君却已死了？

——他把我救了回来，却永远失去了沈璧君？

风四娘没有动，没有开口，可是她的心已碎了，碎成了无数片。

她痛苦，并不是完全为了沈璧君的死，而是为了萧十一郎。

她深深了解到他心里的痛苦和悲伤，这种悲痛除了她之外，也许没有第二个人能想象。

萧十一郎就坐在舱门旁，痴痴地望着门外的栏杆，栏外的湖水。

西湖的水波依旧还是那么美。

沈璧君呢？

如此美丽的湖水，为什么也会做出那么残酷无情的事？

萧十一郎也没有动，没有开口。

他的衣服已被自远山吹过来的秋风吹干了，他的泪也干了。

春蚕的丝已吐尽，蜡炬已成灰。

阳光更灿烂。

在如此艳丽的阳光下，人世间为什么还会有那么多悲伤和不幸？

风四娘慢慢地站起来，慢慢地走过去，坐在他身旁。

萧十一郎没有回头，没有看她。

风四娘倒了杯酒，递过去。

萧十一郎没有拒绝，也没有伸手来接。

看见他空空洞洞的眼睛，看到他空空洞洞的脸，风四娘几乎已忍不住要将他抱在怀里，用自己所知道的一切法子来安慰他。

她没有这么做。

因为她知道，此时此刻，所有的安慰对他来说，都只不过是种尖针般的讽刺。

世上已没有任何事能安慰他，可是无论什么事都可能伤害到他。

这种心情，也只有她能了解。

日色不断地升高，水波不停地流动……

风中不时传来一阵阵歌唱欢笑，现在正是游湖的好时候，连风都是清凉温柔的。

萧十一郎额上却已流下了汗。

冷汗!

只有在心里觉得恐惧的时候，才会流冷汗。

她也了解他心里的恐惧。

生命并不如人们想象中那么短促，一年有那么多天，一生有那么多年，那空虚、寂寞、孤独、漫长的岁月，叫他如何过得下去?

风四娘用力咬着嘴唇，忍住了眼泪，抬起头，才发现日色已偏西。

一天中最可贵的时候已过去。

从现在开始，风只有愈来愈冷，阳光只有愈来愈暗淡。

他们就这样不声不响地坐着，已不知不觉坐了好几个时辰。

这段时间过得并不快。

绝没有任何人能想象，他们是如何挨过去的。

风四娘只觉得全身都已坐得麻痹，却还是没有动。

她的嘴唇已干裂，酒杯就在她手里，她却连一口也没有喝。

又是一阵秋风吹过，萧十一郎忽然道:“你能不能说说话?”

他的声音虽低，风四娘却吃了一惊。

她想不到他会忽然开口，她也不知道自己应该说些什么。

此时此刻，她又能说什么?

萧十一郎空虚的目光还是停留在远方，喃喃道:“随便你说什么，只要你说……最好不停地说。”

他们实在已沉默了太久，这种沉默简直可以令人发疯。

——沈璧君?

这本是风四娘最想问的一句话，可是她不敢问。

她举起酒杯，想把杯中的酒一口喝下去，却又慢慢地放下酒杯。

萧十一郎道："你本该有很多话说的，为什么不说？"

风四娘终于轻轻吐出口气，嗫嚅着道："我……我正在想……"

萧十一郎道："想什么？"

风四娘道："我正想去找冰冰。"

萧十一郎道："你不必找。"

风四娘道："不必？"

萧十一郎道："因为她也走了，我回来的时候，她已走了。"

他脸上还是没有表情，可是眼睛却在不停地跳动。

虽然他已用尽所有的力量来控制自己，但是就连他自己身上也有很多事是他自己无法控制的。

——冰冰果然也走了。

——无论如何，逍遥侯总是她的骨肉同胞。

——他既然还没有死，就一定会再来。

——他既然一定会来，她岂非也就一定要走？

——沈璧君都已走了，她为什么不能走？

风四娘用力握着手，指甲已刺入肉里。

她忽然很恨沈璧君。

现在眼看着已快到了萧十一郎一生中最重要的时刻，在那一刻里，他的生命和荣誉，都要受到最可怕的考验和判决。

不是生，就是死。

不是光荣地活下去，就得屈辱地死。

这正是他最需要安慰和鼓励的时候，可是她居然走了。

她走，虽然也是因为爱。

她爱得虽然很真，很深，可是她的爱却未免太自私了些。

对风四娘说来，爱不仅是种奉献，也是种牺牲，完完全全的彻底牺牲。

要牺牲就得有忍受痛苦和羞辱的勇气。

她若是沈璧君，就算明知要面对一切痛苦和羞辱，也绝不会死的。

她绝不会以“死”来逃避。

萧十一郎道：“你想不到冰冰会走？”

风四娘道：“我……”

萧十一郎打断了她的话，道：“无论你怎么想，都想错了。”

风四娘道：“可是……”

萧十一郎道：“因为你不了解她，所以你绝对想不到她为什么要走。”

他要风四娘说话，却又不停地打断她的话。

他要风四娘说话的时候，也许就正是他自己想说话的时候。

人的心里，岂非总是充满了这种可悲又可笑的矛盾。

风四娘只有听他说下去。

萧十一郎果然又接着道：“很久很久以前，她就告诉过我，她要死的时候，一定会悄悄地溜走，既不告诉我，也不让我知道。”他的眼角又在跳动，“因为她不愿让我看着她死，她宁愿一个人偷偷地去死，也不愿让我看着难受。”

风四娘黯然道：“我本该想到的，我知道她是个倔强好胜的女孩子，也知道她的病。”

萧十一郎道：“可是你刚才一定想错了，真正了解一个人并不容易。”

这句话中是不是还另有深意？

他是不是在后悔，一直都没有真正了解过沈璧君？

风四娘不让他再想下去，立刻又问道："她的病最近又重了？"

萧十一郎道："就因为她的病已愈来愈恶化，已不能跟着我到处去流浪，所以我们才会在这里停留下来。"

风四娘道："你故意将这一带的江湖豪杰都请了来，为的就是要让她看看，其中是不是还有天宗的属下？"

萧十一郎慢慢地点了点头，过了很久，才缓缓道："我也希望你们听到我的消息后，会找到这里来，可是我想不到……"

——他想不到她们这一来，竟铸下了永远也无法弥补的大错。

这句话他并没有说出来，风四娘也没有让他说出来。

她已改变了话题，道："你真的认为那瞎子就是逍遥侯？"

萧十一郎道："至少很有可能。"

风四娘道："难道他就是那个养狗的人？难道跟连城璧约会的就是他？"

萧十一郎道："我希望是他。"

风四娘道："为什么？"

萧十一郎道："因为应该算清的账，迟早总是要算的，能一次算清岂非更好？"

——这笔账真的能一次算清？

——这么多恩怨纠缠，情仇交结，一次怎么能算得清？

——也许只有一种法子能算得清。

——一个人若是死了，就再也不欠别人的，别人也不再欠他。

风四娘看着他，忽然发觉自己也在流着冷汗，因为她心里忽然也有了和萧十一郎同样的恐惧。

生命是美丽的。

春天的花，秋天的树，早上的阳光，晚上的月色，风中的高歌，雨中的漫步……

这一切全都是美丽的。

可是等到不再有人能跟你分享这些事时，它就只会让你觉得更寂寞，更痛苦。

要用什么法子才能让萧十一郎振作起来?

萧十一郎忽然道:“今夜还不到十五，我们还可以大醉一场。”

风四娘道:“你想醉?”

萧十一郎道:“你陪不陪我?”

风四娘已站起来，道:“我去找酒。”

楼下就有酒，却已没有人。

所有的人都已走了，连这水月楼船上的伙伴和船娘也走了。

船在湖心，船上已只剩下他们两个人，这里已成了他们两个人的世界。

可是这世界为什么如此残酷?

能和萧十一郎单独相处，本是风四娘最大的愿望，最大的快乐。

可是现在她心里却有种令她连脚尖都冷透的恐惧。

难道所有的人都已背弃了他们?难道他们已只有仇敌，没有朋友?

能帮助他们的人的确已不多。

风四娘轻轻吐出口气，提起精神，找了缸最陈的酒。

——不管怎么样，我们总算还在一起。

——我们就算死，好歹也死在一起。

于是她大步走上了楼。

又是一天过去，又是夜深时候。

酒缸子摆在桌上，萧十一郎和风四娘面对面地坐着，两个人虽然都没有提起沈璧君，可是心里却都有个抹也抹不去、忘也忘不了的影子。

这影子就像是一道看不见的高墙，把他们两个人隔开了。

风四娘只觉得自己和萧十一郎之间的距离，仿佛比他们刚认识的时候还疏远。

萧十一郎忽然道："我们认识好像已有十多年了。"

风四娘道："十六年。"

她嘴里发苦，心里也是苦的——十六年，人生中又有几个十六年？

萧十一郎道："这些年来，我们相见的时候虽不多，可是我知道你比谁都了解我。"

风四娘默默地点了点头。

萧十一郎道："所以你也该原谅我。"

风四娘道："原谅你？"

萧十一郎道："我这一生中所做的错事太多，本不该要人原谅的。"

风四娘道："每个人都难免有错。"

萧十一郎道："无论谁做错了事，都得付出代价。"

风四娘用力握紧了自己的手，道："你想付出什么代价？死？"

萧十一郎沉默着，过了很久，才缓缓道："生有何欢，死有何惧？"

风四娘打断了他的话，道："所以你想死，所以你要我原谅你，因为你自己也知道，你若死了，就更对不起我。"

萧十一郎也用力握紧了自己的手，黯然道："我若不死，又怎么能对得起她？"他不让风四娘开口，接着又道，"这世上若是没有我这么样一个人，她一定会快快活活地活下去，可是现在……"

风四娘忽然站起来，道："下面还有酒，我再去找一缸，我还想喝。”

她并不是真的想醉，只不过不愿听他再说下去，她毕竟只是个女人。

楼下的灯光早已灭了，楼梯窄而黑暗，她一步步走下去，只觉得心里飘飘忽忽，整个人都仿佛变成了空的。

月光从窗外照进来，月色如此温柔，她走下楼，抬起头，忽然发现有个人动也不动地坐在黑暗里。

“什么人？”

黑暗中的人既没有动，也没有开口。

风四娘也没有再问，她已看清了这个人——一件破旧的青布长衫，一个平板的白布面具。

那神秘的青衣人又来了，这次来的当然绝不会是史秋山。

风四娘道：“你究竟是谁？”

青衣人还是没有动，没有开口，在黑暗中看来，就像是个枉死的鬼魂，又回来向人索命。

风四娘长长吸了口气，冷笑道：“不管你是人是鬼，这次你既然又来了，就得让我看看你的脸，否则你就算是鬼，也休想跑得了。”

她的眼睛发着光，她已快醉了。

风四娘已经快醉了的时候，若是想做一件事，天上地下所有的人和鬼加起来，也休想拦得住她。

她忽然冲过去，掀起了这人的面具。

这人还是没有动，月光恰巧照在他脸上。

风四娘怔住，又长长吐出口气，道：“连城璧，果然是你。”

连城璧苍白的脸上全无血色，眼睛里却布满了血丝，竟像是也曾流过泪。

风四娘冷笑道："一向自命不凡的无垢公子，几时也变得不敢见人了？"

连城璧冷冷地看着她，一张脸还是像戴着个面具一样。

这种没有表情的表情，有时就是种最悲伤的表情。

——他和沈璧君，岂非本是对人人都羡慕的少年侠侣？

——这世上若没有萧十一郎，他岂非也可以快快活活地活下去？

想起了他的遭遇，风四娘的心又软了，忍不住叹息道："你若也想喝杯酒，就不妨跟我上去，你记不记得我们以前也曾在一起喝过酒的？我们三个人。"

连城璧当然记得，那些事本就是谁都忘不了的。

他看着风四娘，不禁也长长叹息，就在他的叹息声中，风四娘忽然看见一只手伸了过来。

一只很白、很秀气的手，手腕纤秀，手指柔细。

可是风四娘看见了这只手，一颗心却已沉了下去，她已认出了这是谁的。

就在这时，这只纤美柔白的手，已闪电般拧住了她的臂。

只听一个人在她身后带着笑道："你记不记得我们以前也曾在一起喝过酒的？只有我们两个人。"

他的笑声也很温柔，他的手却已变得像副铁打的手铐。

花如玉，风四娘用不着回头去看，就知道这个人一定是花如玉。

她宁愿被毒蛇缠住，也不愿让这个人碰她一根手指。

花如玉的另一只手，却偏偏又搂住了她的腰，微笑道："你记不记得我们喝的还是洞房花烛酒？"

风四娘没有开口，她想大叫，想呕吐，想一脚把这个人活活踢死，可惜她却只能乖乖地站着。

她全身都已不能动，全身都已冷透，幸好这时她已看见了萧十一郎。

萧十一郎就站在楼梯上，脸色甚至比连城璧更苍白，冷冷道：“放开她！”

花如玉眨了眨眼睛，故意问道：“你是她的什么人？凭什么要我放开她？”

萧十一郎道：“放开她！”

花如玉道：“你知不知道我是她的什么人？知不知道我们已拜过天地，入过洞房？”

萧十一郎的手握紧刀柄。

刀是割鹿刀，手是萧十一郎的手，无论谁看见这只手握住了这柄刀，都一定再也笑不出的。

花如玉却笑了，而且笑得很愉快，道：“我认得这把刀，这是把杀人的刀。”

萧十一郎并不否认。

花如玉又笑道：“只可惜这把刀若出鞘，第一个死的绝不是我，是她！”

萧十一郎的手握得更紧，但却已拔不出这把刀。

他知道花如玉说的不是假话。

花如玉悠然道：“我还可以保证，第二个死的人也绝不是我，是你！”

萧十一郎道：“哦？”

花如玉道：“所以你就算想用你的一条命，换她一条命，我也不会答应，因为你已死定了。”

萧十一郎的瞳孔在收缩，他已发觉黑暗中又出现了两个人，手里拿着三件寒光闪闪的外门兵器。

一柄带着长链的钩镰刀，一对纯银打成的狼牙棒。

这两种兵刃一种轻柔，一种极刚，江湖中能使用的人已不多。

只要是能使用这种兵刃的人，就无疑是一等一的高手。

萧十一郎的心也在往下沉。

他知道自己的确已没法子能救得了风四娘。

风四娘大声道："我用不着你陪我死，我既然已死定了，你还不快走？"

萧十一郎看着她，眼睛里带着种很奇怪的表情，也不知是愤怒，是留恋，还是悲伤。

花如玉又笑道："你不该要他走的。"

风四娘道："为什么？"

花如玉道："因为你本该知道，这世上只有断头的萧十一郎，绝没有逃走的萧十一郎。"

风四娘咬着牙，道："那么你最好就赶快杀了我。"

花如玉道："你不想看着他死？"

风四娘恨恨道："我只不过不想看着他死在你这种卑鄙无耻的小人手上。"

花如玉又笑了，道："我若一定要你看着他死，你又能怎么样？"

他挥了挥手，狼牙棒和钩镰刀的寒光已开始闪动。

萧十一郎的刀却还未出鞘。

花如玉微笑道："我绝不会让你先死的，因为只要你活着，他就绝不敢拔出他的刀。"他微笑着，转向萧十一郎道，"因为只要你的刀一出鞘，你就得看着她死了，我保证一定死得很惨。"

萧十一郎拔刀之快，世上并没有第二个人比得上，可是现在，他只觉得手里的这柄刀，比泰山还重。

连城璧一直冷冷地看着他，忽然道："解下你的刀，我就放开她。”

萧十一郎连一句话都没有再问，也没有再考虑，就已解下了他的刀。

这柄刀是割鹿刀，是他用生命血泪换来的。

可是现在他随随便便就将这柄刀抛在地上。

只要能救风四娘，他连头颅都可以抛下，何况一把刀?

花如玉忽然大笑，道：“现在她更死定了，你也死定了。”

割鹿刀是把杀人如割草的快刀。

萧十一郎的手是挥刀如闪电的快手。

世上绝没有任何一把刀的锋利，能比得上割鹿刀。

世上也绝没有任何一个人的手，能使得出萧十一郎那么可怕的刀法。

他虽然不能拔刀，不敢拔刀，可是只要刀还在他手里，就绝没有人敢轻举妄动。

现在这把刀却已被他随随便便地抛在地上。

看着这把刀，风四娘的泪已流下。

直到现在，她才真正明白，为了她，萧十一郎也同样不惜牺牲一切的。

他可以为沈璧君死，也可以为她死。

他对她们的感情，表面上看来虽不同，其实却同样像火焰在燃烧着。

被燃烧的是他自己。

她流着泪，看着萧十一郎，心里又甜又苦，又喜又悲，终于忍不住放声痛哭，道：“你真是个呆子，不折不扣的呆子，你为什么总是为了别人做这种傻事？”

萧十一郎淡淡道："我不是呆子，你是风四娘。"

这只不过是简简单单十个字，又有谁知道，这十个字中包含着多少情感，多少往事？

那些既甜蜜又辛酸，既痛苦又愉快的往事……

风四娘心已碎了。

连城璧慢慢地站起，慢慢地走过来，拾起了地上的刀，忽然闪电般拔刀。

他拔刀的刀法，居然也快得惊人。

刀光一闪，又入鞘，桌上的金樽竟已被一刀削成两截。

琥珀色的酒，鲜血般涌出。

连城璧轻轻抚着刀鞘，眼睛里已发出了光，喃喃道："好刀，好快的刀。"

花如玉眼睛也在发光，道："刀若不快，又怎么能割下萧十一郎的头颅？"

萧十一郎现在岂非已如中原之鹿，已引来天下英雄共逐？

——群雄逐鹿，唯胜者得鹿而割之。

连城璧仰面长叹，道："想不到这把刀总算也到了我手里。"

花如玉笑道："我却早已算出来，这把刀迟早总是你的。"

连城璧忽然道："放开她。"

花如玉脸上的笑容立刻僵住，道："你……你真的要我放开她？"

连城璧冷冷道："你难道也把我当作了言而无信的人？"

花如玉道："可是你……"

连城璧道："我说出的话，从无反悔，可是我又说过，只要他解下刀，我就放开风四娘。"

花如玉眼睛又亮了，问道："你并没有说，放开她之后，就让她走。"

连城璧淡淡道："我没有。"

花如玉道："你也没有说，不用这把刀杀她。"

连城璧道："也没有。"

花如玉又笑了，大笑着松开手，道："我先放开她，你再杀了她，好……"

他的笑声突然停顿。

就在这时，刀光一闪，一条手臂血淋淋地掉了下来。

笑声突然变成了惨呼。

这条手臂并不是风四娘的，而是他的。

连城璧冷冷道："我也没有说过不杀你。"

花如玉厉声道："你杀了我，你会后悔的。"

这句话他还没有说完，刀光又一闪，他的人就倒了下去。

他死也想不到连城璧会真的杀了他。

无论谁都想不到。

月色依旧，夜色依旧。

风中却已充满了血腥气——血本是最纯洁，最可贵的，为什么会有这种可怕的腥味？

风四娘只觉得胃部不停地抽搐，几乎已忍不住要呕。

无论多尊贵美丽的人，若是死在刀下，都一样会变得卑贱丑陋。

她从来也不忍去看死人，可是现在又忍不住要去看。

因为她直到现在，还不能相信花如玉真的死了。

看着蜷伏在血泊中的尸体，她几乎还不能相信这个人，就是那赤练蛇般狡猾毒辣的花如玉。

——原来他的血也是红的。

——原来刀砍在他脖子上时，他也一样会死，而且死得也很快。

风四娘终于吐出口气，忽然发现冷汗已湿透了重衣。

第三十章

一不做二不休

月光照在连城璧手里的刀上，刀光仍然晶莹明亮，宛如一泓秋水，刀上没有血，连城璧苍白的脸上也没有血色，他轻抚着手里的刀锋，忽又长长叹息，道："果然是天下无双的利器，果然名下无虚。"

萧十一郎看着他，眼睛里又露出种很奇怪的表情，却没有开口，别的人当然更不会开口，船舱中只听得见急促的呼吸声，狼牙棒已垂下，钩镰刀已无光，两个人已准备慢慢地溜了。

连城璧忽然招了招手，道："何平兄，请过来说话。"

"钩镰刀"迟疑着，终于走过来，勉强笑道："公子有何吩咐？"

连城璧道："我只不过想请教一件事。"

何平松了口气，道："不敢。"

连城璧道："你知不知道我为什么要杀花如玉？"

何平立刻摇头。

他并不是笨蛋，"知道得太多的人，总是活不长的"，这道理他当然也懂。

连城璧道："你真的不知道？"

何平道："真的不知道。"

连城璧叹了口气，道："连这种事都不知道，你这人活着还有什么意思？"

何平的脸色变了，突然凌空翻身，一柄月牙形的钩镰刀已从半空中急削下来，他这柄钩镰刀本是东海秘传，招式奇诡，出手也快，的确可算是江湖中的一流高手。这一刀削下来，寒光闪动，刀风呼啸，以攻为守，先隔断了自己的退路。

只可惜他还是隔不断割鹿刀，“叮”的一声，钩镰刀已落地，刀光再一闪，鲜血飞溅而出。

何平的人也突然从半空中掉下来，正落在自己的血泊中。

连城璧一刀出手，就连看也不再看他一眼，转过头道：“郑刚兄，我也有件事想请教。”

郑刚手里紧握着他的纯银狼牙棒，道：“你说，我听得见。”

他当然不肯过来，想不到连城璧却走了过去，他退了两步，退无可退，忽然大声道：“我跟姓花的素无来往，你就是再砍他十刀，我也不会多说一句话。”

连城璧淡淡道：“我只不过问你，你知不知道我为什么要杀他？”

郑刚立刻点头，他也不笨，当然绝不会再说“不知道”。

连城璧道：“你知道我是为了什么？”

郑刚道：“我们本是来杀萧十一郎的，可是你却忽然改变了主意。”

连城璧道：“说下去！”

郑刚脸上阵青阵红，终于鼓起勇气，接着道：“临阵变节，本是‘天宗’大忌，你怕他泄露这秘密，就索性杀了他灭口。”

连城璧又叹了口气，道：“你连这种事都知道，我怎么能让你活下去？”

郑刚脸色也变了，忽然怒吼一声，左手狼牙棒“横扫千军”，右手狼牙棒“泰山压顶”，兵器带着风声双双击出，他这对纯银牙棒净重七十三斤，招式刚猛，威不可当，可惜他慢了一步，雪亮的刀锋，已像是道闪电打在他身上。

——你知不知道闪电的力量和速度?

刀上还是没有血。

连城璧凝视着刀锋，目光中充满赞赏与爱惜，喃喃说道："果然天下无双的利器，果然名下无虚。"

他把这句话又说了一遍，声音里也充满了赞赏与爱惜。

风四娘忽然道："一别经年，你的出手好像一点也没有慢。"

连城璧道："这把刀也没有钝。"

风四娘道："我只知道你的剑法很高，想不到你也会用刀。"

连城璧道："刀剑都是杀人的利器，我会杀人。"

风四娘勉强笑了笑，道："会用刀的人，若是有了这么样一把刀，肯不肯再还给别人？"

连城璧道："不肯。"

他又将刀锋轻抚了一遍，突然挥了挥手，手里的刀就飞了出去。

刀光如虹，飞向萧十一郎，在前面的却不是刀锋，是刀柄。

连城璧淡淡道："我也绝不肯将这把刀还给别人，我只肯还给他。"

风四娘的眼睛也亮了，瞪着眼道："为什么？"

连城璧道："因为他是萧十一郎。"

风四娘道："只有萧十一郎才配用这把刀？"

连城璧慢慢地点了点头，道："不管他这人是善是恶，普天之下，的确只有他才配用这把刀。"

风四娘道："这把刀若不是刀，而是剑呢？"

连城璧嘴角忽然露出种奇特的微笑，缓缓道："这把刀若是剑，这柄剑就是我的。"

他的声音冷淡缓慢，却充满了骄傲和自信。

多年前他就已有了这种自信，他知道自己必将成为天下无双的剑客。

风四娘看着他，轻轻叹了口气，道："看来你的人也没有变。"

萧十一郎已接过他的刀，轻抚着刀锋，道："有些人就像是这把刀一样，这把刀永不会钝，这种人也永不会变。"他忽然转过头，凝视着连城璧，又道，"我记得你以前也喝酒的？"

连城璧道："你没有记错。"

萧十一郎道："现在呢？"

连城璧也抬起头，凝视着他，过了很久，才缓缓道："你说过，有种人是永远不变的，喝酒的人就通常都是这种人。"

萧十一郎道："你是不是这种人？"

连城璧道："是。"

一缸酒摆在桌上，他们三个人面对面地坐着。

现在他们之间虽然多了一个人，风四娘却觉得自己和萧十一郎的距离又变得近了些。

因为他们都已感觉到，这个人身上仿佛有种奇特的压力。

一种看也看不见、摸也摸不到的压力，就像是一柄出鞘的剑。

他们以前也曾在"红樱绿柳"身上感觉过这种同样的压力。

现在连城璧给他们的压力，竟似比那时更强烈。

风四娘已不知不觉间，靠近了萧十一郎，直到现在，她才发现连城璧这个人比她想象中更奇特，更不可捉摸。

她忍不住问道："你本来真的是要来杀我们的？"

连城璧道："这本是个很周密的计划，我们已计划了很久。"

风四娘道："可是你却忽然改变了主意。"

连城璧道："我的人虽然不会变，主意却常常会变。"

风四娘道："这次你为什么会变？"

连城璧道："因为我听见了你们刚才在这里说的话。"

风四娘道："你全都听见了。"

连城璧道："我听得很清楚，所以我才能了解他是个什么样的人。"

风四娘道："你真的已了解？"

连城璧道："至少我已明白，他并不是别人想象中那种冷酷无情的人，他虽然毁了我们，可是他心里却可能比我们更痛苦。"

风四娘黯然道："只可惜他的痛苦从来也没有人了解，更没有人同情。"

连城璧沉默着，过了很久，才缓缓道："快乐虽有很多种，真正的痛苦，却是同样的，你若也尝受过真正的痛苦，就一定能了解别人的痛苦。"

风四娘道："也只有真正尝过痛苦滋味的人，才能了解别人的痛苦。"

连城璧道："我了解，我很久以前就已了解……"

他的目光凝视着远方，远方夜色朦胧，他的眼睛里也已一片迷蒙。

是月光迷漫了他的眼睛，还是泪光？

看着他的眼睛，风四娘忽然发现，他和萧十一郎所忍受的痛苦，的确是同样深邃，同样强烈的。

连城璧又道："就因为我了解这种痛苦的可怕，所以才不愿看着大家再为这件事痛苦下去。"

风四娘道："真的？"

连城璧笑了笑，笑容却使得他神情看来更悲伤凄凉。

他黯然低语，道："该走的，迟早总是要走了。现在她已走了，已去到她自己想去的地方，也已将所有的恩怨仇恨都带走了。这既然是她的意思，我们为什么不能把心里的仇恨忘记？”

风四娘轻轻叹息，凄然道：“不错，她的确已将所有的仇恨带走了，我现在才明白她的意思，我一直都误会了她。”

她不敢去看萧十一郎，也不忍去看。

她自己也已热泪盈眶。

连城璧道：“该走的已走了，该结束的也已将结束，我又何必再制造新的仇恨？”

风四娘道：“所以你才会改变了主意？”

连城璧又笑了笑，道：“何况我也知道每个人都难免会做错事的，一个人若能为自己做错了的事而痛苦，岂非就已等于付出了代价。”

风四娘看着他，就好像从来也没有看见过这个人一样。

也许她的确直到现在才真正看清了他。

她忽然问道：“你也做错过事？”

连城璧道：“我也是人。”

风四娘道：“你也已知道你本不该投入天宗的？”

连城璧道：“这件事我并没有错。”

风四娘道：“没错？”

连城璧道：“我入天宗，只有一个目的。”

风四娘道：“什么目的？”

连城璧道：“揭发他们的阴谋，彻底毁灭他们的组织。”他握紧双拳，接着道，“我故意装作消沉落拓，并不是为了要骗你们，你现在想必已明白我为的是什么。”

风四娘道：“我一点也不明白。”

连城璧喝了杯酒，忽然问道：“你知不知道连城璧是什么样的人？”

风四娘也喝了杯酒，才回答：“是个很冷静，很精明，也很自负的人。”

连城璧道：“像这么样一个人，若是突然要投入天宗，你会怎么想？”

风四娘道：“我会想他一定别有用心。”

连城璧道：“所以你若是天宗的宗主，就算让他入了天宗，也一样会对他分外提防的。”

风四娘道：“不错。”

连城璧道：“可是一个消沉落拓的酒鬼，就不同了。”

风四娘道：“但我却还是不懂，你为什么要对付天宗？为什么要如此委屈自己？”

连城璧目光又在凝视远方，又过了很久，才徐徐道：“自从我的远祖云村公赤手空拳，创建了无垢山庄，到如今已三百年，这三百年来，无垢山庄的子弟，无论在何时何地，都同样受人尊敬。”

风四娘默默地为他斟了杯酒，等着他说下去。

连城璧道：“我的玄祖天峰公，为了替江湖武林同盟争一点公道，独上天山，找当时威震天下的天山七剑恶战三昼夜，负伤二十九处，却终于还是逼着天山七剑同下江南，负荆请罪。”他举杯一饮而尽，苍白的脸上已现出红晕，接着道，“五十年前，魔教南侵，与江南水霸勾结，组成七十二帮黑道联盟。先祖父奋袂而起，身经大小八十战，战无不胜，江南武林才总算没有遭受到他们的荼毒，有很多人家至今还供着他老人家的长生禄位。”

风四娘也不禁举杯一饮而尽。

听到了这些武林前辈的英雄事迹，她总是会变得像孩子一样兴奋激动。

连城璧也显然很激动，大声道：“我也是连家的子孙，我绝不能让无垢山庄的威名毁在我手上，也绝不能眼看着天宗的阴谋得逞。”

风四娘再次举杯，道：“就凭这句话，我已该敬你三杯。”

连城璧居然真的喝了三杯，忽又长叹道：“只可惜直到现在，我还不知道天宗的宗主究竟是谁。”

风四娘怔了怔，道：“你还不知道？”

连城璧摇摇头。

风四娘道：“难道他在你面前，也从来没有露出过真面目？”

连城璧道：“没有。”

风四娘道：“难道他还不信任你？”

连城璧长叹道：“他从来也没有信任过任何人，这世上唯一能见到他真面目的，也许只有他养的那条狗了。”

风四娘笑了，苦笑。

就在这时，远处忽然传来了两三声犬吠。

连城璧脸色变了变，冷笑道：“我就知道他一定会来的。”

风四娘道：“他虽然养了条狗，养狗的人却未必一定就是他。”

连城璧道：“一定是他。”

风四娘道：“你们约的岂非是月圆之夜？”

连城璧道：“今夜的月就已圆了。”

风四娘抬头望出去，一轮冰盘般的圆月，正高挂在窗外。

风中又传来两声犬吠，距离已近了些，仿佛已到了窗外。

风四娘也紧张了起来，压低声音道：“他知道你在这里？”

连城璧道：“但他却不知道我已改变了主意。”

风四娘道：“现在他一定以为萧十一郎已死在你手里。”

连城璧道：“所以他一定要来看看。”

风四娘道：“看什么？”

连城璧道：“看萧十一郎的人头。”

风四娘苦笑道："难道他一定要亲眼看见萧十一郎的人头落地？"

连城璧道："他自己也说过，只要萧十一郎还活着，他就食不知味，寝难安枕。"

风四娘眼珠子转了转，又问道："这件事你们已计划了多久？"

连城璧道："已有半个月了。"

风四娘道："半个月前，你们怎么知道萧十一郎会到这水月楼来？"

连城璧淡淡道："无论谁身边，都难免有人会走漏消息，将他的行迹泄露出来。"

风四娘道："你认为是谁泄露了他的行踪？"

连城璧道："不知道。"

风四娘沉吟着，道："半个月之前，也许连萧十一郎都不知道他会到水月楼来。"

连城璧道："一定有个人知道的，否则我们又怎会把约会定在这里？"

风四娘不说话了，她忽然想起件很可怕的事。

——萧十一郎的西湖之行，岂非是冰冰安排的？

——难道冰冰会把他的行迹泄露出去？

在他还没有到西湖来的时候，岂非只有冰冰知道他一定会来？

因为她知道自己无论要到什么地方去，萧十一郎绝不会反对。

风四娘只觉得手脚冰冷，忍不住偷偷瞟了萧十一郎一眼。

萧十一郎脸上却完全没有表情，就像是根本没有听见他们在说什么。

连城璧忽然又道："天宗组织之严密，天下无双，可是天宗里却也难免有叛徒存在。"

风四娘立刻问道："你知道那些叛徒是些什么人？"

连城璧道："都是些死人。"

风四娘怔了怔，道："死人？"

连城璧道："据我所知，天宗的叛徒，现在几乎都已死得干干净净。"

风四娘道："是谁杀了他们？"

连城璧道："萧十一郎！"

萧十一郎居然会替天宗清理门户，这岂非是件很可笑的事？

风四娘却觉得很可怕，愈想愈可怕，幸好这时她已不能再想下去。

湖上又传来了两声犬吠，一叶扁舟，在月下慢慢地荡了过来。

舟上有一条狗，三个人，一个头戴草帽的渔翁把舵摇橹，一个青衣垂髫的童子肃立船首，手里挑着盏白纸灯笼，灯笼下坐着个黑衣人，一张脸在灯下闪闪地发着光，一双手也在发着光，手里却抱着一条狗。

天宗的宗主终于出现了。"他脸上怎么会发亮的？"

"他脸上戴着个面具，手上也戴着双手套，也不知是用什么皮做成的，一到了灯下就会闪闪生光。"

"他总是坐在灯下。"

"不错。"

连城璧压低声音，道："所以你只要多看他两眼，你的眼睛就会花了。"

风四娘没有再问，一颗心跳得几乎已比平时快了两倍。

她只希望这个人快点上船来，她发誓一定要亲手揭下他的面具，看看他究竟是谁。

谁知这条小船远远地就停了下来，黑衣人怀里的小狗忽然跳到船头，对着月亮，"汪、汪、汪"地叫了几声，湖上立刻又响起了一片犬吠声，又有三条小船远远地荡了过来。

每条船上都有一条狗，三个人。

第三十一章

月圆之约

轻舟在水上飘荡，全都远远地停下，四条狗的形状毛色完全一模一样，四个人的装束打扮也完全一模一样。

白纸灯笼下，四个人的脸全都在闪闪地发光，看来实在是说不出的诡秘恐怖。

风四娘已怔住。

她回头去看连城璧，连城璧的表情也差不多，显然也觉得很惊讶。

船首上的小狗已跳回黑衣人的怀里，提灯的青衣童子忽然高呼："连公子在哪里？请过来相见。"

四个人同时开口，同时闭口，说的话也完全一字不差。

风四娘声音更低，道："你过不过去？"

连城璧摇摇头。

风四娘道："为什么？"

连城璧道："我一去就必死无疑。"

风四娘不懂。

连城璧道："这四人中只有一个是真的天宗主人。"

风四娘道："你也分不出他们的真假？"

连城璧摇摇头，道："所以我不能过去，我根本不知道应该上哪条船。”

风四娘道：“难道你上错了船就非死不可？”

连城璧道：“这约会是花如玉定的，他们之间一定已约好了见面的法子。”

风四娘道：“花如玉没有告诉你？”

连城璧道：“没有。”

风四娘轻轻叹息，道：“难怪他临死前还说，你若杀了他，必定会后悔。”

忽然间，四条小舟中居然有一条向水月楼这边荡了过来。

风四娘精神一振，道：“世上有很多事都是这样子的，你若坚持不肯过去，他就只好过来了。”

连城璧道：“你知道来的人是真是假？”

风四娘道：“不管他是真是假，我们都不妨先到灯下去等着他。”

轻舟慢慢地荡了过来，终于停在水月楼船的栏杆下。

黑衣人刚站起来，他怀里的小狗已跳上船头，“汪、汪、汪”地叫着，奔入了船舱。

船舱里一片黑暗，这条狗一奔进来，就蹿到花如玉的尸体上，叫的声音忽然变得凄厉而悲伤。

他活着时从未给人快乐，所以他死了后，为他伤心的也只有这条狗。

风四娘忽然又觉得要呕吐。

她勉强忍住，舱外的脚步声已渐渐近了，就像是风吹过落叶。

忽然间，门外出现了一张发光的脸。

风四娘正想扑过去，已有两条人影同时从她身后蹿出。

就连她都从来也没有见过动作这么快的人，她忽然发现连城璧身手之矫健，反应之快，竟似已不在萧十一郎之下。

刚走入船舱的黑衣人显然也吃了一惊，刚想退出去，肋骨下的软骨上已被人重重地打了一拳，打得他满嘴苦水。

他想放声大叫，另一只拳头已迎上了他的脸。

他眼前立刻出现了满天金星，身子斜斜地冲出两步，终于倒了下去，倒在风四娘脚下。

风四娘刚才憋住的一口气才吐出来，这人就已倒下。

他的脚步很轻，轻功显然不弱，动作和反应也很快，事实上，他的确也是武林中的一等高手。

只可惜他遇见了天下最可怕的对手。

天下绝没有任何人能挡得住连城璧和萧十一郎的联手一击。

何况，他们这一击势在必得，两个人都已使出了全力。

两个人在黑暗中对望了一眼，眼睛里都带着种很奇怪的表情，也不知是在互相警惕，还是惺惺相惜。

连城璧轻轻吐出口气，道："这人绝不是天孙。"

萧十一郎道："哦？"

连城璧道："我见过他出手，以他的武功，我们纵然全力而击，三十招内也胜不了他。"

萧十一郎沉默了。

他想不出世上有谁能挡得住他们三十招。

风四娘已俯下身，伸出手在这人身上摸了摸，忽然失声道："这人已死了。"

连城璧道："他怎么会死？我的出手并不太重。"

萧十一郎道："我也想留下他的活口。"

风四娘道："看来他……他好像是被吓死的。"

一句话未说完，她又忍不住要呕吐。

船舱里不知何时已充满了一种无法形容的恶臭，臭气正是从这人身上发出来的。

那条小狗又蹿到他身上，不停地叫，突听舱外传来了两声惨呼，接着“扑通，扑通”，两声响。

风四娘赶出去，轻舟上的艄公和童子都已不见，轻舟旁溅起的水花刚落下，一盏白纸灯笼还漂浮在水波上。

水波中忽然冒出一缕鲜血。

再看远处的三条小船，都已掉转船头，向湖岸边荡了过去。

风四娘跺了跺脚，道：“他们一定已发现不对了，竟连这孩子一起杀了灭口。”

连城璧也叹了口气，道：“他们这一走，要想再查出他们的行踪，只怕已难如登天。”

萧十一郎道：“所以我们一定要追。”

风四娘道：“怎么追？”

萧十一郎道：“中间一条船走得很慢，你坐下面的这条船去盯住他。”

连城璧立刻道：“我追左边的一条。”

萧十一郎道：“只要追出了他们的下落，就立刻回来，千万不要轻举妄动。”

风四娘道：“你……你会在这里等我？”

萧十一郎道：“不管有没有消息，明天中午以前，我一定回来。”

风四娘抬起头，看着他，仿佛还想说什么，忽又转身跳下了栏杆旁的小船，拿起长篙一点，一滴眼泪忽然落在手上。

远远看过去，前面的三条轻舟，几乎都已消失在朦胧烟水中。

烟水朦胧。

夜已更深了，却不知距离天亮还有多久。

湖上的水波安静而温柔，夜色也同样温柔安静，除了远方的摇船橹声以外，天地间就再也听不见别的声音了。

前面的船也已看不见，左右两条船早已去得很远，中间的一条船也只剩下一点淡淡的影子。

风四娘用力摇着船，眼泪不停地在流。

她从来没有流过这么多眼泪，就连她自己也不知道为什么要流泪。

她只觉得说不出的孤独，说不出的恐惧。

这世界仿佛忽然就已变成空的，天地间仿佛已只剩下她一个人。

虽然她明知萧十一郎一定会在水月楼上等她，萧十一郎答应过的事，从来也没有让人失望过。

可是她心里却还是很害怕，仿佛这一去就永远再也见不到他了。

为什么会有这种想法？她自己也不知道。

她又想起了沈璧君，想起了沈璧君在临去时说的那些话："……只有你才是萧十一郎最好的伴侣，也只有你才能真正了解他……"

现在她这番心意，显然已被人辜负了。

她会不会怪他们？会不会生气？

在这凄迷的月夜里，她的幽灵是不是还留在这美丽的湖山间？会不会出现在风四娘眼前？

风四娘更用力去摇船，尽量不去想这些事，却又偏偏没法子不想。

她真希望沈璧君的鬼魂出现，指点她一条明路。

在人生的道路上，她几乎已完全迷失了方向。

在这粼粼的水波上，她已迷失了方向。

一阵风吹过来，她抬起头，才发现前面的小船，连那一点淡淡的影子都看不见了。

风中隐约还有摇橹声传过来，她正想追过去，忽然发现船下的水波在旋转。

漩涡中仿佛有股奇异的力量，在牵引着这条船，往另一个方向走。

这条船竟已完全不受她控制。

她本不是那种看见一只老鼠就会被吓得大叫起来的女人。

可是现在她却已几乎忍不住要大叫起来，只可惜她就算真的叫出来，也没有人听得见。

漩涡的力量，愈来愈大，又像是有只看不见的手，在拉着这条船。

她只有眼睁睁地坐在那里，看着这条船被拉入不可知的黑暗中。

她的手已软了。

忽然间，“砰”的一声响，小船的船头，撞在一根柱子上。

前面一座小楼，半向临水，用几根很粗的木柱支架在湖滨。

小楼上三面有窗，窗子里灯火昏黄。

既然有灯，就有人。

是什么人?

那股神秘的力量，为什么要把风四娘带到这里来?

风四娘连想都没有想，长篙在船头一点，用尽全身的力量，蹿了上去。

只要能离开这条见了鬼的船，她什么都不管了。

就算这小楼上有更可怕的妖魔在等着，她也不管了。

不管怎么样，能让两只脚平平稳稳地站在实地上，她就已心满意足。

冷水从鼻子里灌进去的滋味，她已尝过一次，她忽然发现无论怎么样死法，都比做淹死鬼好。

小楼后有个窄窄的阳台，栏杆上还摆着几盆盛开的菊花。

灯光从窗子里照出来，窗子都是关着的。

风四娘越过栏杆，跳上阳台，才算吐出口气。

小船还在水里打着转，突然“哗啦啦”一声响，一个人头从水里冒出来，竟是太湖中的第一条好汉“水豹”章横。

——原来这小子也是他们一路的。

风四娘咬了咬牙，忽然笑了：“我还以为是水鬼在找替身，想不到是你。”

章横也笑了，双手扶了扶船舷，人已一跃而上，站在船头，仰着脸笑道：“我也想不到大名鼎鼎的风四娘居然还记得我。”

风四娘嫣然道：“你知道我就是大名鼎鼎的风四娘？”

章横道：“我当然知道。”

风四娘眼珠子转了转，道：“这地方是你的家？”

章横笑道：“这是西湖，不是太湖，我只不过临时找了这屋子住着。”

风四娘道：“那么这就是你临时的家。”

章横道：“可以这么样说。”

风四娘道：“你把我带到你临时的家，是不是想要我做你临时的老婆？”

章横怔了怔，嘴里结结巴巴的，竟连话都说不清楚了。

他实在想不到风四娘会问出这么样一句话来。

风四娘却还在用眼角瞟着他，又问道：“你说是不是？”

章横擦了擦脸上的水珠，终于说出了一句：“我不是这意思。”

风四娘又笑了，笑得更甜：“不管你是什么意思，这地方总是你的家，你这做主人的为什么还不上来招呼客人？”

章横赶紧道：“我就上来。”

他先把小船系在柱子上，就壁虎般沿着柱子爬了上去。

风四娘就站在栏杆后面等着他，脸上的笑容比盛开的菊花更美。

看见了她这样的女人，这样的微笑，若有人还能不动心的，这个人就一定不是男人。

章横是个男人。

他不往上看，又忍不住要往上看。

风四娘嫣然道：“想不到你不但水性高，壁虎功也这么高。”

章横的人已有点晕了，仰起头笑道：“我只不过……”

一句话还没有说完，忽然有样黑黝黝的东西从半空中砸下来，正砸在他的头顶上。

这下子他真的晕了。

无论谁的脑袋，都不会有花盆硬的，何况风四娘手上已用了十分力。

“扑通”一声，章横先掉了下去，又是“扑通”一声，花盆也掉了下去。

风四娘拍了拍手上的土，冷笑道：“在水里我虽然是个旱鸭子，可是一到了岸上，我随时都能让你变成一个死鸭子。”

窗户里的灯还亮着，却听不见人声。

这地方既然是章横租来的，章横既然已经像是个死鸭子般掉在水里，小楼上当然就不会再有别的人。

虽然一定不会有别人，却说不定会有很多线索——关于天宗的线索。

章横当然也是天宗里的人，否则他为什么要在水下将风四娘船引开，不让她去追踪？

这就是风四娘在刚才一瞬间所下的判断，她对自己的判断觉得很满意。

门也很窄，外面并没有上锁。

风四娘刚想过去推门，门却忽然从里面开了，一个人站在门口，看着她，美丽的眼睛显得既悲伤，又疲倦，乌黑的长发披散在双肩，看来就像是秋水中的仙子，月夜里的幽灵。

“沈璧君。”风四娘叫了起来。

她做梦也没有想到，会在这里见到沈璧君。

沈璧君既不是仙子，也不是幽灵。

她还没有死，还是个有血有肉的人，活生生的人。

风四娘失声道：“你……你怎么会到这里来的？”

沈璧君没有回答这句话，转过身，走进屋子，屋里有床有椅，有桌有灯。

她选了个灯光最暗的角落坐下来，她不愿让风四娘看见她哭红了的眼睛。

风四娘也走了进来，盯着她的脸，好像还想再看清楚些，看看她究竟是人，还是冤魂未散的幽灵？

沈璧君终于勉强笑了笑，道：“我没有死。”

风四娘也勉强笑了笑，道：“我看得出。”

沈璧君道：“你是不是很奇怪？”

风四娘道：“我……我很高兴。”

她真的很高兴，她本就在心里暗暗期望会有奇迹出现，希望萧十一郎和沈璧君还有再见的一天。

现在奇迹果然出现了。

这怎么会出现的？

沈璧君轻轻叹了口气，道：“其实我自己也没有想到，居然会有人救了我。”

风四娘道：“是谁救了你？”

沈璧君道：“章横。”

风四娘几乎又要叫了起来：“章横？”

当然是章横，他在水底下的本事，就好像萧十一郎在陆地上一样，甚至有人说他随时都可以从水底下找到一根针。

找人当然比找针容易得多。

——难怪我们找来找去都找不到你，原来你已被那水鬼拖走了。

这句话风四娘并没有说出来，因为沈璧君已接着道：“我相信你一定也见过他的，昨天他也在水月楼上。”

风四娘苦笑道：“我见过他，第一个青衣人忽然失踪的时候，叫得最起劲的就是他。”

沈璧君道：“他的确是个很热心的人，先父在世的时候就认得他，还救过他一次，所以他一直都在找机会报恩。”

风四娘道：“他救你真的是为了报恩？”

沈璧君点点头，道：“他一直对那天发生在水月楼的事觉得怀疑，所以别人都走了后，他还想暗中回来查明究竟。”

风四娘道：“他回来的时候，就是你跳下水的时候？”

沈璧君道：“那时他已在水里待了很久，后来我才知道，一天之中，他总有几个时辰是泡在水里的，他觉得在水里远比在岸上还舒服。”

——他当然宁愿泡在水里，因为一上了岸，他就随时都可能变成个死鸭子。

这句话风四娘当然也没有说出来，她已发现沈璧君对这个人印象并不坏。

但她却还是忍不住问道："他救了你后，为什么不送你回去？"

沈璧君笑了笑，笑得很辛酸："回去？回到哪里去？水月楼又不是我的家。"

风四娘道："可是你……你难道真的不愿再见我们？"

沈璧君垂下头，过了很久，才轻声道："我知道你们一定在为我担心，我……我也在想念着你们，可是我却宁愿让你们认为我已死了，因为……"她悄悄地擦了擦眼泪，"因为这世界上若是少了我这么样一个人，你们反而会活得更好些。"

风四娘也垂下了头，心里却不知是什么滋味。

她不想跟沈璧君争辩，至少现在还不是争辩这问题的时候。

沈璧君道："可是章横还是怕你们担心，一定要去看看你们，他去了很久。"她叹息着将刚才的话又重复了一遍，"他实在是个很热心的人。"

风四娘更没法子开口了，现在她当然已明白自己错怪了章横。

沈璧君道："我刚才迷迷糊糊地睡了一下子，好像听见外面有很响的声音。"

风四娘道："嗯。"

沈璧君道："那是什么声音？"

风四娘的脸居然也红了，正不知该怎么说才好，外面已有人带着笑道："那是一只死鸭子被旱鸭子打得掉下水的声音。"

风四娘一向很少脸红，可是现在她的脸绝对比一只煮熟了的大虾更红。

因为章横已湿淋淋地走进来，身上虽然并没有少了什么东西，却多了一样。

多了个又红又肿的大包。

沈璧君皱眉道："你头上为什么会肿了一大块？"

章横苦笑道："也不为什么，只不过因为有人想比一比。"

沈璧君道："比什么？"

章横道："比一比是我的头硬，还是花盆硬。"

沈璧君看着他头上的大包，再看看风四娘脸上的表情，眼睛里居然也有了笑意。

她实在已很久很久未曾笑过。

风四娘忽然道："你猜猜究竟是花盆硬，还是他的头硬？"

沈璧君道："是花盆硬。"

风四娘道："若是花盆硬，为什么花盆会被他撞得少了一个角，他头上反而多了一个角？"

沈璧君终于笑了。

风四娘本来就是想要她笑笑，看着她脸上的笑容，风四娘心里也有说不出的愉快。

章横却忽然叹了口气，道："现在我总算明白了一件事。"

风四娘道："什么事？"

章横苦笑道："我现在总算才明白，江湖中为什么会有那么多人把你当作女妖怪。"

风四娘道："现在我却还有件事不明白。"

章横道："什么事？"

风四娘沉下了脸，道："你为什么不让我去追那条船？"

章横道："因为我不想看着你死在水里。"

风四娘道："难道我还应该谢谢你？"

章横道："你知不知道那船夫和那孩子是怎么死的？"

风四娘道："你知道？"

章横道："这暗器就是我从他们身上取出来的。"

他说的暗器是根三角形的钉子，比普通的钉子长些，细些，颜色乌黑，看来并不出色。

他刚从身上拿出来，风四娘就已失声道："三棱透骨针？"

章横道："我知道你一定能认得出的。"

风四娘道："就算我没吃过猪肉，至少总还看见过猪走路。"

江湖中不知道这种暗器的人实在不多。

据说天下的暗器，一共有一百七十多种，最可怕的却只有七种。

三棱透骨针就是这最可怕的七种暗器其中之一。

章横道："这种暗器通常都是用机簧发射，就算在水里，也能打出去三五丈远，我们在水底下最怕遇见的，就是这种暗器。"

风四娘道："我一向很少在水底下，我既不是水鬼，也不是鱼。"

章横道："若是在水面上，这种暗器远在七八丈外，也能取人的性命。"

风四娘道："身上带着这种暗器的人，就在我追的那条船上？"

章横点点头。

风四娘冷笑道："难道你以为我就怕了这种暗器？若连这几根钉子都躲不过，我还算什么女妖怪？"

她嘴里虽然一点都不领情，心里却也不禁在暗暗感激。

她实在没有把握能躲过这种暗器。

她也不想被这种暗器打下水里，再活活地淹死。

无论对什么人来说，淹死一次就已够多了，尝过那种滋味的人，绝不会还想再试第二次。

跳河也一样要有勇气的，跳一次河还活着的人，第二次就很难再鼓起勇气来。

所以沈璧君还活着。

她垂着头，坐在那幽暗的角落里，痴痴地看着自己的脚尖，也不知在想什么心事。

刚才的笑容，就好像满天阴霾中的一缕阳光，现在早已消失。

风四娘走过来，扶着她的肩，道："你为什么不问问我，他在哪里？"

沈璧君头垂得更低。

风四娘又道："这地方虽不错，你还是不能在这里待一辈子的，该走的迟早总是要走，你难道忘了这是谁说的话？"

沈璧君抬起头，看见了章横，又垂下头——女人的心里要说的话，总是不愿让男人听见的。

幸好章横还不是不知趣的男人，忽然道："你们饿不饿？"

风四娘立刻道："饿得要命。"

章横道："我去找点东西来给你们吃，随便换身衣服，来回一趟至少也得半个时辰。"

风四娘道："你慢慢地找，慢慢地换，我们一点也不急。"

章横笑了，摸着脑袋走了出去，还顺手替她们关上了门。

沈璧君这才抬起头，轻轻道："他……他在哪里？为什么没有跟你在一起？"

风四娘也叹了口气，正想说她心里的话，却听"砰"的一响，刚关上的门又被撞开。一个人从外面飞了进来，"咚"的一声，跌在桌子上，桌子碎裂。这个人又从桌上掉下来，躺在地上，两眼发直，竟是刚出去的章横。

非但还不到半个时辰，连半盏茶的工夫都不到，他居然就已回来了，他回来得倒真快。

一个人刚才还四平八稳地走出去，怎么会忽然间就凌空翻着跟斗飞了回来？

难道他竟是被人扔进来的?

水豹章横并不是个麻袋，要把他扔进来并不是件容易事。

风四娘忽然抢前两步，挡在沈璧君面前，其实她的武功并不比沈璧君高，可是她和沈璧君在一起时，总觉得自己是比较坚强的一个，总是要以保护者自居。

章横直勾勾地看着她，脸上带着种无法形容的表情，嘴角突然有鲜血涌出。

血竟不是红的，是黑的，黑也有很多种，有的黑得很美，有的黑得可怕。

风四娘失声道："你怎么样了？"

章横嘴闭得更紧，牙齿咬得吱吱发响，鲜血却还是不停地涌出来。

就连风四娘都从未见过一个人嘴里流出这么多血，死黑色的血。

沈璧君忽然道："你能不能张开嘴？"

章横挣扎，勉强摇了摇头。

风四娘道："为什么连嘴都张不开？"

章横想说话，却说不出，突然大吼一声，一样东西弹出来，"叮"地落在地上，赫然是一枚三棱透骨针。

风四娘的心沉了下去，慢慢地抬起头，就看见门外的黑夜中，果然有条黑黝黝的人影，一张脸都在月光下闪闪发着光。

章横想必是一出去就看见了这个人，刚想叫出来，三棱透骨针已打入他嘴里，打在他舌头上。

风四娘握紧双拳，只觉得嘴里又干又苦，章横的痛苦，竟似也感染到她。

黑衣人忽然道："你想不想救他的命？"

风四娘只有点点头。

黑衣人道："好，先割下他的舌头，再迟就来不及了。"

风四娘忍不住激灵灵打了个寒噤，她也知道要救章横的命，只有先割下他的舌头来，免得毒性蔓延。

可是她实在下不了手。

沈璧君忽然咬了咬牙，从章横腰畔抽出柄尖刀，一抬手，卸下了他的下颚。

章横惨呼一声，舌头伸出，就在这时，刀光一闪，半截乌黑的舌头随着刀锋落下，落在地上，发出了"笃"的一响，他的舌尖竟已僵硬，他的人已晕过去。

沈璧君慢慢地站起来，慢慢地将手中尖刀抛下，冷汗已流满她苍白美丽的脸。

风四娘吃惊地看着她，道："你……你竟能下得了手。"

沈璧君道："我不能不下手，因为我不能看着他死。"

风四娘沉默，她忽然发现她们两个人中真正比较软弱的一个人，也许并不是沈璧君。

有些人的外表虽柔弱，可是到了紧要关头，却往往会做出令人意料不到的事。

黑衣人一直在冷冷地看着她们，冷冷道："现在你们已可跟我走了。"

风四娘道："跟你走？你是什么人？"

黑衣人道："你应该知道我是什么人。"

风四娘道："你就是天孙？真的天孙？"

黑衣人道："无相天孙，身外化身，真即是假，假即是真。"

风四娘眼珠子转了转，忽然笑道："你知不知道我是谁？"

黑衣人道："风四娘。"

风四娘道："你既然知道我是谁，又看过我的脸，至少也该让我看看你。”

黑衣人道：“你迟早总看得到的。”

风四娘道：“你先让我看看，我才跟你走。”

黑衣人道：“否则呢？”

风四娘道：“你不肯答应我的事，我当然也不肯答应你。”

黑衣人道：“你真的不走？”

风四娘笑道：“你要我走，我就偏偏要坐在这里，看你怎么样？”

她居然真的坐下去，就好像孩子们在跟大人撒娇似的。

她用这法子对付过很多男人，每次都很有效，很少有男人会板起脸来对付一个正在撒娇的女孩子。

黑衣人却是例外，冷笑道：“你要看看我能把你怎么样？”

风四娘道：“嗯。”

黑衣人道：“好，你看着吧。”

他冷笑着走进来，一走进灯光中，他的脸亮得更可怕，一双手也亮得可怕。

无论谁只要多看他两眼，眼睛都一定会发光，你若连看都没法子看他，又怎么能跟他交手？

风四娘终于忍不住跳起来，大声道：“你敢对我无礼？”

黑衣人冷冷道：“我不但要对你无礼，而且还要很无礼。”

风四娘沉下了脸，道：“你们这四个真真假假的天孙中，刚才是不是有一个上了水月楼？”

黑衣人道：“嗯。”

风四娘道：“你知不知道他现在怎么样了？”

黑衣人道：“死了。”

风四娘道：“你知不知道他怎么死的？”

黑衣人摇摇头。

风四娘道："他是吓死的。"她冷笑着又道，"你看见过被吓死的人没有？我可以保证，一个人无论怎么样死法，都没有吓死的可怕。"

黑衣人道："哦？"

风四娘道："你知不知道他是怎么样被吓死的？"

黑衣人又摇摇头。

风四娘道："因为他做梦也想不到，竟连一招都招架不住，我们一出手，他就已倒下。"

她说得活灵活现，令人无法不信——风四娘不但会撒娇，吓人的本事也是蛮不错的。

只可惜她还是看不出黑衣人是不是已被她吓住，又问道："你的武功比他怎么样？"

黑衣人道："差不多。"

风四娘冷冷道："这里虽不是水月楼，可是你只要再往前走一步，我就要你立毙掌下。"

黑衣人道："真的？"

风四娘道："当然是真的。"

黑衣人道："只要我再往前一步，我就必死无疑？"

风四娘道："不错。"

黑衣人就向前走了一步。

风四娘只觉得胃里又在收缩，她知道现在已到了非出手不可的时候，她回头看了沈璧君，沈璧君也在看着她，两个人突然一起出手，向黑衣人扑了过去，她们并不是那种弱不禁风的女人。

事实上，她们的武功，在江湖中都可以算是一流的好手，这黑衣人的武功既然跟死在水月楼上的那个人差不多，那个人既然连萧十一郎和连城璧的一招都架不住，那么她们的机会也就不会太少。

风四娘只希望能在半招之内，先抢得先机，十招之内，将这人击倒。

她冲过去，双掌翻飞如蝴蝶，先以虚招诱出对方的破绽。

她武功走的本是昔年南海观音一路，招式繁复，变化奇诡，姿态也很美妙。

这一招“花雨缤纷，蝴蝶双飞”，正是她武功中的精招，虚中有实，实中有虚，虚虚实实，令人不可捉摸。谁知她一招刚出手，突然觉得自己眼前仿佛也有满天花雨缤纷，手腕忽然间已被捉住，一根冰冷坚硬的手指，已点在她后脑玉枕穴上。

她并没有立刻晕过去，在这一瞬间，她又想起了萧十一郎。

直到现在，她才知道自己的武功和萧十一郎距离有多么远。

他们两个人现在的距离岂非也同样遥远?

“萧十一郎，你在哪里？”她在大叫，却一点声音都没有叫出来。

满天缤纷的花雨已不见了，她的眼前已只有一片无边无际的黑暗。

西湖北岸有宝石山，宝石山巅有保俶塔，保俶塔下有来凤亭。

萧十一郎就在这里。

第三十二章

龙潭虎穴

一叶轻舟乘着满湖夜色，沿着苏堤向北，穿过西泠桥，泊在宝石山下。

这一段路程并不近，轻舟摇得并不慢，但萧十一郎却还是一路追了过去。

岸上早已有一顶软兜小轿在等着。

黑衣人弃舟登岸，就上了小轿，挑灯的童子紧随在轿后，船家长篙一点，轻舟又远远地飘了出去。

抬轿的两个人黑缎宽带扎腰，溜尖洒鞋，倒赶千层浪裹腿，头戴斗笠，却精赤着上身，露出了一身古铜色的肌肉。

山路虽难行，可是他们却如履平地。

轿子并不轻，可是在他们手里，却轻若无物。

萧十一郎忽然发现这两个轿夫的脚下功夫，已不在一些成名的江湖豪杰之下。

天宗里果然是藏龙卧虎，高手如云。

小轿沿着山路向上登临，月光正照在山巅的保俶塔上。

萧十一郎没有睡，没有吃，又划了将近一个时辰的水，本来已应该觉得很累。

就算是铁打的人，也应该有支持不住的时候。

萧十一郎没有。

他血液里仿佛总是有一股奇异的力量在支持着他，他自己若不愿倒下去，就没有人能让他倒下去。

在月下看来，娟娟独立在山巅的保俶塔，更显得秀丽天成，却偏偏是实心的，无路登临。

“钱王俶入朝，久留京师，百姓思念，建塔祈福。”

这就是保俶塔的来历。

塔前有亭翼然，亭子里仿佛有个朦胧人影，却偏偏又被水光下的塔影遮住，远远看过去，亭子里好像有个人，又好像没有。

赤膊大汉一路将小轿抬上来，月明星稀，天地无声。

夜虽更深，却已不长了。

萧十一郎也跟了上来，青衣童子手里挑着的这盏灯笼，就像是在为他带路的标志似的。

难道天宗在宝石山巅也有个秘密的分堂？

抬轿的大汉健步如飞，挑灯的童子居然也能紧随在后。

天地间还是静寂无声，可是童子手里的白纸灯笼，却忽然熄灭。

轿夫忍不住停身回头，只见青衣童子一双手还是将这已灭了的灯笼高高挑起，动也不动地站着。

黑衣人道：“看看是不是蜡烛燃尽了？”

语声尖细，竟像是女人的声音。

黑衣人又道：“快拿根蜡烛点起灯来。”

她一连说了两句话，青衣童子却连一点反应也没有，还是动也不动地站着。

后面的轿夫道：“这孩子莫非站在那里也能睡着？我去看看。”

两个人一起放下轿子，一个轿夫转身走到童子面前，伸手拍了拍他的肩，道：“你……”

这个字刚说出，声音突然停顿，就像是突然被人塞了样东西在嘴里。

挑灯的童子怔在那里，这轿夫似也怔住。

前面的轿夫道：“你们两个是怎么回事？难道都睡着了？”

童子没有反应，轿夫也没有反应，一双手还搭在童子肩上。

两个人全都动也不动地站着，就像是变成了两个木头人。

前面的轿夫摇了摇头，也走过来，刚走到他们两人面前，就像是忽然中了什么可怕的魔法一样，整个人也僵住。

三个人就像是全都被一种神秘的魔法变成了木头人，看来说不出的诡秘可怖。

萧十一郎远远地看来，也不禁觉得很诧异，很吃惊，就连他都没有看出这是怎么回事。

难道这山巅有个专门喜欢捉弄世人的魔神，总喜欢在这种凄迷的月夜里，将凡人变作呆子？

萧十一郎身上本就湿淋淋的，此刻竟不由自主打了个冷战。

黑衣人却还是端坐在轿上，纹风不动。

难道他中了魔法？

萧十一郎正忍不住想过去看看，黑衣人忽然冷冷道：“好！好手法，隔空点穴，米粒伤人，像这样的绝代高手，为什么躲着不敢见人？”

这次她说的话长了，听来更像是女人的声音，只不过故意压低了嗓子而已。

难道天宗的宗主竟是个女人？

她是在对谁说话？

突听来凤亭里一个人冷冷道：“我一直在这里，你看不见？”

一个人从黑暗中走入月光下，麻衣白袜，手里的白布幡在风中飞舞，隐约还可以看出上面有八个字。

上洞苍冥，下彻九幽。

这人赫然竟是那行踪诡秘、武功高绝的卖卜瞎子。

这瞎子怎么会忽然又在这里出现了？

难道他真的是那个已练成“九转还童、无相神功”的逍遥侯，天之子？

他为什么要在这里等着这黑衣人？

看见他忽然出现，黑衣人的身子也似已突然僵硬，过了很久，才吐出口气，道：“是你！”

瞎子冷冷道：“你还认得我？”

黑衣人终于走下轿子，背负着双手，走上来凤亭，才沉声道：“你也认得我？”

瞎子冷冷道：“我若不认得你，谁认得你？”

黑衣人叹了口气，道：“不错，你若不认得我，谁认得我？”

瞎子道：“现在我既已来了，你说应该怎么办？”

黑衣人道：“是你的，我就该还给你。”

瞎子道：“莫忘记连你这条命也是我的。”

黑衣人又叹道：“我没有忘，我也不会忘。”

瞎子道：“我一手创立了天宗，你……”

黑衣人忽然打断了他的话，道：“你怎么知道我在天宗？”

瞎子道：“除了你之外，还有谁知道天宗的秘密？”

黑衣人垂下了头，不再说话。

可是他们已经说了很多话，夜深人静，山高风冷，萧十一郎每句都听得很清楚。

每句话里，显然都隐藏着很多秘密。

极可怕的秘密。

萧十一郎愈听愈觉得可怕，只觉得心底发冷，一直冷到脚底。

黑衣人忽然又道："你……你真的一定要我死？"

瞎子道："我已死过一次，这次该轮到你了。"

黑衣人黯然道："我又何尝不是已死过一次，你又何必逼我……"

她突然出手，撒出了一片寒光，她的人围着这六角亭的柱子转了两转，竟忽然不见了。

瞎子凌空翻身，躲过了他的暗器，厉声道："你竟敢暗算我？你……"

亭子里已只剩下一个人，他却还在厉声呼喝，破口大骂，当然没有人响应。

一阵风吹过，瞎子突然闭口，终于发现黑衣人走了。

他孤零零地一个人站在黑暗中，显得又可怜，又可怕，忽又仰首狂笑，道："莫忘记天宗三十六处分堂都是我一手创立的，你还能逃到哪里去？"

笑声凄厉，他的人也围着柱子转了两转，也忽然不见了。

风更冷，星更稀。

轿夫和童子还是木头人般站在月光下，三个人的脸都已扭曲变形，眼珠凸出，张大了嘴，仿佛在呼喊却又听不见声音。

萧十一郎伸手拍了拍童子的肩，童子倒在一个轿夫身上，这轿夫又倒在另一个轿夫身上，三个人全都直挺挺地倒下去，全身早已冰冷僵硬，竟似先被人以毒针隔空点住穴道，就立刻毒发而死。

这种暗器手法的可怕，实在已令人不可思议。

那瞎子和黑衣人居然会凭空不见，更令人不可思议。

萧十一郎走上来凤亭，站在黑衣人刚才站着的地方，忽然大喝一声，反手拔刀。

刀光厉电般飞出，刀风呼啸飞过，“喀嚓”一声响，六角亭里的六根柱子，竟已砍断了三根。

亭子“哗啦啦”倒塌了半截，三根柱子中，果然有一根是空的，下面就是地道。

这机关地道建造得非常巧妙，若是不懂得其中巧妙，就算找三天三夜，也未必能找得出。

萧十一郎根本没有找，他用了种最简单、最直接的法子。

他用了他的刀。

天上地下，还有什么别的力量，能比得上萧十一郎的出手一刀？

地道里潮湿阴暗，阳光永远照不到这里，风也永远吹不到这里。

从月光如水的山巅突然走下来，就像是一步走入了坟墓，又像是一跤跌入了地狱。

萧十一郎走了下去。

只要能找出这秘密的答案，他宁愿下地狱。

沿着曲折的地道走进去，前面更黑暗，看不见一点光亮，也看不见一个人影，尽头处石壁峥嵘，用手抚摸一遍，仿佛可以分辨出是尊巨大的石佛。

人呢？

那黑衣人和瞎子难道已被躲在黑暗中的鬼魂妖魔吞噬？

萧十一郎闭起眼睛，深深呼吸，再睁开来，已可隐约辨出石佛的面目。

他本就有的发亮的眼睛，也可以看见很多别人看不见的事。

巨大的石佛好像也在头上面看着他，低首垂眉，神情肃然，也不知是在为他的冒渎而嗔怒，还是在为他的遭遇而悲苦。

——你若当真有灵，为什么不指点他一条明路？却只有呆子般坐在这里，任凭世人在你眼下为非作恶？

——世上岂非正有很多人都像这尊石佛一样，总是在袖手旁观，装聋作哑？

萧十一郎看着他，冷笑道：“看来你也只不过是块顽石而已，凭什么要我尊敬你？”

石佛还是安安静静地坐着。

他已不知在这里坐了多久，从来也没有任何人，任何事能破坏了他的安宁。

萧十一郎又握紧了刀：“这世上每个人的生命中都充满了灾祸和不幸，每个人都难免受苦受难，你为什么要例外？”

他心里忽然觉得有种不可遏制的悲愤，忍不住又拔出了他的刀。

他要用他的刀来砍尽天下的不幸。

刀光一闪，火星四溅，这一刀正砍在石佛宽大的胸膛上。

黑暗中忽然响起了一声轻微的呻吟。

地道里没有别的人，呻吟声难道是这石佛发出来的？

难道这块装聋作哑的顽石，终于也同样能感觉别人的痛苦？

萧十一郎拔起了他的刀，掌心已有了冷汗。

刀锋入石，拔出来就有了条裂痕。

萧十一郎刀出手，无论砍在什么地方，都同样会留下致命的伤口。

这伤口里流出来的却不是血，而是淡淡的金光。

又是一声呻吟。

呻吟声也正是从这伤口里传出来的。

萧十一郎眼睛里立刻也发出了光，再次挥刀，不停地挥刀。

碎石四下飞溅，光愈来愈亮了，照在石佛冷漠严肃的脸上，这张脸仿佛也忽然有了表情，看来就仿佛是在微笑。

他的胸膛虽然已碎裂，却终于为萧十一郎指点出一条明路。

他牺牲了自己，却照亮了别人，所以他本来纵然只不过是块顽石，现在也已变成了仙佛。

闪动的灯光在黑暗中看来，就像是黄金般辉煌。

这辉煌的金光正是从石佛碎裂的胸膛中发出来的，有灯的地方，就一定有人。

是什么人？

萧十一郎钻了进去，进入了这坟墓中的坟墓，地狱中的地狱。

灯在石壁上，人在金灯下。

灯光温暖柔和，人却在冰冷僵硬。

那瞎子的尸体蜷曲着，仿佛小了些，一柄银刀刺在他心中，刀锋已被他自己拔出来，还在流着血。

他的血也是鲜红的。

松开他的手指，拿起银刀，鲜血就在他掌心，慢慢地从掌纹间流过，流出一个鲜红的“天”字。

天之骄子，受命于天。

这瞎子果然就是逍遥侯哥舒天。

他没有死在杀人崖下的万丈绝谷中，却死在这阴暗的秘谷里。

他的另一只手，还紧紧握住黑衣人的手。

黑衣人的手也已僵硬，脸上的面具，却还在灯光下闪闪发光。

揭起这面具，就可以看见一张苍白美丽的脸，一双凸出的眼睛仿佛还在凝视着萧十一郎，眼睛里带着种谁也无法了解的表情，也不知是愤怒，是恐惧，还是悲伤？

冰冰！

天宗的第二代主人，竟然真的是冰冰。

发亮的面具跌落在地上，萧十一郎掌心已沁出了冷汗。

远比血更冷的冷汗。

——半个月前，也许连萧十一郎自己都不知道自己会到水月楼去，怎么会有人泄露了他的行迹？

因为他们的行程，本就是冰冰安排的。

——天宗的叛徒，怎么会全都死在萧十一郎手里？

因为那些人本是冰冰要他杀的。

除了天之子外，本就只有冰冰一个人知道天宗的秘密。

她利用萧十一郎，杀了那些不服从她的人，她利用萧十一郎做幌子，引开别人的注意力，好在暗中进行她的阴谋。

等到萧十一郎已不再有利用价值，她就慢慢地溜走，再要连城璧将他也杀了，斩草除根。

她的计划不但周密，而且有效。

但是她也想不到逍遥侯居然还活着，居然能找到了她。

现在这兄妹两人都已死在对方手里，他们之间的恩怨仇恨，已全都随着他们的生命消逝，所有的秘密也全都有了答案。

仔细想一想，这本就是唯一合理的答案。

这样的结局，也正是唯一的结局，还有谁会认为不满意？

也许只有萧十一郎。

他痴痴地站在他们面前，脸上也带着种谁都无法解释的表情。

他心里在想些什么？

死人的手，还是紧握着的。

难道这兄妹两人在临死前终于已互相了解，了解他们本是同一类的人？

扳开他们的手，才可以看出他们两只手都紧握在一根从石壁里伸出的铁棍上。

萧十一郎扳开了他们的手，铁棍突然弹起，只听“咯”的一响，一面千斤铁闸无声无息地滑下来，隔断了这秘密的出口。

那无疑也是唯一的出口。

这兄妹两人死了之后，还要找个人来陪他们死，为他们殉葬。

他们是不是早已知道这个人一定是萧十一郎？

所有的恩怨都已结束，所有的秘密都已揭破，所有的仇恨、爱情、友谊，都已变成了一片虚空，生命中还有什么值得留恋的？

萧十一郎倚着石壁坐下来，石壁冰冷，火光渐渐暗淡。

他心里就像是一片空白，既没有悲哀愤怒，也没有恐惧。

现在他唯一能做的事，就是等死。

对他说来，死已不再是件可怕的事，更不值得悲哀愤怒。

也不知过了多久，灯终于灭了，天地间就只剩下一片黑暗。

黑暗又怎么样？

连死都算不了什么，何况黑暗？

萧十一郎忽然想笑，大笑，笑完了再哭，哭完了再叫，大叫，但他却只是动也不动地坐在那里。

他觉得很疲倦，疲倦极了。

他爱过人，也被爱过。

无论是爱，还是被爱，他们拥有的爱情都同样真实而伟大。

他忍受过屈辱，也享受过荣耀，无论谁能够像他这么样过一生，都已应该很满足。

只可惜现在还没有到他死的时候。

忽然间，上面传来了一阵呼叫声，一线阳光忽然照了下来，照在他身上。

他可以感觉到阳光的温暖，也可以听见上面有人在大声呼唤："萧十一郎，萧十一郎还活着。"

接着就有人跳下来，抬起了他，他甚至知道其中有个人是连城璧。

但他却连眼睛都没有睁开，一种比黑暗更可怕的压力，已重重地压住了他，就压在他胸口。

他只觉得非常疲倦，疲倦极了……

可是黑暗忽然又离他远去，他忽然又能呼吸到清新芬芳的空气，就像是他少年时在山林里，在原野中呼吸到空气一样。

现在他已不再是少年，这里也不是空旷的原野山林。

附近有很多人正在议论纷纷，他听不清他们在说什么，却可听到每个人说的每句话里，都有萧十一郎的名字。

忽然间，一个人说话的声音压过了所有的人，他也看不见这个人，却听出这个人的声音。

又是连城璧。

他的声音缓慢，清晰而有力："各位现在想必已知道，萧十一郎也是被人陷害了，陷害他的人，就是昔年逍遥侯的嫡亲妹妹哥舒冰，也就是天宗的第二代主人。在下和萧十一郎之间，虽然恩怨纠缠已久，可是现在都已成为过去，往事不堪回首，放下屠刀，立地成佛，我只希望……"

萧十一郎没有再听下去，他只想永远地离开这里，离开所有的人，他已不愿再面对这些了不起的英雄好汉。

他忽然跳起来，走到连城璧面前，道："你救了我，我欠你一条命。”

说完了这句话，他就头也不回地走了。

要活下去虽然并不是件容易事，但他却发誓一定要活下去。

因为他欠人一条命。

萧十一郎从来也不欠别人，无论什么样的债，他都一定要还。

日落西山。

西泠桥下的水更冷了，苏小小墓上的秋草也已枯黄，明月却犹未升起。

水月楼船是不是还留在长堤外？风四娘是不是还在等着他？

一叶轻舟，荡向长堤，萧十一郎就在轻舟上。

不管他是死是活，是留是走，他总不能就这么忘记风四娘。

夜色还未临，水月楼上也有了灯光，仿佛还有人在曼声低唱。

轻舟还未荡过去，船头已有人在叱喝：“萧公子在此宴客，闲杂人等走远些。”

萧十一郎道：“又有个萧公子在这里宴客？是哪个萧公子？”

船头的大汉傲然道：“当然就是侠名满天下的萧十二郎。”

萧十一郎笑了。

他自己也不知道自己怎么会笑出来的，可是他的确在笑，大笑。

笑声惊动了船舱中的人，一个人背负着双手，施施然走了出去，少年英俊，服饰华丽，果然正是萧十二郎。

他看见了萧十一郎，脸上立刻也露出笑容，显得热情而有礼，道：“你果然来了。”

萧十一郎道：“你知道我会来？”

萧十二郎道：“有个人留了封信在这里，要我转交给你。”

萧十一郎道："是什么人留下的信？"

萧十二郎道："是个送信的人。"

这回答很妙，他的表情却很诚恳，恭恭敬敬地交了这封信给萧十一郎。

信封是崭新的，信纸却已很陈旧，仿佛已揉成一团，再展开铺平，整整齐齐地叠起来。

> 我走了。
>
> 我一定压麻了你的手，可是等你醒来时，手就一定不会再麻的。
>
> 他们要找的只是我一个人，你不必去，也不能去。
>
> 你以后就算不能再见到我，也一定很快就会听见我的消息。

萧十一郎的心又沉了下去。

他认得这封信，因为这封信本是他留给风四娘的，他想不到风四娘会将这封信珍藏起来，更想不到她会将这封信交还给他。

可是他明白她的意思，他留下这封信时，岂非也正是准备去死的。

死，就是她唯一要留给他的消息。

"我不能死，我还欠人一条命。"

萧十一郎松开手，信落下，落在湖中，随着水波流走，就像是朵落花。

花已落了，生命中的春天也已逝去，剩下的还有什么？

萧十二郎看着他，忽然道："晚辈本想请萧大侠上来喝杯酒的。"

萧十一郎道："你为什么不请？"

萧十二郎微笑道：“晚辈不敢请，也不配。”他笑得还是那么热情，那么有礼，躬身道，“萧大侠，若是没有别的吩咐，晚辈就告辞了。”

萧十一郎看着他转身走入船舱，又想笑，却已笑不出。

轻舟上的船家忽然拍了拍他的肩，道：“人家既不想请你喝酒，你站在这里也没有用，还是走吧。”

萧十一郎慢慢地点了点头，道：“该走的，总是要走的。”

船家看着他，道：“你是不是真的想喝酒？”

萧十一郎道：“是。”

船家道：“你身上有多少银子？”

萧十一郎的手伸进怀里，又掏出来。

手还是空的。

他忽然发现自己囊空如洗。

船家却笑了，道：“原来你也是个酒鬼，酒鬼本就没有一个不穷的，看来我这趟船又白跑了。”他手里长篙一点，轻舟荡入湖心道，“你若肯等我半个时辰，再做趟生意，我请你喝酒去。”

萧十一郎道：“我等你。”

他在船梢坐下来，痴痴地看着远方，远方烟水朦胧，夜色已渐深。

西湖的夜色还是同样美丽，只可惜今夕已非昨天。

夜市初开，长街上正是最热闹的时候，两旁店铺里都点亮了灯，灯光照着鲜艳的绸缎，发光的瓷器，精巧美味的糕点，也照亮了人们的笑脸。

船家已换了身干净的衣裳，大步在前面走着，显得生气勃勃，兴高采烈。

他身上带的钱也许还不够去买一醉，可是看起来，这世界好像完全都属于他的。

因为他已度过了辛苦的一天，现在已到了他亮相的时候。

他拍着萧十一郎的肩，悄悄道："这条街上的酒都贵得很，我们千万不能进去，可是我每天都要到这里来看看，无论看多久都不要钱的。"

他笑得更愉快，因为他至少可以到这里来随便看看。

只要能看看，他就已很满足。

一个人对生命的看法若能像他这样，那么世上还有什么值得悲伤埋怨的事？

萧十一郎忽然觉得自己实在连这船家都比不上。

他实在没有这么豁达的心胸。

前面有个钱庄，恒生钱庄。

萧十一郎忽然停下脚步，道："你在这里等一等。"

船家道："你呢？"

萧十一郎道："我……我进去看看。"

船家笑道："钱庄里可没什么好看的，包子的肉不在折上，银庄里的钱我们也看不见。"但他却还是跟着萧十一郎走进去，"不管怎么样，能进去看看也不错。"

掌柜的虽然刚入中年，头发却已花白，看着这两人走进来，虽然显得很惊讶，态度却还是很有礼："两位有何见教？"

萧十一郎道："我在这里好像还有个账户。"

掌柜的上上下下看了他两眼，勉强笑道："阁下没有记错？"

萧十一郎道："没有。"

掌柜的道："尊姓？"

萧十一郎道："姓萧，萧十一郎。"

掌柜的展颜道："原来是萧大爷，不错，萧大爷在敝号当然有账户。”

萧十一郎道：“你能不能看看我账上还有多少银子，我想提走。”

掌柜的笑道：“本来敝号是凭票提钱，但是萧大爷却可以例外。”他笑得很奇怪，慢慢地接着道，“因为萧大爷的账，我们刚结过。”

萧十一郎道：“账上还有没有钱存着？”

掌柜的道：“有，当然有。”他小心翼翼地打开后面的钱柜，拿出了一枚铜钱，轻轻地放在桌上，微笑道，“萧大爷账上的剩余，已只有这么多。”

萧十一郎没有动，没有开口，不管怎么样，这枚铜钱至少是崭新的，在灯下看来，亮得就像是金子一样。

掌柜的道：“萧大爷是不是还想看看细账？”

萧十一郎摇摇头。

掌柜的道：“萧大爷若还想把这文钱存在敝号，敝号也一样欢迎。”

萧十一郎忽然回头，问道：“一文钱能买些什么？”

船家眨了眨眼睛，道：“还可以买一大包花生。”

萧十一郎用两根手指，小心翼翼地拈起这枚铜钱，居然也笑了笑，道：“花生正好下酒，这文钱我当然要拿走。”

船家笑道：“一点也不错，一文钱虽不多，总比一文也没有好。”

他们大笑着走出去，掌柜的却在轻轻叹息。

他想不通这个人还有什么值得开心的，因为他知道这个人已在一夜间由富可敌国的富翁，变成了囊空如洗的穷光蛋。

他知道，因为他的确刚查过这个人的账簿。

他从来也没有看见过发财发得这么快的人，也从未见过穷得这么快的。

第三十三章

侠义无双

剑的形式，精致而古雅。

古雅的剑身上，刻着四个古雅的字："侠义无双。"

黄金铸成的剑，当然不是用来杀人的。

那只不过代表人们对连城璧庄主的一份敬意。

这柄剑的价值，当然也不是黄金的本身，而是上面那四个字。

侠义，已经世不多见了，更何况"侠义无双"。

在人们心目中，这四个字，也只有无垢山庄的连庄主足以当之无愧。

夜已深。

锣鼓声和喧哗声渐渐远了。

人也散了。

厅上只剩下连城璧一个人，一盏灯。

他似乎已有些累，又好像对刚才的热闹感到有些厌倦。

他微闭着眼睛，正用手指慢慢地抚摸着剑身上那四个字。

他的手很轻，就像抚摸着情人的胴体。

"侠义无双！"

他笑了。

但笑容里并没有丝毫兴奋或喜悦，而是带着种讥诮和不屑。

夜风透窗，已有寒意。

连城璧抚摸剑身的手指突然停止，脸上的笑容也突然消失。

但他的语气仍很平静，缓缓道：“是谁站在花园里？”

外面应道：“赵伯奇。”

连城璧点点头，道：“进来。”

赵伯奇从花丛阴影里走了出来，脚步很轻，很慢，神情谨慎而恭敬。

他，原来就是把萧十一郎丢在酒馆里的船家赵大。

灯光照在金剑上，光华映满大厅。

赵伯奇自然已看见那柄金剑，但他却低着头，装作没有看见。

连城璧喃喃道：“这是地方父老们的一番厚爱，我本来不敢接受，怎奈盛情难却。”

赵伯奇忙道：“应该的，若非庄主的英名远播，威震四方，百姓们怎能安居乐业？这小小的一点敬意实在是应该的。”

他说这话，就好像他自己就是地方上的父老，这柄剑本就是他奉献给无垢山庄的一样。

连城璧笑了笑，道：“其实，我也只是个很平凡的人，哪当得起‘侠义无双’四个字？”

赵伯奇本想再说几句动听的话，喉咙却像被什么东西堵塞住，一个字也说不出来。

因为他发现连城璧森冷的目光，正在凝视着他。

赵伯奇心里一阵寒，急忙从贴身衣服里取出一个长形的布包，双手捧到连城璧面前。

包里是一柄刀，一柄名闻天下的刀。

割鹿刀。

刀已出鞘。

冷冷的刀锋，照着连城璧冷冷的脸。

冷冷的目光，在刀锋上缓缓移动。

渐渐地，冷脸终于绽开了一丝暖意。

连城璧又笑了。

这一次，他的笑容里不再含有讥诮和不屑，而是充满了得意与满足。

但笑容只在嘴角轻轻一闪，忽又消失。

连城璧的目光由刀锋移到赵伯奇脸上，道："这柄刀怎么到了你的手里？"

赵伯奇道："是我用几壶酒和一包花生换来的。"

连城璧道："哦？"

赵伯奇道："而且是几壶最劣的酒，一包最便宜的花生，庄主一定想不到，名闻天下的宝刀，就只值这点代价。"

连城璧的确有些意外。

赵伯奇得意地道："庄主一定更想不到，萧十一郎要我去典当这柄刀，目的也不过想再换几壶劣酒和一包花生而已。名满天下的萧十一郎，如今已成了不折不扣的酒鬼，以后武林中再也不会有萧十一郎这个名字了。"

连城璧道："这倒的确使人想不到。"

赵伯奇笑道："一个人若是终日只知道喝酒，无论名气有多响亮，总会毁在酒杯里。"

连城璧点点头，道："不错。"

赵伯奇道："所以，他已经不配使用这柄刀了，当今世上唯一配使用这柄刀的人，只有庄主。”

连城璧道：“哦？”

赵伯奇道：“现在就算叫萧十一郎用这柄刀去割草，相信他也割不断了。”

连城璧道：“割鹿刀本就不是用来割草的，它的唯一用处，就是杀人。”

赵伯奇怔了怔，道：“杀人？”

连城璧道：“不错，杀人，尤其是自作聪明的人。”

刀光一闪，已掠过赵伯奇的脖子。

人头应刀落地，赵伯奇脸上的神情仍然未变。

那是怔忡和错愕交织成的神情，他死也不明白，连城璧会突然向他出手。

刀锋一片晶莹，滴血不沾。

连城璧用手轻抚着刀锋，似赞赏，又似爱惜，低声道：“好刀，果然是好刀。”突然抬起头，提高声音道，“来人！”

两名青衣壮汉应声而入。

连城璧已将割鹿刀放回布包中，道：“快马追萧十二郎，要把这柄刀当面送还给萧十一郎，并且告诉他，世上只有萧十一郎，才配用割鹿刀。”

两名壮汉互望了一眼，似乎有些惊讶，却没有问原因，接过布包，退了出去。

直到离开了大厅，其中一个才忍不住轻叹了口气，道：“萧十一郎能交到像我们庄主这种朋友，也算没有白活一生了。”

另一个立刻附议道：“庄主对萧十一郎，的确已是仁至义尽……”

人活在世上，有得意的时候，当然也总有不如意的时候。

所以，人就发明了酒。

酒是人类的朋友，尤其失意的人。

失意的人喝酒，是为了借酒浇愁。

得意的人也喝酒，是为了表示人生得意须尽欢。

于是，卖酒的地方永远不怕没有主顾。

萧十一郎虽然也喝酒，却不是主顾。

因为主顾都是花钱买酒喝，萧十一郎却没有钱。

没有钱，有愿意请客的朋友也行。

萧十一郎也没有请客的朋友。

别说请客的朋友，连不请客的朋友也没有。

既没钱，又没朋友，酒却照喝不误，而且，不喝到烂醉，绝不停止。

他已经不是喜爱酒的滋味，倒好像跟酒有仇，不把天下的酒全喝进肚子里，就觉得心有不甘。

天下的酒岂是喝得完的?

因此，萧十一郎日日都在醉乡中。

附近数十里以内，只要是卖酒的地方，萧十一郎都喝遍了。

每一处地方，他都只能喝一次，结果，不是被揍得鼻青脸肿，就是被人像提野狗似的摔了出来。

他非仅一文不名，而且身无长物，连最后一件破衣服都被酒店伙计剥下来过，幸亏那伙计嫌它又破又脏，皱了皱眉头，又掷还给他。

萧十一郎就穿着那件破衣失踪了。

没有人看见他再在卖酒的地方出现。

在人们心中，他已经是一个小小的泡沫，谁也不会去关心。

只有萧十二郎在关心。

以前，只要卖酒的地方，就能找到萧十一郎，现在连卖酒的地方也找不到他了。

萧十二郎绝不相信他能离开酒，但搜遍大小酒楼酒铺，甚至酿酒的酒房，都没有萧十一郎的人影。

酒鬼离开酒，就像鱼离开水，怎么活下去呢？

萧十二郎简直不敢相信这会是事实。

就在这无所适从的时候，一连咒骂声和喧哗声从“鸿宾酒楼”传了出来。

“鸿宾酒楼”是当地最豪华的酒家，光顾的食客，都是地方上最有钱、最有名堂的仁绅富商，当然不可能这样喧哗，更不可能有咒骂的声音。

酒楼门口围着一大堆看热闹的人，正在议论纷纷。

两个衣履整洁的伙计，架着一个酒气熏天的醉汉由店中出来，然后，你一拳，我一脚，将那醉汉痛殴起来。

边揍边骂道：“他妈的，今天可叫老子们逮住了，你躲在窖子里偷喝酒，却害老子们替你背黑锅，非揍死你这个王八蛋不可。”

有那好心的人劝道：“别打了，瞧他已经醉成这样，也怪可怜的。”

伙计道：“可怜？谁可怜我们？这小子在店里酒窖中躲了两天，整整偷喝了四大缸酒，老板怪我们偷的，要扣工钱。这也罢了，这小子偏偏又在空坛子里加水，害我们又挨客人责骂，险些连饭碗都砸了，是他存心不让我们过日子，不揍他揍谁？”

醉汉两只手紧紧抱着头，任凭打骂，也不开口。

人丛中有人大声道：“好了，萧大侠来了，请萧大侠做主，该打该罚，说句公道话。”

鸿宾楼的伙计，没有不认识萧十二郎的，连忙赔笑道：“萧大侠，您来得正好，就请您老评评理，这小子——”

萧十二郎摆摆手，制止伙计再说下去，用两个指头，轻轻托起醉汉的下巴。

眼睛一亮，他怔住了。

萧十一郎。

萧十一郎抬起头，忽然大笑，道：“兄弟，好兄弟，你来了，我真欢喜，快请我喝一杯去。”

萧十二郎冷冷道：“谁是你的兄弟？”

“我姓萧，你也姓萧，我叫十一郎，你叫十二郎，你不是我的兄弟是什么？”

萧十二郎仍然冷冷地道：“你是你，我是我，用不着拉关系。”

萧十一郎涎着脸，笑嘻嘻道：“就算不是兄弟，我们总算是朋友，对不对？”

萧十二郎道：“我也不是你的朋友。”

萧十一郎道：“好！好！好！不是朋友也不要紧，请我喝两杯酒，这总可以吧？”

萧十二郎摇摇头，道：“我没有请人喝酒的习惯。”

萧十一郎道：“那你借给我钱，我自己去喝，好不好？”

萧十二郎又摇摇头，道：“我也不想借钱给酒鬼。”

萧十一郎道：“只借十文钱，帮帮忙，明天就还你……”

萧十二郎道：“一文也不借，我到这里来，只是要给你另外一件东西。”

“哦？”萧十一郎眼睛突然亮了，道，“什么东西？”

“你自己看吧。”

布包解开，名闻天下的割鹿刀又到了萧十一郎手里。

宝刀无恙，刀光仍然皎洁如秋水。

萧十一郎高高举起割鹿刀，仰天大笑。

他转动着醉眼，向四周缓缓扫过道：“你们看见了吗？这就是世上最珍贵的割鹿刀，一柄价值连城的宝刀，你们听说过没有？”

谁没听过割鹿刀的名字，人们都用惊讶的眼光望着萧十二郎，似乎在怀疑他为什么会把如此名贵的宝刀，交给一个醉鬼？

萧十一郎又把刀锋直逼到两名伙计面前，道：“你们认认清楚，这柄刀能值不少钱吧？”

两名伙计惶恐地看着萧十二郎，连连点头道：“是的！是很值钱的宝刀……”

萧十一郎大笑着将刀掷在地上，道：“既然知道，就替我拿去押在柜上，先换几壶好酒来。”

两名伙计迟疑不敢伸手，萧十一郎又大声道：“拿去呀，你萧大爷的酒虫已经快爬到喉咙来了，还等什么？”

萧十二郎看到这里，向伙计暗暗点了点头，转身走出了人丛。

谁能相信，一代大侠会落到这步田地？

萧十一郎以前也曾毫不考虑就掷下割鹿刀，那是为了要救风四娘的命。

现在，他同样毫不考虑就掷下了割鹿刀，却只不过为了换几壶酒喝。

名满天下的萧十一郎，这一次是真正完了。

彻底地完了。

暴雨。

暴雨初晴。

萧十一郎想从泥泞雨水中站起来，却似已没有站起来的力量和勇气。

他站起来，又倒了下去，倒在一个年轻人的脚下。

一个和萧十二郎同样神气、同样骄傲的年轻人。

一个和他自己当年同样神气、同样骄傲的年轻人。

他看到这年轻人，就好像看到他自己的影子。

可是现在，这影子已经消失了。

这年轻人也正在看着他，脸上带着种很奇怪的表情，右手提着一缸酒，左手握着一把刀。

割鹿刀。

萧十一郎垂下头。

他不敢面对这年轻人，也不敢面对这把刀。

他不敢面对现实，甚至不敢面对过去。

他只想尽量麻醉自己。

现在对他说来，这年轻人手里的一缸酒，价值已远远超过了割鹿刀。

年轻人道："你想喝酒？"

萧十一郎很快就点了点头。

年轻人道："可惜这不是你的酒。"

萧十一郎握紧双手，用手背擦了擦干裂的嘴唇，又想站起来，又倒了下去。

年轻人一直在盯着他，忽然扬起了手里的刀，道："你想不想要这把刀？"

萧十一郎扭着头。

年轻人道："可惜这把刀也已不是你的了。"

萧十一郎忍不住问道："现在这已是你的刀？"

年轻人道："你昨天用这柄刀换取了一醉，我今天用一笑换来了这把刀。"

萧十一郎道："一笑。"

年轻人露出了微笑，一种深沉的，锐利的，无法形容的微笑。

他微笑着道："你知不知道，有人笑的时候，比不笑的时候更可怕？"

萧十一郎当然知道。

年轻人道："我就是笑面十七郎。"

萧十一郎也笑了，道："十七郎？"

十七郎点点头。

萧十一郎道："你姓不姓萧？"

十七郎没有回答这句话，只是盯着萧十一郎的眼睛。

过了很久，才一字字问道："你真的就是萧十一郎？"

萧十一郎无法否认。

十七郎道："你真的就是那力战逍遥侯，火并天公子，以一把刀横扫武林的萧十一郎？"

萧十一郎也无法否认。

十七郎又笑了，道："听说你的刀法天下无双，你能不能让我见识见识？"

萧十一郎道："见识？怎么样见识？"

十七郎道："你还有手，这里还有刀，只要你让我见识见识你的刀法，不但这缸酒是你的，鸿宾酒楼里的酒，你要拿多少，我就给你多少。"

萧十一郎的双手又握紧。

十七郎微笑道："这是个好交易，我知道你一定会答应。"

萧十一郎忽然大声道："不行。"

十七郎道："不行？为什么不行？"

萧十一郎道："我不舞刀。"

十七郎道："为什么不能？手还是你自己的手，刀也还是你自己的刀。"

萧十一郎勉强挣扎着挺起了胸膛，道："我的刀不是舞给别人看的。"

十七郎道："你的刀是杀人的？"

萧十一郎道："是。"

十七郎大笑，就好像他一生中从来也没有听过这么可笑的事。

萧十一郎道："杀人并不可笑。"

十七郎道："你会杀人？"

萧十一郎道："嗯。"

十七郎道："你还能杀人？"

萧十一郎垂下头，看着自己的手。

手上没有血，只有泥泞。

十七郎道："你还有手，这里还有刀，只要你能用你的手抽出这把刀来杀了我，这缸酒也是你的。"

萧十一郎大声道："我绝不会为了一缸酒杀人。"

十七郎道："你会为了什么杀人？"

萧十一郎道："我……"

十七郎忽然飞起一脚，踢起了一片泥泞，踢在萧十一郎脸上，再用鞋底擦萧十一郎的脸。

萧十一郎全身都已僵硬。

十七郎道："你会不会为了这个缘故杀人？"

萧十一郎忽然抬起头，用一双满布血丝的眼睛盯着他。

十七郎微笑道："你不敢？"

萧十一郎终于伸手要拔刀。

刀就在他面前。

可是，他的手却好像永远也无法触及这把刀。

他的手在发抖。

他的手抖得就像是秋风中的落叶。

他的人，岂非也正如落叶般枯黄萎谢？

十七郎又笑了，大笑。

"我知道你并不是不敢杀人，只不过已不能杀人。"他大笑着道，"刀虽然还是昔日的割鹿刀，萧十一郎却已不是昔日的萧十一郎了。"

酒楼上忽然有人在问："萧十一郎现在是什么？"

十七郎用刀柄拍碎了酒坛上的封泥，将坛中的酒倒出来，倒在萧十一郎的脸上。

这本是谁也无法忍受的屈辱，死也无法忍受的屈辱。

无论谁碰到这种事，都一定会忍不住挺胸而起，挥拳，拔刀，拼命。

萧十一郎却做了一件任何人都想不到的事情。

他张开了他的口。

他张开了他的口，并不是为了要呐喊，也并不是为了要怒吼。

他张开了他的口，只不过是为了要去接流在他脸上的酒。

已有人开始忍不住大笑。

十七郎也在笑，大笑道："你们自己看看他现在像什么？"

这句话刚说完，忽然有一只手伸过来，托住了他的肘。

他的人忽然像腾云驾雾般被托了起来，飞了出去。

他手上的刀，已经在这只手里。

这是谁的手？

是谁的手能有这么神奇的力量？

连城璧。

侠义无双的连城璧。

第三十四章

真相大白

萧十一郎抬起头，就看见了连城璧的脸。

连城璧的脸上既没有讪笑，也没有怜悯，只有一种温柔而伟大的了解与同情。

他用另一只手扶起了萧十一郎，道："走，我们喝酒去。"

酒是什么滋味？

只怕萧十一郎自己也分不出酒是什么滋味，他喝得太快，也喝得太多。

连城璧在看着他喝，看了很久，忽然道："你的酒量好像又精进多了。"

萧十一郎举杯，饮尽。

连城璧道："你一天要喝多少酒？"

萧十一郎道："愈多愈好。"

连城璧道："三坛够不够？"

萧十一郎道："马马虎虎。"

连城璧道："我们以前并不能算是朋友，可是以前的事都已过去了，现在……"他长长地叹了口气，道，"现在我本该多陪你两天，却非走不可，我只能留下一百坛酒给你，让你尽一月之欢，一月之后，我再来看你。"

萧十一郎立刻又举杯，饮尽，忽然流下泪来，流在空了的酒杯里。

有谁看过萧十一郎流泪?

没有人。

有谁能相信萧十一郎会为了区区一百坛酒而流泪?

没有人。

萧十一郎一向宁可流血，也不肯流泪。

可是现在，他眼泪真的流了下来。

连城璧看着泪珠流过他泥泞没有完全洗净的脸，又长长叹了口气，道："你……"

萧十一郎忽然打断了他的话，道："我们以前也许并不是朋友，但现在却已是朋友。"

连城璧看着他，过了很久，才一字字问道："我们现在真的已经是朋友？"

萧十一郎在点头。

连城璧道："你流泪，是不是因为感激我？"

萧十一郎不能否认。

连城璧忽然笑了，笑得很奇怪。

他带着笑，把割鹿刀送到萧十一郎面前，道："这是你的刀，现在还是你的。"

萧十一郎垂下头，凝视着古雅而陈旧的刀鞘，过了很久，才喃喃道："刀还是同样的刀，可是我呢？我已变成了什么东西？"

连城璧凝视着他，过了很久，忽然道："你知不知道你怎么会变成这样子？"

萧十一郎点点头，又摇摇头。

连城璧道："你不知道，一定不知道，因为……"

萧十一郎道："因为什么？"

连城璧道："因为真正知道这秘密的，天下只有一个人。"

萧十一郎道："谁？"

连城璧道："一个你永远想不到的人。"

萧十一郎又问了一次："谁？"

连城璧道："我。"

这个字说出口，他的眼睛忽然变得锐如刀锋，他的手距离萧十一郎的脉门已不及五寸。

他已准备好来应付各种变化。

谁知萧十一郎居然完全没有反应。

连城璧道："你变成这样子，完全都是我害你。"

萧十一郎还是完全没有反应。

他的人似已完全麻木。

连城璧看着他，瞳孔一直在收缩，缓缓道："你知道不知道谁才是真正的天宗主人？"

萧十一郎眼睛里空空洞洞的，茫然道："你……"

连城璧道："不错，就是我，所有的一切计划，都是我一个人想出来的。"

这句话本来应该像一根针，可是无论多么尖锐的针，刺在萧十一郎的身上，萧十一郎也完全不会有任何反应。

这世上好像已不再有任何事能够害他，这是不是因为他已经完全没有人的真感情？

连城璧道："那一天你们决战的时候，我也到了杀人崖，逍遥侯坠崖的时候，我是亲眼看见的，你带着冰冰走了，我就想法子下崖去看看他。"

萧十一郎忍不住问道："去看他？为什么？"

连城璧道："因为我知道他绝不会就这么样轻易死在下面的，这世上假如真有一个人能有两条命，这一个人一定就是他。"

萧十一郎道："你下去的时候，他真的还没有死？"

连城璧道："没有。"

萧十一郎道："你想救他？"

连城璧笑了笑，道："我想救的，并不是他的人，而是他的秘密。"

萧十一郎道："秘密？"

连城璧道："每个人都有秘密，像他这种人的秘密，对别人来说已不只是一种宝藏。"

萧十一郎道："他的秘密，也就是天宗的秘密。"

连城璧道："不错。"

萧十一郎道："他将这秘密告诉了你？"

连城璧道："是的。"

萧十一郎道："他既然还没有死，为什么会把这秘密告诉你？"

连城璧道："因为他不能不说。"

萧十一郎道："为什么？"

连城璧叹了口气，道："你实在变了，变得太迟钝，这句话你本来不该问的。"

萧十一郎还是不懂。

连城璧道："因为你本该想得到，他若不说，就只有死。"

萧十一郎道："他说出来之后呢？"

连城璧又叹了口气，道："这句话你也不该问的，他说出来之后，死得当然更快。"

萧十一郎笑了，笑得就像是个呆子。

连城璧道："我知道他的秘密后，就立刻又将天宗重新组织起来，只可惜天宗里还有些人不肯接受我的命令，所以我就故意让那些人在你和冰冰面前出现，我知道冰冰一定会让你杀了他们的。”他笑了笑，接着道，“这本就是借刀杀人，一石二鸟之计。”

萧十一郎在听着。

连城璧道：“我本来也有很多机会杀你的，你自己也应该知道。”

萧十一郎承认。

连城璧道：“你知不知道我为什么一直都没有下手？”

萧十一郎摇头。

连城璧道：“因为我要让你活着比死更痛苦，我要彻底毁了你，我要让每个人都对你完全绝望，我要让每个人都认为你是个无可救药的畜生。”

说到这里，他苍白的脸，已因激动而扭曲，眼睛里也已露出了悲愤痛苦之色。

因为他又想起了沈璧君。

他要夺回的，不仅是沈璧君的人，还要夺回沈璧君的心。

他一定会让沈璧君也同样对萧十一郎感到绝望。

为了达到目的，他已不惜牺牲一切。

他爱沈璧君，爱得太深，所以他恨萧十一郎，也恨得同样深。

只有因爱而生出的仇恨，才是最强烈，最可怕的。

萧十一郎又开始在喝酒。

这么多的酒，本来已足够让他完全麻木，可是现在，他眼睛里还是露出了痛苦之色。

不但有痛苦，而且还有恐惧。

他恐惧的，也许并不是连城璧这个人，而是这种仇恨。

连城璧道：“我用尽了一切方法，先让你的声名、财富、地位，都达到巅峰，然后再让你掉下来，利用你做工具，替我除去了那些叛徒，这两点你现在一定已经想通了。”

萧十一郎道：“我……”

连城璧道：“我本来还想要你到八仙船去，替我杀了最后那几个叛徒，只有那一次的计划，我没有完全成功。”他笑了笑，接着道，“可是到了那时候，世上已没有任何人、任何事能阻挡我，你就算不去，我也一样可以自己动手。”

萧十一郎道：“所以你故意让我错过了，因为你觉得你自己动手更方便。”

连城璧道：“我的确喜欢自己动手，无论什么事都是一样。”

萧十一郎道：“那瞎子也是你扮成的？”

连城璧道：“我要让你有一种错觉，认为那瞎子就是逍遥侯，认为逍遥侯还没有死。”

萧十一郎道：“为什么？”

连城璧道：“因为我要把这所有的责任，都推到冰冰身上。”

萧十一郎垂下头，黯然道：“冰冰……冰冰……她真是个可怕的女孩子。”

连城璧道：“这一切计划大功告成之后，冰冰和逍遥侯就可以真的死了，这世上也就不会再有人知道我的秘密，更不会有人怀疑到我就是天宗的主人，所以我还是跟以前一样，是白璧无瑕、侠义无双的连城璧。”

萧十一郎已经醉了，已经醉得快要倒下去。

可是他却还有一句话要问，非问不可。

他用尽全身所有的力量，支持住自己，大声道：“你为什么要把这些事告诉我？”

连城璧道：“因为我要让你痛苦，我要让你自己也觉得自己是个无可救药的呆子。”

他脸上又露出那种温柔文雅的微笑。

他微笑着站起来，扳了扳萧十一郎的肩，道：“现在我要走了，那一百坛酒，我还留给你，可是你最好记住，那也许是你一生之中最后的欢乐，喝完了这一百坛酒之后，你怎么还能活得下去？”

他没有再等萧十一郎回答，就走出了门，他走出门的时候，萧十一郎已倒了下去。

无垢山庄巍峨如故，耸立在群山中，也耸立在世人心中。

连城壁迈着轻快的步子穿过花园，整个人都似有轻飘飘的感觉。

他从来没有像现在这样愉快过，不仅是为了多年夙愿一朝得偿，更主要的是，他没有用一分武力，不必凭借武功剑术，就已将名满天下的萧十一郎彻底击败，而且败得那样惨，那样可笑。

至少，他证明了一件事，拥有绝世武功并不一定就是强者，而高超的智慧，精密的算计，才是争雄武林的真正本钱。

不是吗？萧十一郎何等英雄，现在却变成了一条狗。

一条连窝都没有的野狗，癞皮狗。

连城壁真想大笑，这胜利的果实虽然得来不易，但他毕竟还是得到了。

他默默进行着这个伟大的计划，默默忍受着各种心灵肉体上最惨重的打击——包括失去全部财产和最心爱的妻子，如今，一切又回到自己手中。

除了沈璧君。

他相信沈璧君业已投水而死，否则，她一定会重回自己怀抱。

死了沈璧君，却毁了萧十一郎，得失之间，仍然还是划算的。

天涯何处无芳草，世上尽多比沈璧君更好的女人，却绝不可能再有第二个萧十一郎。

大厅上寂静，灯火通明。

那柄黄金铸成的剑，仍在灯下闪闪发光。

连城璧的眼中也闪亮着异彩。

从今后，无垢山庄将永远成为人们心目中“仁义”的象征，连城璧三个字，也将永远流传不朽，成为侠中之侠，英雄中的英雄。

谁也不会知道连城璧才是真正的天宗第二代，这秘密势将随萧十一郎同化乌有，永远没有被揭穿的时候。

无垢山庄始终是白璧无瑕的，必然千秋万世受后人的尊敬和景仰。

连城璧得意地笑了。

这一刹那，他才真正确定自己是获胜者，多年来的忍耐和屈辱，终于得到了补偿。

他突然有一种如释重负的快感，不由自主，又抚摸着那柄金剑。

剑是冷的，他的心却热得可以煮熟一头牛。

灼热的手指触摸着剑身，给他一种清凉的感觉。

他现在太兴奋，他需要清凉使自己的情绪稍微平静一些……

突然，他怔住了。

剑身上本来刻着四个字颂词“侠义无双”。

现在，仍然是那四个相同的字。

只是字的顺序有一部分颠倒，变成了“侠义双无”。

颂词下款，本来由当地父老联合署名。

现在，仍然有敬献的名字。

只是名字改变了，换成了“大盗萧十一郎敬献”。

金剑还是原来那柄金剑，除了字迹改变，其他没有丝毫异状。

这表示剑上原有的字，是被人用与“大力金刚手”类似的武功抹去，然后重新刻上现在的字句。

除了萧十一郎，谁会做这种事？

除了萧十一郎，谁有这份功力？

可是，萧十一郎不是已经彻底毁了吗？

难道这一切都只不过是个圈套？

连城璧突然觉得一颗心直往下沉，仿佛由春阳中一下跌进了冰窟里。

一股莫可名状的寒意，忽然从四周围拥过来。

人和心全冷了，冷得可以冻死十头牛。

金剑落在地上，发出刺耳的声音。

连城璧深深吸了一口气，再缓缓吐出，忽然大声呼唤：“来人！”

人来了，立刻就来了。

连城璧的脸色已恢复平静，一字字道：“燃熏香、备兰汤、设盛宴、传鼓乐！”

熏香、兰汤、盛宴、鼓乐，是不是真的能使人平静？

一个人要付出多大的代价，才能使自己的情绪平静？

连城璧把自己全身都浸在温暖的浴水里，但他还是觉得全身冰冷。

他从未真的被人击倒过，他绝不是个轻易就被击倒的人。

可是，现在他心里就有了这种感觉。

他一生中最大的愿望，就是彻底毁了萧十一郎。

他要看着萧十一郎的生命和灵魂，全都毁在他自己的手里。

可是现在，他忽然发现，他唯一真正毁灭了的，只不过是他自己的愿望而已。

他忽然发现自己很可笑。

他想笑，纵情大笑。

他真的笑了，大笑着站起来，赤裸裸地站起来，走出大厅。

大厅里，彩烛高烧，乐声悠扬。

他赤裸裸地，走向一对对回旋曼舞的歌伎。

他一定要尽量放松自己。

因为他知道，这最后一刻已经到了。

不是萧十一郎倒下去，就是他倒下去，这中间绝无选择的余地。

鸿宾酒楼。

鸿宾酒楼里也同样有彩烛，有歌乐，有歌伎。

萧十一郎仿佛也同样在尽量放松自己。

桌上有杯，杯中有酒。

萧十一郎的心里却已没有酒。

他看着连城璧走进来，连城璧也正在看着他，两个人眼睛都同样清醒冷静。

在这一瞬间，两个人心里都有一种很奇异的感觉，好像正在看着另一个自己。

在他们的眼睛里，在他们的灵魂深处，在他们生命中某一个最秘密的地方，他们是不是有很多相同之处?

为什么他们会爱上同一个女人?

为什么会同样爱得那么深?

没有言语。

没有声音。

两个人就这样互相凝视着。

也许直到现在，连城璧才真正看清萧十一郎。

萧十一郎绝不是一个会被酒毁了的人。

酒只不过是他的工具。

桌上有杯，杯中有酒。

连城璧忽然举杯一饮而尽，道："好酒。"

萧十一郎道："是好酒。"

连城璧道："酒，替你做了很多事。"

萧十一郎道："是。"

连城璧道："所以你知道我一定会来的。"

萧十一郎道："是。"

连城璧道："我当然也知道你一定会在这里等我。"

萧十一郎道："是。"

连城璧道："也许我们都知道，这一天迟早会来。"

萧十一郎道："是。"

连城璧笑了。

萧十一郎也笑了。

连城璧道："请。"

萧十一郎道："请。"

他们微笑着走出去。

夕阳仍然艳丽，风却已经很冷了。

冷得就好像他们的微笑一样。

落叶萧萧。

萧萧的落叶正飘落在长街上。

长街寂寥。

夕阳照着峡谷。

遍山残叶，红艳似火。

连城璧的目光像火一般凝视着萧十一郎。

凝视着那柄闻名天下的刀。

世上绝没有任何一把刀的锋利，能比得上割鹿刀。

世上也绝没有任何一个人的手，能使得出萧十一郎那么可怕的刀法。

这是武林中人尽皆知的事。

连城璧自然也清楚得很。

而现在，那把锋利的刀，正紧紧握在萧十一郎的手里。

无论什么人，面对着这样的对手，都不免会产生出畏惧的感觉，但连城璧却绝对不会。

只因为他心中充满了自信。

多年前他就已有了这种自信，他相信世间再没有人能胜过他的剑法。

萧十一郎是人，当然也不例外。

所以他很镇定。

他凝视萧十一郎，只不过想增加萧十一郎心里的压力。

他凝视着萧十一郎，只不过想欣赏萧十一郎死前的表情。

夕阳最后一线余晖照在割鹿刀上，刀光闪亮了萧十一郎的眼。

连城璧发现萧十一郎的眼里出现了一种神奇的，无法形容的，一种天上地下绝无仅有的光辉。

就在这时，连城璧的信心，忽然像暴露在阳光下的春雪一样，融化，消失。

他忽然有了一种神奇的，无法形容的，天上地下绝无仅有的恐惧。

他这种恐惧的强烈，就好像刀光一样。

也就在这同一刹那间，萧十一郎做了一件任何人永远梦想不到的事。

萧十一郎放下了他的刀。

放下了他的割鹿刀。

放下了他那柄神奇的，无法形容的，天上地下绝无仅有的割鹿刀。

就放在连城璧面前。

就放在连城璧伸手就可拿到的地方。

然后，夕阳忽然不见了，刀光忽然不见了，萧十一郎也忽然不见了。

因为在连城璧眼睛里已经没有了萧十一郎，也没有了恐惧。

但是，他也没有了自信。

信心，虽然是克敌制胜最大的因素，可是对一个胜利者而言，信心已经不重要了。

因为他已经获得了胜利。

胜利的滋味是什么呢？

是满足，是刺激，是欢愉，也是空虚。

一种唯有胜利者才能体会到、了解到的空虚。

一种“高处不胜寒”的空虚。

就在这锐如刀锋，尖如刀尖，快如刀光的一刹那里，连城璧忽然有了这种空虚。

这种比恐惧更可怕千万倍的空虚。

他只看见了割鹿刀。

他只看见了放在地上的，他伸手就可以拿到的割鹿刀。

他没有看见萧十一郎。

他也没有想到真正可怕的并不是这把刀。

真正可怕的是萧十一郎。

一个神奇的，无法形容的，天上地下绝无仅有的萧十一郎。

夜。

夕阳真的不见了。

萧十一郎也真的不见了。

等到连城璧要找萧十一郎的时候，萧十一郎已经消失在黑暗中。

他的人忽然间好像已经和这个可以包容万事万物的黑暗融为一体。

任何人都知道黑暗是最可怕的。

没有任何事比黑暗更可怕。

因为黑暗代表了人类历史生活中某些不可知的恐惧。

现在，萧十一郎的本身就已经是黑暗。

黑暗。

黑暗。

连城璧眼前只有黑暗。

他一生中最黑暗的时候，就是这一刹那。

然后，他听见一种奇怪的声音。

他听见一种神奇的，无法形容的，只有他自己听见才会觉得恶心的声音。

他听见了他自己骨头碎裂的声音。

月。

今夕有月。

星。

今夕有星。

今夕是何夕？

星光月光都洒在连城璧的脸上，连城璧的脸苍白如今夕的月，今夕的星。

连城璧的脸色苍白如萧十一郎的眼睛。

没有人能形容，也没有人能知道萧十一郎此刻眼中的表情是满足，是刺激，是欢愉，还是空虚。

有谁能知道这种空虚是什么意义？

有谁能知道这种空虚是多么空虚？

有谁能知道萧十一郎现在的心情？

没有人知道萧十一郎现在的心情。

没有人知道萧十一郎现在所想到的是什么事。

他想到的是白云，是泪水，是白云下的山坡，是流水的河滩；是山坡上的蜜语，是河滩上的柔情。可是每个人都应该想得到这是谁的柔情，是谁的蜜语，是一种什么样的痛苦和心酸，为什么这种蜜语柔情中要有这么多的痛苦和心酸？

为什么这代价永远无法偿还？他手里已没有他的割鹿刀。

真正能杀人的，并不是他的割鹿刀，而是一柄看不见的刀。现在，他又放下了这把刀。

月光仍在地上。

星光仍在地上。

割鹿刀也仍在地上。

可是萧十一郎已经不在了。

萧十一郎走的时候，并没有带走连城璧的生命，却带走了他一生中所希冀的一切——希望、骄傲、光荣。

他走的时候，只说了一句话："你不能死，因为我还是欠你的。"

你不能死。

我不能死。

风四娘不能死。

沈璧君不能死。

可是千千万万年以来，这世上有千千万万的人，有谁能真的不死呢？

有谁能？

《火并萧十一郎》完

读客文化将出版以下古龙经典作品

《小李飞刀1：多情剑客无情剑》

《小李飞刀2：边城浪子》

《小李飞刀3：九月鹰飞》

《小李飞刀4：天涯·明月·刀》

《陆小凤传奇1：金鹏王朝》

《陆小凤传奇2：绣花大盗》

《陆小凤传奇3：决战前后》

《陆小凤传奇4：银钩赌坊》

《陆小凤传奇5：幽灵山庄》

《陆小凤传奇6：凤舞九天》

《陆小凤传奇7：剑神一笑》

《楚留香新传1：借尸还魂》

《楚留香新传2：蝙蝠传奇》

《楚留香新传3：桃花传奇》

《楚留香新传4：新月传奇·午夜兰花》

《七种武器1：长生剑·孔雀翎》

《七种武器2：碧玉刀·多情环》

《七种武器3：离别钩·霸王枪》

《七种武器4：愤怒的小马·七杀手》

《萧十一郎》

《火并萧十一郎》

《绝代双骄》

《欢乐英雄》

《三少爷的剑》

《流星·蝴蝶·剑》

《武林外史》

《白玉老虎》

《圆月弯刀》

《大人物》

《绝不低头》

《碧血洗银枪》

《彩环曲》

《苍穹神剑》

《大地飞鹰》

《风铃中的刀声》

《护花铃》

《剑毒梅香》

《剑客行》

《猎鹰·赌局》

《名剑风流》

《飘香剑雨》

《七星龙王》

《失魂引》

《血鹦鹉》

《英雄无泪》

《游侠录》

《月异星邪》

读客

激发个人成长

多年以来，千千万万有经验的读者，都会定期查看熊猫君家的最新书目，挑选满足自己成长需求的新书。

读客图书以“激发个人成长”为使命，在以下三个方面为您精选优质图书：

1．精神成长

熊猫君家精彩绝伦的小说文库和人文类图书，帮助你成为永远充满梦想、勇气和爱的人！

2．知识结构成长

熊猫君家的历史类、社科类图书，帮助你了解从宇宙诞生、文明演变直至今日世界之形成的方方面面。

3．工作技能成长

熊猫君家的经管类、家教类图书，指引你更好地工作、更有效率地生活，减少人生中的烦恼。

每一本读客图书都轻松好读，精彩绝伦，充满无穷阅读乐趣！